ANN RULE

PROFILE
profile

BUNDY

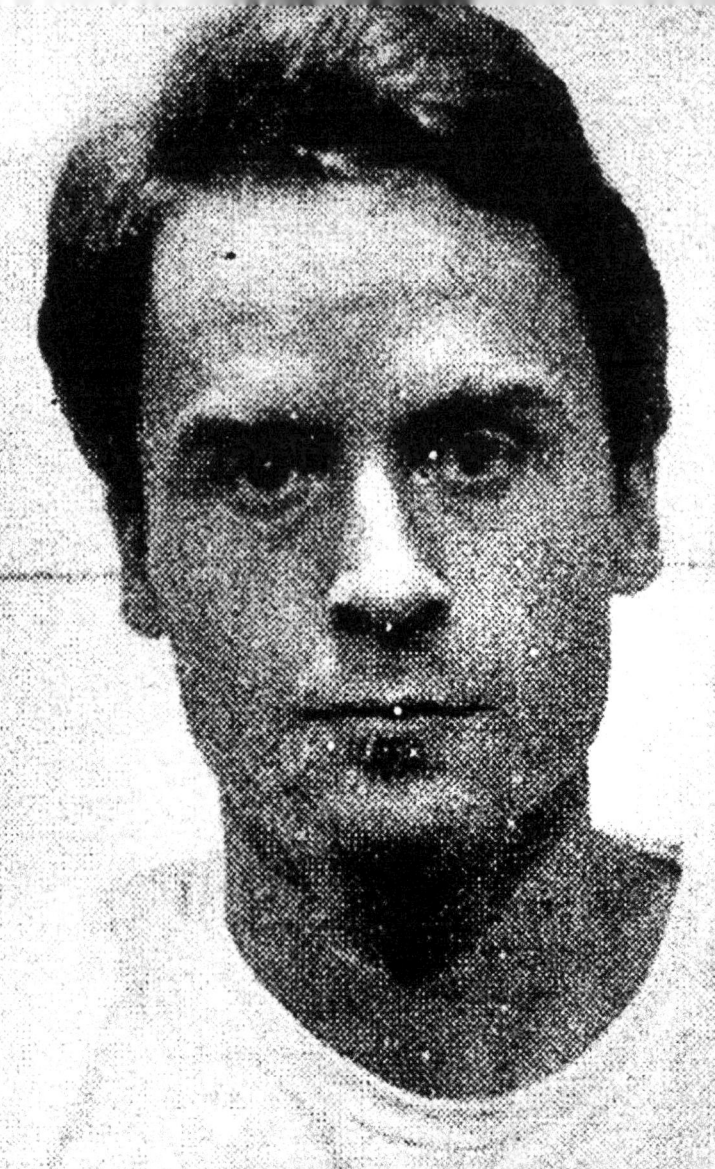

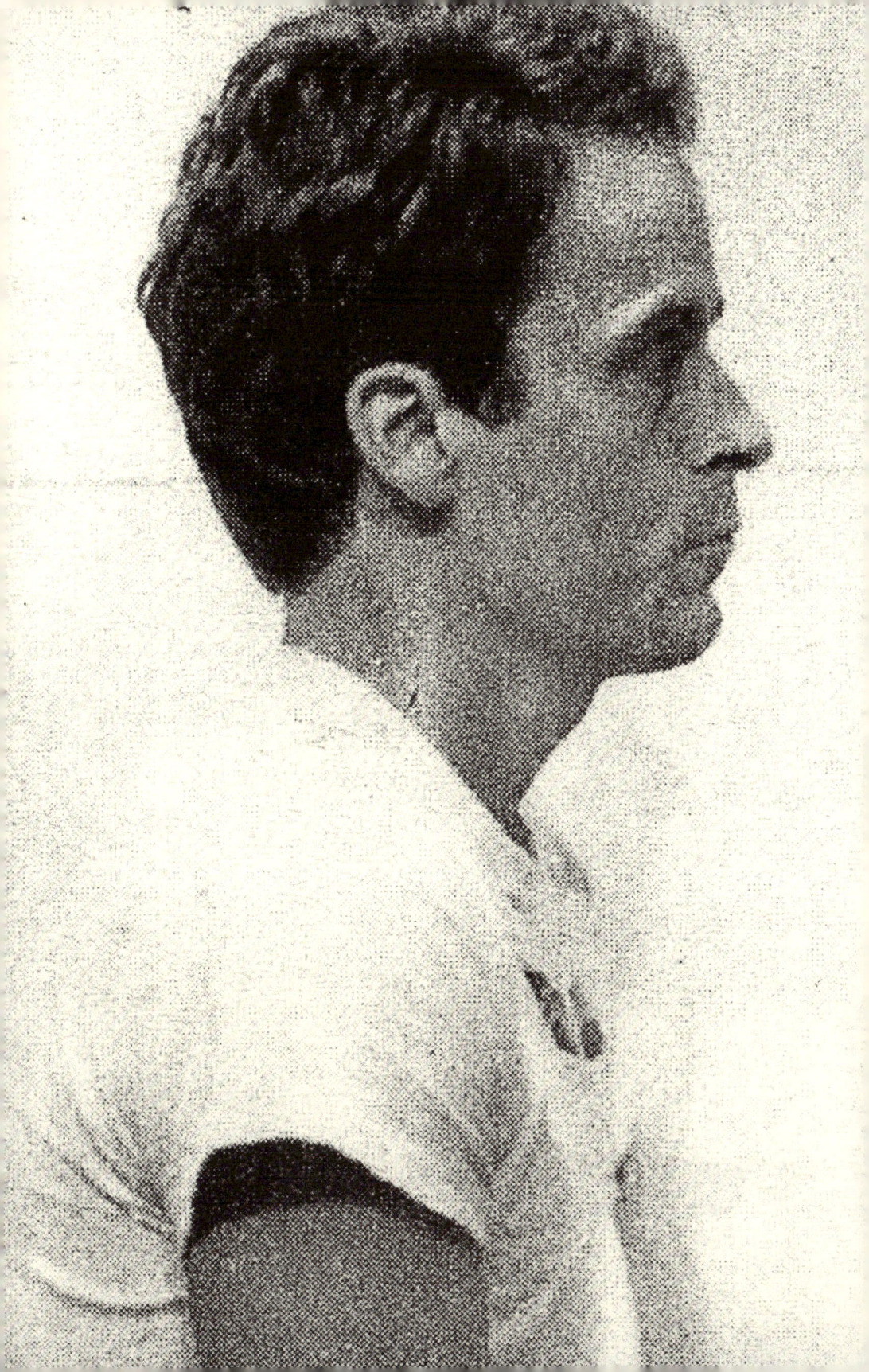

CRIME SCENE®
DARKSIDE

Copyright © 1980, 1989 by Ann Rule
Afterword copyright © 1986 by Ann Rule
20th Anniversary afterword copyright © 2000 by Ann Rule
The Final Chapter? copyright © 2009 by Ann Rule

ANN RULE® is a registered trademark of the Estate of Ann Rule

Tradução para a língua portuguesa
© Eduardo Alves, 2019

Diretor Editorial
Christiano Menezes

Diretor Comercial
Chico de Assis

Gerente de Novos Negócios
Frederico Nicolay

Gerente de Marketing Digital
Mike Ribera

Editores
Bruno Dorigatti
Raquel Moritz

Editores Assistentes
Lielson Zeni
Nilsen Silva

Capa e Projeto Gráfico
Retina 78

Designers Assistentes
Aline Martins/Sem Serifa
Arthur Moraes

Revisão
Marlon Magno
Maximo Ribera
Retina Conteúdo

Impressão e acabamento
Ipsis Gráfica

DADOS INTERNACIONAIS DE CATALOGAÇÃO NA PUBLICAÇÃO (CIP)
Angélica Ilacqua CRB-8/7057

Rule, Ann
  Ted Bundy: um estranho ao meu lado / Ann Rule ; tradução de Eduardo Alves. — Rio de Janeiro: DarkSide Books, 2019.
  592 p.

  ISBN: 978-85-9454-154-3
  Título original: The Stranger Beside Me

  1. Homicidas em série – Biografia 2. Bundy, Ted – Biografia 3. Psicopatas – Biografia 4. Entrevistas I. Título II. Alves, Eduardo

19-0164   CDD 364.1523092

Índices para catálogo sistemático:
  1. Homicidas em série: Biografia

[2019]
Todos os direitos desta edição reservados à
DarkSide® *Entretenimento LTDA.*
www.darksidebooks.com

PROFILE
profile

TED BUNDY
ANN RULE

Um Estranho ao Meu Lado

TRADUÇÃO
EDUARDO ALVES

DARKSIDE

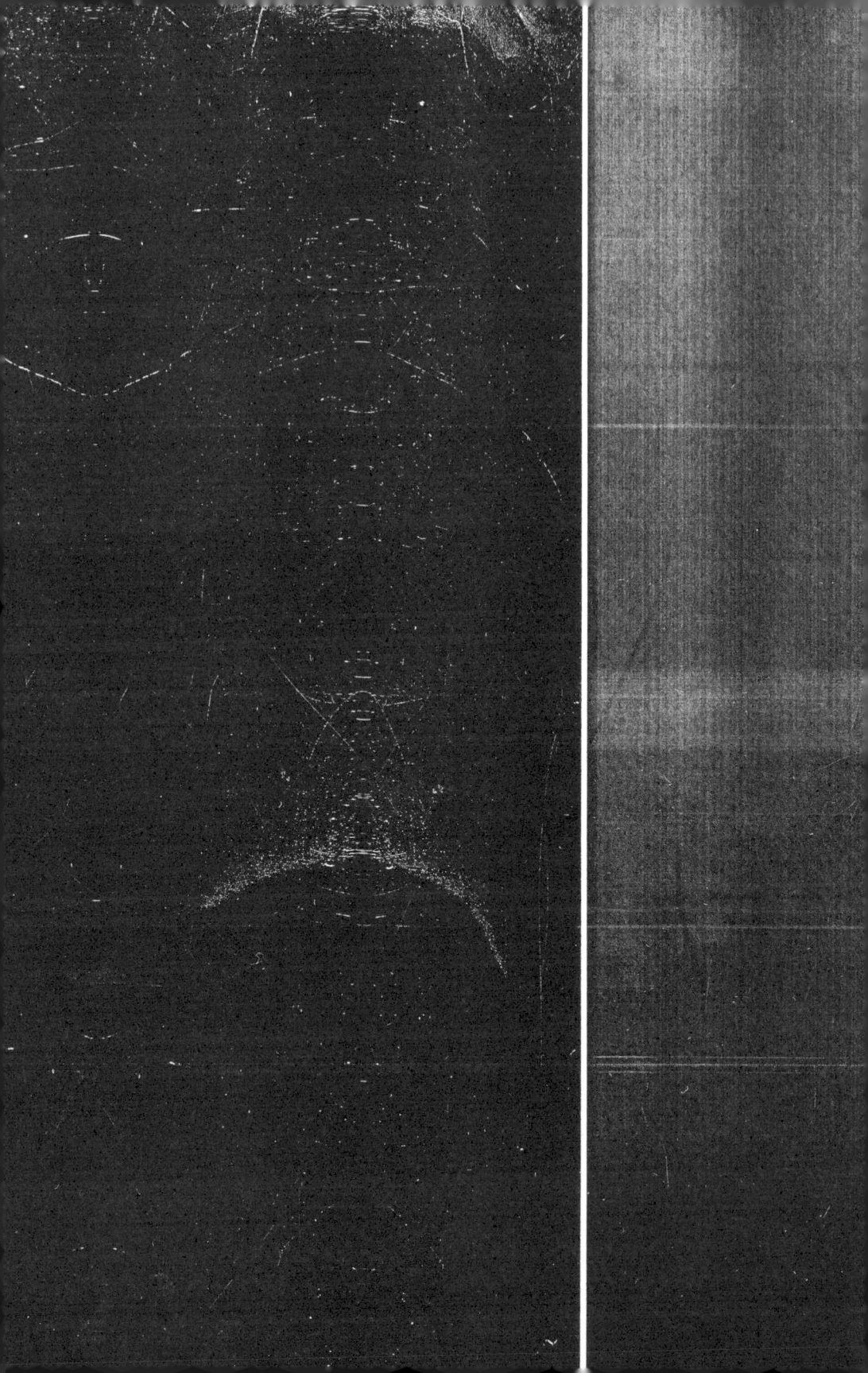

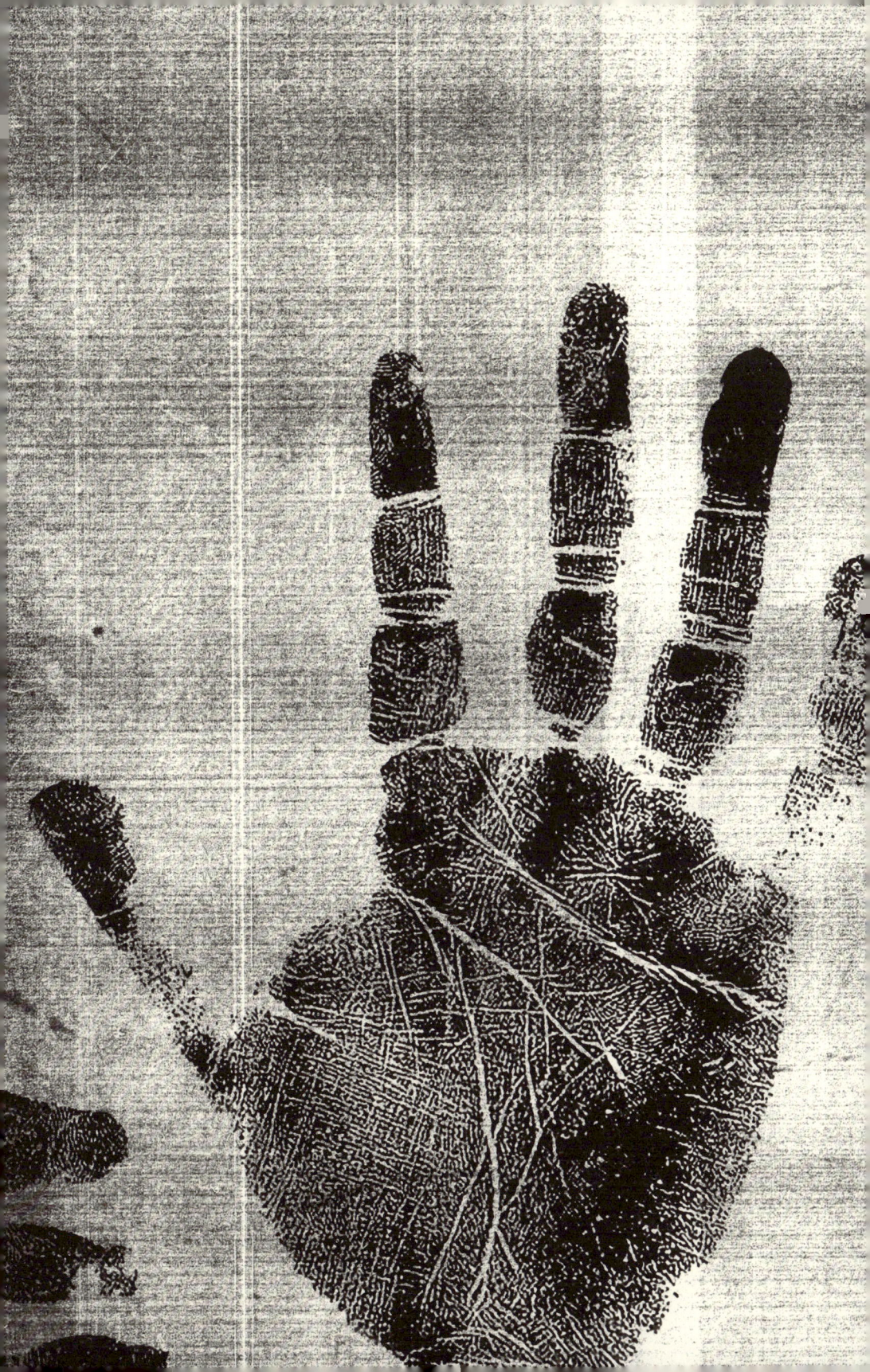

PROFILE
profile

TED BUNDY

ANN RULE

Um Estranho ao Meu Lado

WANTED

Entered NCIC
I.O. 4775
1-31-78

Photographs taken

Federal warrant was issued on January 5, 1978, at Denver, Colo

IF YOU HAVE INFORMATION CONCERNING THIS PERSON, PLE
TELEPHONE NUMBERS AND ADDRESSES OF ALL FBI OFFICES I

Identification Order 4775
January 31, 1978

57 MAR 2 1978

Sumário

DESCRIPTION
AGE: 31, born November 24, 1946, Burlington, Vermont (not supported by birth records)
HEIGHT: 5'11" to 6'
WEIGHT: 145 to 175 pounds
HAIR: dark brown, collar length
BUILD: slender, athletic
EYES: blue
COMPLEXION: pale/sallow
RACE: white
NATIONALITY: American
OCCUPATIONS: bellboy, busboy, cook's helper, dishwasher, janitor, law school student, office worker, political campaign worker, psychiatric social worker, salesman, security guard
SCARS AND MARKS: mole on neck, scar on scalp
REMARKS: occasionally stammers when upset; has worn glasses; false mustache and beard as disguise in past; left-handed; can imitate British accent; reportedly physical fitness and health enthusiast.
SOCIAL SECURITY NUMBER USED: 533-44-4155

CRIMINAL RECORD
Bundy has been convicted of aggravated kidnaping.

CAUTION
BUNDY, A COLLEGE EDUCATED PHYSICAL FITNESS ENTHUSIAST WITH A PRIOR HISTORY OF ESCAPE, IS BEING SOUGHT AS A PRISON ESCAPEE AFTER BEING CONVICTED OF KIDNAPING AND WHILE AWAITING TRIAL INVOLVING BRUTAL SEX SLAYING OF WOMAN AT SKI RESORT. HE SHOULD BE CONSIDERED ARMED, DANGEROUS AND AN ESCAPE RISK.

g Bundy with unlawful interstate flight to avoid prosecution for the crime of murder (Title 18, U. S. Code, Section

ACT YOUR LOCAL FBI OFFICE.
BACK.

016. INTRODUÇÃO _____ O CAPÍTULO FINAL?, 2008

040. PREFÁCIO _____ UM VÍNCULO CURIOSO, 1980

044. UM ESTRANHO AO MEU LADO

476. EPÍLOGO _____ A TERCEIRA PENA DE MORTE, 1980

484. POSFÁCIO _____ SEIS ANOS DEPOIS, 1986.

514. APÊNDICE _____ O ÚLTIMO CAPÍTULO, 1989

576. ATUALIZAÇÃO _____ VINTE ANOS DEPOIS, 2000

ALIASES: Rex Bundy, Ted Bundy, Ted Cowell, Theodore Robert Cowell, Theodore

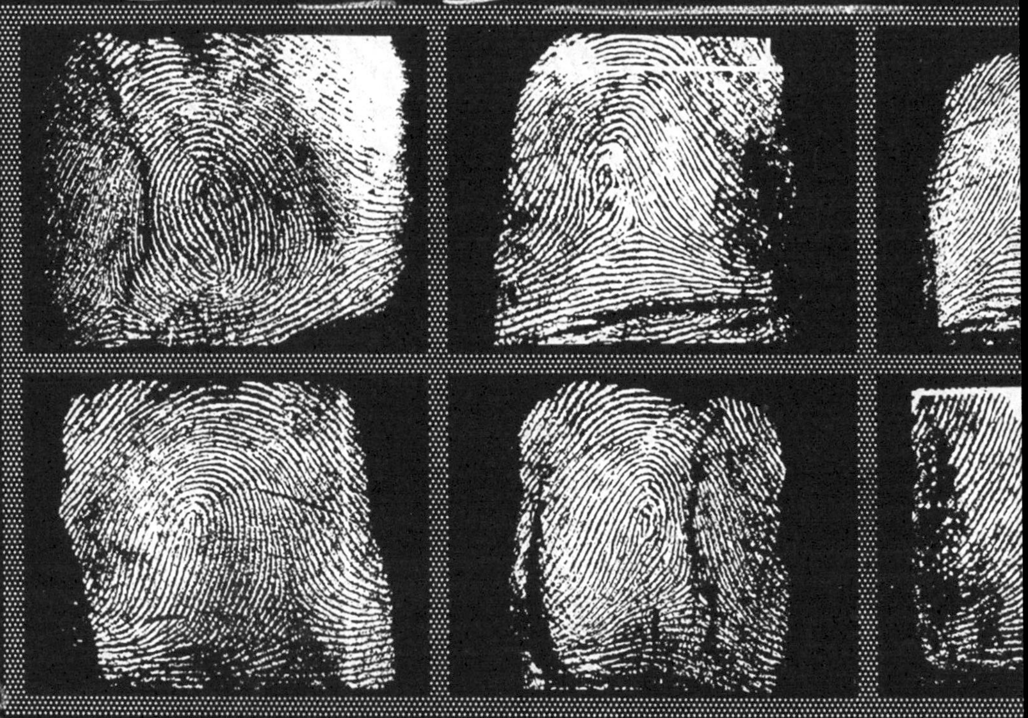

Photographs taken 1977

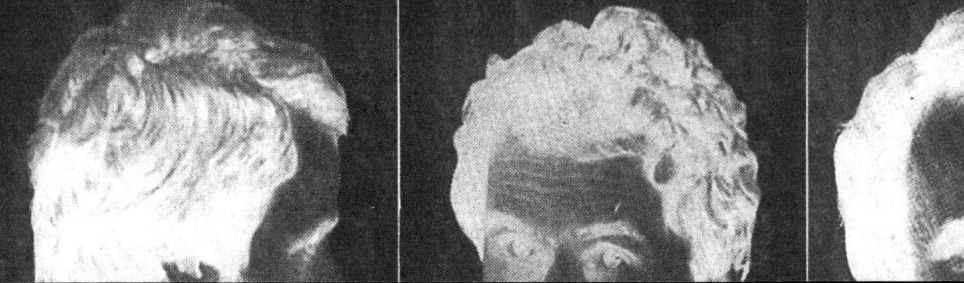

Nelson, Bundy NCIC: PI540813111912051113

| 4 I | 1 R | III | 11 |
| L 17 | U | O I I | |

Theodore Bundy

DESCRIPTION

AGE: 31, born November 24, 1946, Burlington, Vermont (not supported by birth records)
HEIGHT: 5'11" to 6' EYES: blue
WEIGHT: 145 to 175 pounds COMPLEXION: pale/sallow
HAIR: dark brown, collar length RACE: white
BUILD: slender, athletic NATIONALITY: American
OCCUPATIONS: bellboy, busboy, cook's helper, dishwasher, janitor, law school student, office worker, political campaign worker, psychiatric social worker, salesman, security guard
SCARS AND MARKS: mole on neck, scar on scalp

E agora mais o aflige, quanto mais
Arredado se vê do prazer. Logo
Recobre ódio feroz, e os pensamentos
De ofensa, jubilando, assim desperta.
Pensamentos, aonde me levastes,
Com que força arroubados que esqueçamos
O que aqui nos traz, não amor, nem esperança
De dar p'lo Paraíso inferno, esperança
De aqui ter prazer, mas sim de o gastar,
Poupando o que há no gasto, outros gostos
Não tenho já..."

— *Paraíso Perdido:* Canto ix
(Linhas 469 — 79)

Muitos leitores já estão cientes de que Ann Rule trabalhou com Ted Bundy, um colega e formando de psicologia charmoso e bonito que em breve iria cursar a faculdade de direito. Eles se tornaram amigos íntimos, às vezes trabalhando sozinhos no turno da noite de um disque-prevenção de suicídio.

O homem que ela chamava de amigo logo seria conhecido em todo o mundo como um dos assassinos em série mais brutais de nosso tempo...

INTRODUÇÃO
O CAPÍTULO FINAL?

-
-

2008

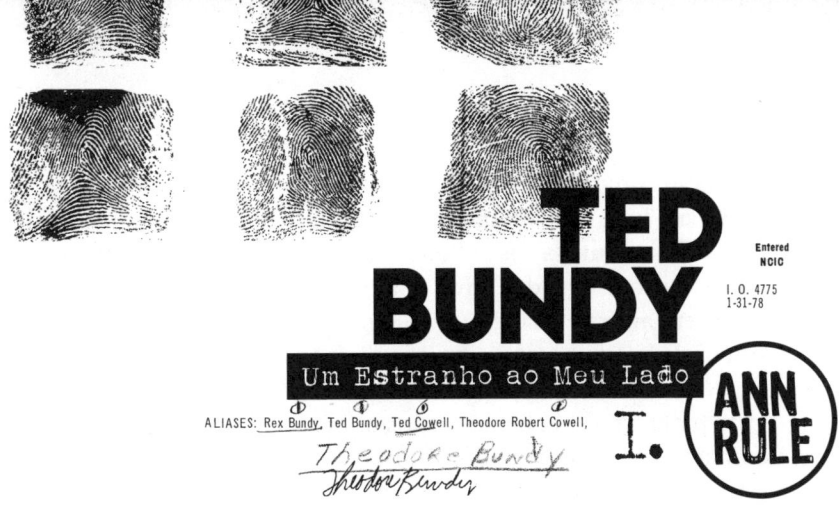

Nunca imaginei que escreveria sobre Theodore Robert Bundy outra vez. O homem que não era nem famoso nem infame quando o conheci 37 anos atrás está morto há vinte anos, e, ainda assim, novas gerações se sentem fascinadas por ele. Escrevi epílogo, posfácio, "O Último Capítulo" e "Vinte Anos Depois" para *Ted Bundy: Um Estranho ao Meu Lado*, o primeiro livro que publiquei, mas a história de Ted parece nunca ter fim. É provável que eu continue a acrescentar informações a este livro em anos vindouros.

Algumas das informações do livro original se mostraram inexatas — lendas populares e boatos nos quais muitos dos especialistas em Bundy acreditavam, e que agora pretendo corrigir. O único carrasco que moveu a alavanca para ativar a cadeira elétrica em Starke, Flórida, não usou máscara alguma, nem tinha cílios espessos carregados de rímel. Isso fazia parte da lenda de Ted.

Nessa seção mais recente, falo da execução a partir das palavras de uma testemunha ocular da morte de Ted Bundy, o que eliminará quaisquer equívocos.

Novas informações a respeito de Ted continuam vindo à tona. E suas "quase vítimas" continuam aparecendo. Parte de mim quer se afastar e colocar um fim às lembranças de Ted. Tenho que admitir que deixei para depois a escrita deste capítulo. O motivo?

Ted Bundy ainda me assombra.

Se sua luta desesperada para salvar a própria vida depois de ter tirado tantas outras fosse bem-sucedida e Ted ainda estivesse trancafiado atrás das grades, ele seria um velhote agora — 62 anos. Minha neta tem agora a idade que eu tinha quando conheci Ted, e também sou bisavó. A filha de Ted com sua esposa da época, Carole Ann Boone, tem 26 anos. Liane*, a filha de Meg Anders,[1] que via Ted como figura paterna, está chegando aos quarenta. [Todos os nomes marcados com asterisco são pseudônimos]

As jovens que Ted assassinou estariam na casa dos cinquenta. Aquela miríade de vítimas em potencial que quase não escaparam dele com vida tem entre cinquenta e sessenta anos hoje. Ninguém jamais saberá quantas foram.

O mundo segue em frente, inexoravelmente, sem Ted Bundy. Mas ele deixou para trás tantos pesadelos, cicatrizes e lembranças que não se pode esquecer.

Ted nunca foi tão bonito, brilhante ou carismático como o folclore criminoso o pinta. Mas, como disse antes, a infâmia lhe caía bem. Um completo desconhecido antes de ser suspeito de uma série de crimes terríveis, de algum modo se tornou todas essas coisas à medida que a imprensa o acolhia. A passagem de décadas elevou — ou rebaixou — Ted ao nível de Leopold e Loeb, Albert DeSalvo, William Heirens, Charles Manson e talvez uma dúzia de outros assassinos que mataram por matar.

Sempre acreditei que o tempo iria anuviar o interesse em Bundy, especialmente após a execução. Em vez disso, ele se tornou quase mítico.

Como escritora de revistas populares que ansiava por escrever livros, deveria ser grata por ter um assento na primeira fila do espetáculo monstruoso no qual Ted Bundy atuou como, de acordo com um periódico, o "glamoroso rapaz homicida".

Mas não sou grata. Eu preferiria nunca ter meu próprio livro, menos ainda 29, e que as vítimas de Ted tivessem sobrevivido. Seus crimes mudaram minha vida, e abriram as portas para meu primeiro contrato de autora. Porém, como ser humano, gostaria de poder voltar no tempo e apagá-lo, e apagar também sua trilha homicida

---

[1] O primeiro nome verdadeiro de Meg é Elizabeth. Ela usou o sobrenome fictício "Kendall" como pseudônimo no livro, apesar de o verdadeiro ser Kopfler. Talvez não tenha se dado conta de que se tornar escritora a transformaria em figura pública. Os jornais de Seattle de imediato publicaram seu nome verdadeiro, e a esperança de anonimato para si mesma e a filha, com quinze anos em 1981, foi destruída. Ann Rule, à época da escrita e publicação, optou por manter suas menções anônimas no texto. [Nota do Editor, de agora em diante NE]

através dos Estados Unidos. Se ao menos eu tivesse o poder de fazer com que nada disso fosse real. Às vezes, após tantos anos, quase parece que Ted Bundy e suas dúzias de vítimas foram apenas fruto da minha imaginação.

Ironicamente, a imagem de Ted que permanece na mente do público quase quarenta anos depois tende a ser a do criminoso bonito e audacioso. É assim em especial com moças que hoje têm a mesma idade que as vítimas na década de 1970 tinham.

Eu não deveria ficar surpresa por ainda receber cartas e e-mails de jovens na casa dos vinte anos que são fascinadas por Ted Bundy. Trinta anos atrás, observei as garotas da Flórida se enfileirarem no lado de fora do tribunal em Miami, ansiosas para conseguir lugar no banco da tribuna atrás da mesa de defesa.

Ofegavam e suspiravam com deleite quando Ted se virava para olhar para elas.

Ele gostava das reações, estava no controle — ou acreditava que estivesse — durante aquele primeiro julgamento em Miami.

Por alguma razão, e sou incapaz de dizer qual, recebo mais do que a proporção média de correspondências da Itália, onde mulheres "amam" Ted e lamentam sua morte. Recebi correspondências sobre ele de todos os estados da União, bem como da França, Suécia, Holanda, Alemanha, e até mesmo do Zimbábue e da China. Ele se transformou no Jack, o Estripador norte-americano, o verdadeiro Drácula, o assassino de genialidade acima daquela dos assassinos comuns. E, sendo assim, é perversamente atraente para as solitárias.

Talvez parte disso seja minha culpa. Será que descrevi o lado "bom" de Ted bem demais, aquele lado que vi nos primeiros três anos em que convivemos? Ele parecia ser gentil, atencioso e honesto naquela época, e não percebi o perigo — não para mim, mas para as jovens bonitas que se encaixavam no perfil das vítimas. Queria alertar as leitoras de que o mal às vezes vem em pacotes bonitos. Queria salvá-las dos sociopatas sádicos que ainda vagam por aí, à procura de vítimas.

Quando olho para trás, vejo como fui ingênua. Vejo até mesmo como continuei sendo ingênua, em certo sentido. Ainda quero salvar vidas de mulheres, mas apenas uma a mais seria importante para mim.

Em 1980, não compreendia realmente a diferença entre ser psicótico e ter transtorno de personalidade. Na primeira edição deste livro, escrevi que Ted devia estar ensandecido ao matar todas aquelas moças. Realmente pensei que ele era pura e simplesmente maluco, e disse que Ted deveria ser mandado para o hospital psiquiátrico.

Eu estava equivocada. Compreendi que seu transtorno de personalidade significava que ele *nunca* deveria ser devolvido à sociedade, mas isso é basicamente tudo pelo que posso levar crédito. Não tenho vergonha por ter me enrolado no diagnóstico. Muitos psicólogos e psiquiatras que entrevistaram Ted também o fizeram.

Ele não era louco. Ele certamente tinha um grande número de transtornos de personalidade — provavelmente narcisista, limítrofe e sociopata. A psicóloga que mudou o diagnóstico de Ted Bundy mais de uma vez começou com bipolar e enfim se decidiu por transtorno de múltiplas personalidades. Nunca concordei com nenhuma das categorias. As características e ações dele não se encaixavam — a não ser que fossem forçadas para dentro dos buracos errados.

Ted, creio eu, era um sociopata sádico que sentia prazer com a dor de outro ser humano e com o controle que tinha sobre as vítimas até o momento das mortes, e mesmo depois. Ele foi criança, adolescente, jovem que nunca sentiu muito poder sobre a própria vida. E escolheu um caminho horrível conforme buscava poder e controle.

Ted era tudo o que importava para ele.

Alguém que sofre de transtorno de personalidade conhece a diferença entre certo e errado — mas isso não importa porque ele é especial e merece ter e fazer o que quiser. Ele é o centro do universo e todos nós somos bonecos de papel sem importância. De acordo com a lei e a medicina, alguém que é louco não conhece a diferença e não é responsável por seus atos, por mais chocantes que sejam.

Desde o início, acreditei que, em algum momento, Ted confessaria, pois, com certeza, deve ter se sentido culpado. Mas nunca se sentiu culpado. Ele não tinha capacidade de sentir culpa.

Apenas para sobreviver.

E havia algo a respeito de Ted Bundy que aterrorizou muito algumas das mulheres que escaparam dele no último instante. Elas sentiram o "cheiro" de perigo cedo o bastante para gritar, lutar ou fugir. Durante anos, mal conseguiam falar sobre os encontros que tiveram com ele. Estavam na meia-idade, e ele já havia morrido há tempo o bastante para se tornar uma ameaça menor para elas, quando afinal entraram em contato comigo.

A maioria, a princípio, teve medo de ler *Ted Bundy: Um Estranho ao Meu Lado* porque não queria descobrir que a crença de que ele as tinha abordado — escolhido — eram verdadeiras. A fina borda da própria mortalidade tinha chegado perto demais de se dobrar.

Era semelhante a sofrer um acidente terrível e sair vivo, mas você não quer pensar nisso até ter colocado uma distância segura entre você e o acontecimento.

Pedi permissão para incluir algumas dessas quase fatalidades nesta atualização e me foi dito que tudo bem, contanto que não usasse os nomes verdadeiros. Eu entendo isso.

Analisei mais de cem incidentes e a princípio escolhi apenas aqueles que acreditei serem em grande parte encontros verdadeiros com Ted Bundy. Mesmo assim, tive que selecionar as lembranças assustadoras, ou teria que escrever outro livro.

A primeira lembrança vem de uma mulher de meia-idade atormentada por culpa e arrependimento porque acredita de coração que ela, e não Georgann Hawkins, era a vítima pretendida por Ted em junho de 1974. Pior: ela presenciou, paralisada de medo, quando Ted agarrou Georgann e a levou até o carro, visualizando sua morte iminente.

Caitlyn Montgomery me escreveu diversas vezes. Não vive mais no Noroeste, mas fazia cursos de enfermagem na Universidade de Washington em meados da década de 1970. Morava no porão da pensão do outro lado do beco por onde Georgann caminhou no dia 10 de junho de 1974. Caitlyn me mandou uma foto de si daquela época, e ela se parecia o bastante com Stephanie Brooks* para ser sua gêmea idêntica. Stephanie foi a mulher que Ted pedira em casamento apenas para dispensá-la, assim como ela o fizera na primeira vez em que namoraram.

"Alguém espiou pela janela", recorda-se Caitlyn, "e eu tinha visto o cara de muletas zanzando ao redor do quarteirão. Senti como se me seguisse. Na verdade, desci aquele beco poucos instantes antes de Georgann Hawkins. Estava escuro e tive medo, por isso corri para dentro de casa o mais depressa que consegui e tranquei as portas. Então apaguei as luzes e olhei para o beco pela janela, e vi a garota que mais tarde descobri ser Georgann."

Caitlyn ouviu um grito de surpresa ou medo. Ela viu quando o homem de muletas se aproximou da loira, disse palavras que Caitlyn não identificou, e então agarrou o braço da moça. Caitlyn não tinha certeza se a tal moça foi de boa vontade ou não, mas ela percebeu o medo, e acreditou que ele a obrigara a refazer o caminho pelo beco.

"Deveria ter tentado ajudar", escreveu. "Deveria ter chamado alguém. Talvez a polícia. Mas estava com muito medo e só observei. E me arrependo disso desde então..."

Caitlyn Montgomery era *exatamente* o tipo de morena esbelta que Ted Bundy escolhia como vítima. Georgann era loira. Ambas extremamente atraentes. Não sei se Caitlyn era a vítima original de Ted. Apenas ele sabia — e, é claro, não está mais aqui para dizer.

Nos anos 1970, o Distrito Universitário ainda era um bairro bastante restrito, assim como quando concluí o último ano e me formei em produção literária, uma década antes. Havia a 45th Street, que corria de leste a oeste passando pelo campus, e a Universidade Way, conhecida como "The Ave", de norte a sul. As casas das repúblicas ficavam alinhadas ao longo de alguma das ruas ao norte do campus, e Ted morou no lado oeste da Ave. Quase todas as ruas ao norte e ao sul tinham becos no meio do quarteirão.

Pela minha estimativa, Ted perambulava da 41st Street até a 65th, e de ambos os lados da Ave. Não sou capaz de mensurar a quantidade de mulheres no final da adolescência ou começo da casa dos vinte na década de 1970 que me contam a respeito do homem bonito no Fusca que insistia em lhes dar carona. Quando recusavam, ele demonstrava um lampejo causticante de raiva.

Alguns encontros, porém, foram mais violentos. Recebi um e-mail de Audrey* em julho de 2008 (mais uma vez, tenho permissão de reproduzir este relato com o pseudônimo da autora). Por coincidência estranha, morei durante um verão no mesmo apartamento que ela, ainda que anos antes. Os apartamentos ficavam a um quarteirão a oeste, paralelamente à Universidade Way.

Ela escreve:

"Sou graduanda da Universidade de Washington, de 53 anos, que morou nos apartamentos da Brooklyn de 1973 a 1977. Folheava a edição recente da revista UW *Columns* e me deparei com um curto perfil seu, e mencionava seu livro, *Ted Bundy: Um Estranho ao Meu Lado*."

Audrey nunca ouvira falar de mim, mas tinha ciência dos crimes de Ted Bundy e da execução, e leu reportagens nos jornais locais no Centro-Oeste, para onde se mudara depois da formatura. Ela decidiu ler meu livro 28 anos depois do lançamento.

"Foi só na página 93 do livro que me dei conta de como posso ter chegado perto de me envolver pessoalmente. Você menciona o endereço da rua onde Ted residiu durante a época dos assassinatos, na área de Seattle. Pela primeira vez, me dei conta de que meu apartamento ficava a menos de um quarteirão da pensão dele.

"Certa noite (por volta de 1973-1974), eu (loira de cabelos compridos, repartidos ao meio) e minha colega de quarto, uma morena muito bonita, decidimos nos presentear com um jantar no Horatio's. Ela havia gabaritado a prova final da faculdade de enfermagem, e nos arrumamos para comemorar. Eu tinha uma vaga de estacionamento esquisita no condomínio, que me exigia atravessar o beco. O crepúsculo crescia enquanto descíamos as escadas do nosso patamar, no terceiro andar, e, quando chegamos ao beco, percebi que havia esquecido os óculos para dirigir à noite. Pedi que me esperasse ali enquanto corria lá para cima para pegá-los.

"Foi o que fiz.

"Quando voltei para o andar térreo do condomínio e dobrei a esquina na direção do beco, vi minha colega de quarto tentando se defender de um homem que a segurava com sossega-leão apertado.

"Eu congelei e então gritei guturalmente de tal forma que nunca mais consegui repetir. Foi tão primitivo e vigoroso que, mais tarde, dois caras a alguns quarteirões de distância disseram que tinham ouvido e souberam que havia algo errado. O homem soltou a minha amiga, correu na direção da 12th Avenue, e pulou para dentro da varanda iluminada nos fundos de uma casa. De lá, virou-se e olhou de volta para nós.

"Nunca vou me esquecer daqueles olhos, daquele *olhar* enquanto viver. Na época, apesar de me sentir aterrorizada, não pensei em nenhum momento que poderia ser Ted. Não sei por que não liguei os fatos, talvez ainda precisasse ver alguma reportagem na imprensa.

"Alguns dias depois, saiu a notícia do desaparecimento de Georgann Hawkins."

Audrey e a colega de quarto ligaram para os respectivos namorados na noite da tentativa de sequestro. Eles correram até lá e as levaram para suas casas. O noivo de Audrey era professor-assistente na Universidade de Washington e a instigou a fazer a denúncia. Porém, ela não o fez por achar que nenhum crime fora cometido de fato.

"Eu era jovem e ingênua."

Estranhamente, durante as primeiras horas da manhã em que Ted foi executado, em janeiro de 1989, Audrey — na época na Califórnia — se lembra de ter acordado de um sono profundo e sentado ereta na cama no exato momento em que Ted morreu.

Será que foi Ted quem encontrou a adorável colega de quarto morena, aparentemente sozinha no escuro?

Acredito que sim.

Audrey voltou a me escrever. Eu tinha lhe contado que meu objetivo era alertar mulheres a respeito do perigo, e com sorte salvar vidas com alguns conselhos ou advertências que elas lessem em meus livros.

"Uma noite dessas", escreveu, "eu vi um cara me observar quando entrei na aula de pilates. Quando saí, ele ainda estava à espreita. Então voltei para dentro e chamei a polícia para ser escoltada para fora do edifício. Ele se foi antes de os oficiais chegarem, mas isso é algo que, mesmo aos 53 anos, eu não teria pensado em fazer até ler o seu livro e me dar conta do modus operandi de alguns desses idiotas."

Uma mulher chamada Marilyn me enviou carta em 1998. Ela também morava na área metropolitana de Seattle em 1974, e seguia para o norte pela estrada I-5, certa noite no início do verão, para a reunião de assistentes sociais em um hospital em Northgate.

"Eu peguei a saída errada", recordou-se, "e procurava o retorno. Mas tudo que encontrei foi a placa APENAS VANCOUVER B.C. Foi então que percebi o Fusca de cor clara atrás do meu carro. Estava bastante desorientada àquela altura, e virei para o leste, na 65th Street, em vez de para o oeste, na direção da estrada. Continuei dobrando esquinas, procurando placas com indicações para a estrada, mas só andava em círculos. No fim das contas, me atrasei tanto para a reunião que acabei ficando bastante nervosa e senti que as ruas pareciam cada vez mais estreitas.

"O Fusca ainda estava atrás de mim, e eu continuava assustada. Era impossível que o cara seguisse pelo mesmo caminho confuso que fiz. A última rua que virei não tinha saída — a não ser de ré. Encostei onde o asfalto terminava em matagal e parei. O cara no Fusca estacionou atrás de mim..."

Marilyn escreveu que trancou as portas depressa, mas o homem — de cabelos castanhos ondulados — esticou a mão para a maçaneta mesmo assim, e a encarou com raiva através da janela do lado do motorista.

"Naquele instante, um carro cheio de garotos do ensino médio encostou atrás dele. Não sei como isso aconteceu, mas provavelmente salvaram minha vida. O cara zangado correu de volta para o carro, os obrigou a dar ré, manobrou e foi embora. Os rapazes me guiaram de volta para a estrada.

"Era Ted Bundy. Reconheci os olhos quando vi a foto dele no *Seattle Times* alguns meses depois."

Em 10 de agosto de 2007, recebi o e-mail de uma mulher de 52 anos que crescera em Olympia, capital de Washington. Ted trabalhou para o Departamento de Serviços Emergenciais do Estado de Washington em Olympia durante diversos meses, a partir da primavera de 1974.

Bettina escreveu que acreditava ter encontrado Ted Bundy duas vezes na primeira metade da década de 1970.

"Eu estava no ensino médio em Olympia na primeira vez", escreveu, "e decidi matar aula e voltar a pé da escola, contornando o lago Capitol. Morava a meio caminho da colina Harrison, acima, na zona oeste. Era um dia ensolarado, e já havia contornado metade do lago quando um Fusca encostou ao lado. O homem lá de dentro me perguntou se eu queria carona. (Meus cabelos compridos eram repartidos ao meio naquela época.) Eu disse 'claro' e entrei no carro. Minha memória visual é muito vaga, eu era extremamente tímida, então não olhei muito para ele. Apenas olhares de esguelha.

"Mesmo assim, me lembro que tinha cabelo castanho-escuro meio curto. Não me lembro da cor do Fusca, mas parecia ser de cor clara. Ele me perguntou qual faculdade frequentava, e me lembro de me sentir lisonjeada por ele achar que eu era universitária. Respondi que não estava na faculdade, ainda frequentava o ensino médio. Ele me deixou no local que especifiquei, e foi isso."

Mas o homem sabia onde Bettina morava.

A segunda vez que Bettina viu esse homem foi cerca de um ano e meio depois. "Eu já tinha me formado e morava em uma casa alugada na Franklin Street, no centro de Olympia. Ainda usava o cabelo comprido repartido ao meio. Era bem tarde da noite e fui acordada por batidas na porta. A porta tinha janelas e vi o que achei ser um policial parado na varanda. Lembro-me de olhar para a rua antes de abrir a porta e me pareceu estranho não ver a viatura. Mas abri assim mesmo e dei uma espiada, ainda procurando a viatura que não estava ali.

"Eu tinha um cachorrinho que latiu de maneira descontrolada durante tudo isso. O 'policial' disse que havia recebido denúncia de vizinhos (à frente só havia o estacionamento enorme de uma igreja — nenhuma casa). Ele apontou para o outro lado da rua e disse que uma menina de cabelos compridos, como a fugitiva foi descrita, foi vista entrando em minha casa.

"Meu cabelo estava enrolado com bobs, e usava touca. Respondi: 'Bom, eu tenho cabelo comprido, mas não sou a fugitiva — eu moro aqui'. Ele insistiu no negócio da fugitiva e mencionou a descrição do cabelo, mas meu cachorro estava enlouquecendo e eu só queria acabar com aquela conversa. Então simplesmente disse que ele estava no lugar errado e fechei a porta. Foi isso. Não cheguei a ver a viatura se afastar. Foi esquisito."

Bettina disse que se esquecera desses dois incidentes durante anos, até ler um artigo sobre Ted Bundy acompanhado de fotos.

"'Ah, meu Deus', eu disse. E me ocorreu que tinha pegado carona da escola para casa com Ted Bundy. Tenho certeza de que foi ele. Também me lembrei do incidente noturno com o 'policial' sem viatura, e me dei conta de que novamente era ele. Devia estar me observando.

"Aconteceu tanto tempo atrás que isso não me abala de verdade, mas pensar como as coisas poderiam ter sido diferentes — se não estivesse com bobs ou se meu cachorro não latisse dando aquele chilique... eu poderia ter sido um dos nomes na 'lista'."

Os e-mails de mulheres que viviam em Washington na década de 1970 continuam jorrando, e suponho que receberei mais depois que esta versão atualizada de *Ted Bundy: Um Estranho ao Meu Lado* sair. Algumas mulheres estarão equivocadas ao identificar Bundy como o homem que as assustou. Consigo eliminar essas com base em datas e locais que fornecem. Alguns e-mails são de mulheres com imaginação fértil. Também consigo identificar esses. Mas muitas descreverão encontros verdadeiros.

Um que acredito ser autêntico é a recordação da mulher que era universitária em Salt Lake City, em 1974. Ted se mudou de Seattle para lá naquele outono e frequentou a faculdade de direito na cidade dos mórmons. Teresa morava em uma grande casa alugada com diversas outras estudantes, um acordo de moradia bastante parecido com aquele da casa que Lynda Ann Healy dividia com amigas universitárias perto da Universidade de Washington antes de desaparecer em janeiro daquele ano.

"Tivemos um voyeur, aqueles caras que ficam espreitando janelas — naquele outono", contou Teresa. "A princípio, tivemos a sensação de que alguém nos observava, e então o vimos do lado de fora da janela do andar inferior. Encontramos sinais de que alguém ficou na garagem, pelo menos durante algum tempo."

Quando Teresa e as companheiras de casa enfim deram uma boa olhada no homem que as vigiava, meio escondido por arbustos, parado na escuridão do lado de fora, todas elas decoraram sua fisionomia.

"A polícia não conseguiu encontrar nada que pudesse identificá-lo", recorda-se. "Eles disseram para termos o cuidado de trancar a casa, e foi o que fizemos. Porém, quando ficou mais frio em novembro, ouvimos ruídos no porão. O pior foi a manhã em que descobrimos que alguém tinha defecado do lado de fora da janela onde o cara nos observava. Então ele foi embora, e nunca mais voltou."

Quando Ted Bundy foi preso pelos detetives do condado de Salt Lake, no verão de 1975, sua foto ganhou os jornais de Salt Lake City a Seattle. Teresa e as amigas reconheceram o rosto. Era o homem que tinham visto na janela, que deixara latas vazias de atum no porão, e que provavelmente defecara no quintal.

Ao longo dos anos, recebi muitas cartas e e-mails de Utah. Também recebi outras mensagens de áreas mais distantes. Dado o fato de que Ted Bundy viajou com frequência pelos Estados Unidos e Canadá, algumas lembranças que permanecem após três décadas ou mais podem muito bem ser verdadeiras, não importa de onde vêm. Sabemos que Ted visitou Nova Inglaterra, Pensilvânia, Michigan, Chicago, toda a Costa Leste, Oregon, Califórnia, Idaho, Colorado, Utah, Geórgia e mais. Às vezes, ele viajava como parte da comitiva do Partido Republicano. Às vezes, tinha seus próprios motivos.

Nunca descarto uma correspondência apenas por vir do outro lado do país, porque sei que Ted Bundy pode muito bem ter estado lá em algum momento.

Uma mulher chamada Siobhan me enviou e-mail em abril de 2007. O conteúdo era bastante parecido com a maioria dos "Avistamentos de Bundy" que já recebi, mas Siobhan vive em New Jersey.

"Lá na década de 1970, eu tinha dezesseis anos", escreveu. "Vivia em Linden, New Jersey. Pegava o ônibus número 44 da Route 1 até a Wood Avenue. Trabalhava em uma loja de aluguel de roupas para casamento. Foi apenas depois de ler o seu livro que soube que andei de carro com Ted Bundy. Chovia canivetes, o guarda-chuva virou do avesso e eu estava encharcada. O sinal fechou e o Fusca dourado encostou e [o motorista] abriu a janela. Sentado ali estava um homem bonito e bem-vestido. Ele me disse: 'Venha, entre! Você está ensopada. Está tudo bem'.

"Fiquei desconfiada — não era algo que faria normalmente, mas *estava* com frio e encharcada. Por uma fração de segundo, cheguei a pensar: *Nossa, um homem tão gentil e bem-vestido. Seria de se pensar que estaria em um Lincoln ou algo do tipo.*

"Entrei no carro e disse: 'Vire à esquerda no sinal'. Ele fez. Continuei: 'Quando chegarmos na Wood Avenue, vire à direita'. Conforme nos aproximávamos da Wood Avenue, em vez de virar à direita, ele virou à esquerda. Eu tremia por dentro. Sabia que aquele homem conhecia a região, e desceu a 16th Street. Não era uma boa área, se sabe o que quero dizer. Havia um parque onde estacionou. Assim que parou, eu o cutuquei com o guarda-chuva e disse 'vai se f—!', e saí depressa. Tive que andar todo o caminho de volta até a Route 1 em uma vizinhança que também me aterrorizava e a chuva continuava forte.

"Anos depois, vi fotos de Ted Bundy. Sei, sem sombra de dúvida, que era ele. Contei a algumas pessoas. Talvez acreditem em mim, talvez achem que sou louca. Eu só queria contar a você.

"Minhas filhas riem e dizem: 'Minha mãe escapou do Ted Bundy!'. Mas realmente acredito que escapei."

Siobhan não sabe ao certo se isso aconteceu em 1974 ou 1975, mas sabe que não era inverno. Será que está certa na crença de que escapou de Ted Bundy? Não sei. Aqueles foram anos "agitados" para Ted, e não posso rastreá-lo em todas as paradas nas viagens pela Costa

Leste. Estou inclinada a supor que Siobhan encontrou outra pessoa que não Ted, mas não apostaria nisso.

Outro e-mail da Costa Leste é tão questionável quanto, mas igualmente possível.

Muito antes de eu conhecer Ted Bundy, ele atuava nas causas do Partido Republicano, e isso tornou um pouco mais fácil acompanhar suas atividades. Durante o verão de 1968, ele foi para Miami, Flórida, em viagem que ganhara pelo esforço para eleger Nelson Rockefeller. Também fez curso intensivo de chinês naquele verão, na Universidade Stanford, em Palo Alto, Califórnia. No outono de 1968, foi contratado como motorista e segurança de Art Fletcher na candidatura para vice-governador do estado de Washington. No início de 1969, Ted voltou para o leste na tentativa de rastrear a própria herança genética, viagem — como afirmei antes — que o levou a Burlington, Vermont, e Filadélfia. Será que Ted visitou o estado de Nova York em 1968 ou 1969? É possível, e teria que ser para confirmar o encontro que Barbara acredita ter tido.

"Eu e minha irmã achamos que esbarramos em Ted Bundy na área central de Nova York no verão de 1968. Estávamos em piquenique da empresa em um parque estadual. Éramos garotas de classe média, com longos cabelos lisos repartidos ao meio. Ele disse que era piloto de corrida, que tinha quebrado a perna e dirigia um Fusca. Crescemos perto do autódromo Watkins Glen, e nossa família tinha grande interesse em corridas de automóveis. Ele me pediu para pegar um pouco de comida, o que teria deixado minha irmã mais nova sozinha com ele. Eu me recusei a deixá-la.

"Meu pai veio até onde estávamos e o mandou seguir seu caminho. Depois de dizer para encontrarmos nossa mãe, meu pai trocou algumas palavras ríspidas com o sujeito, palavras estas que meu pai se recusou a repetir para nós. Ouvimos um longo sermão aquela noite.

"No início da década de 1980, minha irmã ligou do escritório e me perguntou se tinha lido o jornal. Depois de comprar uma cópia, liguei de volta para ela e nós o reconhecemos de imediato. Fico me perguntando se Ted Bundy já abordava garotas jovens naquele período. Aquela experiência, na verdade, me transformou em uma pessoa muito mais cuidadosa, e minhas duas filhas e sobrinha foram criadas para ser ainda mais cuidadosas com estranhos — principalmente com estranhos *atraentes*.

"Sempre pensamos naquilo, e somos gratas pela vigilância do meu pai. (São cinco meninas na família, ele deve ter ficado maluco!)"

Sim, é possível — até mesmo provável — que Ted tenha passado por Watkins Glen, Nova York, no caminho para Burlington, Vermont. Mas teria sido na primavera de 1969. A memória pode nos pregar peças, e lembrar do ano exato quatro décadas depois nem sempre é fácil.

Acredito que Barbara e a irmã, jovens adolescentes na época, provavelmente se encontraram, sim, com Ted Bundy.

Enquanto escrevo essas recordações de mulheres que sobreviveram, espero que minhas leitoras percebam *por que* elas sobreviveram.

Elas gritaram.

Elas lutaram.

Elas fecharam portas na cara de um estranho.

Elas correram.

Elas duvidaram de histórias lisonjeiras.

Elas perceberam falhas nas histórias.

Elas tiveram bastante sorte por alguém ter aparecido e as protegido.

Existe uma história verdadeira que ouvi na conferência de prevenção de estupro no Tennessee anos atrás, e da qual nunca esqueci. Não envolve Ted Bundy, mas poderia envolver. Alguns detetives da conferência haviam detido um homem por estupro e assassinato de diversas jovens. Ele se dispôs a conversar com os oficiais, e por fim confessou. Os policiais descreveram a confissão:

Ele tinha conseguido atrair a jovem para o carro e, assim que estava com ela lá dentro, pressionou a faca na suas costas. "Falei para ela que, se gritasse, a mataria bem ali."

Conforme avançavam pela avenida de quatro faixas, tiveram de parar no sinal vermelho. Uma viatura encostou ao lado deles, na faixa da direita. Era um entardecer muito abafado, ainda iluminado, e as janelas de ambos os carros estavam abertas. A garota capturada poderia esticar o braço e tocar a borda da janela da viatura, mas sentiu a faca cutucar o seio mais forte e ouviu: "Se disser alguma coisa, ou pedir ajuda, você é uma mulher morta...". O interlúdio durou menos de um minuto. A vítima permaneceu em silêncio.

"Aquela viatura seguiu em frente", contou o suspeito. "Eu virei à esquerda, desci a rua por aproximadamente oitocentos metros, virei em outra rua, e então a estuprei e depois a matei."

Eu não estava em Starke, Flórida, quando Ted Bundy se encontrou com a Old Sparky, a cadeira elétrica da Penitenciária Raiford, em 24 de janeiro de 1989. O folclore da prisão diz que a Old Sparky foi feita a partir de um velho carvalho e construída por detentos na serraria e carpintaria da Raiford, em 1924. Não era infalível — às vezes, queimava a carne e os cabelos dos assassinos condenados que sentavam nela pela última vez. Com frequência, mais de uma descarga elétrica era necessária para matá-los.

Em 1986, dezenove estados tinham adotado o método "mais humano" da injeção letal.

Mas a Old Sparky tinha fila de espera.

Por algum motivo, não falei pessoalmente com ninguém que esteve na câmara de execução e na galeria quando Ted morreu — não até esta semana. De novo, posso ter evitado conhecer todos os detalhes dos últimos momentos de Ted.

E então, no verão de 2008, recebi um envelope de 23 x 28 centímetros do dr. Arthur Burns, dentista da Flórida cujo sócio, Clark Hoshall Jr., DMD, não só esteve apenas presente na execução de Ted como seus joelhos estiveram a noventa centímetros dos joelhos de Ted quando a corrente elétrica atravessou seu corpo. Art Burns anexou o artigo arrebatador de Clark Hoshall, descrevendo o que viu, ouviu, cheirou e vivenciou naquela manhã de janeiro de 1989.

Tanto o dr. Burns como o dr. Hoshall foram de importância vital na identificação dos restos mortais de Kimberly Diane Leach, a garotinha de doze anos de Lake City, Flórida, a última vítima de Ted Bundy. Embora tenha sido a assinatura de Burns a constar no formulário oficial de identificação, foi Hoshall quem abriu a caixinha de madeira com o crânio e a mandíbula de Kimberly.

Peter Lipkovic, médico-legista do Quarto Circuito Judicial da Flórida, tinha pedido a Hoshall que usasse suas habilidades como odontologista forense para nos contar a verdade. Com identificação anatômica, componentes esqueletodentais e raios x, Hoshall seria capaz de dizer com certeza se tamanho, disposição e até mesmo os dentes de leite eram compatíveis com o tratamento dentário anterior de Kimberly Leach. Ironicamente, Kimberly tivera um dente extraído pouco antes de desaparecer.

Seus pais tinham cuidado bem dela.

Não foi tarefa fácil para Clark Hoshall. Sua própria filha, Victoria, tinha a mesma idade de Kimberly Leach, e ele não conseguia evitar comparações e imaginar como a família de Kimberly seria capaz de suportar aquela tragédia.

Ken Robinson, o policial rodoviário da Flórida que encontrara o esqueleto de Kimberly no galpão de criação de porcos perto do Parque Estadual Suwannee, teve sentimentos parecidos: raiva por alguém ser capaz de fazer aquilo a uma estudante do sétimo ano e a sensação de impotência por ser tarde demais para salvá-la.

Desconfio que poucos leigos compreendam o processo de luto pelo qual os oficiais do cumprimento da lei, especialistas forenses e promotores passam quando as vítimas que procuram vingar são as mais vulneráveis de todas: crianças.

"Fui a primeira testemunha a chegar para a execução de Theodore Robert Bundy", escreveu Clark Hoshall, e acrescentou esta afirmação quando conversamos por telefone mais tarde: "Cheguei por volta das três da manhã. A lua estava envolta em halo e ocupava um vão no céu que, fora isso, era coberto de nuvens. A impressionante torre de guarda do portão principal vigiava o gramado bem-cuidado que cobria como carpete três áreas separadas de cercas de arame laminado. Ademais, a cerca de três metros de altura apresentava aura de impermeabilidade."

O restante das testemunhas oficiais apareceu por volta das cinco da manhã. O dr. Hoshall havia esperado por aquele dia por mais de uma década. "Profissionalmente, o caso Bundy permanecerá sendo o *mais* importante da minha carreira forense."

Clark Hoshall, o policial Ken Robinson e o promotor Jerry Blair foram escolhidos para viajar na primeira van até a atarracada câmara de execução depois de eles e outras testemunhas e dignitários terem recebido o café da manhã servido por detentos.

Em alguma outra ocasião, o aroma de bacon e ovos, mingau, panquecas e café poderia ser tentador, mas os pratos foram recolhidos praticamente intocados.

"Não consegui comer", contou-me Hoshall. "Estava sem nenhum apetite, assim como todos os outros. Foi um gesto gentil, mas sabendo o que viria depois..."

O dr. Hoshall estava ao lado de um dos psicólogos da Penitenciária Raiford.

"Eu lhe perguntei se havia algum tratamento eficaz para pessoas como Bundy. Ele hesitou por um instante e respondeu: 'Apenas a marreta no meio dos olhos.'"

As vans formaram fila, prontas para atravessar o campo gramado. Hoshall levava um crucifixo de ouro no bolso.

Ao entrar na área dos espectadores, ele, Robinson e Blair se apressaram até a primeira fileira. Clark Hoshall escolheu a cadeira que se alinha exatamente com a Old Sparky. Lambris, encimados por vidro transparente, separavam as testemunhas da câmara de morte.

"Jerry Blair estava sentado à minha esquerda e Ken Robinson, do lado direito."

Em silêncio, as doze cadeiras foram ocupadas, e então algumas pessoas entraram e ficaram em pé ao longo das paredes brancas e funcionais da galeria.

"Guardas com 'garras de ferro' — algemas com barras de restrição — em cada pulso de Bundy o puxaram pela soleira da porta atrás da Old Sparky. Ele balançava a cabeça e tremia quando foi arrastado para dentro."

Ted lutou durante todo o caminho até a cadeira elétrica, mas foi subjugado.

Hoshall não se lembra de nenhuma última palavra do prisioneiro que tivesse algum sentido. A descrição adicional é quase clínica, a imagem gravada na memória.

"Bundy estava inquieto, e não foi capaz de contato visual até ter a cabeça presa com a correia ao descanso de cabeça, de laterais angulares e fundo reto. A correia de couro se estende em diagonal a partir do lado direito inferior da mandíbula e cruza o rosto, presa com firmeza acima da orelha esquerda. A correia da cabeça comprimia a lateral do nariz e pressionava a pálpebra esquerda de Bundy. Seu olho direito estava aberto e olhava diretamente para a frente.

"Eu estava frente a frente com um dos predadores sexuais mais abomináveis de nossa era. Meus olhos estavam vidrados no olho direito dele, e vi o medo feroz em seu rosto contraído — mas nenhuma lágrima. A toalha úmida dobrada foi depositada sobre a cabeça preparada de Bundy. A touca de cobre, coroada com um eletrodo parecido com parafuso, foi colocada em sua cabeça. O cabo elétrico foi conectado ao eletrodo de cobre. A máscara facial com frente de couro [parecida com o protetor facial de esmerilhador, mas com couro no lugar de plástico] fazia parte da touca."

Restava a última chance a Ted Bundy. O último telefonema que poderia lhe proporcionar outro adiamento. O telefone estava preso à parede atrás da Old Sparky, e a alavanca para acionar a eletricidade estava bem ao lado, na mesma parede.

O telefone tocou. Alguém o atendeu, balançou a cabeça e em um intervalo de "um milionésimo de segundo", mais ou menos, ao que pareceu a Hoshall, o oficial parado atrás da cadeira elétrica acionou a alavanca.

"Eles não queriam lhe dar mais nenhum tempo. Foi feito no instante em que souberam não haver notícia alguma do governador."

Apesar dos relatos de que três "carrascos" mascarados apertaram um botão para que nenhum deles soubesse quem pressionou o dispositivo ativo, Clark Hoshall nega tudo. "Havia apenas aquela única alavanca, atrás da cadeira."

"A força elétrica atravessou o corpo de Bundy, que empenhou contra correias presas firmemente", escreveu Hoshall. "Suas unhas assumiram um tom azul cianótico. Ironicamente, dizia-se que a cor favorita de Ted era o azul cianótico nos lábios e nas unhas de seus 'objetos'."

Perguntei a Clark Hoshall se houve algum barulho na sala.

"Ah, sim — houve o zumbido galvânico que drenou toda a energia do ar. Foi necessária apenas uma única carga. Nada depois disso. Minha primeira observação logo após a execução foi a fumaça que subia da área da panturrilha direita de Bundy, onde foi preso com firmeza ao eletrodo aterrado."

O técnico em medicina prisional retirou a máscara de couro do rosto de Ted.

"Mais uma vez", recordou-se Clark Hoshall, "mirei o olho direito de Bundy. Agora a pupila estava imóvel, dilatada, anuviada e não reagia à luz. Avaliações perfunctórias adicionais determinaram a morte de Bundy para o registro."

Enquanto a poderosa corrente de eletricidade atravessava o corpo de Ted e rugia dentro da sala, Hoshall deliberadamente esfregava o crucifixo de ouro.

Ken Robinson notou e lhe perguntou: "Para quem é isso?".

"Para ela, é claro." Ambos acreditavam em vida após a morte. Hoshall se virou para Robinson no corredor no lado de fora da área dos espectadores.

"Será que estaríamos aqui hoje se vocês o tivessem encontrado e o apanhado perto daquele chiqueiro?"

"Não", respondeu Robinson. Se algum dos homens tivesse posto as mãos em Ted Bundy após examinar o que sobrou do esqueleto de Kimberly, é provável que não conseguisse se segurar e ia acabar estrangulando ele.

Em vez disso, Ted viveu mais onze anos.

Mas não viveria mais nenhum.

Perguntei a Clark Hoshall a respeito de sua filha, Victoria, na casa dos quarenta anos agora, a mesma idade que Kimberly teria.

"Está bem. Está feliz", contou. "Ela tem seis filhos e uma vida boa."

Nenhum de nós falou o óbvio.

Se ao menos...

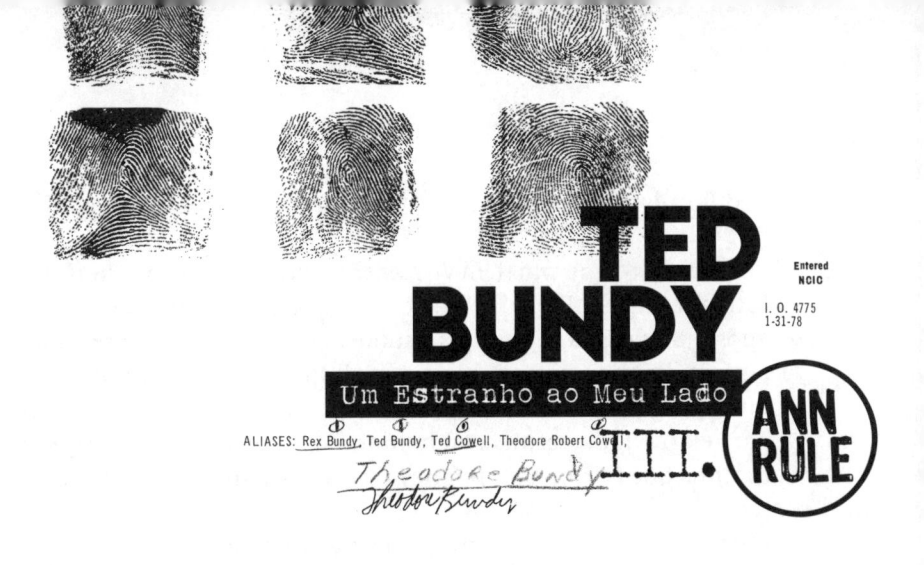

Todas as semanas, recebo correspondências com perguntas sobre Ted Bundy. Algumas delas são repetidas continuamente. Essas responderei da melhor maneira possível aqui. Muitas das minhas respostas serão, por necessidade, apenas minha opinião — com base no que descobri ao longo dos anos.

｜ Quem era o pai biológico de Ted?

Isso nunca foi determinado com certeza. A mãe, Eleanor Louise Cowell, disse simplesmente que o pai de Ted era "marinheiro". Sua certidão de nascimento cita o pai como Lloyd Marshall, veterano da Aeronáutica, formando da Universidade Estadual Penn. Jack Worthington foi outro nome citado como o pai. Nascido no Lar para Mães Solteiras Elizabeth Lund, em Burlington, Vermont, em 24 de novembro de 1946, Ted teve "ilegítimo" carimbado na certidão de nascimento.

Muitos acreditam que ele foi fruto de incesto, gerado pelo pai de sua mãe, homem conhecido pelo comportamento violento. Até onde sei, amostras sanguíneas nunca foram colhidas para determinar ou refutar isso. Testes de DNA estavam cinquenta anos no futuro. Ted teve muitos nomes: Cowell, Nelson, Bundy — todos roubados de outros homens para proteger a identidade enquanto fugia.

| Ted Bundy gerou um filho na prisão?

Sim, acredito que sim. Um visitante frequente da Penitenciária Raiford em Starke, Flórida, me contou que os detentos no início dos anos 1980 faziam vaquinhas e subornavam os guardas para que lhes permitissem passar um tempo sozinhos com as visitantes. Quem quer que ganhasse essa loteria *tinha* privacidade e tempo suficientes para engravidar a esposa ou namorada. Além disso, diz-se que a bebezinha que Carole Ann Boone deu à luz se parece bastante com Ted.

| Onde estão Carole Ann Boone e sua filha agora?

Sempre me esforcei para não descobrir nada a respeito da ex-esposa (que se divorciou dele antes de ele ser executado) e da filha de Ted, com a impressão de que, se não tivesse nenhuma informação, nunca poderia contar por acidente para alguém da imprensa detalhes que invadissem sua privacidade. Ouvi dizer que a filha de Ted é uma jovem gentil e inteligente, mas não faço ideia de onde ela e a mãe possam estar. Elas já suportaram bastante dor por essa história.

| Onde estão Meg Anders e a filha, a criança que admirava Ted como figura paterna na década de 1970?

Também pouco me esforcei para descobrir algo a respeito de Meg e a filha, que agora está na casa dos quarenta anos. Meg escreveu um livro, com o pseudônimo "Elizabeth Kendall", muitos anos atrás. Intitulado *The Phantom Prince: My Life with Ted Bundy* [O Príncipe Fantasma: Minha Vida com Ted Bundy], foi publicado por uma pequena editora de Seattle que já não existe mais e está fora de catálogo há anos.

Há pouco tempo fui surpreendida pelo telefonema de Liane Anders, filha de Meg. Ted também a feriu emocionalmente. Da maneira confusa com que os humanos reagem ao trauma, Liane disse que sentia uma culpa constante pelas jovens que Ted matou, como se pudesse tê-lo impedido de matar, de alguma maneira. Frisei que não deveria sentir nenhuma responsabilidade que fosse pelo que *Ted* fez. Ela era apenas uma garotinha quando tudo aconteceu, a criança que outrora o amou e confiou nele. Talvez um dia ela escreva sobre seus sentimentos, e espero que "Elizabeth Kendall" veja seu livro ser relançado.

| Ted Bundy alguma vez foi inocentado de
| homicídios de que era suspeito?

Talvez uma ou duas vezes, oficialmente. Acredito que ele assassinou Katherine Merry Devine depois de pegá-la no Distrito Universitário em dezembro de 1973. Os pais dela e muitos detetives também acreditavam que Ted era o responsável. Mas houve um suspeito que os detetives do condado de Thurston, em Washington, também observaram ao longo dos 28 anos em que o assassinato dela permaneceu sem solução. O nome dele era Wiliam E. Cosden, e tinha antecedentes por estupro e absolvição duvidosa de acusações de estupro e homicídio em Maryland.

Em março de 2002, o DNA retirado do corpo e das roupas de Katherine Merry foi comparado ao de Cosden, e a compatibilidade foi definitiva. Cosden acreditava ter se safado dessa. Ele visitava parentes que eram proprietários de posto de combustível em Olympia quando a jovem de quatorze anos desceu da carona que havia pegado de Seattle. Ele a conheceu nesse posto, e ela confiou nele. Cosden está agora encarcerado em segurança na prisão.

| Ted Bundy não era legal... bem lá no fundo?

Não.

| Você alguma vez sentiu medo quando esteve
| com Ted Bundy, especialmente na Clínica de
| Prevenção de Suicídio, sozinha a noite toda?

Mais uma vez, a resposta é não. Sempre tive orgulho de mim mesma pela habilidade de detectar anomalias em outras pessoas, porque era algo inato e desenvolvido com experiência e treinamento. E me repreendi em silêncio por um longo tempo porque não vi nada ameaçador ou perturbador na fachada de Ted. Ele era muito gentil comigo, atencioso com minha segurança e aparentemente empático.

A única pista que tive foi que minha cadela (que gostava de todo mundo) não ia com a cara de Ted de jeito nenhum. Sempre que ele se debruçava na minha mesa na Clínica de Prevenção de Suicídio, ela rosnava e os pelos da nuca eriçavam.

A lição é clara: *Prestem atenção no seu cachorro!*

| Você não acha que Ted Bundy deveria ser mantido vivo e estudado por psiquiatras enquanto cumpria prisão perpétua?

Não, não acho. Ted teria encontrado uma maneira de fugir de novo e ficado mais perigoso do que nunca. Ele enganou uma grande quantidade de pessoas inteligentes e experientes — incluindo eu mesma —, e era totalmente capaz de fazer isso de novo, e de novo, e de novo. Era um risco grande demais para correr.

| Qual era o Q.I. de Ted?

Era de 124 no Wechsler-Bellevue padrão. O suficiente para se formar na faculdade e obter graduações adicionais, mas ele nunca foi testado no nível de gênio.

| Onde Ted Bundy está enterrado?

Ninguém, exceto aqueles mais próximos a ele, sabem. Seu corpo foi cremado, e ele tinha pedido que suas cinzas fossem espalhadas pelas montanhas Cascade, no estado de Washington. Essa provavelmente foi uma escolha sábia, visto que um túmulo reconhecível teria risco de profanação.

| Você foi apaixonada por Ted Bundy?

Não. Felizmente, nunca tive nenhum interesse por Ted, a não ser como amigo. Estive apaixonada por um detetive da Homicídios nos anos 1970, e muito depois disso. Fiquei chocada este ano quando uma universitária me escreveu que seu professor dissera para a turma que Ted e eu tivemos um caso e planejávamos casar. Esse foi um boato que *precisei* rastrear de imediato! Com a ajuda do meu editor, encontramos no eBay o anúncio de um dos meus livros usado. O vendedor havia omitido duas frases da resenha que mudaram completamente o significado do texto. Esse equívoco usava *meu* nome ao mencionar o relacionamento de Carole Ann Boone com Ted, e isso se espalhou para muitos sites na internet. Embaraçoso e completamente falso.

| Ted Bundy era louco, não era?

Não. Por favor, consulte a primeira parte deste capítulo.

▎ Sobre as execuções adiadas duas vezes.

De um e-mail de ontem:

> "Eu li em muitas publicações [que] em julho de 1986 a execução de Bundy foi adiada faltando apenas quinze minutos para o horário marcado. E então, outra vez em outubro, a pena foi adiada sete horas antes de ser executada. Esses relatos são exatos ou apenas sensacionalismo da imprensa? E, igualmente importante, se Ted Bundy teve apenas quinze minutos ou sete horas para viver, por que só confessou em janeiro de 1989? Seus advogados lhe asseguraram que não seria executado? Por que esperou e não jogou essa carta em 1986? Como ele sabia que não seria executado àquela altura?

Primeiramente, ele não esteve a quinze minutos da execução em julho de 1986, foram quinze *horas*. Ele de fato esteve a sete horas de morrer em novembro daquele ano. Seus advogados entraram com dezoito apelações. Acredito que ele tenha começado a se sentir invencível — que sempre haveria outra chance. No entanto, ele não tinha como saber, com toda a certeza, que não iria se sentar na Old Sparky em cada data marcada.

Ele se arriscou e ganhou outra vez. Nem eu nem qualquer outra pessoa, contudo, seria capaz de dizer naquela época, ou agora, o que Ted pensava.

E isso nos leva à mais onipresente das perguntas:

▎ Quem era Ted Bundy?

Não sei. Ele era tantas coisas para pessoas diferentes. Era ator, mentiroso, ladrão, assassino, golpista, perseguidor, sedutor, inteligente mas não brilhante, e condenado.

Penso que nem mesmo Ted sabia quem ele *era de fato*.

E agora, para a história do homem chamado Ted Bundy — desde o comecinho.

Ann Rule
Setembro de 2008

PREFÁCIO
UM VÍNCULO CURIOSO

-
-

1980

Escrever livros sobre suspeitos anônimos de assassinatos é uma coisa. Escrever um livro sobre alguém que você conheceu e com quem se preocupou por dez anos é outra bem diferente. E, ainda assim, foi exatamente o que aconteceu. Meu contrato para escrever este livro foi assinado muitos meses antes de Ted Bundy se transformar no principal suspeito de mais de uma dúzia de homicídios. Meu livro não seria sobre um nome sem rosto no jornal, sobre um desconhecido dentre mais de um milhão de pessoas que vivem na área de Seattle. Seria sobre meu amigo Ted Bundy.

Poderíamos nunca ter nos conhecido. Lógica, estatística e demograficamente, as chances de que Ted Bundy e eu nos conhecêssemos e nos tornássemos amigos próximos são quase pequenas demais para contemplar. Vivemos nos mesmos estados nas mesmas épocas — não apenas uma, mas muitas vezes — porém, os dez anos de diferença entre nossas idades impossibilitaram nosso encontro durante muitos anos.

Quando nos conhecemos, em 1971, eu era a mãe rechonchuda de quatro filhos, com quase 35 anos, aproximando-me do divórcio. Ted era o aluno brilhante de 24 anos nos últimos períodos de psicologia na Universidade de Washington. O acaso nos transformou em parceiros no disque-suicídio da Clínica de Prevenção de Suicídio de Seattle no período noturno das terças-feiras. Sintonia, a sintonia quase instantânea, nos transformou em amigos.

Eu era voluntária atendendo telefones, e Ted recebia dois dólares por hora como funcionário de meio período. Estava ansioso para seguir para a faculdade de direito, e eu esperava que minha incipiente carreira de escritora freelance pudesse se transformar em algo que proporcionasse renda integral para minha família. Embora seja bacharel em escrita criativa pela Universidade de Washington, havia escrito pouco até 1968, quando me tornei correspondente da região Noroeste para a *True Detective Magazine* e suas publicações parceiras, especializadas em histórias policiais. Minha área de cobertura: os principais artigos criminais no território que se estendia de Eugene, no Oregon, até a fronteira canadense.

Esse campo se provou algo em que eu era bastante adequada. Fui policial em Seattle na década de 1950, e a combinação do interesse pelo cumprimento da lei e a educação em escrita deu certo. Minha graduação secundária foi em psicologia anormal pela universidade, e segui em frente para obter o diploma de tecnóloga em ciência policial que me permitiria escrever com alguma perícia sobre os avanços na investigação criminal científica. Em 1980, já tinha feito a cobertura de mais de oitocentos casos, em especial homicídios, todos ao longo da Costa Noroeste e conquistado a confiança de centenas de detetives de homicídios — um deles me elogiaria de forma um tanto inquietante: "Ann, você é como um dos rapazes". Tenho certeza de que o interesse mútuo em direito uniu Ted a mim, e nos proporcionou tópicos comuns para discutir — assim como o interesse em psicologia anormal. Mas sempre pareceu haver algo mais, algo quase efêmero. O próprio Ted se referiu a isso certa vez em carta enviada de uma cela, uma das muitas que viria a ocupar.

> "Você chamou de carma. Pode ser. Ainda assim, qualquer que seja a força sobrenatural que guia nossos destinos, ela nos uniu em situações mentalmente estimulantes. Tenho que acreditar que essa mão invisível vai servir mais Chablis gelado para nós em tempos menos traiçoeiros e mais tranquilos por vir. Com amor, ted."

A carta é de 6 de março de 1976, e nunca viríamos a nos encontrar frente a frente outra vez no lado de fora de muros de penitenciárias ou de tribunais fortemente protegidos. Mas um vínculo curioso permanece.

E então Ted Bundy foi meu amigo, durante os bons tempos, e os ruins. Fiquei ao seu lado por muitos anos, torcendo para que nenhuma das suspeitas fosse verdade. Algumas pessoas entenderão minha decisão, mas tenho certeza de que deixará muitas outras furiosas. E, com tudo isso, a história de Ted Bundy deve ser contada, e deve ser contada na totalidade, para que algo de bom possa ser tirado daqueles anos terríveis: 1974 — 1980.

Eu me debati durante muito tempo com minha ambivalência a respeito de Ted. Como escritora profissional, recebi a história de uma vida, a história pela qual qualquer autor pede em suas preces. É provável que não exista nenhum outro escritor tão a par de todas as facetas da história de Ted. Não fui atrás dessa história, e houve muitas noites longas em que desejei piamente que as coisas pudessem ter sido diferentes — que *escrevesse* sobre um completo estranho cujas esperanças e sonhos não fizessem parte de mim. Quis voltar a 1971 para apagar tudo o que aconteceu, para poder pensar em Ted como o jovem franco e sorridente que conheci na época.

Ted sabe que estou escrevendo este livro. Sempre soube, e continua a me escrever e a telefonar. Desconfio que sabe que tentarei mostrar o homem por inteiro.

Ele foi retratado como o filho perfeito, o aluno perfeito, o escoteiro que se transformou em adulto, o gênio, tão bonito quanto um ídolo do cinema, a luz radiante no futuro do Partido Republicano, o assistente social psiquiátrico sensível, o advogado em ascensão, o amigo leal e o jovem para quem o futuro reservava apenas sucesso.

Ele é todas essas coisas, e nenhuma delas.

Ted Bundy não se encaixa em nenhum perfil. Você não poderia olhar para seu histórico e dizer: "Viu? Era inevitável que acabasse desse jeito".

Na verdade, é incompreensível.

Ann Rule
29 de janeiro de 1980

UM ESTRANHO
AO MEU LADO

-
-

TED BUNDY

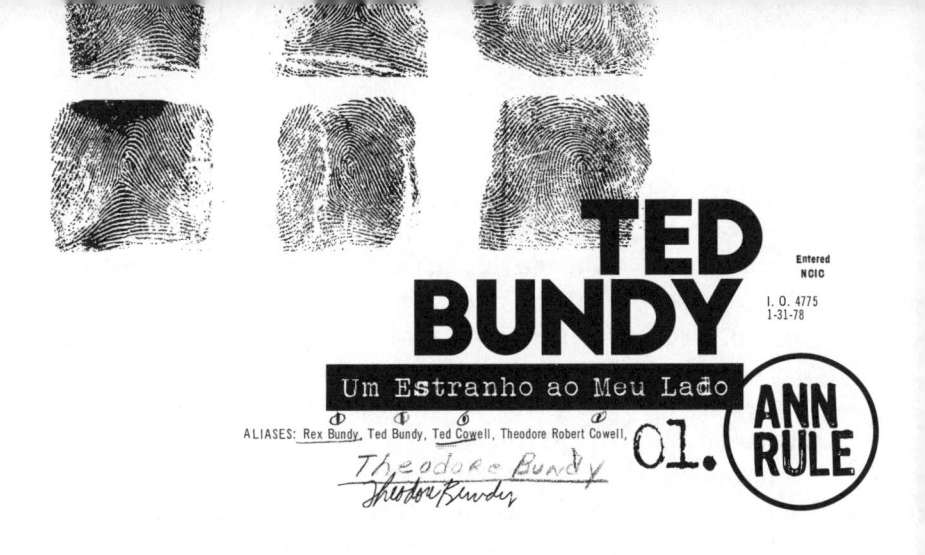

O réu está foragido

Ninguém olhou para o jovem que saiu da Estação Rodoviária Trailways, no Tallahassee, Flórida, ao alvorecer do domingo, 8 de janeiro de 1978. Parecia universitário, talvez um pouco mais velho, e se misturou com facilidade com os 30 mil estudantes que chegavam à capital da Flórida naquela semana. Ele planejara as coisas desse jeito e sentia-se à vontade na atmosfera de campus, em casa.

Na verdade, estava quase tão longe de casa quanto possível e ainda permanecia nos Estados Unidos. Tinha planejado isso também, assim como fazia com tudo. Realizara o impossível e agora começaria vida nova, com nome novo, histórico inventado, "roubado", e padrão comportamental completamente diferente. Assim, estava confiante de que a sensação inebriante de liberdade continuaria para sempre.

No estado de Washington, ou em Utah, ou no Colorado, ele teria sido reconhecido no ato até mesmo pelos espectadores e leitores da imprensa mais aleatórios. No Tallahassee, Flórida, no entanto, era anônimo — apenas outro jovem atraente de sorriso fácil.

Ele fora Theodore Robert Bundy. Mas Ted Bundy não existia mais. Agora ele era Chris Hagen. Isso serviria até decidir quem seria em seguida.

Sentira frio por tanto tempo: frio no gélido ar noturno de Glenwood Springs, no Colorado, quando emergiu despercebido da Penitenciária do Condado de Garfield; frio na véspera de Ano-Novo, enquanto se misturava à multidão em um bar em Ann Arbor, no Michigan, torcendo pelo jogo do Estádio Rose Bowl que passava na TV; frio quando decidiu que seguiria para o sul. Aonde ia não importava, contanto que o sol estivesse quente, o clima ameno, e encontrasse um campus universitário.

Por que escolhera o Tallahassee? Por acaso, mais que qualquer outra coisa. Em retrospecto, vemos que com frequência são as escolhas casuais que traçam o caminho para a tragédia. Ficara fascinado com o campus da Universidade do Michigan, e poderia ter ficado por lá. Tinha dinheiro suficiente da reserva que escondera na prisão para pagar um quarto de doze dólares na ACM, mas as noites do Michigan em janeiro podem ser implacavelmente frias, e ele não tinha roupas quentes.

Também estivera na Flórida antes. Nos dias em que era o enérgico jovem que trabalhava para o Partido Republicano, ganhara a viagem para a convenção de 1968, em Miami, como recompensa. Contudo, enquanto estava debruçado nos catálogos universitários na biblioteca da Universidade do Michigan, não pensava em Miami.

Ele deu uma olhada na Universidade da Flórida, em Gainesville, e a descartou de pronto. Não havia água ao redor de Gainesville e, como diria mais tarde: "Ela não parecia certa no mapa — superstição, acho".

Tallahassee, por outro lado, "parecia excelente". Ele vivera grande parte da vida em Puget Sound, no estado de Washington, e ansiava por ver e sentir o aroma de água: Tallahassee fica às margens do rio Ochlockonee, que segue para a baía Apalachee e as vastidões do golfo do México.

Sabia que não poderia voltar para casa de novo, jamais, mas os nomes indígenas da Flórida o faziam se lembrar um pouco das cidades e dos rios de Washington, com seus nomes tribais do Noroeste.

Então era para Tallahassee que iria.

Fizera viagem confortável até o Ano-Novo. A primeira noite fora um pouco difícil, mas andar em liberdade era o suficiente por si só. Quando roubara o "calhambeque" das ruas de Glenwood Springs, percebeu que o carro poderia não conseguir atravessar os desfiladeiros obstruídos pela neve até Aspen, mas não tinha muita escolha. O veículo queimara a 48 quilômetros de Vail — 64 quilômetros de Aspen

—, mas um bom samaritano o ajudara a empurrar o carro para fora da estrada e lhe dera carona de volta a Vail.

De lá, viajou de ônibus até Denver, pegou táxi para o aeroporto e avião para Chicago, antes de descobrirem que ele tinha fugido. Não andava de trem desde a infância, e desfrutou da viagem pela empresa Amtrak até Ann Arbor, tomou as primeiras bebidas em dois anos no vagão do restaurante enquanto pensava nos captores em busca dele pelos bancos de neve que ficavam cada vez mais para trás.

Em Ann Arbor, contou o dinheiro e se deu conta de que teria de economizar. Andava na linha desde que deixou o Colorado, mas decidiu que roubar mais um automóvel não faria diferença. Abandonou o veículo no meio de uma comunidade negra, em Atlanta, com as chaves no contato. Ninguém jamais poderia ligá-lo a Ted Bundy — nem mesmo o FBI (organização que, pessoalmente, considerava superestimada ao extremo), que tinha acabado de colocá-lo na lista dos Dez Mais Procurados.

O ônibus da Trailways o deixara bem no centro do Tallahassee. Tomou um pequeno susto assim que desceu do ônibus. Pensou ter visto um homem que conhecera na prisão em Utah, mas o olhar do homem passou direto por ele, e se deu conta de que estava um tanto paranoico. Além disso, não tinha dinheiro suficiente para viajar para mais longe e ainda bancar o aluguel do quarto.

Adorou o Tallahassee. Era monótono, tranquilo — uma cidade caipira na manhã de domingo. Saiu para a Duval Street, e foi glorioso. Quente, o ar cheirava bem e parecia certo que fosse o amanhecer fresco de um novo dia. Como o pombo que voltava para casa, seguiu para o campus da Universidade Estadual da Flórida. Não foi tão difícil de encontrar. Pegou a Duval, cruzou a College e dobrou à direita. Ele pôde ver os antigos e os novos edifícios do capitólio à frente e, depois deles, o campus.

As faixas nas calçadas eram cultivadas com cornisos, reminiscentes de casa, mas o resto da vegetação era estranho, diferente daquela dos lugares de onde viera. Como carvalhos-do-sul, carvalhos-d'água, pinheiros-americanos, tamareiras e árvores-do-âmbar enormes. A cidade inteira parecia coberta por árvores. Os galhos das árvores-do--âmbar estavam secos e desfolhados em janeiro, deixando o panorama um pouco parecido com o inverno setentrional, mas a temperatura já se aproximava dos 21°C.

A própria estranheza da paisagem o fez se sentir mais seguro, como se todas as dificuldades ficassem para trás, tão longe que tudo que acontecera nos quatro anos anteriores podia ser esquecido, esquecido tão completamente que seria como se nada tivesse acontecido. Ele era bom nisso, pois havia um lugar para ele ir em sua mente, onde *podia* esquecer. Não apagar, esquecer.

Conforme se aproximava do campus da Universidade da Flórida, a euforia diminuía. Talvez estivesse errado, esperava uma operação muito maior em que se perderia, e proliferação de placas de ALUGA--SE. Parecia haver pouquíssimos quartos para alugar, e sabia que os classificados não o ajudariam muito, afinal, não conhecia os endereços próximos da universidade.

As roupas, leves demais para Michigan e Colorado, começavam a parecer pesadas demais, então foi à livraria do campus, onde encontrou armários para guardar os suéteres e o chapéu.

Tinha 160 dólares ainda, quantia não muito grande porque precisava alugar um quarto, deixar o depósito e comprar comida até encontrar emprego. Descobriu que grande parte dos estudantes morava em dormitórios, em fraternidades e na mixórdia de apartamentos e pensões mais velhas adjacentes ao campus, mas ele chegou tarde: o semestre tinha começado e quase tudo já estava alugado.

Ted Bundy morara em belos apartamentos, cômodos arejados nos andares mais altos de confortáveis casas antigas perto dos campi das universidades de Washington e de Utah, e não ficou nem um pouco encantado com a fachada pseudo-sulista da "The Oak" [O Carvalho] na West College Avenue. A construção ganhou esse nome graças à única árvore no jardim da frente, árvore tão desgrenhada quanto a envelhecida casa atrás dela. A pintura estava desbotando e a varanda, um pouco inclinada, mas havia a placa ALUGA-SE na janela.

Ele sorriu de maneira agradável para o senhorio e conseguiu depressa a única vaga com depósito de apenas 100 dólares. Como Chris Hagen, prometeu pagar o aluguel de dois meses, 320 dólares, dentro de um mês. O quarto em si era tão desanimador quanto o edifício, mas significava que estava fora das ruas. Tinha lugar para morar, lugar onde poderia começar a colocar em prática o resto de seus planos.

Ted Bundy é o tipo de homem que aprende com a experiência — a própria e a dos outros. Ao longo dos quatro anos anteriores, sua vida deu uma volta completa: de jovem brilhante em ascensão, alguém que poderia até se tornar governador de Washington em futuro próximo, para condenado e fugitivo. E tinha, de fato, aprendido falcatruas, colhendo quaisquer informações que precisasse com os homens que dividiram seus blocos de celas. Era muito mais esperto do que qualquer um ali, mais esperto do que a maioria dos carcereiros, e a motivação que outrora o tinha incitado a ter sucesso no mundo convencional de maneira gradual se redirecionara até se focar em uma única coisa: fuga — liberdade permanente e duradoura, muito embora fosse se tornar, talvez, o homem mais caçado dos Estados Unidos.

Vira o que acontecia com fugitivos que não foram inteligentes o bastante para planejar. Sabia que a prioridade era obter documentos de identificação. Não apenas um conjunto, mas muitos. Tinha visto fugitivos menos astutos serem levados de volta para a prisão e deduzira que o maior erro foi serem parados pela lei, incapazes de apresentar documentação que não desse resultado nos computadores "bambambã" do Centro Nacional de Informações Criminais em Washington D.C.

Não cometeria esse erro fatal. Sua primeira tarefa seria a pesquisa nos arquivos dos estudantes em busca de registros de diversos formandos, registros sem a menor mácula. Embora tivesse 31 anos, decidiu que, em suas novas vidas, teria por volta dos 23, um jovem estudante. Assim que tivesse esse disfarce de segurança, encontraria mais duas identidades para trocar caso suas antenas lhe dissessem que estava sendo observado de perto.

Também precisava encontrar emprego, e não para o tipo que era imensamente qualificado: serviço social, orientador psicológico, auxiliar político ou assistente legal, mas emprego de operário. Teria que arranjar número de Seguro Social, carteira de motorista e endereço permanente. Este último ele acabara de conseguir. O resto ainda precisava providenciar. Depois do depósito do aluguel, sobraram apenas 60 dólares, e já tinha se chocado ao ver os efeitos da inflação na economia enquanto permanecera encarcerado. Achava que as poucas centenas de dólares com que começara a fuga durariam um mês ou dois, mas já estavam quase no fim.

Daria um jeito nisso. O programa era simples: primeiro, o documento de identificação, em seguida o emprego, e, por fim, porém mais importante, seria o cidadão mais obediente à lei que jamais caminhou pelas ruas da Flórida. Prometeu a si mesmo que não receberia sequer uma multa por atravessar fora da faixa de pedestres, absolutamente nada que fizesse com que os policiais olhassem para ele. Agora era um homem sem passado. Ted Bundy estava morto.

Assim como todos os anteriores, esse era um bom plano. Caso tivesse conseguido segui-lo à risca, seria improvável que fosse detido.

Os policiais tinham os próprios suspeitos de homicídio para ficar de olho, e crimes em lugares tão distantes quanto Utah ou Colorado não lhes chamariam muita atenção.

Pode-se supor que a maioria dos jovens, entre estranhos, em terra estranha, com apenas 60 dólares no bolso, desempregado e precisando de 320 dólares dentro de um mês, possa sentir uma pontada de pânico diante do desconhecido nos dias que estavam por vir.

No entanto, "Chris Hagen" não sentiu pânico algum, apenas júbilo borbulhante, e enorme sensação de alívio. Ele tinha conseguido, estava livre, não tinha mais que fugir. O que quer que o futuro lhe reservasse, empalidecia em comparação ao que a manhã de 9 de janeiro significava à medida que 1977 se aproximava do fim. Estava despreocupado e feliz enquanto pegava no sono na cama estreita da The Oak em Tallahassee.

Tinha bons motivos para estar. Theodore Robert Bundy, o homem que não existia mais, estava agendado para ir a julgamento por homicídio doloso em Colorado Springs, no Colorado, às nove horas da manhã de 9 de janeiro. Agora aquele tribunal estaria vazio.

O réu havia desaparecido.

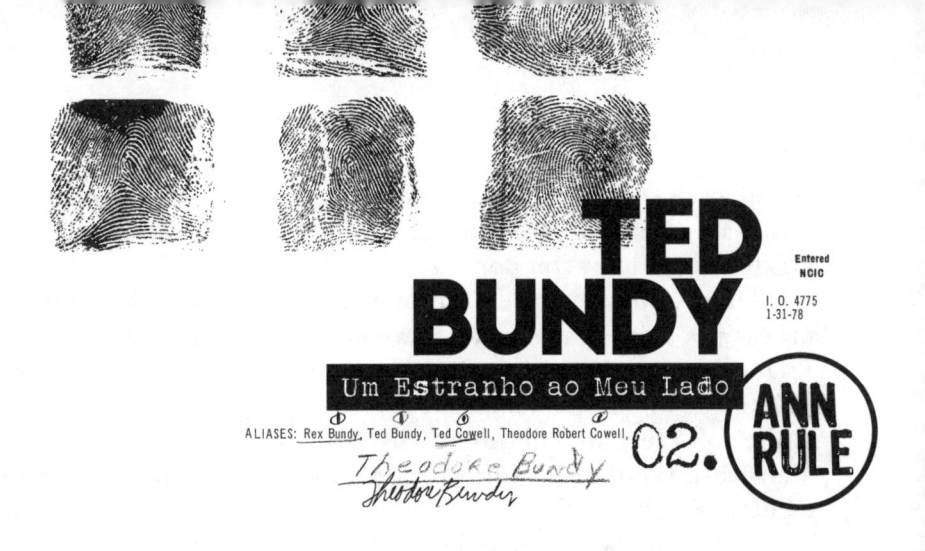

A primeira
obsessão de Ted

O Ted Bundy que "morreu" e renasceu como Chris Hagen em Tallahassee, em 8 de janeiro de 1978, realizara coisas incomuns. Enquanto grande parte da vida se caberia na desolação plana da classe média, havia também muita coisa que não se enquadrava.

Seu próprio nascimento o marcava como diferente. Os costumes dos Estados Unidos em 1946 estavam a um mundo de distância das atitudes das décadas de 1970 e 1980. Hoje, bebês ilegítimos são proporção substancial dos nascimentos, apesar dos abortos legalizados, das vasectomias e das pílulas anticoncepcionais. Existe apenas um resquício de estigma em relação às mães solteiras, e a maioria delas não abre mão de seus bebês, misturando-se à sociedade sem problemas.

As coisas não eram assim em 1946. Sexo pré-marital com certeza existia, como sempre existiu, mas as mulheres não conversavam sobre isso nem com as melhores amigas caso desfrutassem dele. Garotas que faziam sexo antes do casamento eram consideradas promíscuas, ainda que os homens fizessem o mesmo e pudessem se gabar disso. Não era justo, nem mesmo fazia muito sentido, mas as coisas eram assim. Um liberal daquela época podia sair com a frase "apenas boas garotas eram pegas". Programadas por mães ansiosas, era raro que as garotas duvidassem da premissa de que a virgindade era um fim por si só.

Eleanor Louise Cowell tinha 22 anos, era uma "boa garota", criada por uma família extremamente religiosa no Noroeste da Filadélfia. É possível imaginar seu pânico quando se descobriu grávida de um homem a que se refere hoje apenas como "um marinheiro". Ele a abandonou, assustada e sozinha, para enfrentar a rigorosa família. Eles lhe deram apoio, mas ficaram chocados e entristecidos.

Aborto estava fora de questão. Era ilegal — realizado em salas lúgubres de ruas escuras por idosas ou médicos que perderam a licença. Além do mais, sua educação religiosa proibia, e ela já amava o bebê crescendo dentro dela. Não conseguia suportar a ideia de entregar a criança para adoção, então fez a única coisa que podia: quando estava de sete meses, saiu de casa e foi para o Lar para Mães Solteiras Elizabeth Lund, em Burlington, Vermont.

Os jocosos moradores da região se referiam à maternidade como "Lar para Damas Travessas Lizzie Lund". As garotas com problemas que iam para lá sabiam do gracejo, mas não tinham opção além de passar os dias ali até a hora do parto na atmosfera que era — se não hostil — aparentemente indiferente aos seus sentimentos.

Após 63 dias de espera, Theodore Robert Cowell nasceu em 24 de novembro de 1946.

Eleanor levou o filho de volta para a casa dos pais na Filadélfia e deu início à farsa desesperada. Conforme crescia, o bebê ouvia as pessoas se referirem a Eleanor como sua irmã mais velha e pediam que chamasse os avós de "mãe" e "pai". Nos primeiros sinais de brilhantismo, o garotinho, um tanto baixo e com cabeleira castanha ondulada que lhe emprestava a aparência de fauno, fazia o que mandavam, e ainda assim tinha a sensação de viver uma mentira.

Ted adorava o avô-pai Cowell. Tinha identificação, respeito e se apegava a ele em momentos de dificuldades.

Entretanto, enquanto crescia, ficou claro que permanecer na Filadélfia seria impossível. Muitos parentes conheciam seu verdadeira parentesco, e Eleanor temia como seriam os anos de crescimento. Era um bairro de classe operária, onde crianças ouviam os comentários sussurrados dos pais e os repetiam. Ela nunca quis que Ted ouvisse a palavra "bastardo".

Havia um ramo dos Cowell no estado de Washington, que se ofereceu para acolher Eleanor e o menino se fossem para o Oeste. Para assegurar a proteção de Ted contra o preconceito, Eleanor, que dali em diante se chamaria Louise, foi ao tribunal da Filadélfia em 6 de outubro de 1950 e mudou legalmente o nome de Ted para Theodore Robert Nelson. Era um nome comum, que deveria lhe proporcionar anonimato e não atrairia atenção para si quando começasse a frequentar a escola.

Assim, Louise Cowell e Ted Nelson, seu filho de quatro anos, viajaram 4.800 quilômetros até Tacoma, Washington, onde foram morar com parentes até que ela conseguisse emprego. Foi um tremendo baque para Ted deixar o avô para trás, e ele nunca perdoaria o velho, mas logo se ajustou à nova vida. Seus primos, Jane e Alan Scott, tinham quase a mesma idade que ele, e logo se tornaram amigos.

Em Tacoma, a terceira maior cidade de Washington, Louise e Ted tiveram seu novo começo. A beleza das colinas e do porto de Tacoma era com frequência obscurecida pela poluição das indústrias, e as ruas do centro permeadas de bares de música caipira, casas de shows eróticos e lojas de pornografia, eram frequentadas pelos soldados do Forte Lewis, quando de licença.

Louise ingressou na Igreja metodista, e em um evento social conheceu Johnnie Culpepper Bundy — um dos membros do enorme clã dos Bundy que residia na região de Tacoma. Bundy, um cozinheiro, era tão baixo quanto Louise, e nenhum deles media mais que um metro e meio. Era tímido, mas parecia gentil, parecia confiável.

O namoro foi rápido, marcado principalmente pela presença em outros eventos sociais da igreja. Em 19 de maio de 1951, Louise Cowell se casou com Johnnie Bundy. Ted esteve presente no casamento de sua "irmã mais velha" com o cozinheiro baixinho da base militar. Ele não tinha nem cinco anos quando recebeu seu terceiro nome: Theodore Robert Bundy.

Louise trabalhava de secretária, e a nova família se mudou diversas vezes antes de enfim comprar a própria casa, perto da ponte elevada Narrows.

Em pouco tempo, havia quatro meios-irmãos, duas meninas e dois meninos. O menino mais novo, nascido quando Ted tinha quinze anos, era o seu favorito. Com frequência era forçado a cuidar dos meio-irmãos, e seus amigos adolescentes se lembram de que Ted perdeu muitas atividades porque tinha que ficar de babá. Se achava ruim, ele raramente reclamava.

Apesar do novo nome, Ted ainda se considerava um Cowell. Era sempre para o lado Cowell da família que gravitava.

Ele *parecia* um Cowell. Suas feições eram a versão masculinizada de Louise, a coloração igualzinha a dela. Na superfície, parecia que a única contribuição genética do pai biológico era a altura. Ainda que fosse menor do que os colegas do ensino fundamental, Ted já era mais alto do que Louise e Johnnie. Um dia teria 1,83 m.

Ted passava algum tempo com o padrasto de má vontade. Johnnie se esforçava, aceitara o filho de Louise da mesma maneira como a aceitara, e tinha ficado bastante satisfeito em ter um filho. Se Ted parecia cada vez mais distante, atribuía o fato à adolescência florescente. Com relação à disciplina, Louise tinha a palavra final, embora Johnnie às vezes o punisse fisicamente com o cinto.

Ted e Johnnie costumavam colher feijões nos acres de campos verdejantes que se espalhavam pelos vales além de Tacoma. Conseguiam lucrar cinco ou seis dólares por dia. Se Bundy trabalhasse no turno da manhã no Hospital Militar Madigan como cozinheiro — das cinco da manhã às duas da tarde — eles corriam para os campos e faziam a colheita durante o calor vespertino. Se trabalhasse no turno da tarde, acordava cedo mesmo assim e ajudava Ted na entrega de jornais. Ted tinha 78 clientes na sua rota matinal e demorava bastante para atendê-los sozinho.

Johnnie Bundy se tornou líder dos escoteiros e com frequência organizava viagens de acampamento. Na maioria das vezes, contudo, eram os filhos de outras pessoas que iam aos passeios. Ted sempre parecia ter alguma desculpa para pular fora.

Estranhamente, Louise nunca foi assertiva com Ted sobre ela ser sua mãe, e não uma irmã mais velha. Às vezes, ele a chamava de mãe, e outras apenas de Louise.

Ainda assim, estava claro para qualquer um que os conhecia que Ted era o filho que acreditava ter mais potencial. Louise sentia que ele era especial, que se daria bem em um curso superior, e o incitou a economizar para a faculdade quando tinha apenas treze ou quatorze anos.

Embora Ted estivesse espichando, era muito magro — leve demais para jogar futebol americano no ensino fundamental. Frequentava a Escola Secundária Hunt e se destacou em corrida, onde obteve certo êxito nos duzentos metros com obstáculos.

No âmbito acadêmico, porém, se saía muito melhor. Conseguia manter média B e ficaria acordado a noite inteira para concluir um projeto se necessário.

Foi nesta escola que Ted sofreu perseguição e provocações impiedosas de outros garotos. Algumas pessoas que a frequentaram se recordam que Ted sempre insistia em tomar banho sozinho, evitava os chuveiros coletivos onde o restante dos alunos da aula de educação física berrava e gritava. Desdenhosos de sua timidez, os outros garotos se deleitavam em se aproximar silenciosamente do chuveiro em que Ted tomava banho e derramar água fria nele. Humilhado e furioso, ele os expulsava.

Ted frequentou o ensino médio na Woodrow Wilson, em Tacoma, e se tornou integrante da maior turma de formandos daquela escola até hoje. A turma de 1965 teve 740 alunos. Qualquer busca por Ted Bundy nos registros da Woodrow Wilson se mostra infrutífera. Eles sumiram, mas muitos de seus amigos se lembram dele.

Uma jovem, agora advogada, se lembra de Ted aos dezessete anos. "Era bastante conhecido, popular, ainda que não fizesse parte das panelinhas principais, mas até aí eu também não. Era atraente e se vestia bem, de extremos bons modos. Sei que deve ter saído com alguém, mas não consigo me lembrar de tê-lo visto com namorada. Acho que me lembro de vê-lo dançar, em especial na TOLO, onde as garotas é que tiram os garotos para ser seu par. Mas não tenho certeza. Apesar da popularidade, ele era meio tímido, quase introvertido."

Os melhores amigos de Ted no ensino médio eram Jim Paulus, um jovem baixo e atarracado, cabelo escuro e óculos de armação de chifre, ativo na política estudantil, e Kent Michaels, vice-presidente do conselho estudantil, reserva do time de futebol americano, e agora advogado em Tacoma. Ted esquiava com eles, mas, apesar do crescente interesse em política, não teve cargo no conselho estudantil.

Em uma turma com quase oitocentos alunos, era peixe médio em lago grande. Mesmo sem estar entre os *mais* populares, gravitava perto do topo e era bastante querido.

Academicamente, estava melhorando. Conseguia tirar a consistente média B+. Na formatura, ganhou bolsa de estudos para a Universidade de Puget Sound, em Tacoma.

Ted escreveu um recado incomum para a colega num exemplar do anuário da Escola Wilson, *The Nova*:

Querida V.,

A doçura da chuva primaveril escorre pela desgraça [sic] da janela[1] (Não consigo evitar. Ela apenas flui)

Theodore Robert Bundy
Peota [sic]

A única coisa que maculou a imagem de jovem formando bem-apessoado de Ted na primavera de 1965 foi ter sido pego pelo menos duas vezes pelo Juizado da Infância e Juventude do Condado de Pierce por suspeita de roubo de automóveis e invasão domiciliar. Não há evidência alguma de que tenha sido encarcerado, mas seu nome era conhecido entre os assistentes sociais. Os registros que resumem os detalhes dos incidentes há muito foram destruídos — é o procedimento quando o delinquente juvenil completa dezoito anos. Resta apenas o cartão com o nome e as ofensas listadas.

Ted trabalhou no verão de 1965 na distribuidora de energia Tacoma City Light para juntar dinheiro para a faculdade, e frequentou a Universidade de Puget Sound durante o ano letivo de 1965-66.

Depois de trabalhar na serraria no verão seguinte, Ted pediu transferência para a Universidade de Washington, onde iniciou programa intensivo para aprender chinês. Ele acreditava que a China era o país com o qual um dia teríamos de lidar, e que fluência no idioma seria imperativo.

Ted se mudou para o McMahon Hall, dormitório no campus da universidade. Ainda não havia se envolvido a sério com uma mulher, embora ansiasse por isso. Era restringido pela timidez e pelo sentimento de que não era hábil socialmente, que suas origens eram ridiculamente de classe média, que não tinha nada a oferecer para o tipo de mulher que desejava.

Quando Ted conheceu Stephanie Brooks, na primavera de 1967, no McMahon Hall, viu a mulher que era a epítome de seus sonhos. Stephanie não era como nenhuma das garotas que tinha visto antes, e a considerava a criatura mais sofisticada e mais bonita do mundo. Ele a observou, viu que parecia preferir os jogadores de futebol americano e hesitou em abordá-la. Como viria a escrever mais ou menos

---

[1] *Window pain* no original. Bundy usou *pain* (dor), em vez de *pane* (vidraça), que tem a mesma pronúncia. [Nota do Tradutor, de agora em diante NT]

dez anos mais tarde: "Eu e ela tínhamos tanto em comum quanto a Sears & Roebuck tem com a Saks. Nunca tive por S. um interesse romântico maior do que tive por alguma criatura elegante na página da revista de moda".

Mas na verdade tinham um interesse em comum: esquiar. Stephanie tinha carro e ele conseguiu carona com ela até os picos das montanhas a leste de Seattle. Enquanto voltavam de um dia de esqui, analisou a garota bonita de cabelo escuro ao volante. Dissera a si mesmo que Stephanie era superior a ele, e ainda assim se deu conta de que estava apaixonado. Ted ficou ao mesmo tempo confuso e animado quando ela começou a passar cada vez mais tempo com ele. Sua preocupação com o curso intensivo de chinês foi temporariamente relegada a segundo plano.

"Foi ao mesmo tempo sublime e esmagador", recordou-se. "O primeiro toque de mãos, o primeiro beijo, a primeira noite juntos... Durante os seis anos seguintes, S. e eu nos encontramos sob as circunstâncias mais estimulantes."

Ted tinha se apaixonado. Stephanie era mais ou menos um ano mais velha, filha de uma abastada família californiana, e muito provavelmente foi a mulher que o iniciou na vida sexual. Ele estava com vinte anos, tinha pouquíssimo a oferecer a ela, a jovem criada na atmosfera em que dinheiro e prestígio eram tidos como certos. E ainda assim ficaram juntos durante um ano — ano que pode ter sido o mais importante da vida dele.

Ted trabalhou em vários empregos subalternos de baixo salário para pagar a faculdade: em um elegante iate clube de Seattle e também no venerável Olympic Hotel como ajudante de garçom; na loja Safeway como repositor; como estoquista no armazém de uma fornecedora de produtos cirúrgicos; como mensageiro judicial; e vendedor de sapatos. Ele deixou a maioria desses empregos por vontade própria, com frequência após poucos meses. Os arquivos de funcionários da Safeway o avaliavam como "apenas razoável" e apontavam que simplesmente deixou de ir certo dia. Tanto o armazém da fornecedora de produtos cirúrgicos como o serviço de mensageiros o contrataram duas vezes, contudo, e o descreveram como funcionário agradável e confiável.

Ted se tornou amigo de Beatrice Sloan, de sessenta anos, que trabalhava no iate clube, em agosto de 1967. A sra. Sloan, viúva, considerava o jovem universitário um garoto adorável, e Ted conseguia persuadi-la a fazer quase qualquer coisa quando trabalharam juntos nos seis meses seguintes. Continuaram amigos por muitos anos depois disso. Ela arrumou um emprego para Ted no Olympic Hotel, que durou apenas um mês. Alguns funcionários relataram suspeitas de que mexesse nos armários. A sra. Sloan ficou um tanto chocada quando Ted lhe mostrou o uniforme que havia roubado do hotel, mas considerou aquilo uma brincadeira infantil, assim como faria com tantas outras de suas atitudes.

Beatrice Sloan ouviu tudo a respeito de Stephanie e compreendeu a necessidade de Ted de impressionar aquela garota maravilhosa. Ela lhe emprestava o próprio carro com frequência e ele o devolvia de madrugada. Certa vez, Ted lhe contou que prepararia um jantar especial para Stephanie, e a viúva lhe emprestou seus melhores cristais e pratarias para que criasse o cenário perfeito. Ela riu quando Ted fez o sotaque inglês preciso que planejava usar quando servisse a refeição que cozinharia.

A sra. Sloan acreditava que Ted precisava dela. Ele explicara que a vida familiar tinha sido muito rígida e que agora estava por conta própria. Permitiu que ele usasse o endereço dela ao se candidatar para empregos e como referência. Às vezes, Ted não tinha lugar para dormir, exceto a sala comunal do McMahon Hall, pois ainda tinha a chave. Ele era um "golpista", ela sabia, mas achava que podia entender a razão: ele apenas tentava sobreviver.

Ted a entretinha. Certa vez, colocou uma peruca preta e sua aparência ficou completamente diferente. Mais tarde, ela teve um vislumbre dele na televisão durante a campanha do governador Rosellini, e ele estava com aquela mesma peruca.

Embora a sra. Sloan tivesse suspeitas de que Ted levava garotas às escondidas para o "cesto da gávea" no iate clube para o que ela chamava de "rala-e-rola", e também de que às vezes pegava dinheiro dos clientes bêbados do clube que precisavam ser levados para casa, ela não conseguia evitar: gostava do rapaz. Ted reservava tempo para conversar com ela, se gabava de que seu pai era um chef famoso e que planejava ir para a Filadélfia visitar o tio que estava no alto escalão da política. Ela até lhe emprestou dinheiro certa vez — e em seguida desejou não ter feito isso. Como não recebeu o dinheiro de volta, telefonou para Louise Bundy e lhe pediu para lembrá-lo da dívida. Louise riu, de acordo com a sra. Sloan, e disse: "Você é tola por ter lhe emprestado dinheiro, nunca vai receber de volta. Ele não aparece por estas bandas".

Stephanie Brooks estava no terceiro ano quando conheceu Ted na primavera de 1967 e esteve apaixonada por ele ao longo do verão e início de 1968, mas não tão apaixonada quanto Ted. Saíam com frequência — encontros que não precisavam de muito dinheiro: caminhadas, cinemas, hambúrgueres e às vezes viagens de esqui. Ele era doce e gentil quando faziam amor, e algumas vezes ela pensava que aquilo podia dar certo.

Stephanie, contudo, era pragmática. Era maravilhoso estar apaixonada, ter um romance universitário e passear de mãos dadas pelas trilhas arborizadas do campus, conforme as cerejeiras japonesas davam lugar aos rododendros e em seguida ao alaranjado brilhante dos bordos. As viagens de esqui até as montanhas Cascade também eram divertidas, mas sentia que Ted naufragava, que não tinha nenhum plano ou perspectiva para o futuro. Consciente ou inconscientemente, Stephanie desejava que a vida continuasse como sempre fora. Queria um marido que se encaixasse em seu mundo na Califórnia e simplesmente não acreditava que Ted Bundy coubesse nesse quadro.

Ela considerava Ted muito emotivo e inseguro de si. Ele não parecia capaz de decidir qual graduação fazer. Porém, mais do que isso, ela tinha a incômoda suspeita de que ele usava as pessoas, que se aproximava de gente a quem poderia pedir favores e tirar proveito. Tinha certeza de que havia mentido para ela, que inventara respostas que soavam bem, e isso a aborrecia. Isso a aborrecia mais do que a indecisão e a tendência de usar pessoas.

Stephanie se formou pela Universidade de Washington em junho de 1968, o que lhe pareceu uma forma de escapar do romance. Ainda faltavam alguns anos para Ted se formar, e até lá já estaria em San Francisco, em um emprego, de volta com os velhos amigos. O caso poderia simplesmente morrer por falta de atenção devido a tempo e distância.

Mas Ted ganhou a bolsa de estudos para um curso intensivo de chinês em Stanford no verão de 1968 e ficava a apenas uma curta viagem de carro, pela rodovia Bayshore, da casa dos pais dela. Assim, continuaram a namorar ao longo do verão. Stephanie foi inflexível quando chegou a hora de Ted voltar para a Universidade de Washington. Ela lhe disse que estava tudo terminado, e que suas vidas seguiriam caminhos divergentes.

Ele ficou arrasado. Não conseguia acreditar que ela terminara o namoro. Stephanie foi seu primeiro amor, a personificação absoluta de tudo que ele queria e agora estava disposta a lhe dar as costas. Ele estava certo desde o início: era bonita demais, rica demais, ele nunca deveria ter acreditado que poderia tê-la.

Ted retornou para Seattle, já não se importava mais com o curso de chinês. Na verdade, se importava com pouquíssimas coisas. Mesmo assim, ainda estava com um pé na cena política. Em abril de 1968, fora nomeado presidente do conselho em Seattle, e presidente-assistente do conselho estadual da Nova Maioria por Rockefeller, e também ganhara a viagem para a convenção em Miami. Com a mente dominada pelo rompimento com Stephanie Brooks, Ted foi a Miami para ver seu candidato ser massacrado.

De volta à universidade, cursou algumas aulas — não de chinês, mas de planejamento urbano e sociologia. Não chegou nem perto das realizações anteriores e largou a faculdade. Durante o outono de 1968, Ted trabalhou como motorista para Art Fletcher, popular candidato negro a vice-governador que, após sofrer ameaças de morte, foi alojado na cobertura de um local secreto. Ted se tornou não apenas o motorista, mas o segurança, e dormia em quarto próximo ao do candidato. Ele até queria portar arma, mas Fletcher vetou a ideia.

Fletcher perdeu a eleição.

Parecia que tudo com o que Ted contava ruía. No início de 1969, partiu em viagens que poderiam ajudá-lo a compreender suas raízes e visitou parentes no Arkansas e na Filadélfia, onde fez algumas aulas na Universidade Temple. Ainda assim, durante todo o tempo, o verdadeiro propósito da viagem queimava sua mente.

Seus primos Alan e Jane Scott, com quem crescera em Tacoma, tinham feito algumas alusões. Ele próprio sempre soube, sentia a verdade escondida ali em meio a lembranças de seus primeiros anos. Precisava saber quem era.

Ted foi a Burlington, Vermont, após verificar registros na Filadélfia. A certidão de nascimento estava nos arquivos de lá, carimbada com o arcaico e cruel "ilegítimo". Ele nascera de Eleanor Louise Cowell, o nome do pai constava como Lloyd Marshall, formando da Universidade Estadual da Pensilvânia, veterano da Aeronáutica, vendedor nascido em 1916.

Seu pai tinha trinta anos quando Ted nasceu, um homem instruído. Por que os tinha abandonado? Será que era casado? O que tinha acontecido com ele? Não há informações para confirmar se Ted tentou encontrar o homem que saíra de sua vida antes mesmo de ele nascer, mas Ted sabia. Sabia o que sempre sentira ser verdade: Louise, é claro, era sua mãe. Johnnie Bundy não era seu pai, e seu adorado avô também não. Ele não tinha pai.

Ted ainda escrevia para Stephanie, e recebia respostas apenas esporadicamente. Sabia que ela trabalhava para uma firma de corretagem em San Francisco. Enquanto seguia de volta na direção da Costa Oeste, esteve obcecado em se reaproximar dela. A confirmação de que sua mãe havia mentido não foi uma grande surpresa — não foi surpresa em absoluto, mas ainda assim magoava. Todos aqueles anos.

Num dia claro de primavera em 1969, Stephanie saiu do prédio repleto de escritórios. Não viu Ted, mas, de repente, alguém atrás dela colocou as mãos em seus ombros. Se virou e lá estava ele.

Se Ted esperava que ela se encantasse ao vê-lo, que o romance podia ser retomado, estava prestes a sofrer dura decepção. Ela até ficou feliz por vê-lo, mas nada além disso. Parecia o mesmo jovem à deriva que Stephanie conhecera. Ele sequer estava matriculado na faculdade.

Caso ela o tivesse aceitado de volta àquela altura, um pouco da humilhação de Ted poderia ter sido aplacada, mas ela não conseguiria. Perguntou-lhe como tinha chegado a San Francisco, e ele foi vago, murmurando algo sobre pegar carona. Conversaram um pouco e então ela o mandou embora, pela segunda vez.

Stephanie torcia para nunca mais voltar a vê-lo.

TED BUNDY
Um Estranho ao Meu Lado
03.

ALIASES: Rex Bundy, Ted Bundy, Ted Cowell, Theodore Robert Cowell,

A sombra de uma família

De alguma maneira, a revelação de seu parentesco e a rejeição final de Stephanie, duas decepções tão perto uma da outra em 1969, não acabaram com Ted Bundy. Em vez disso, ele foi possuído por uma fria determinação. Por Deus, mesmo que fosse necessário usar tudo o que tinha, ele mudaria. Por pura força de vontade, se transformaria no tipo de homem que o mundo — e em especial Stephanie — via como bem-sucedido. Os anos que se seguiram iriam testemunhar a metamorfose em Ted quase no estilo de Horatio Alger.[1]

Ele não queria voltar para o McMahon Hall, pois as recordações do lugar eram dominadas por Stephanie. Em vez disso, perambulou pelas ruas do Distrito Universitário, bateu nas portas das casas mais antigas que flanqueiam as ruas a oeste do campus. Em cada porta, sorria e explicava que procurava um quarto e que era estudante de psicologia.

Freda Rogers, a idosa que, junto do marido, Ernst, era dona de um asseado sobrado pré-moldado no número 4143 da 12th N.E., ficou bastante encantada com Ted. Ela lhe alugou o quarto grande, no lado sudoeste da casa. Moraria ali por cinco anos e seria tratado mais como

---

[1] Escritor norte-americano cujos romances apresentavam jovens pobres que se tornavam bem-sucedidos por meio de trabalho duro e determinação. [NT]

filho do que inquilino da família Rogers. Ernst Rogers passava longe de estar bem de saúde, e Ted prometeu ajudar com as tarefas pesadas e com a jardinagem, promessa que manteve.

Ted também telefonou para Beatrice Sloan, sua velha amiga do iate clube de Seattle. Ela o considerou o mesmo de sempre, cheio de planos e aventuras. Ted lhe contou que estivera na Filadélfia, onde visitara o tio rico, e que estava a caminho de Aspen, Colorado, para se tornar instrutor de esqui.

"Então vou tricotar uma touca de esqui para você", respondeu de pronto.

"Não precisa, já tenho máscara de esqui. Mas preciso de carona para o aeroporto."

A sra. Sloan o levou ao aeroporto e o viu embarcar na viagem para o Colorado. Fez breves ponderações sobre o caro equipamento de esqui que ele carregava, pois ela sabia que Ted nunca teve muito dinheiro e o equipamento era obviamente dos melhores.

Por que ele foi para o Colorado àquela altura é incerto. Não tinha emprego, nem mesmo a promessa de emprego como instrutor de esqui. Talvez quisesse ver a estação de que Stephanie tanto lhe falara. Estava de volta para o começo do trimestre de outono na Universidade de Washington.

Na grade curricular do curso de psicologia, Ted pareceu encontrar o seu nicho. Em grande parte tirou A, com algumas notas B, em cursos como psicologia fisiológica, psicologia social, aprendizado animal, métodos estatísticos, psicologia desenvolvimental, transtornos de personalidade e desenvolvimento de transtornos. O rapaz, que no passado parecia não ter direção nem planos, agora havia se transformado em um aluno avançado.

Os professores gostavam dele, em especial Patricia Lunneborg, Scott Fraser e Ronald E. Smith. Smith, três anos depois, escreveria a Ted carta elogiosa de recomendação para a Faculdade de Direito da Universidade de Utah, que dizia:

> O sr. Bundy é, sem dúvida, um dos melhores universitários de nosso departamento. De fato, eu o colocaria no topo do 1% dos universitários com os quais interagi tanto aqui na Universidade de Washington como na Universidade Purdue. É extremamente inteligente, bem-apessoado, altamente motivado e meticuloso. Porta-se mais como jovem profissional do que como estudante. Tem capacidade para trabalho árduo e graças à curiosidade

intelectual é um prazer interagir com ele [...] Como resultado do bacharelado em psicologia, o sr. Bundy se tornou intensamente interessado em estudar as variáveis psicológicas que influenciam as decisões dos júris. Ele e eu, no momento, estamos envolvidos em um projeto de pesquisa onde tentamos estudar em caráter experimental algumas das variáveis que influenciam tais decisões.

    Devo admitir que lamento a decisão do sr. Bundy em seguir carreira em direito em vez de continuar seu treinamento profissional em psicologia. Nossa perda é o seu ganho. Não tenho dúvidas de que o sr. Bundy vai se sobressair como aluno e como profissional de direito, e o recomendo a vocês sem restrições.

Para se colocar nas boas graças dos professores, Ted não precisava de nada além de excelência acadêmica. Por isso, foi um tanto estranho ele ter contado ao professor Scott Fraser que era órfão, criado em um orfanato após o outro durante a infância. Fraser aceitou essa informação como fato e ficou surpreso ao descobrir mais tarde que não era verdade.

    Ted frequentava os bares do Distrito Universitário; bebia cerveja e de vez em quando uísque. Foi no Sandpiper Tavern, em 26 de setembro de 1969, que conheceu a mulher que viria a ser a força central em sua vida durante os sete anos seguintes.

    O nome dela era Meg Anders. Como Stephanie, Meg era alguns anos mais velha do que Ted. Era uma jovem divorciada e mãe de uma menina de três anos, Liane. Meg era baixinha com longos cabelos castanhos — não era bonita, mas tinha o encanto que a fazia parecer anos mais nova. Filha de um preeminente médico de Utah, se recuperava de um casamento desastroso que naufragou quando descobriu que o marido era criminoso condenado. Meg se divorciara e levara a filha para Seattle, para recomeçar a vida. Empregou-se como secretária em uma faculdade local, e não conhecia ninguém na cidade, exceto Lynn Banks, amiga de infância de Utah, e as pessoas do trabalho.

    Um pouco hesitante a princípio, ela afinal permitiu que Ted lhe pagasse uma cerveja e ficou fascinada pelo belo rapaz que conversava sobre psicologia e seus planos para o futuro. Deu-lhe o número do telefone, mas não esperava de verdade que ligasse. Quando ele o fez, Meg ficou empolgada.

    Começaram uma amizade, e então um caso. Embora Ted ainda morasse na casa dos Rogers e Meg mantivesse seu apartamento, passavam muitas noites juntos. Ela se apaixonou por Ted e, dada a sua situação, teria sido quase impossível que não se apaixonasse. Acreditava totalmente na habilidade de Ted para alcançar o sucesso, algo que Stephanie nunca tinha feito, e ainda lhe emprestava dinheiro para ajudar nos estudos. Quase desde o princípio, Meg quis casar, mas compreendeu quando ele disse que isso teria de ficar para um futuro distante. Havia muito o que conquistar primeiro.

Ted trabalhou em empregos de meio-período, vendendo sapatos em loja de departamentos e trabalhando outra vez no armazém da fornecedora de equipamentos cirúrgicos. Quando não conseguia arcar com as despesas, Meg o ajudava.

Às vezes, ela se preocupava que o dinheiro e o status da família fossem o motivo para Ted se sentir atraído. Meg percebeu seu olhar avaliador ao redor da casa dos pais em Utah quando o levou para conhecê-los no Natal de 1969. Mas tinha que ser mais do que isso. Era gentil com ela, e muito dedicado a Liane, quase como um pai. Liane sempre ganhava flores dele no aniversário, e Ted sempre enviava uma única rosa vermelha para Meg no dia 26 de setembro, para comemorar seu primeiro encontro.

Pressentia que, às vezes, Ted saía com outras mulheres, e soube que ele e um amigo apareciam de vez em quando no Pipeline Tavern, no Dante's ou no O'Bannion's para pegar garotas. Tentava não pensar nisso, o tempo cuidaria de tudo.

O que não sabia era que Stephanie existia, que Stephanie vivia na mente de Ted com a mesma intensidade de sempre. Embora Stephanie tivesse se sentido aliviada quando se despediu de Ted na primavera de 1969, ela não o largou por completo. A californiana que causara mudança tão cataclísmica na vida de Ted Bundy tinha parentes em Vancouver, na Colúmbia Britânica, e criara o costume de ligar para ele e dar um "oi" quando suas viagens esporadicamente a faziam passar por Seattle.

Conforme 1969 e 1970 passavam, o caminho de Ted seguia sempre em frente, sobressaindo-se em tudo em que punha a mão. Ficava mais refinado, soberamente culto e socialmente mais apto. Era um cidadão ideal, tanto que até recebeu menção honrosa do Departamento de Polícia de Seattle ao render um ladrão e devolver a bolsa roubada para a dona. No verão de 1970, foi Ted Bundy quem salvou uma criança de três anos e meio de se afogar no lago Green, na Zona Norte de Seattle. Ninguém tinha visto a criança se afastar dos pais, ninguém a não ser Ted, que disparou para dentro d'água para salvá-la.

Ted manteve contato com o Partido Republicano: integrava o comitê de zona eleitoral e se envolveria ainda mais com o trabalho do partido com o passar dos anos.

Para os mais próximos, Meg era sem dúvida a namorada de Ted. Ele a levou para conhecer Louise e Johnnie Bundy na labiríntica casa azul e branca em Tacoma, e eles gostaram dela. Louise ficou aliviada ao ver que, ao que parecia, a decepção com o término do romance com Stephanie fora superada.

De 1969 em diante, Meg foi hóspede bem-vinda tanto na casa dos Bundy, em Tacoma, como no chalé que haviam construído às margens do lago Crescent, perto de Gig Harbor, Washington. Meg, Ted e Liane acampavam, faziam rafting e velejavam, e empreendiam mais viagens a Utah e Ellensburg, Washington, para visitar o velho amigo do ensino médio de Ted, Jim Paulus.

Todos que visitavam consideravam Meg gentil, inteligente e dedicada a Ted, e parecia apenas questão de tempo até se casarem.

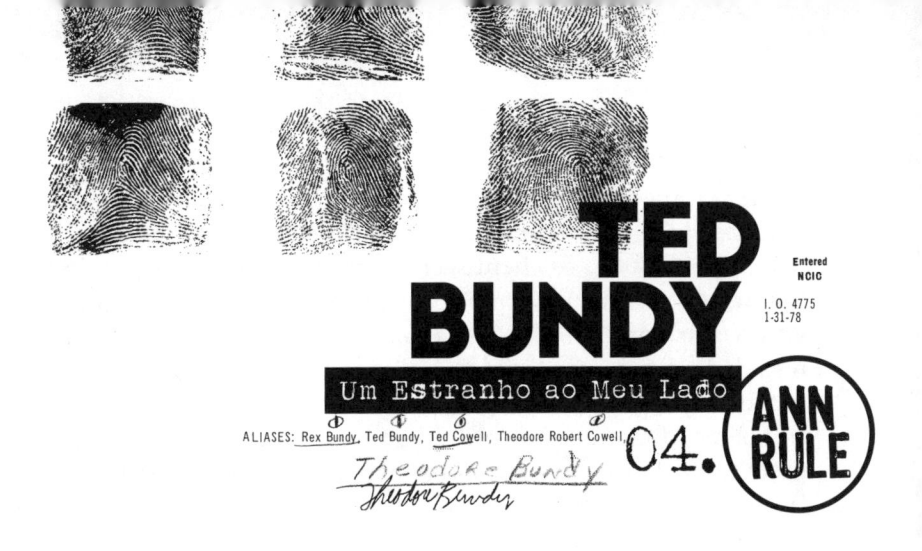

Como eu conheci
———————Ted Bundy

Os escritórios da Clínica de Prevenção de Suicídio de Seattle em 1971 ficavam em uma antiga e enorme mansão vitoriana em Capitol Hill. Outrora área onde os pioneiros abastados se estabeleceram, Capitol Hill hoje tem a segunda maior taxa de criminalidade da cidade. Muitas dessas antigas casas ainda resistem, espalhadas a torto e a direito entre prédios residenciais e o principal distrito hospitalar de Seattle. Quando me inscrevi como voluntária na Clínica de Prevenção de Suicídio, senti certo receio de trabalhar no turno da noite, mas com quatro filhos em casa esse era o único horário disponível.

Ted Bundy era estagiário remunerado de meio-período mais ou menos na mesma época em que me tornei voluntária. Enquanto fazia turno de quatro horas uma noite por semana das 22h às 2h, Ted trabalhava das 21h às 9h diversas noites por semana. Havia 51 voluntários e uma dúzia de estagiários nas linhas telefônicas, dia e noite. A maioria nunca nos conheceu devido aos horários escalonados, e as circunstâncias que fizeram de nós dois parceiros foram puramente acidentais. Ponderei sobre essa coincidência desde então, e me perguntei por que tive de ser aquela dentre 51 pessoas a passar tanto tempo com Ted Bundy.

Nenhuma daquelas pessoas ao telefone era assistente social psiquiátrico profissional, mas eram pessoas empáticas e que sinceramente tentavam ajudar os clientes em crise que telefonavam. Todos os voluntários e estagiários tinham que primeiro se mostrar aptos durante entrevistas com Bob Vaughn, o pastor protestante que dirigia a Clínica de Prevenção de Suicídio, e Bruce Cummins, mestre em serviço social psiquiátrico. Ao longo de entrevistas de admissão que duravam três horas, tínhamos que "provar" ser pessoas essencialmente normais, preocupadas e capazes, sem propensão a pânico em emergências. Uma frase popular entre a equipe era que devíamos ter a cabeça no lugar ou não estaríamos lidando com os problemas de outras pessoas.

Após passar por um curso de quarenta horas, que incluía psicodramas com os aspirantes a voluntários atendendo ligações encenadas dos problemas mais comuns que poderíamos enfrentar, todos fomos treinados por voluntários experientes nas salas de atendimento propriamente ditas — com permissão para ouvir os telefonemas através de fones auxiliares. Ted e eu fomos treinados pelo dr. John Eshelman, homem brilhante e bondoso que agora é chefe do Departamento de Economia da Universidade de Seattle.

Lembro-me da noite em que conheci Ted. John gesticulou na direção de um jovem sentado à mesa na sala de atendimento adjacente a nossa com apenas um arco entre nós, e disse: "Este é Ted Bundy. Ele vai trabalhar com você".

Ele levantou o olhar e sorriu. Tinha 24 anos na época, mas parecia mais jovem. Diferentemente da maioria dos outros universitários daqueles dias, com cabelos compridos e barba, Ted era imberbe e de cabelos castanhos ondulados cortados acima das orelhas, exatamente o mesmo estilo que os estudantes usavam quando me graduei quinze anos antes. Usava camiseta, jeans e tênis, e a mesa estava coberta de livros didáticos.

Gostei dele de cara. Teria sido difícil não gostar. Ele me levou uma xícara de café e acenou com o braço para a impressionante bancada de linhas telefônicas: "Você acha que consegue dar conta de tudo isso? O John vai nos deixar sozinhos depois desta noite".

"Espero que sim", respondi. E esperava de todo coração. Suicídios em progresso pareciam constituir apenas 10% dos telefonemas que entravam, mas a variedade de crises era impressionante. Será que diria a coisa certa? Faria a coisa certa?

Acontece que formávamos um bom time. Trabalhando lado a lado nas duas salas atulhadas no último andar do prédio, parecíamos capazes de nos comunicar durante emergências mesmo sem precisar falar. Se um de nós recebesse a ligação de alguém que estivesse ameaçando cometer suicídio naquele momento, sinalizávamos para que o outro telefonasse para a empresa telefônica para eles rastrearem a chamada.

A espera sempre parecia interminável. Em 1971, demorava quase uma hora para rastrear ligações e obter o endereço se não tivéssemos pistas de que área da cidade a ligação vinha. Quem estivesse na linha com o pretenso suicida tentava manter um tom calmo e afetuoso enquanto o outro corria pelos escritórios ligando para conseguir ajuda para a pessoa que tinha telefonado.

Recebemos inúmeras ligações de pessoas que ficaram inconscientes devido a overdoses, mas sempre conseguimos manter as linhas desocupadas. Então havia o bem-vindo som da entrada da equipe de paramédicos, os sons de suas vozes no cômodo com a pessoa, e, por fim, o telefone sendo pego, e nós ouvíamos: "Está tudo bem. Nós estamos com ele. Vamos para Harborview".

Se Ted Bundy tirou vidas, ele também salvou vidas. Sei disso porque estava presente quando as salvou.

Consigo visualizá-lo hoje tão claramente como se fosse ontem, debruçado no telefone, conversando de maneira sensata, reconfortante — olhando para mim, dando de ombros e sorrindo. Posso ouvi-lo concordar com uma idosa sobre Seattle ter sido linda quando era iluminada apenas por lampiões a gás, ouvir a paciência e o afeto infinito na voz, e vê-lo suspirar e revirar os olhos enquanto ouvia um alcoólatra penitente na linha. Ele nunca era brusco, nunca era apressado.

A voz de Ted era a estranha mistura da fala um tanto arrastada do oeste com a fraseologia precisa e bem-enunciada britânica. Posso descrevê-la como cortês.

Isolados da noite, as portas trancadas para nos proteger de alguém fora de controle que tentasse invadir, havia a sensação insular nos dois escritórios onde trabalhávamos. Ficávamos sozinhos no edifício, conectados ao mundo exterior apenas pelas linhas telefônicas.

Do outro lado das paredes, podíamos ouvir as sirenes berrando enquanto viaturas e ambulâncias dos paramédicos corriam pela Pine Street a um quarteirão de distância na direção do hospital do condado. Com a escuridão de fora interrompida apenas pelas luzes no porto bem abaixo, e o barulho da chuva e da neve contra as vidraças, aquelas sirenes pareciam ser a única coisa que nos lembrava de que havia um mundo de pessoas lá fora. Estávamos trancados na panela de pressão com as angústias dos outros.

Não sei como nos tornamos amigos tão próximos tão depressa. Talvez tenha sido por lidarmos com situações de vida ou morte juntos, nossas noites de terça-feira transformadas em situações intensas que nos uniam como acontece com soldados. Talvez tenha sido o isolamento e o fato de que conversávamos o tempo todo com outras pessoas sobre seus problemas mais íntimos.

E, portanto, quando as noites tranquilas chegavam, as noites em que a lua não estava mais cheia, quando o dinheiro da Assistência Social tinha terminado e não havia com o que comprar bebida, e quando os moradores de rua e as pessoas que telefonavam para o disque-suicídio pareciam desfrutar de uma torrente de serenidade, Ted e eu conversávamos durante horas.

Na superfície, pelo menos, eu parecia ter mais problemas do que Ted. Ele era uma daquelas raras pessoas que ouvem com total atenção, que demonstram preocupação genuína apenas pela postura. Você podia contar para Ted coisas que talvez não contasse para mais ninguém.

A maioria de nós, voluntários da Clínica de Prevenção de Suicídio, dedicava tempo a este trabalho por já ter passado por suas próprias crises e tragédias, que faziam com que fôssemos capazes de entender aqueles que nos telefonavam. E eu não era exceção. Havia perdido meu único irmão para o suicídio quando ele tinha 21 anos, estudante no último ano na Stanford prestes a entrar na Faculdade de Medicina de Harvard. Vinha tentando em vão convencê-lo de que a vida era preciosa e que valia a pena ser vivida, e falhara porque fora muito próxima dele e sentira sua dor de maneira muito intensa. Sentia que, se pudesse salvar outra pessoa, isso poderia me ajudar a expiar um pouco a culpa que carregava.

Ted ouviu em silêncio quando lhe contei a respeito de meu irmão, sobre a longa noite de espera enquanto os agentes da delegacia procuravam por Don, por fim encontrando-o tarde demais em um parque deserto ao norte de Palo Alto, morto por intoxicação de monóxido de carbono.

Em 1971, minha vida não era desprovida de problemas. Meu casamento passava por grandes dificuldades, e eu mais uma vez tentava lidar com a culpa. Bill e eu tínhamos concordado com o divórcio poucas semanas antes de ele ser diagnosticado com melanoma maligno, o câncer de pele mais fatal.

"O que posso fazer?", perguntei a Ted. "Como posso abandonar um homem que pode estar morrendo?"

"Você tem certeza de que ele está morrendo?", rebateu Ted.

"Não. A primeira cirurgia parece ter retirado todas as células malignas, e os enxertos de pele finalmente regeneraram. Ele quer terminar o casamento, ou diz que quer, mas sinto como se na verdade fugisse do homem doente que precisa de mim."

"Mas a escolha é dele, não é? Se ele parece bem, e se a permanência de vocês juntos for uma situação infeliz para ambos, principalmente quando talvez não tenha tantos anos pela frente, é direito dele decidir como quer passar os anos que lhe restam."

"Você está conversando comigo como se fosse alguém ligando para o disque-suicídio?" Eu sorri.

"Talvez. Provavelmente. Mas meus sentimentos seriam os mesmos. Vocês dois merecem seguir em frente com suas vidas."

O conselho de Ted se provou acertado. No intervalo de um ano estaria divorciada, Bill se casaria outra vez e ainda teria quatro bons anos para fazer o que quisesse.

O que acontecia em minha vida em 1971 é irrelevante para a história de Ted Bundy, exceto que seu ponto de vista incisivo sobre os meus problemas e seu apoio e crença inabaláveis em minhas capacidades como escritora, boas o suficiente para viver disso, ilustram o tipo de homem que conheci. Foi nesse homem em quem continuaria acreditando durante tantos anos.

Por ter aberto minha vida para ele, Ted pareceu se sentir à vontade para conversar comigo sobre assuntos delicados de seu mundo, ainda que tenha feito isso apenas muitas semanas depois de eu o conhecer.

Certa noite, arrastou a cadeira através da alcova que separava nossas mesas e se sentou ao meu lado. Atrás dele, um dos pôsteres como aqueles colados em quase todas as paredes dos nossos escritórios estava na minha linha de visão imediata. Era a imagem de um gato miando, agarrado à corda bamba, e dizia: "Quando chegar ao fim da sua corda… dê um nó e segure firme".

Ted ficou sentado em silêncio por alguns instantes enquanto bebericava o café em atitude de companheirismo. Então olhou para as próprias mãos e disse: "Sabe, só descobri quem sou de verdade mais ou menos um ano atrás. Quero dizer, sempre soube, mas tinha que provar a mim mesmo".

Olhei para ele, um pouco surpresa, e aguardei o resto da história.

"Sou ilegítimo. Quando nasci, minha mãe não podia dizer que era seu filho. Nasci em um lar para mães solteiras e, quando me levou para casa, ela e meus avós decidiram contar para todo mundo que eu era seu irmão, e que eles eram nossos pais. Então cresci acreditando que ela era minha irmã, e que eu era um 'filho tardio' dos meus avós."

Parou e olhou para a cortina de chuva que escorria pelas janelas diante de nós. Fiquei em silêncio, pois percebia que ele tinha mais a dizer.

"Eu sabia. Não me pergunte como eu sabia, talvez tenha ouvido conversas. Talvez tenha apenas compreendido que não poderia haver uma diferença de vinte anos entre irmão e irmã, e Louise sempre cuidou de mim. Apenas cresci sabendo que ela era minha mãe de verdade."

"Você chegou a dizer alguma coisa?"

Fez que não com a cabeça. "Não. Isso os teria magoado. Não era algo sobre o qual você falasse. Quando era pequeno, nós nos mudamos — Louise e eu — e deixamos meus avós para trás. Se fossem meus pais, não faríamos isso. Voltei para o leste em 1969, porque precisava provar a mim mesmo, saber com certeza. Rastreei meu nascimento até Vermont, fui à prefeitura e vi os registros. Não foi difícil. Apenas pedi minha certidão de nascimento sob o nome da minha mãe — e lá estava."

"Como você se sentiu? Ficou chocado ou chateado?"

"Não. Acho que me senti melhor. Não foi nenhuma surpresa, foi como se eu tivesse que descobrir a verdade antes de fazer qualquer outra coisa. E quando a vi ali, na certidão de nascimento, então havia finalmente descoberto. Eu não era uma criança. Tinha 22 anos quando tive a certeza."

"Eles mentiram para você. Pareceu que tinham enganado você?"

"Não. Não sei."

"As pessoas também mentem por amor, sabe", eu disse. "Sua mãe poderia ter aberto mão de você — mas não abriu. Fez o melhor que pôde. Deve ter parecido a única coisa que poderia fazer para manter você com ela. Sua mãe deve ter amado muito você."

Assentiu e disse baixinho: "Eu sei... Eu sei...".

"E olhe para você agora. Se saiu muito bem. Na verdade, você se saiu extremamente bem."

Ele ergueu o olhar e sorriu. "Espero que sim."

"Eu sei que sim."

Nunca voltamos a falar sobre isso. Foi estranho. Em 1946, quando a mãe de Ted descobriu que estava grávida na Filadélfia, eu estava no ensino médio, a mais ou menos cinquenta quilômetros de distância, em Coatesville. Eu me lembro de quando a garota que se sentava ao meu lado na aula de física ficou grávida e virou a fofoca da escola. As coisas eram assim em 1946. Será que Ted conseguiu entender isso em 1971? Será que ao menos conseguiu compreender o que sua mãe tinha enfrentado para ficar com ele?

Ted com certeza parecia ter feito o melhor com suas consideráveis vantagens. Ele era brilhante e praticamente só tirava A em psicologia em seu último ano, embora grande parte de seus estudos tivesse que ser feita entre telefonemas durante os turnos na Clínica de Prevenção de Suicídio, à noite. Nunca vi um ramo da psicologia em que Ted não fosse completamente proficiente. Durante aquele trimestre de outono de 1971, Ted cursava biologia ecológica, adaptação do homem, laboratório de desempenho humano e um seminário avançado.

Ele era bonito, embora os anos vindouros de adversidade fossem de algum modo torná-lo ainda mais bonito, como se suas feições estivessem sendo lapidadas até se transformarem em lâmina afiada.

E Ted era fisicamente forte, muito mais forte do que tinha pensado quando o vi pela primeira vez. Parecia magro, quase frágil, e eu tinha o hábito de levar bolachas e sanduíches para dividir com ele todas as noites de terça-feira. Achava que talvez ele não comesse o suficiente. Fiquei surpresa em uma noite quente quando foi de bicicleta para a clínica, vestido com jeans cortado. Suas pernas eram muito musculosas e fortes, como de um atleta profissional. Ele era magro, mas rijo, tal qual uma corda grossa trançada.

Quanto à atração que as mulheres sentiam por ele, consigo me lembrar de pensar que se fosse mais jovem e solteira, ou se minhas filhas fossem mais velhas, aquele seria o homem quase perfeito.

Ted falava bastante sobre Meg e Liane. Supus que morasse com Meg, ainda que nunca tivesse falado isso.

"Ela está realmente interessada no seu trabalho", ele me disse certa noite. "Será que poderia trazer algumas das suas revistas policiais para levar para ela?"

Eu lhe trouxe várias, e ele as levou consigo. Ted nunca fez qualquer comentário sobre elas e supus que nunca as leu.

Conversávamos de seus planos de ir para a faculdade de direito certa noite. Era quase primavera na época e, pela primeira vez, me contou sobre Stephanie.

"Eu amo Meg, e ela me ama de verdade", começou. "Ela me ajudou com dinheiro para a faculdade e devo muita coisa a ela. Não quero magoá-la, mas existe outra pessoa que não sai da minha cabeça."

Novamente, me surpreendeu, pois nunca mencionara ninguém além de Meg.

"O nome dela é Stephanie, e não a vejo há muito tempo. Ela mora perto de San Francisco e é absolutamente linda. Alta, quase tão alta quanto eu, com pais ricos. Nunca conheceu nenhuma outra realidade exceto ser rica e simplesmente não consegui me encaixar naquele mundo."

"Você mantém algum contato com ela?", perguntei.

"De vez em quando. Conversamos por telefone. Toda vez que ouço a voz dela, tudo volta. Não posso me conformar com mais nada a não ser que tente mais uma vez. Vou me candidatar para qualquer faculdade de direito nas cercanias de San Francisco em que possa ter a chance. Acho que o problema agora é que estamos muito longe um do outro. Se estivermos os dois na Califórnia, acho que podemos voltar."

Eu lhe perguntei quanto tempo fazia desde que tinha namorado Stephanie, e Ted respondeu que tinham terminado em 1968, mas que ela ainda continuava solteira.

"Você acha que ela pode voltar a me amar se eu lhe enviar uma dúzia de rosas vermelhas?"

A pergunta foi tão ingênua que levantei os olhos para ver se falava sério, e ele falava. Na primavera de 1972, quando falou de Stephanie, foi como se os anos transcorridos nunca tivessem acontecido.

"Não sei, Ted", atrevi-me a dizer. "Se ela sente o mesmo que você, as rosas podem ajudar, mas não farão com que ame você se ela mudou."

"Ela é a única mulher, a única, que amei de verdade. É diferente da maneira como me sinto em relação a Meg, é difícil de explicar. Não sei o que fazer."

Ao ver o brilho nos olhos quando falava de Stephanie, pude antever o coração partido no futuro de Meg. Eu o incitei a não fazer nenhuma promessa para Meg que não pudesse manter.

"Em algum momento, você vai ter que escolher. Meg ama você, fica ao seu lado quando as coisas estão difíceis, quando está sem dinheiro. Você diz que a família de Stephanie faz com que se sinta pobre, como se não se encaixasse. Pode ser que Meg seja real e Stephanie seja sonho. Acho que o verdadeiro teste é: como se sentiria se não tivesse a Meg? O que faria se soubesse que ela tem outra pessoa, se a encontrasse com outro homem?"

"Fiz isso uma vez. Engraçado mencionar isso, porque fiquei descontrolado. Nós brigamos e eu vi o carro de algum sujeito estacionado no lado de fora do apartamento dela. Corri pelo beco e subi na lata de lixo para olhar pela janela. O suor brotava de mim e fiquei ensandecido. Não consegui suportar a ideia de Meg com outro homem. Não consegui acreditar no efeito que isso teve em mim..."

Balançou a cabeça, assombrado pela violência do seu ciúme.

"Então talvez você goste mais da Meg do que se dá conta."

"Esse é o problema. Um dia acho que quero ficar aqui, casar com a Meg, ajudar a criar a Liane, ter mais filhos — é o que Meg quer. Às vezes, parece que é tudo o que quero também. Mas não tenho dinheiro, não vou ter dinheiro por muito tempo. Não consigo me ver amarrado a uma vida assim logo quando estou começando. E então penso na Stephanie e na vida que poderia ter com ela e quero isso também. Nunca fui rico e gostaria de ser. Mas como posso dizer 'muito obrigado e adeus' para Meg?"

Os telefones tocaram nesse instante e deixamos o problema no ar. A agitação de Ted não pareceu tão bizarra ou desesperada para um homem de 24 anos. Na verdade, pareceu bastante normal, já que ainda tinha que amadurecer um pouco. Eu achava que provavelmente tomaria a decisão certa quando amadurecesse.

Quando cheguei ao trabalho algumas terças-feiras depois, Ted me contou que tinha se candidatado para a Faculdade de Direito de Stanford e da Universidade da Califórnia, em Berkeley.

Parecia ser um candidato excelente. Tinha a mente incisiva e a tenacidade, e acreditava completamente na progressão organizada das mudanças no sistema do governo pela legislação. Seu ponto de vista o transformava em uma espécie de lobo solitário entre os estagiários de meio-período na Clínica de Prevenção de Suicídio. Os outros eram meio hippies, tanto no vestuário como nas visões políticas, e Ted era um republicano conservador. Eu podia ver que o consideravam um esquisitão quando discutiam sobre os levantes que irrompiam o tempo todo no campus da universidade.

"Você está errado, cara", disse-lhe um barbudo. "Você não vai mudar o Vietnã puxando o saco dos velhos caretas do Congresso, eles só se importam com outro grande contrato para a Boeing. Acha mesmo que ligam para quantos de nós morrem?"

"Anarquia não vai resolver nada. Você só vai espalhar as forças e ter a cabeça quebrada", respondeu Ted.

Eles bufavam em escárnio, pois Ted era o anátema para eles.

Os levantes estudantis e os protestos que bloqueavam a rodovia I-5 enfureciam Ted. Em mais de uma ocasião, tentara impedir as manifestações, agitando um bastão e dizendo para os manifestantes irem para casa. Acreditava que havia uma maneira melhor de fazer aquilo, mas sua própria raiva era, de modo estranho, tão intensa quanto a daqueles que tentava impedir.

Eu nunca vi essa raiva, nunca vi raiva nenhuma. Não consigo me lembrar de tudo o que Ted e eu conversamos, por mais que tente, mas sei com certeza que nunca discutimos. O tratamento de Ted em relação a mim era o tipo de cavalheirismo antiquado que invariavelmente demonstrava a qualquer mulher que vi com ele, e eu considerava isso atraente.

Ele sempre insistia em me ver entrar no carro sã e salva quando meu turno na Clínica de Prevenção de Suicídio terminava de madrugada. Ficava por perto até eu estar em segurança dentro do veículo, portas fechadas e motor ligado, acenando para mim enquanto seguia para casa, que ficava a pouco mais de trinta quilômetros. Costumava me dizer: "Tome cuidado. Não quero que nada aconteça com você".

Comparado a meus velhos amigos — os detetives de homicídios de Seattle que regularmente me viam ir embora do escritório após entrevistas noturnas, à meia-noite, no centro da cidade, com um risonho: "A gente vai olhar pela janela e se alguém te assaltar, ligamos para a emergência!" —, Ted era como um cavaleiro em sua armadura brilhante.

_____O cartão
de Natal_

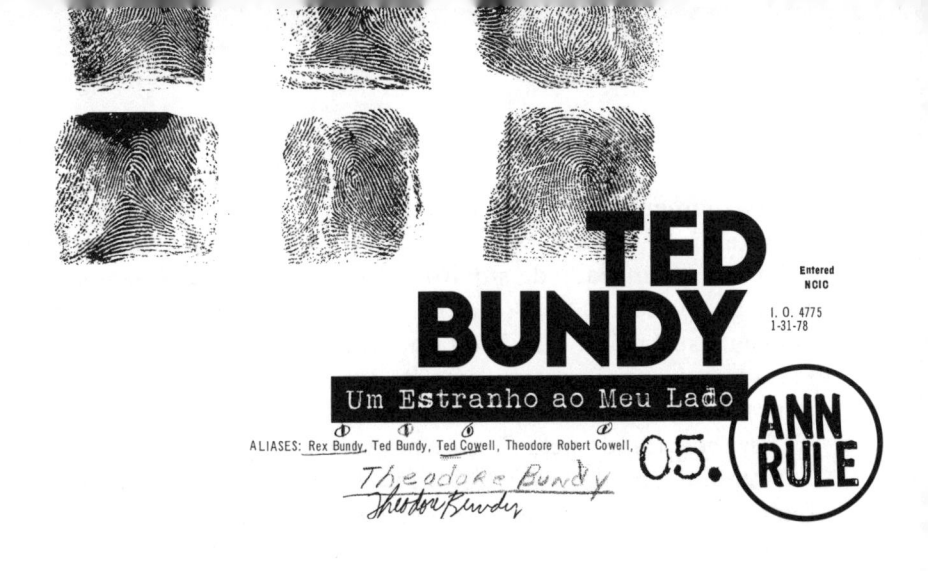

Tive que largar meu trabalho voluntário na Clínica de Prevenção de Suicídio na primavera de 1972. Escrevia seis dias por semana e, além disso, fiquei estagnada — um pouco saturada dos telefonemas. Após um ano e meio, ouvira os mesmos problemas vezes demais e tinha os meus próprios. Meu marido saíra de casa, demos entrada no divórcio e tinha dois adolescentes e dois pré-adolescentes em casa que proporcionavam suas próprias crises com as quais precisava lidar. Ted se formou em junho. Nunca tínhamos nos visto fora da Clínica de Prevenção de Suicídio, e agora mantínhamos contato por telefonemas ocasionais. Voltei a vê-lo apenas em dezembro.

Meu divórcio foi finalizado em 14 de dezembro. No dia 16, todos os atuais e antigos voluntários da clínica foram convidados para a festa de Natal na casa de Bruce Cummins, no lago Washington. Eu tinha carro, mas nenhum acompanhante, e sabia que Ted não tinha carro, então lhe telefonei e perguntei se gostaria de ir à festa comigo. Pareceu contente e o apanhei na pensão dos Rogers na 12th N.E. Freda Rogers sorriu para mim e gritou escada acima para chamar Ted.

Na longa viagem do Distrito Universitário até a zona sul, conversamos sobre o que acontecera nos meses desde a última vez que nos víramos. Ted havia passado o verão trabalhando como estagiário em aconselhamento psiquiátrico em Harborview, o enorme complexo hospitalar do condado. Como policial na década de 1950, tinha levado boa quantidade de sujeitos mentalmente perturbados — 220, no jargão policial — para o quinto andar do Harborview e conhecia bem as instalações. Mas Ted falou pouco sobre o emprego de verão. Estava muito mais entusiasmado com as atividades da campanha para governador no outono de 1972.

Fora contratado pelo Comitê para reeleger Dan Evans, o governador republicano de Washington. O ex-governador Albert Rosellini fizera a tentativa de retorno, e a tarefa de Ted foi viajar pelo estado e monitorar os discursos, gravando-os para a equipe de Evans analisar.

"Eu só me misturei às multidões e ninguém sabia quem eu era", explicou.

Ele tinha gostado do disfarce, às vezes usava bigode falso, outras vezes se parecia com o universitário que fora pouco tempo antes, e achou graça na maneira como Rosellini modificava com facilidade os discursos para os cultivadores de trigo do leste de Washington e para os cultivadores de maçã de Wenatchee. Rosellini era político consumado, o oposto do correto e tipicamente norte-americano Evans.

Tudo isso era inebriante para Ted, estar por dentro da campanha estadual, prestar contas ao governador Evans em pessoa e para os principais auxiliares com as fitas dos discursos de Rosellini.

Em 2 de setembro, Ted, motorista do governador Evans e outros dignitários na limusine principal, fora o primeiro homem a atravessar a rodovia North Cascades, que serpenteia as paisagens espetaculares dos limites setentrionais do estado de Washington.

"Achavam que o presidente Nixon iria aparecer", recordou-se Ted. "Agentes do Serviço Secreto revistavam todo mundo. O irmão dele apareceu em seu lugar, mas não liguei. Pude liderar quinze mil pessoas em um desfile de pouco mais de cem quilômetros pelas montanhas."

A campanha de Evans pela reeleição tinha sido bem-sucedida e Ted caíra nas graças da administração no poder. Na época da festa de Natal, estava empregado no Comitê Consultivo de Prevenção de Crimes de Seattle e revisava a nova lei estadual de caronas, que tornava a prática legal mais uma vez.

"Sou absolutamente contra pegar carona", eu disse. "Escrevi histórias demais sobre mulheres vítimas de homicídio que conheceram assassinos ao pegarem carona."

Embora Ted ainda estivesse ansioso para ir para a faculdade de direito, estava de olho na vaga de diretor do Comitê Consultivo de

Prevenção de Crimes e figurava entre os candidatos finais. Sentia-se otimista em relação ao emprego.

Nos separamos na festa. Dancei com Ted uma ou duas vezes. Percebi que se divertia e conversava com diversas mulheres. Parecia completamente enfeitiçado pela jovem que fazia parte da organização sem fins lucrativos Junior League de Seattle, uma voluntária da Clínica de Prevenção de Suicídio que nenhum de nós conheceu antes. Visto que alguns turnos nunca coincidiam, não era incomum que os caminhos dos voluntários não se cruzassem. A mulher era casada com um jovem advogado com "futuro", homem que agora é dos advogados mais bem-sucedidos de Seattle.

Ted não conversou com ela. Na verdade, parecia abismado com ela, mas a apontou para mim e perguntou quem era. Bonita, cabelos escuros longos, lisos e repartidos ao meio, e vestida de maneira que indicava dinheiro e bom gosto. Usava camisa preta de mangas longas, saia de festa de seda branca e lisa, correntes de ouro maciço e brincos.

Duvido que sequer tenha notado o fascínio de Ted por ela, mas o peguei encarando-a diversas vezes ao longo da noite. Com as outras pessoas na festa, foi afável, descontraído e geralmente o centro das atenções.

Já que eu era a motorista, Ted bebeu bastante ao longo da noite e estava bem embriagado quando fomos embora às duas da manhã. Foi um bêbado amigável e tranquilo, acomodou-se no banco do carona e divagou sem parar sobre a mulher na festa que o impressionara tanto.

"Ela é simplesmente tudo o que sempre quis. Perfeita. Mas nem me notou."

E então caiu em sono profundo.

Quando levei Ted de volta para a pensão dos Rogers naquela noite, estava quase comatoso, e levei uns dez minutos chacoalhando-o e gritando até acordá-lo. Eu o levei até a porta, lhe desejei boa-noite e sorri enquanto cambaleava pela porta e desaparecia.

Uma semana depois, recebi o cartão de Natal de Ted. A xilogravura dizia: "O. Henry escreveu 'O Presente dos Magos', a história de dois amantes que sacrificam os maiores tesouros um pelo outro: ela cortou os longos cabelos para comprar para seu amado uma corrente de relógio; ele vendeu o relógio para comprar pentes para seus cabelos. Em ações que podem parecer tolas, essas pessoas encontraram o espírito dos Magos".

Essa é a minha história natalina favorita. Como ele soube?

No lado de dentro, Ted escreveu seus próprios desejos: "O ano novo deverá ser bom para uma mulher talentosa, encantadora e recém-libertada. Obrigado pela festa. Com amor, ted."

Fiquei emocionada pelo gesto, que era típico de Ted Bundy. Ele sabia que eu precisava daquele apoio emocional.

Ao que parecia, não havia nada neste mundo que pudesse fazer por Ted. Ele não estava interessado em mim de um modo romântico, afinal era quase tão pobre quanto ele, e nada influente. Ele enviou aquele cartão apenas por sermos amigos. Quando olho para esse cartão hoje e o comparo com as assinaturas nas dúzias de cartas que recebi mais tarde, fico chocada com a diferença. Nunca mais ele viria a assinar com o floreio garboso que costumava usar.

Ted não conseguiu a vaga de diretor do Comitê Consultivo de Prevenção de Crimes e se demitiu em janeiro de 1973. Voltei a vê-lo em um dia chuvoso de março. Eu e uma velha amiga que conhecia desde meus dias no departamento de polícia, Joyce Johnson — investigadora da Unidade de Crimes Sexuais havia onze anos — emergimos do elevador da prisão da Secretaria de Segurança Pública a caminho do almoço, e lá estava Ted. Barbado agora, estava tão diferente que não o reconheci a princípio. Chamou meu nome e segurou minha mão. Eu o apresentei a Joyce e ele me contou, cheio de entusiasmo, que trabalhava na Secretaria da Justiça e da Defesa do Condado de King.

"Estou fazendo um estudo sobre vítimas de estupro", explicou. "Se você tiver algumas edições antigas dos artigos que escreveu sobre casos de estupro, ajudaria na minha pesquisa."

Prometi procurar em meus arquivos e selecionar os relatos — muitos deles sobre casos nos quais Joyce Johnson fora a investigadora-chefe — para enviá-los a Ted. No entanto, por alguma razão, nunca cheguei a fazer isso, e por fim esqueci que ele os queria.

Ted tinha se candidatado, pela segunda vez, à Faculdade de Direito da Universidade de Utah, em grande parte graças ao encorajamento de Meg. O pai dela era médico abastado, os irmãos, profissionais em Utah, e Meg esperava que ela e Ted fossem morar no estado mórmon.

Foi aceito de pronto, apesar de ter sido rejeitado em candidatura anterior para a Universidade de Utah, em 1972, mesmo formado "Com Honras" pela Universidade de Washington. A média das notas de Ted na universidade era de 3,51, média que qualquer estudante podia se empenhar para conseguir, mas os resultados do teste de aptidão legal não foram altos o suficiente para os padrões de entrada da Utah.

Em 1973, bombardeou o departamento de admissões da Utah com cartas de recomendação escritas por professores e pelo governador Dan Evans. Descontente com as restrições do formulário de inscrição padrão, mandou imprimir currículos com suas realizações desde a formatura na Universidade de Washington, e escreveu uma declaração pessoal de seis páginas com suas filosofias sobre o direito.
Tudo isso constituía um pacote impressionante.
Sobre o emprego pós-formatura, Ted listou:

> *Consultor de Punição Penal:* Janeiro de 1973. Atualmente empregado pela Secretaria de Justiça e da Defesa do Condado de King para identificar taxas de reincidência de criminosos declarados culpados de pequenos delitos e delitos graves nos doze tribunais distritais do condado. O propósito do estudo é determinar a natureza e o número de delitos cometidos após condenação no tribunal distrital.
>
> *Diretor-Assistente do Comitê Criminal:* Outubro de 1972 a janeiro de 1973. Assistente do diretor do Comitê de Prevenção de Crimes de Seattle, sugeri e realizei a investigação preliminar para as investigações do comitê sobre ataques contra mulheres e crimes do "colarinho branco" (econômicos). Escrevi comunicados à imprensa, discursos e artigos jornalísticos para o comitê. Participei extensamente no planejamento das atividades do comitê para 1973.
>
> *Orientador Psiquiátrico:* Junho de 1972 a setembro de 1972. Fui responsável por casos de doze pacientes durante estágio de quatro meses na Clínica de Pacientes Ambulatoriais do Hospital Harborview. Realizei sessões periódicas com pacientes. Registrei relatórios de progresso em prontuários médicos, continuamente reavaliei diagnósticos psiquiátricos e encaminhei pacientes para médicos para avaliações médicas e de medicamentos psicoterápicos. Participei de inúmeras sessões de treinamento conduzidas por psiquiatras do quadro de funcionários.

Ted prosseguiu:

> Estou me candidatando para a faculdade de direito porque minhas atividades profissionais e comunitárias exigem diariamente conhecimento da lei que não possuo. Quer esteja estudando o comportamento de criminosos, examinando projetos de lei antes da legislatura, defendendo reformas nos tribunais ou

contemplando a criação da minha própria corporação, eu de imediato me torno consciente do meu entendimento limitado da lei. Meu estilo de vida exige que obtenha conhecimento sobre leis e a habilidade de colocar em prática técnicas legais. Pretendo ser um homem independente, simples assim.

    Eu poderia me estender ainda mais para explicar que a prática do direito é um objetivo de vida, ou que não tenho grandes expectativas de que o diploma de direito seja garantia de riqueza e prestígio. O fator importante, contudo, é que o direito satisfaz a necessidade funcional que minha rotina diária me forçou a reconhecer.

    Eu me candidato à faculdade de direito porque essa instituição vai me proporcionar as ferramentas para me tornar mais eficaz no papel social que defini para mim mesmo.

T.R.B.

A declaração pessoal de Ted foi bastante erudita e repleta de citações de especialistas — de Freud ao Comitê do Cumprimento da Lei do Presidente e ao Relatório da Administração da Justiça. Iniciou pela discussão sobre a violência: "Você começa com a relação entre poder e direito, e esse com certeza é o ponto de partida apropriado para nossa pesquisa. Porém, eu substituiria o termo 'poder' por uma palavra mais dura e reveladora: 'violência'. No direito e na violência, temos hoje óbvia antinomia".

Ele não abrandara sua opinião sobre os levantes, insurreições estudantis e anarquia. A lei estava certa, o resto era violência.

Ted declarou seu envolvimento atual na série de estudos sobre o júri popular. "Com informações codificadas por computador coletadas de onze mil casos de crimes hediondos pelo Projeto de Avaliação da Justiça Penal do Estado de Washington, estou escrevendo programas desenvolvidos para isolar o que espero ser respostas preliminares [...] a perguntas relacionadas ao gerenciamento de casos de crimes hediondos."

Ele falou a respeito do estudo que levara a cabo a fim de comparar a composição racial de júri com os efeitos sobre o réu.

A inscrição detalhadamente impressionante de Ted para a Faculdade de Direito da Universidade de Utah no início de 1973 deu certo e ofuscou os resultados medíocres do Teste de Aptidão. Contudo, estranhamente, ele optou por não ingressar no curso no outono de 1973, e o motivo dado ao reitor de admissões foi uma curiosa mentira.

Escreveu "com as mais sinceras desculpas", uma semana antes do início das aulas, que tinha se ferido gravemente em acidente de automóvel e estava hospitalizado. Ted explicou que imaginou estar fisicamente forte o bastante para cursar o trimestre de outono, mas constatou que não seria capaz, desculpando-se por esperar tanto tempo para avisar à universidade e rogando para que ainda fosse possível encontrar alguém para preencher a vaga.

Na verdade, Ted se envolveu em um acidente pouquíssimo grave: torceu o tornozelo, não foi hospitalizado, e gozava de perfeitas condições. No entanto, danificara o carro de Meg. O motivo para não ir a Utah em 1973 permanece um mistério.

Houve também discrepâncias em seu dossiê quase ostensivo. Tanto o estudo sobre estupro que me contou que estava escrevendo como o estudo sobre a significância racial na composição do júri eram apenas ideias, e não tinha começado a trabalhar ativamente em nenhuma delas.

Ted chegou a iniciar o curso na faculdade de direito no outono de 1973. Frequentou a Universidade de Puget Sound, em sua cidade natal de Tacoma. Também frequentou as aulas noturnas nas segundas, quartas e sextas-feiras, de carona da pensão dos Rogers até a Puget Sound, 42 quilômetros ao sul, com três outros estudantes. Depois das aulas noturnas, parava para algumas cervejas com o pessoal da carona no Creekwater Tavern.

É possível que Ted tenha permanecido em Washington por conta do excelente cargo político que conseguira em abril de 1973, como assistente de Ross Davis, presidente do Partido Republicano de Washington. O salário mensal de mil dólares era mais dinheiro do que jamais tinha ganhado, e os "benefícios" que vinham com o emprego eram algo que um homem que dera duro por dinheiro e reconhecimento durante grande parte da vida podia se deleitar: o uso de um cartão de crédito coberto pelo Partido Republicano, participação nas reuniões com os "peixes grandes" e o uso ocasional de um belo carro. Além disso, ainda podia viajar pelo estado com todas as despesas pagas.

Davis e a esposa tinham excelente opinião a respeito de Ted e ele jantava com a família pelo menos uma vez por semana, além de ser babá de seus filhos. Davis se lembra de Ted como "inteligente, agressivo — ao extremo —, e alguém que acreditava no sistema".

Apesar do trabalho para o Partido Republicano, Ted conseguia manter boa média de notas nas aulas noturnas de Direito na UPS. Ele continuou na casa de Freda e Ernst Rogers no Distrito Universitário em Seattle. A saúde de Ernst não tinha melhorado e, quando tinha tempo livre, Ted ajudava a manter a casa em boas condições.

Grandes reviravoltas ocorreram na vida de Ted ao longo de 1973, mas eu o vira apenas uma vez durante aquele ano todo — o breve encontro na Secretaria de Segurança Pública em março. Era aquele tipo de amizade em que as pessoas raramente entram em contato umas com as outras, mas ficam contentes quando se encontram e permanecem, pelo menos na superfície, as mesmas pessoas de sempre.

Voltei a ver Ted em dezembro de 1973. Novamente, nos encontramos na festa de Natal da Clínica de Prevenção de Suicídio, na casa de um dos membros da diretoria, no bairro Laurelhurst, na zona norte de Seattle. Nessa ocasião, Ted levou Meg Anders, e eu a encontrei pela primeira vez.

Em um daqueles flashes cristalinos que flutuam até a superfície da memória, consigo me lembrar de estar na cozinha do anfitrião, conversando com Ted e Meg. Alguém tinha colocado uma vasilha gigante de asinhas de frango fritas sobre a bancada e Ted as devorava enquanto conversávamos.

Ted nunca tinha descrito Meg para mim. Ouvira a recordação detalhada sobre a beleza de Stephanie Brooks, e vira sua reação à mulher alta de cabelos escuros na festa do ano anterior. Meg não era nem um pouco parecida com nenhuma das duas: parecia muito pequena, muito vulnerável, e os longos cabelos castanho-claros dominavam suas feições. Era óbvio que ela adorava Ted, e se pendurava nele, tímida demais para se misturar.

Comentei que Ted e eu tínhamos ido juntos à última festa de Natal da Clínica de Prevenção de Suicídio, e seu rosto se iluminou.

"*Sério?* Foi você?"

Eu assenti. "Eu não tinha um acompanhante e Ted não tinha um carro, então decidimos juntar nossos recursos."

Meg pareceu bastante aliviada. Obviamente, não era ameaça para ela — mulher gentil de meia-idade com uma penca de filhos. Eu me perguntei então por que ele permitiu que ficasse angustiada por causa daquilo durante um ano inteiro quando poderia facilmente ter explicado nossa amizade para Meg.

Passei grande parte da noite conversando com ela, que parecia muito intimidada pelo bando de estranhos perambulando ao redor. Ela era muito inteligente e muito gentil, mas o foco de sua atenção era Ted. Enquanto ele vagava pela multidão, seus olhos o seguiam. Tentava com muito afinco ser casual, mas para ela não havia mais ninguém ali.

Conseguia entender seus sentimentos bem demais. Três meses antes, eu tinha me apaixonado por um homem que não estava disponível — nem nunca estaria —, e era capaz de me identificar com a insegurança dela. Ainda assim, Ted estivera com Meg havia quatro anos, e parecia dedicado a ela e a Liane. Havia uma boa possibilidade de que se casassem um dia.

Ao ver Meg e Ted juntos, supus que tivesse desistido da fantasia com Stephanie, mas não poderia estar mais equivocada. Nem Meg nem eu sabíamos que Ted acabara de passar vários dias com Stephanie; ele, na verdade, estava *noivo* de Stephanie e ansioso para vê-la outra vez dali uma semana.

A vida de Ted era tão cuidadosamente compartimentalizada que era capaz de ser uma pessoa com uma mulher e alguém completamente diferente com a outra. Frequentava muitos círculos e a maioria dos amigos e colegas não sabia nada sobre as outras áreas de sua vida.

Quando me despedi de Ted e Meg, em dezembro de 1973, eu, de verdade, não acreditava que o veria novamente. Nosso vínculo tinha sido através da Clínica de Prevenção de Suicídio, e nós dois estávamos nos distanciando daquele grupo. Eu não tinha como saber que Ted Bundy um dia viria a mudar a *minha* vida de maneira tão profunda.

Passaram-se quase dois anos até que eu tivesse notícias dele outra vez e, quando isso aconteceu, foi sob circunstâncias que me chocaram mais do que qualquer outra coisa seria capaz, naquela época ou no futuro.

06.
Lenta vingança

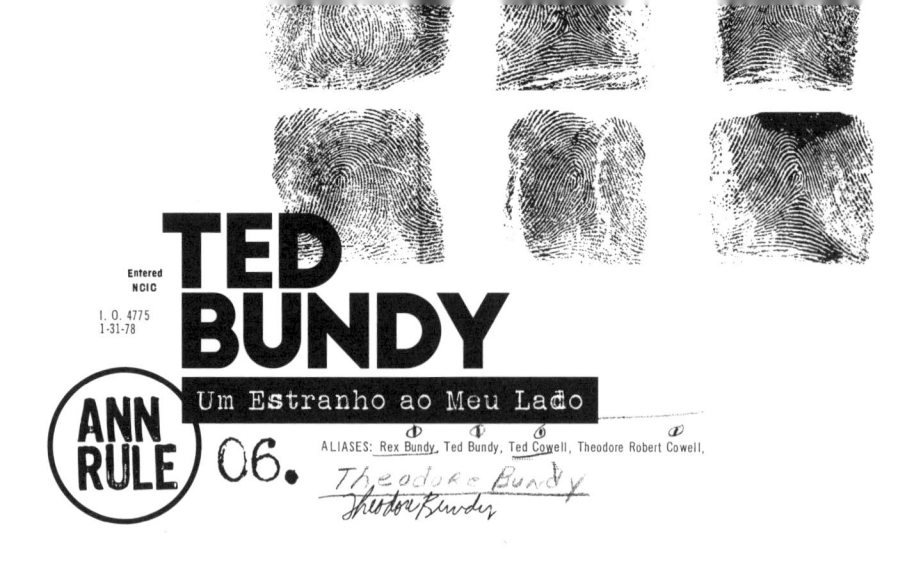

Muitas de nós nutrimos fantasias em que voltamos para confrontar um primeiro amor perdido, e, nesse reencontro, nos tornamos mais bonitas, mais magras, mais ricas, extremamente desejáveis — tão desejáveis que nosso amor perdido de imediato se dá conta de que cometeu um erro terrível. Isso, no entanto, raramente acontece na vida real, mas é o devaneio que ajuda a aliviar a dor da rejeição. Ted tentara uma vez, em 1969, entrar em contato com Stephanie Brooks, para reavivar a chama extinta — e não dera certo.

Por volta do fim do verão de 1973, Ted Bundy passou a ser alguém. Ele trabalhou, planejou e se arrumou para se tornar o tipo de homem desejável para Stephanie. Embora o relacionamento com Meg Anders fosse estável — e, para Meg, um relacionamento fiel — durante quatro anos, Ted não tinha ninguém a não ser Stephanie na cabeça quando chegou a Sacramento em meio a viagem de negócios pelo Partido Republicano de Washington. Contatou Stephanie em San Francisco, e ela ficou maravilhada com as mudanças visíveis destes quatro anos: o garoto inseguro e indeciso de antes, sem nenhuma perspectiva previsível, era agora refinado, calmo e confiante. Ted se aproximava dos 27 anos e parecia ter se transformado em figura imponente nos círculos políticos de Washington.

Ao sair para jantar com Ted, Stephanie ficou admirada com a maturidade, os modos hábeis com que lidou com o garçom. Foi uma noite memorável e quando chegou ao fim, ela de pronto concordou em viajar a Seattle para visitá-lo em breve, e conversar sobre o que o futuro poderia lhes reservar. Ele não mencionou Meg, interessado em parecer tão desimpedido quanto Stephanie para assumir um compromisso.

Stephanie voou para Seattle durante as férias, em setembro. Ted a encontrou no aeroporto, com o carro de Ross Davis, e a conduziu sem demora para o Hotel University Towers. Ele a levou para jantar na casa dos Davis, que pareceram aprová-la com entusiasmo, e ela não fez objeção alguma ao ser apresentada como noiva.

Ted programou o fim de semana em um condomínio em Alpental, no Snoqualmie Pass, e, ainda com o carro de Davis, foram até o Cascade Pass e subiram pelos sopés das mesmas montanhas que atravessaram nas viagens para esquiar nos tempos de faculdade. Ao ver as luxuosas acomodações, ela se perguntou como Ted havia pagado por aquilo tudo, e ele explicou que o condomínio pertencia a amigo de amigos.

Foram momentos idílicos. Ted falava sério a respeito de casamento e Stephanie lhe dava atenção. Tinha se apaixonado por ele, amor muito mais forte do que aquele sentimento durante seu romance universitário. Estava certa de que casariam em um ano, e que trabalharia para pagar a faculdade de direito dele.

De volta à casa dos Davis, Stephanie e Ted posaram para foto juntos, sorridentes, os braços em volta um do outro. E então a sra. Davis a levou para o aeroporto, para que pegasse o avião de volta a San Francisco, visto que Ted precisava ir a uma importante reunião política.

Stephanie voltou à Seattle em dezembro de 1973 e passou alguns dias com Ted no apartamento de um advogado amigo dele que estava no Havaí. Em seguida, viajou mais para o norte, até Vancouver, B.C., para passar o Natal com amigos. Estava muito feliz: eles voltariam a ficar juntos durante diversos dias após o Natal, e Stephanie tinha certeza de que poderiam firmar os planos de casamento nessa ocasião.

Mesmo enquanto me apresentava a Meg na festa de Natal, Ted, ao que parecia, matava tempo até Stephanie retornar. Durante aqueles últimos dias de 1973, Ted degustou vinhos e desfrutou de jantares com Stephanie como se fosse a realeza. Ele a levou ao Tai Tung's, o restaurante chinês no bairro internacional onde tinham jantado durante o início do namoro. Também a levou ao Ruby Chow's, elegante restaurante oriental administrado por uma vereadora de Seattle, lhe dizendo que Ruby era grande amiga.

Mas algo havia mudado: Ted estava evasivo em relação aos planos de casamento. Ele lhe contou que se envolvera com outra mulher, e que ela abortara por causa dele. "Isso acabou. Mas ela me liga o tempo todo, e acho que as coisas não vão dar certo para nós."

Stephanie ficou atordoada. Ted lhe contou que estava tentando "se livrar" da outra garota, cujo nome nunca mencionou, mas que as coisas eram complicadas demais. Antes, tão carinhoso e afetuoso; agora, estava frio e distante.

Os dois tinham tão pouco tempo para ficar juntos, e ainda assim ele a deixou sozinha um dia inteiro enquanto trabalhava no "projeto" da faculdade que Stephanie tinha certeza que poderia ter esperado. Ele não lhe comprou nada de Natal, embora tenha lhe mostrado o tabuleiro de xadrez caro que comprou para o amigo advogado. Stephanie havia comprado uma cara xilogravura indiana e gravata borboleta, mas Ted demonstrou pouco entusiasmo pelos presentes.

O sexo, antes ardente, tornara-se mera formalidade, o que ela chamou de desempenho do "sr. Gelo", em vez de demonstração espontânea de paixão. Na verdade, sentiu que Ted não se sentia mais atraído por ela.

Stephanie queria falar sobre isso, falar de seus planos, mas as conversas de Ted eram sempre críticas amargas sobre a família. Ele falava da sua ilegitimidade, enfatizava repetidas vezes que Johnnie Bundy não era seu pai, não era muito inteligente e não ganhava muito dinheiro. Parecia bravo com a mãe porque nunca conversara com ele sobre o pai verdadeiro. Desdenhava do que chamava de "falta de Q.I." de todo o clã dos Bundy. O único membro da família de quem parecia gostar era o avô Cowell, mas o velho estava morto, o que deixava Ted sem ninguém.

Algo acontecera para mudar toda a atitude de Ted em relação a ela, e Stephanie estava bastante confusa e chateada quando voou de volta para a Califórnia, em 2 de janeiro de 1974. Nem fizeram amor em sua última noite juntos. Correra atrás dela durante seis anos, e agora parecia desinteressado, quase hostil. Stephanie pensava que estavam noivos, e ainda assim ele agiu como se mal pudesse esperar para se ver livre dela.

De volta à Califórnia, ela aguardou telefonema ou carta dele, algo que pudesse explicar a radical mudança de atitude, mas não houve nada. Enfim, foi ao terapeuta para tentar entender os próprios sentimentos.

"Acho que ele não me ama. É como se tivesse parado de me amar."

O terapeuta sugeriu que escrevesse para Ted, e ela assim o fez: disse que tinha perguntas que precisavam de resposta. Ele não respondeu à carta.

Em meados de fevereiro, Stephanie telefonou para Ted. Estava irritada e magoada, e gritou com ele por abandoná-la sem sequer uma explicação. A voz dele estava contida e calma quando disse: "Stephanie, não faço ideia do que quer dizer...".

Ela ouviu o clique do telefone e a linha ficou muda. Depois de algum tempo, concluiu que as intensas investidas de Ted no final de 1973 foram planejadas de maneira deliberada, que havia esperado todos aqueles anos para estar na posição em que ela se apaixonasse por ele apenas para poder largá-la, rejeitá-la, assim como ela o tinha rejeitado. Em setembro de 1974, Stephanie escreveu para uma amiga: "Não sei o que aconteceu, ele mudou completamente. Escapei por um triz. Quando penso nos modos frios e calculistas dele, estremeço".

Ela nunca teria uma explicação. Stephanie não voltou a receber notícias de Ted, e ela se casou com outra pessoa no Natal de 1974.

Pessoas_
__desaparecidas

Ao longo de dezembro de 1973, participei de um tipo diferente de projeto de escrita. Eu carregava muitas licenças de delegada-assistente na carteira, pois diversos condados por todo o estado de Washington haviam me concedido tais licenças como gesto de relações públicas, e isso me transformava mais em "Coronel do Kentucky"[1] honorário do que em genuína agente da lei. Tenho que admitir que achava legal à beça ter os distintivos, mas não fiz nenhum trabalho policial. Então, na quinta-feira, 13 de dezembro, foi-me pedido que ajudasse na investigação no condado de Thurston, 96 quilômetros ao sul de Seattle.

O delegado Don Redmond me telefonou e perguntou se poderia estar presente na apresentação do caso de homicídio que seu condado investigava. "O que queremos fazer, Ann", explicou, "é deixar você a par da nossa situação no caso Devine e ouvir suas impressões. Precisaremos da narrativa abrangente de tudo que temos até agora. Pode ser corrido para você, mas gostaríamos de aproximadamente trinta páginas com a cobertura do caso para entregar ao promotor na manhã de segunda-feira. Você pode fazer isso?"

---

[1] O título de Coronel do Kentucky (*Kentucky Colonel* no original) é dado pelo governador do Kentucky por realizações notáveis e serviços extraordinários à nação. [NT]

Dirigi para Olympia no dia seguinte e me encontrei com o delegado Redmond, o investigador-chefe de criminalística Dwight Caron e o sargento Paul Barclift. Passamos o dia revisando relatórios complementares, vendo slides e lendo relatórios de necropsia do médico-legista do caso de assassinato de Katherine Merry Devine, uma garota de quinze anos.

Kathy Devine sumiu em uma esquina na zona norte de Seattle em 25 de novembro. A bonita adolescente, cuja aparência era a de alguém mais perto dos dezoito anos do que dos quinze, fora vista viva pela última vez pedindo carona. Contara a amigos que ia fugir para o Oregon. Eles a viram entrar na picape de um homem. Kathy se despedira com um aceno e então desaparecera. Nunca chegou a seu destino no Oregon.

Em 6 de dezembro, o casal contratado para limpar o lixo no parque McKenny, perto de Olympia, encontrou o corpo de Kathy. O cadáver estava de bruços na floresta encharcada, completamente vestido, mas o jeans fora cortado ao longo da costura, na parte de trás, com instrumento afiado, da cintura até a virilha. Em decomposição bastante avançada, devido ao inverno excepcionalmente quente, animais vorazes levaram coração, pulmões e fígado.

A conclusão incerta do patologista para a morte de Kathy foi estrangulamento, talvez degolamento, pois os ferimentos principais tinham sido no pescoço. Já as condições das roupas sugeriam sodomia. Estava morta desde pouco depois de ter sido vista pela última vez.

O delegado Redmond e os detetives foram deixados com o corpo da garota, que vestia um casaco de imitação de camurça com forro de pele, jeans, blusa branca, botas de caminhada e algumas bijuterias. O intervalo de tempo entre seu desaparecimento e a descoberta do corpo tornava quase impossível colocar as mãos no sujeito que a assassinou.

"É aquela maldita lei nova de caronas", exclamou Redmond. "Os jovens podem esticar o polegar e entrar no carro de qualquer um."

Havia pouca coisa para dar continuidade, mas tomei copiosas notas e usei o fim de semana para colocar o caso Devine em ordem cronológica, listei o que se sabia e concluí que era provável que Kathy Devine tivesse sido assassinada pelo homem da carona. Parecia ser um caso isolado, afinal, não tinha escrito a respeito de nenhum homicídio parecido em muitos anos.

Passei todo aquele fim de semana, exceto pela noite de sábado, quando fui à festa da Clínica de Prevenção de Suicídio, trabalhando no relatório de trinta páginas para Redmond e na noite de domingo, dois policiais foram enviados de Olympia para buscá-lo. Já que era policial especial comissionada, recebi cem dólares dos fundos investigativos do departamento.

Não me esqueci do caso Devine. Alguns meses depois, escrevi como caso não solucionado para a *True Detective*, e pedi que qualquer pessoa com informações entrasse em contato com o Departamento de Polícia do Condado de Thurston. Mas ninguém o fez, e o caso permanece sem solução.

Com a chegada do Ano Novo, em 1974, percebi que, se quisesse sustentar quatro filhos, teria que aumentar as vendas de material. Ainda que o câncer do pai deles aparentasse estar em remissão, me lembrava do prognóstico do primeiro cirurgião de que a expectativa de vida de Bill poderia variar de seis meses a cinco anos.

A maioria dos meus casos vinha das unidades de homicídios da polícia de Seattle e do condado de King. Aqueles detetives eram incrivelmente gentis comigo, e permitiam que os entrevistasse quando o crime em Seattle estava em baixa. Longe de ser os detetives durões e implacáveis da televisão e ficção, eu os considerava homens bastante sensíveis — pessoas que compreendiam que, se não encontrasse casos suficientes para escrever, meus filhos poderiam não ter o que comer. Consolidei algumas das amizades mais fortes da minha vida com aquelas pessoas.

Da minha parte, nunca os "queimei", nunca peguei nada que fosse "extraoficial" e usei em artigos. Esperei os julgamentos chegarem ao fim, ou até o réu se declarar culpado, cuidando para que minha reportagem não influenciasse de modo algum o futuro júri antes do julgamento.

Confiavam em mim, e eu neles. Visto que sabiam que eu buscava aprender tudo que pudesse das investigações de homicídio, costumava ser convidada para frequentar seminários apresentados por especialistas em cumprimento da lei e, em uma ocasião, no curso de duas semanas sobre cenas de homicídios, parte dele da escola policial básica do condado de King. Estive em turnos da Polícia Rodoviária do Estado de Washington, das unidades caninas, das unidades de patrulhamento da polícia de Seattle e do condado de King, dos paramédicos da unidade Medic 1, e passei 250 horas com os Marshal 5, a equipe de combate a incêndios criminosos do Corpo de Bombeiros de Seattle.

Suponho que esta seja uma carreira considerada estranha para mulheres, mas gostei muito dela. Na metade do tempo, era a mãe comum. Na outra metade, aprendia técnicas investigativas de homicídio e como identificar incêndios criminosos. Meu avô e tio foram delegados em Michigan e meus anos de policial tinham apenas acentuado minha crença de que os homens da lei eram os "mocinhos". Nada do que vi como repórter policial maculou essa imagem, embora no início dos anos 1970 os policiais fossem chamados de porcos.

De certa maneira, tinha me transformado em um deles outra vez. Eu estava a par de informações privilegiadas de casos em investigação ativa, assim como estivera no caso Devine. Não discutia essas informações com ninguém fora do mundo policial, e estava ciente do que acontecia em 1974.

O ano nem ao menos tinha começado quando houve um ataque chocante contra a jovem que morava no cômodo de um porão da grande casa antiga no número 4325 da 8th N.E., perto da Universidade de Washington. Aconteceu em alguma hora da noite de 4 de janeiro, e foi bizarro o suficiente para que a detetive Joyce Johnson o mencionasse para mim. Johnson, com 22 anos de experiência na força policial, lidava todos os dias com crimes que deixariam chocada a maioria dos leigos, mas esse ataque em especial a deixara bastante perturbada.

Joni Lenz, de dezoito anos, tinha, como sempre, ido dormir em seu quarto, cômodo no porão, acessível pelo exterior por porta lateral, que costumava ser mantida trancada. Como ela não apareceu para o café da manhã no dia seguinte, as companheiras de casa presumiram que fosse dormir até mais tarde. Por volta do meio da tarde, contudo, desceram para ver se Joni estava bem, já que não respondia aos chamados. Ao se aproximar da cama, elas ficaram horrorizadas ao ver que o rosto e os cabelos dela estavam cobertos de sangue coagulado e Joni estava inconsciente. Ela fora espancada com a haste de metal arrancada da armação da cama, e, quando afastaram as cobertas, ficaram atordoadas ao ver que a haste tinha sido enfiada com violência dentro da vagina de Joni, causando danos terríveis aos órgãos internos.

"Ela ainda está inconsciente", contou-me Joyce Johnson uma semana depois. "Fico de coração partido ao ver os pais dela sentados ao lado da cama, rezando para que recobre a consciência. Mesmo que isso aconteça, os médicos acham que ela terá danos cerebrais permanentes."

Joni superou as expectativas: sobreviveu, mas não se lembrava de nada do que tinha acontecido de dez dias antes do ataque até que acordou do coma, e sofreu danos cerebrais que ficarão com ela pelo resto da vida.

Ela não fora estuprada, exceto pela violação simbólica com a haste da cama. Alguém dominado por fúria maníaca a encontrara adormecida e descarregara essa raiva. Os detetives não encontraram nenhum motivo para tal violência. A vítima era uma garota amigável e tímida, que não tinha inimigos. Provavelmente foi vítima fortuita, atacada simplesmente porque alguém que sabia que ela dormia sozinha no quarto do porão, alguém que talvez a tivesse visto através da janela e encontrado a porta destrancada.

Joni Lenz teve sorte, pois sobreviveu. São pouquíssimas que sobrevivem.

"Olá, aqui é Lynda com o Relatório de Esqui da Cascade: o Snoqualmie Pass está em -2°C, com neve e trechos de gelo na estrada. O Steven Pass está com -8°C, céu nublado e neve compactada na pista..."

Milhares de ouvintes do oeste de Washington tinham escutado a voz da jovem de 21 anos Lynda Ann Healy no rádio sem saber quem era. A voz doce e sexy era o tipo de voz boa para DJs, e da qual pessoas no trânsito para o trabalho às sete da manhã podiam desfrutar. Os sobrenomes das garotas que faziam os informes, contudo, nunca eram revelados, independentemente de quantos homens interessados telefonassem. Eram anônimas, a personificação vocal da garota tipicamente norte-americana.

Lynda era tão bonita quanto soava — alta, esbelta, cabelos castanhos quase até a cintura e olhos azul-claros circundados por cílios escuros. Veterana prestes a se formar em psicologia pela Universidade de Washington, dividia uma antiga casa de madeira com outras quatro estudantes: Marti Sands, Jill Hodges, Lorna Moss e Barbara Little. Todas rachavam o aluguel da 5517 da 12th N.E.

Lynda crescera em lar protegido de classe média alta em Newport Hills, a leste do lago Washington, fora de Seattle. Com talento para música, representara Fiona na produção da Newport High de *A Lenda dos Beijos Perdidos* e fora solista na canção "Winds of God" [Ventos de Deus] na Igreja Congregacional. Mas era a psicologia, em especial o trabalho com crianças com deficiência mental, que mais lhe interessava. Com certeza, durante os anos universitários, ela teve oportunidades abundantes para estudar a mente depravada. Estudar, não *conhecer*.

Nenhuma das cinco colegas na grande casa antiga era particularmente ingênua, e todas eram cuidadosas. O pai de Jill era promotor em condado no leste de Washington e, como filha de advogado criminal, tinha conhecimento de crimes violentos, mas nenhuma das garotas fora exposta pessoalmente à violência. Leram a respeito do ataque a poucos quarteirões de distância em 4 de janeiro, e ouviram boatos sobre um predador na própria vizinhança. Tomavam as devidas precauções — trancavam portas, saíam em duplas depois de escurecer e desencorajavam homens que pareciam estranhos.

Por serem cinco pessoas na mesma casa, se sentiam seguras.

O emprego de Lynda na Northwest Ski Reports exigia que levantasse às 5h30, e, por isso, raramente ficava acordada até depois da meia-noite. Sempre ia de bicicleta até o escritório, a alguns quarteirões de distância. A quinta-feira, 31 de janeiro, começou de maneira rotineira: gravara o relatório de esqui, fora às aulas e então voltara para casa, para escrever uma carta. Não tinha um problema sequer na vida, a não ser o fato de que o namorado fazia tantas horas extras que passavam pouco tempo juntos, e algumas leves dores estomacais a incomodavam um pouco. Escreveu este bilhete para uma amiga, a última carta que escreveria:

> Pensei em dar uma passadinha para dizer 'oi'. Está nevando lá fora, então escrevo esta carta enrolada na minha manta afegã azul. Você não vai acreditar como é confortável estudar ou tirar uma soneca nela. Todas na minha casa estão bem. Convidei mamãe, papai, Bob e Laura para jantar. Acho que vou fazer estrogonofe de carne. Ando esquiando bastante, trabalho um pouco e estudo... não necessariamente nessa ordem.

Às 14h30 daquela tarde, Jill Hodges levou Lynda à universidade para o ensaio do coral e voltou às 17h para pegar Lynda e Lorna Moss. Jantaram e em seguida Lynda pegou o carro de Marti Sands emprestado para ir ao mercado, e voltou às 20h30.

Depois disso, Lynda, Lorna, Marti e um amigo caminharam até o Dante's, bar popular entre os universitários, na 53rd com a Roosevelt Way. O quarteto dividiu duas jarras de cerveja e as garotas não conversaram com mais ninguém, embora Lorna e Marti viessem a se lembrar depois que seu amigo Pete foi conversar por alguns instantes com algumas pessoas da mesa próxima que jogavam dados.

Voltaram para casa uma hora depois, e Lynda recebeu um telefonema de seu ex-namorado de Olympia. As colegas lembram que conversaram por aproximadamente uma hora, e então viram *A Autobiografia de Miss Jane Pittman* na TV antes de se recolher.

Ao se levantar para ir ao seu quarto no porão, Lynda estava de jeans, camisa branca e botas.

Barbara Little estivera na biblioteca na noite de quinta-feira. À 00h45, foi para seu quarto no porão, cômodo separado do de Lynda apenas por uma fina parede de compensado. A luz de Lynda estava apagada, e Jill não fez barulho.

Às 5h30, Barbara ouviu o despertador de Lynda tocar como sempre, e voltou a dormir. Às 6h, o seu próprio despertador tocou e ela ficou um tanto surpresa ao ouvir o insistente toque do despertador de Lynda ainda soar.

O telefone tocou. Era o chefe de Lynda que queria saber por que ela não apareceu no trabalho. Barbara foi ao quarto de Lynda e acendeu a luz: o quarto estava imaculado, a cama arrumada à perfeição, sem nenhum amassado. Isso era um pouco incomum, visto que Lynda arrumava a cama depois de voltar das aulas, mas Barbara não ficou muito preocupada. Desligou o despertador e supôs que Lynda já estivesse a caminho do trabalho.

Lynda Ann Healy não estava a caminho do trabalho, nem da escola. Havia desaparecido sem luta e sem deixar rastros.

A bicicleta verde de dez marchas que Lynda usava como transporte ainda estava no porão, mas as colegas notaram algo alarmante. A porta lateral que levava ao porão estava destrancada. *Elas nunca a deixavam destrancada.* Na verdade, a porta era muito difícil — quase impossível — de destrancar pelo lado de fora, e por isso sempre a abriam por dentro quando queriam empurrar as bicicletas para fora. Em seguida, trancavam a porta por dentro e davam a volta na casa para chegar às bicicletas. A única janela com cortina transparente ao lado dos degraus internos de concreto fora pintada havia tempos, e a tinta selara a moldura.

As garotas que moravam na casa compartilhada se encontraram no campus naquela tarde e compararam suas lembranças das últimas horas. Cada uma presumiu que uma das outras tinha visto Lynda nas aulas durante o dia, mas nenhuma delas a vira. Quando a família de Lynda chegou naquela noite para o jantar que ela havia planejado, as moças ficaram assustadas. Lynda era a última pessoa no mundo que deixaria de ir ao trabalho, às aulas e, mais importante, ao jantar para o qual tinha convidado a família.

Telefonaram para o Departamento de Polícia de Seattle e a declararam como pessoa desaparecida.

Os detetives Wayne Dorman e Ted Fonis, da Unidade de Homicídios, chegaram para conversar com os assustados pais e colegas de Lynda. Eles foram levados para seu quarto bem-organizado no porão: era um quarto de aparência feliz, pintado de amarelo brilhante, as paredes cobertas de pôsteres e fotografias, muitas delas de Lynda e seus amigos esquiando, e de inúmeras crianças com deficiência mental da Escola Experimental Camelot House, onde a jovem desaparecida empenhava seu tempo. A cama de Lynda ficava ao lado da parede de compensado e a de Barbara ficava exatamente do lado oposto.

Os detetives afastaram a colcha e viram que o travesseiro sem fronha tinha manchas de sangue seco e uma grande nódoa encharcara os lençóis, chegando ao colchão. Quem quer que tivesse derramado aquele sangue teria de estar gravemente ferido, talvez inconsciente, mas não havia sangue suficiente para indicar que a vítima sangrara até a morte.

Lorna e Marti comentaram com os detetives que a cama fora arrumada de maneira diferente do modo como Lynda fazia. "Ela sempre esticava o lençol por cima do travesseiro e agora está enfiado embaixo."

Lynda usava fronha de cetim rosa sobre a cama, que não estava lá. A outra fronha do conjunto estava na gaveta da cômoda. A camisola foi encontrada no fundo do closet, a gola endurecida com sangue seco.

A suposição plausível foi que alguém entrou no quarto enquanto a moça dormia, e, após deixá-la inconsciente, para não gritar, levou Lynda consigo.

Suas colegas vasculharam o closet e constataram que as únicas roupas que faltavam eram o jeans, a camisa e as botas que usara na noite anterior.

"E a mochila também sumiu", disse Marti. "É vermelha, com alça cinza. Ela guardava os livros nela, e talvez a touca amarela de esqui, e as luvas... e, sim, Lynda tinha um punhado de ingressos para a Orquestra de Jovens, e alguns talões para ingressos."

A camisola de Lynda estava manchada de sangue, o que com certeza indicava que a usava quando foi atacada. A única conclusão a que os detetives chegaram era que o sequestrador reservara algum tempo para vesti-la antes de levá-la embora. Ainda assim, todos os casacos estavam no quarto. Será que já teria sido tarde demais para que precisasse de casaco? E por que a mochila? Por que o travesseiro?

O dono da casa contou aos detetives Fonis e Dorman que era rotina trocar todas as trancas das portas externas da casa quando novos inquilinos se mudavam. Isso poderia ter sido salvaguarda prudente, exceto pelo fato de que as cinco garotas tinham deixado a chave extra na caixa de correio na varanda da frente. Além do mais, tanto Lynda como Marti haviam perdido as chaves e mandado fazer cópias.

Qualquer homem, à espreita e ciente de que cinco mulheres moravam na casa, poderia ter registrado seus movimentos e observado que elas retiravam a chave extra da caixa de correio.

Agora, dominadas pelo temor, as quatro inquilinas remanescentes se mudaram da casa de madeira, e alguns amigos homens se mudaram para lá, para monitorar quaisquer atividades estranhas, mas isso não alterava o que já tinha acontecido. As quatro garotas conseguiram se lembrar de alguns outros incidentes mais recentes, como três telefonemas na tarde em que Lynda desapareceu. Cada vez que atendiam, elas conseguiam ouvir apenas respiração do outro lado, e então a ligação caía.

Cada centímetro da vizinhança foi revistado, bem como todas as ravinas cheias de folhas do parque Ravenna, tanto por policiais como por cães da unidade canina. Mas Lynda Ann Healy havia desaparecido, e o homem que a sequestrara não tinha deixado nenhum rastro. *Nada*. Nem mesmo um fio de cabelo, uma gota de sangue ou de sêmen. Ele tinha sido muito esperto ou muito, muito sortudo. Era o tipo de caso que todo detetive da Homicídios teme.

No dia 4 de fevereiro, uma voz masculina ligou para o número de emergência da polícia, 911. "Ouça, e ouça com atenção. O agressor daquela garota no dia 8 do mês passado e o sequestrador de Lynda Healy são a mesma pessoa. Esteve do lado de fora de ambas as casas. Ele foi visto."

"Quem está falando?", perguntou a operadora.

"Você não vai conseguir meu nome de jeito nenhum", respondeu e desligou.

Tanto o ex-namorado de Lynda como o atual se ofereceram para fazer o teste do polígrafo, e ambos passaram, sem sombras de dúvida.

Conforme os dias e então semanas passavam, foi ficando dolorosamente claro que Lynda Ann Healy estava morta, o corpo escondido com tanto cuidado que apenas o assassino e Deus sabiam onde estava. O Laboratório de Criminalística da Polícia de Seattle tinha a lista lastimavelmente curta das evidências físicas para trabalhar. "Lençol branco (manchado de sangue — tipo A positivo), travesseiro amarelo (manchado de sangue — tipo A positivo), camisola curta cor creme com arremates florais marrons e azuis (manchada de sangue — tipo A positivo). Área da mancha de sangue no lençol branco mostra distintos padrões 'estriados' nas bordas." Isso foi tudo o que sobrou da garota vibrante que tinha desejado boa-noite para as amigas em 31 de janeiro e se afastado em direção ao esquecimento.

• • •

Para solucionar um homicídio — e o desaparecimento de Lynda Healy foi com certeza homicídio —, os detetives precisam encontrar aspectos em comum, algo que conecte a vítima ao assassino, método de operação parecido na série de crimes, evidências físicas ou conexões entre as vítimas em si.

Foi aí que o caso empacou, porque não havia qualquer ligação entre Lynda Healy e Joni Lenz, exceto ambas serem atacadas enquanto dormiam em quartos que ficavam em porões de casas comunais, com menos de um quilômetro de distância entre as residências. Joni tinha sofrido ferimentos na cabeça; a julgar pelo padrão do sangue no travesseiro de Lynda e pelas manchas na camisola, ela provavelmente fora golpeada com violência no crânio também. Contudo, nenhuma das residentes das duas casas se conhecia, elas nem ao menos frequentavam as mesmas aulas.

Fevereiro deslizou para março, e Lynda não voltou para casa, tampouco houve alguém que tivesse encontrado seus objetos pessoais, também desaparecidos: mochila; blusa camponesa; velho jeans com o remendo triangular engraçado na parte de trás; dois anéis turquesa, reconhecíveis anéis redondos e achatados com minúsculas pedras turquesa "flutuando" nos círculos prateados no topo, não houve sinal de nada disso.

Apenas mais dois trimestres e Lynda se formaria e conseguiria emprego, e teria sido de infinita ajuda para crianças com deficiência mental que contavam com seus cuidados para compensar a ausência de um lar amoroso e carinhoso como o que ela teve.

Enquanto os detetives da polícia de Seattle lutavam com o desaparecimento inexplicável de Lynda Ann Healy, o delegado Don Redmond e os detetives no condado de Thurston tinham seus próprios problemas: estudante desaparecida da Faculdade Estadual Evergreen, cujo campus fica logo a sudoeste de Olympia.

A Evergreen era uma faculdade relativamente nova em Washington, com enormes edifícios pré-fabricados de concreto erguendo-se inesperadamente de uma densa floresta de abetos. A instituição é muito difamada por educadores tradicionais porque rejeita cursos obrigatórios e escalas de notas reconhecidas, e adota, em vez disso, a filosofia do tipo "faça do seu jeito". Os estudantes escolhem o que querem aprender, desde animação à ecologia, e elaboram contratos com o compromisso de concluir cada trimestre por créditos. Os detratores da escola alegam que um graduado da Evergreen não tem habilidades de verdade, nem histórico educacional para oferecer ao empregador e a chamam de "faculdade de brinquedo". Todavia, a Evergreen atrai alguns dos melhores e mais inteligentes estudantes.

Donna Gail Manson, de dezenove anos, era a típica aluna da Evergreen, uma garota bastante inteligente que tinha seu próprio compasso. O pai lecionava música nas escolas públicas de Seattle, e Donna compartilhava seu talento e interesse pelo assunto. Era uma flautista boa o suficiente para tocar em orquestra.

Com a notícia de que uma segunda jovem tinha sem dúvida sido atacada no condado de Thurston, dirigi mais uma vez para Olympia e consultei o delegado Redmond e o sargento Paul Barclift. Barclift me explicou as circunstâncias do desaparecimento de Donna.

Na noite chuvosa de terça-feira, 12 de março de 1974, Donna planejara assistir a um show de jazz no campus. As colegas de dormitório lembravam que trocou de roupa diversas vezes, estudou a imagem no espelho antes de ficar satisfeita com a blusinha vermelha, laranja e verde, calça azul e o sobretudo preto felpudo. Usava anel com ágata oval marrom e relógio Bulova.

Então saiu — sozinha — para caminhar até o show pouco depois das 19h. "Não foi vista por lá", contou Redmond. "Provavelmente não chegou tão longe."

Lynda Ann Healy e Katherine Merry Devine eram altas e esbeltas. Donna Manson tinha apenas 1,52 m de altura e pesava 45 quilos.

Os detetives do condado de Thurston e o chefe de segurança da Faculdade Estadual Evergreen, Rod Marem, foram notificados do desaparecimento de Donna somente seis dias depois de ela sumir. O estilo de vida de Donna era tal que escapulia de uma hora para outra, apenas para reaparecer com histórias sobre viajar de carona, às vezes para locais tão distantes quanto o Oregon. Quando a denúncia de seu desaparecimento foi feita por outra estudante, foi apenas um pedido de "por favor, tente fazer contato". Porém, os dias se passaram sem notícias dela, e o desaparecimento assumiu um tom agourento.

Barclift contatou todos que conheciam Donna e seguiu todas as pistas possíveis. Conversou com a melhor amiga, Teresa Olsen, com a ex-colega de quarto, Celia Dryden, e com inúmeras outras garotas que tinham morado no dormitório com ela.

Donna Manson, apesar de seu Q.I., não tinha sido boa aluna. Havia frequentado a Faculdade Comunitária Green River em Auburn antes de ir para a Evergreen, e ingressara com nota cumulativa de 2,2 (C+).

Escolhera grade curricular um tanto vasta, PORTELS (Personal Options Toward Effective Learning Skills [Opções Pessoais Para Habilidades de Aprendizado Eficazes]). Contudo, mesmo na Evergreen, Donna ficou para trás porque costumava passar muitas noites fora, voltar ao amanhecer para pedir que Celia a cobrisse na aula, e então permanecer na cama durante grande parte do dia. Isso incomodava Celia, assim como a obsessão de Donna por morte, magia e alquimia. Donna aparentemente cedera sob o peso da depressão, e os constantes rabiscos sobre alquimia também preocupavam sua colega de quarto.

Celia solicitara transferência para outro quarto pouco antes de Donna desaparecer. Alquimia é uma antiga pseudociência: "[...] a preparação de elixir de longevidade [...] qualquer aparente poder ou processo mágico de transmutação". Praticada, a princípio, no Antigo Egito, não fazia parte do currículo que pudesse ser oferecido em faculdades convencionais.

"Pensamos que poderia ter cometido suicídio", disse Barclift. "Mas mandamos seus escritos para a avaliação psiquiátrica, e parece não haver nada particularmente significativo para garotas dessa idade. Se estivesse com medo de algo específico, ela possivelmente teria escrito sobre isso, e não encontramos nada assim nas anotações."

Os detetives descobriram vários pedaços de papel no quarto de Donna. Em um deles constava "Thought Power Inc" [Poder da Mente S.A.]. A verificação preliminar feita pelos detetives indicou que era um negócio licenciado em Olympia, localizado em uma bem-cuidada casa antiga, que promovia seminários sobre pensamento positivo e disciplina mental. Os donos tinham mudado o nome para Instituto de Percepção Extrassensorial pouco antes de Donna desaparecer.

Donna Manson fumava maconha quase todos os dias, e seus amigos achavam que poderia ter experimentado outras drogas. Ela teve quatro namorados, que foram todos investigados e logo liberados.

Em novembro, Donna havia pegado carona até o Oregon, mas suas viagens para longe do campus quase sempre eram para visitar amigos em Selleck, minúsculo vilarejo mineiro localizado ao longo da estrada que levava para Issaquah e North Bend, e então se conectava à autoestrada principal, que serpenteava acima do Snoqualmie Pass. "Verificamos com as pessoas de lá e elas não a viam desde o dia 10 de fevereiro", contou Barclift.

Por mais obcecada que estivesse na busca pelo que chamava de "aquele outro mundo que não podemos explicar", Donna permanecera próxima dos pais. Havia passado o fim de semana dos dias 23 e 24 de fevereiro com eles, telefonara em 9 de março e lhes enviara carta em 10 de março. Parecia estar de bom humor e planejava uma viagem para a praia com a mãe.

Barclift me levou de carro para conhecer os arredores do campus da Evergreen. Apontou para os postes de luz que se encontravam ao lado do passeio, mas o campus parecia ainda reter muitos elementos da vastidão natural de outrora. Em certos locais, o passeio serpenteante desaparecia dentro de túneis formados pelos galhos baixos dos abetos.

"Muitas garotas andam em pares ou grupos depois que escurece", comentou.

O campus estava encharcado pelas chuvas de primavera. A polícia vasculhou o campus em padrão de grade, com diversos oficiais e cães rastreadores. Se o corpo de Donna estivesse ali, escondido no pântano de gualtérias, uvas do Oregon, samambaias e galhos caídos de abeto, o encontrariam. Mas Donna estava desaparecida, assim como Lynda Healy. As coisas que deixara para trás no quarto — mochila, flauta, malas, todas as roupas, até mesmo a câmera que sempre carregava — foram entregues aos pais.

No fim das contas, os detetives do condado de Thurston ficaram com os escritos de Donna sobre morte e magia, e os raios x de tornozelo e pulso esquerdos e da coluna, obtidos com o médico dela. Se a encontrassem agora, temiam que essa seria a única maneira de identificá-la.

TED BUNDY
Um Estranho ao Meu Lado
08.

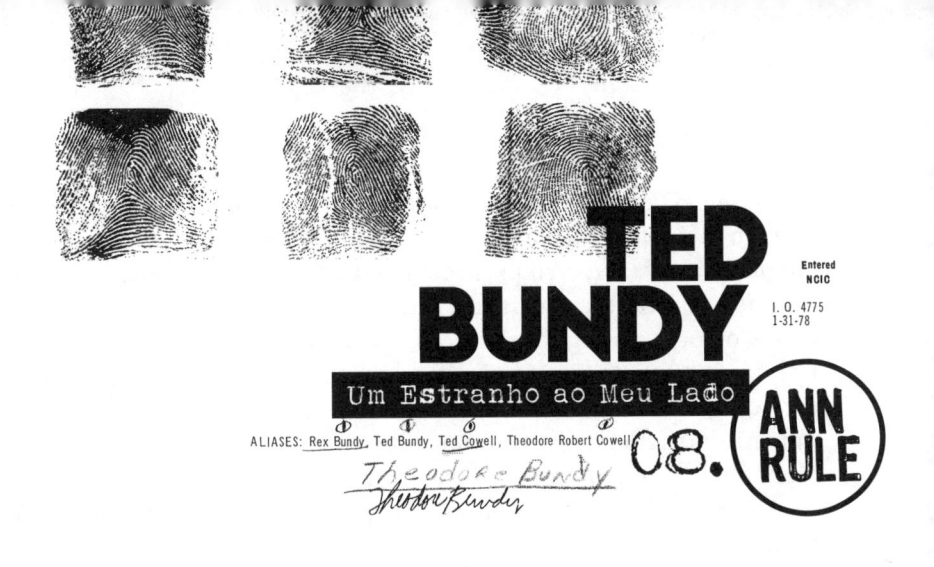

ALIASES: Rex Bundy, Ted Bundy, Ted Cowell, Theodore Robert Cowell

Ele não deixa nada _____para trás

Durante aquela primavera de 1974, aluguei uma casa flutuante em Seattle para usar de escritório, e subloquei a pequena estrutura rangente de um cômodo que flutuava de maneira precária sobre troncos no lago Union, mais ou menos dois quilômetros ao sul do Distrito Universitário. Estava completamente ciente agora de que duas universitárias estavam desaparecidas, que Kathy Devine tinha sido assassinada, e eu começava a ter a sensação de que a polícia acreditava que um padrão estava surgindo, mas o público permanecia sem saber. A média em Seattle era de sessenta homicídios por ano, o condado de King oscilava entre dois e três a uma dúzia anualmente e o condado de Thurston raramente passava de três. Porcentagem nada ruim para áreas densamente povoadas, e as coisas pareciam normais. Trágicas, mas normais.

Meu ex-marido tinha sofrido crise de epilepsia tônico-clônica. Houve metástase do câncer no cérebro e ele passou por cirurgia e esteve hospitalizado durante diversas semanas. Minha filha mais nova, Leslie, na época com dezesseis anos, pegava ônibus para Seattle todos os dias depois da escola para cuidar do pai, porque achava que as enfermeiras não eram atenciosas o suficiente. Eu me preocupava, afinal, Leslie era tão adorável, se parecia tanto com as garotas que estavam desaparecendo, que tinha medo de ela andar até mesmo meio quarteirão sozinha na cidade. Insistia que era algo que ela precisava fazer, e eu prendia a respiração a cada dia até ela estar em casa segura. Eu vivenciava o tipo de temor que em pouco tempo todos os pais na região também sentiriam. Como escritora criminal, já tinha visto muita violência e tragédia, e agora via "homens suspeitos" onde quer que fosse. Nunca temi por mim mesma, mas por minhas filhas, ah, sim, por elas, sim. Eu as alertava com tanta frequência que por fim me acusaram de estar paranoica.

Abri mão da casa flutuante. Não queria ficar tão longe dos filhos, nem mesmo durante o dia.

Em 17 de abril, aconteceu de novo. Dessa vez, a garota que desapareceu estava a 193 quilômetros de Seattle, grande distância, do outro lado das imponentes montanhas Cascade que separam a costa verdejante de Washington das áridas plantações de trigo da metade oriental do estado.

Susan Elaine Rancourt era caloura na Faculdade Estadual Central de Washington, em Ellensburg, cidade do circuito de rodeios que conservou o sabor do Velho Oeste. Uma de seis filhos de família unida, Susan fora animadora de torcida e rainha do baile no ensino médio em LaConner, Washington.

Diferia das outras garotas desaparecidas por ser loira de cabelos compridos e olhos azuis. Tinha o tipo de silhueta deslumbrante que a maioria das adolescentes ambiciona, sem mencionar os adolescentes. Talvez o desenvolvimento precoce tivesse contribuído para a timidez e obscurecido o fato de que a inteligência de Susan era superior e orientada para a ciência.

Quando o restante da família se mudou para Anchorage, Alasca, foi necessária muita coragem por parte de Susan para ficar e ir para a faculdade em Ellensburg. Sabia que ela mesma teria de arcar com grande parte das despesas, pois com outros cinco filhos para criar, seus pais simplesmente não tinham como pagar as despesas da universidade.

No verão antes do primeiro ano, Susan trabalhou em *dois* empregos de tempo integral, sete dias por semana, para economizar dinheiro para as mensalidades. Sempre soube que sua carreira seria no campo da medicina. Seu desempenho no ensino médio, apenas notas A, e os resultados dos testes de aptidão universitária comprovaram sua habilidade natural. Em Ellensburg, Susan Rancourt se formou em Biologia, com média 4, com trabalho de tempo integral em uma casa de repouso. Era uma jovem de quem qualquer família podia sentir orgulho.

Lynda Healy fora cuidadosa e Donna Manson desdenhara do perigo. Já Susan Rancourt tinha pavor confesso do escuro e de sair de casa sozinha. Após o pôr do sol, *nunca* ia a lugar algum sem sua colega de quarto.

Nunca, até a noite de 17 de abril. Fora uma semana agitada, com provas de fim de semestre. Mas havia descoberto uma vaga em dormitório para aspirante a orientador. Com esse emprego, suas despesas poderiam diminuir bastante. Além disso, isso lhe daria a chance de conhecer mais estudantes e de sair da concha de timidez imposta por si mesma. Assim, tentou a sorte.

Susan tinha apenas 1,52 m de altura e pesava 54 quilos, mas era forte. Corria todas as manhãs e tinha feito aulas de caratê. Talvez tivesse sido tola ao acreditar que não conseguiria se proteger no campus lotado, mesmo se alguém chegasse a abordá-la.

Às oito da noite, carregou uma leva de roupas sujas para a lavanderia no dormitório do campus, e caminhou até a reunião dos orientadores. A reunião terminou às 21h e combinou de se encontrar com uma amiga para ver o filme alemão e daí voltar para a lavanderia e colocar as roupas na secadora às 22h.

Ninguém viu Susan depois que deixou a reunião. Sua amiga esperou e esperou, e por fim entrou para ver o filme sozinha, olhando para trás na direção da entrada diversas vezes à procura da familiar silhueta de Susan.

As roupas de Susan permaneceram na lavadora até que outro estudante que precisava usá-la as retirou com impaciência e as depositou sobre a mesa, onde foram encontradas um dia depois.

O fato de Susan Rancourt não ter retornado ao dormitório foi relatado de pronto. Susan tinha namorado, mas ele estava longe na Universidade de Washington, e ela não saía com mais ninguém. Não costumava passar a noite fora, e com certeza não teria perdido a prova final. Ela nunca sequer tinha matado aula.

Os policiais do campus anotaram sobre as roupas que ela usava quando foi vista pela última vez: calça de veludo cotelê, suéter amarelo de mangas curtas, casaco amarelo e sapatos Hush Puppies marrons. Em seguida, tentaram refazer o caminho que teria tomado da reunião dos orientadores de volta aos dormitórios, a quatrocentos metros de distância.

O trajeto mais rápido e mais comum subia a alameda, passava pelo canteiro de obras, atravessava a passarela acima do laguinho e então seguia por baixo da ponte ferroviária de madeira perto do estacionamento para alunos.

"Se alguém a observasse, a seguisse, e tivesse a intenção de pegá-la", comentou um policial, "teria sido aqui, embaixo da ponte ferroviária. É escuro pra diabo por uns sessenta metros."

Mas deveria restar alguma coisa de Susan ali. Para começar, carregava a pasta cheia de papéis soltos que teriam se espalhado por todos os lados na luta. E, por mais tímida que fosse, Susan Rancourt era habilidosa lutadora de caratê. Seus amigos insistiam que ela jamais teria se entregado sem luta.

Além disso, o caminho de volta ao Barto Hall, onde passava o filme, era o trajeto que a maioria dos estudantes fazia. Às 21h, haveria tráfego contínuo e leve. Alguém veria algo incomum, mas ninguém viu.

A única imperfeição física de Susan era a acentuada miopia. Na noite de 17 de abril, não usava óculos e nem lentes de contato. Poderia enxergar bem o bastante para andar pelo campus, mas precisaria ter se aproximado o suficiente de alguém para reconhecê-lo, e poderia muito bem ter deixado de notar um movimento sutil nas sombras sob a ponte de madeira.

Com o desaparecimento de Susan Rancourt, outras alunas foram à polícia com descrições de incidentes que as tinham deixado ligeiramente preocupadas. Uma garota contou que conversara com um homem alto e bonito, na casa dos vinte anos, do lado de fora da biblioteca do campus no dia 12 de abril, o sujeito estava com o braço na tipoia e tinha órtese de metal no dedo. Teve dificuldades para manusear a braçada de livros que carregava e os derrubara várias vezes. "Por fim, me perguntou se poderia ajudá-lo a levar os livros até o carro dele", recordou-se a garota.

O carro, um Fusca, estava estacionado a aproximadamente 275 metros da ponte ferroviária. Ela levou os livros até o carro e então notou que não havia banco do carona. Alguma coisa — não conseguiu dizer o quê — tinha feito os cabelos da sua nuca arrepiarem, algo sobre a falta daquele banco. O sujeito parecia bastante simpático, e conversaram de como ele tinha se machucado ao esquiar na montanha Crystal, mas, de repente, ela só quis estar bem longe. "Coloquei os livros no capô do carro e corri..."

Outra garota contou uma história bastante parecida: encontrara um homem com o braço machucado no dia 17 e levara alguns pacotes embrulhados em papel pardo até o carro dele. "Então ele me disse que tinha dificuldade para ligar o carro e pediu que eu entrasse e testasse a ignição enquanto ele fazia alguma coisa embaixo do capô. Como eu não o conhecia, não queria entrar no carro dele, então inventei que estava com pressa e fui embora."

O filho de um promotor público do Oregon, em visita ao campus, se lembrava de ter visto o homem alto com o braço na tipoia parado na frente do Barto Hall por volta das 20h30 da noite do dia 17.

Os relatos não pareciam tão agourentos assim. Sempre que um crime ou desaparecimento acontece, incidentes corriqueiros assumem certa importância para "testemunhas" que querem ajudar. As declarações foram datilografadas e arquivadas, e as buscas por Susan Rancourt prosseguiram.

Nesse caso, como em muitos outros, um detalhe insignificante poderia fornecer prova silenciosa sobre o destino das garotas desaparecidas. Com Donna Manson tinha sido a câmera, deixada para trás. Com Susan, as lentes de contato e os óculos, que provavelmente tivera a intenção de levar consigo para o cinema na noite em que desapareceu, e seu fio dental. Quando sua mãe examinou o armário de remédios da filha e viu o fio dental, sentiu o coração disparar. "Ela era uma criatura de hábitos. Nunca ia a lugar algum para passar a noite sem o fio dental..."

•••

O capitão Herb Swindler, policial parecido com um buldogue de tão corpulento, veterano em investigações de homicídio, tinha assumido o comando da Unidade de Crimes Contra a Pessoa do Departamento de Polícia de Seattle na primavera de 1974. Eu conhecia Herb havia mais de quinze anos. No final da década de 1950, fora o primeiro patrulheiro a atender a reclamação de uma mãe em West Seattle, depois que alguém tinha tomado liberdades indecentes com a jovem filha. Eu era a mais novata das policiais chamadas para interrogar a criança. Tinha 21 anos na época e confesso que fiquei um tanto envergonhada com as perguntas que precisei fazer para a garotinha sobre o "idoso simpático" que estava com a família.

Eu me lembro de como Herb me provocou porque tinha ficado corada — a amolação de sempre com os novatos —, mas ele fora gentil com a criança e com a mãe. Era um bom policial e minucioso investigador. Avançara depressa na hierarquia, e agora a bola foi parar no escritório de Herb. A maioria dos casos de garotas desaparecidas parecia ter se originado em Seattle, e ele lutava dia e noite com os mistérios que pareciam não ter nenhuma pista ou resposta. Era como se o homem responsável estivesse provocando a polícia, risse da facilidade com que sequestrava mulheres, sem deixar nenhum rastro.

Swindler é um homem falante e precisava de ouvintes. Eu supri essa necessidade. Sabia que eu não conversaria com ninguém fora do departamento, sabia que tinha acompanhado os casos com a mesma meticulosidade de qualquer investigador. Com certeza, era uma escritora procurando *a* grande história. Mas também era a mãe de duas filhas adolescentes e o horror de tudo aquilo e a angústia dos pais me deixavam acordada à noite. Ele tinha certeza de que eu não publicaria uma palavra sequer até o momento certo — se é que viria a fazer isso algum dia.

Durante aqueles meses de 1974, conversei com Swindler quase todos os dias, ouvindo e tentando encontrar um denominador comum. Minha área de trabalho me levava para cima e para baixo ao longo da costa, e com frequência sabia de casos em outras cidades, casos a 320 quilômetros de distância no Oregon, e relatava qualquer desaparecimento que pudesse ter alguma ligação com os de Seattle.

A garota seguinte a ir embora para sempre morava no Oregon. Em 6 de maio, dezenove dias depois do desaparecimento de Susan Rancourt, Roberta Kathleen Parks — Kathy Parks, como era chamada — tinha passado o dia infeliz e tomada pela culpa no quarto, no Sackett Hall, no campus da Universidade Estadual do Oregon, em Corvallis, 402 quilômetros ao sul de Seattle. Conhecia o Sackett Hall, porque eu mesma tinha morado lá quando cursei um semestre na UEO na década de 1950. Era um complexo de dormitórios enormes e modernos no campus que na época era considerado uma *cow college* — faculdade sem cultura, sofisticação e tradição. Mesmo naquela época, quando o mundo não parecia ser tão carregado de perigo, nenhuma de nós queria descer sozinha à noite até as máquinas de comida nos corredores cavernosos do porão.

Kathy Parks não estava feliz na Faculdade do Oregon. Morria de saudades da casa em Lafayette, Califórnia, e terminara com o namorado, que partira para a Louisiana. Em 4 de maio, Kathy discutira com o pai ao telefone e, em 6 de maio, descobrira que ele sofrera um grave ataque cardíaco. Sua irmã telefonara de Spokane, Washington, com a notícia do infarto do pai, e então ligara de volta algumas horas depois para contar que ele iria sobreviver.

Depois desse segundo telefonema, Kathy, cuja especialização era em religiões do mundo, se sentiu um pouco melhor, e concordou em se juntar a algumas das outras residentes do Sackett Hall para a sessão de exercícios na sala comunal do dormitório.

Pouco antes das 23h, a garota alta e magra de longos cabelos loiro-acinzentados saiu do Sackett Hall para encontrar alguns amigos para um café no prédio do Grêmio Estudantil e prometeu para a colega de quarto que estaria de volta em uma hora. Usava calça azul, camiseta azul-marinho, jaqueta verde-claro e sandálias de plataforma, e saiu do Sackett para sempre. Kathy nunca chegou ao Grêmio Estudantil. Como ocorreu com as outras moças desaparecidas, todas as suas posses foram deixadas para trás: bicicleta, roupas e cosméticos.

Dessa vez, ninguém tinha visto um suspeito sequer. Nenhum homem com o braço na tipoia, nenhum Fusca. Kathy nunca tinha falado sobre estar com medo ou de receber telefonemas obscenos. Fora uma garota tão sujeita a radicais mudanças de humor que a questão do suicídio emergiu. Será que se sentira tão culpada pela briga com o pai, e achado que causou o ataque cardíaco? Culpada o bastante para tirar a própria vida?

Dragaram o rio Willamette, cujo curso serpenteia perto de Corvallis, mas nada foi encontrado. Se tivesse escolhido outra maneira de se destruir, seu corpo com certeza seria encontrado em breve, mas não foi.

O tenente Bill Harris, da Unidade de Investigação Criminal do Departamento de Polícia do Estado do Oregon, estacionou no campus da UEO e chefiou a investigação no Oregon. Houve um trágico homicídio no Sackett Hall alguns anos antes, quando uma estudante foi encontrada esfaqueada no quarto, mas a investigação bem-sucedida resultara na prisão do estudante que morava no andar de cima. Esse jovem ainda estava na Penitenciária Estadual do Oregon.

Após uma semana de buscas, Harris estava convencido de que Kathy Parks fora sequestrada, provavelmente capturada enquanto caminhava entre montes de arbustos de lilases florescentes ao longo do passeio entre o Sackett Hall e o prédio do Grêmio Estudantil. Desaparecida, como todas as outras, sem um único pedido de socorro.

Boletins policiais com fotos das quatro garotas desaparecidas foram afixados lado a lado nas paredes de escritórios de todas as forças de segurança pública no Noroeste, rostos sorridentes que se pareciam o bastante para ser de irmãs. Ainda assim, apenas Herb Swindler estava completamente convencido de que Kathy Parks fazia parte do padrão. Outros detetives acreditavam que Corvallis ficava longe demais para que fosse vítima do mesmo homem que rondava os campi de Washington.

Haveria apenas uma breve trégua. Vinte e seis dias depois, Brenda Carol Ball, conhecida da minha filha mais velha, desapareceu. Brenda, de 22 anos, morava com duas colegas de quarto no subúrbio de Burien, ao sul do condado de King. Tinha sido aluna da Faculdade Comunitária Highline até duas semanas antes. Media 1,60 m e pesava 50 quilos; seus olhos castanhos cintilavam com entusiasmo pela vida.

Na noite de 31 de maio para primeiro de junho, Brenda foi sozinha para o Flame Tavern, na 128th South com a Ambaum Road South. Suas colegas de quarto a tinham visto pela última vez às 14h daquela sexta-feira, quando lhes contou que planejava ir ao bar, e mencionou que talvez pegasse carona para o Parque Estadual Sun Lakes, na região oriental de Washington, e se encontraria com elas lá depois.

Ela chegou a ir ao Flame; foi vista no bar por diversas pessoas que a conheciam. Ninguém se lembra exatamente o que ela vestia, mas sua roupa habitual era jeans desbotado e suéter de gola alta com mangas longas. Pareceu se divertir, e ficou até o bar fechar às duas da manhã.

Brenda pediu a um dos músicos da banda para lhe dar carona para casa, mas ele explicou que iria na direção oposta. Na última vez em que alguém se lembra de ter visto Brenda Ball, estava no estacionamento e conversava com um homem bonito de cabelos castanhos com o braço na tipoia.

Visto que Brenda, como Donna Manson, era um espírito livre, dada a viagens impulsivas, houve enorme demora até ser declarada desaparecida. Dezenove dias se passaram até suas colegas de quarto se convencerem de que alguma coisa tinha acontecido e verificaram no banco. Ficaram alarmadas ao descobrir que sua poupança não fora tocada. Todas as suas roupas ainda estavam no apartamento, e seus pais, que moravam nas cercanias, também não tiveram notícias dela.

Com 22 anos, Brenda era a mais velha de todas as mulheres desaparecidas, adulta que tinha se mostrado capaz e cautelosa no passado, mas não dessa vez. Parecia que Brenda também conhecera alguém em quem não deveria ter confiado. Brenda tinha sumido.

Mas as tocaias estavam longe de acabar. Mesmo antes de Brenda Ball ser declarada desaparecida à polícia do condado de King, o homem que os agentes da lei procuravam estava à espreita de novo, prestes a atacar com audácia, praticamente às vistas de dúzias de testemunhas — e ainda permanecer apenas uma figura fantasmagórica. Ele passaria a perna na polícia, os deixaria mais frustrados do que nunca na série de crimes que os tinha irritado e horrorizado — muitos dos detetives em busca das desaparecidas tinham filhas.

Era quase como se fosse algum tipo de jogo perverso de desafio por parte do sequestrador. Como se, a cada vez, saísse um pouco mais das sombras e corresse mais riscos para provar que podia fazer o que queria e ainda assim não ser pego, nem mesmo visto.

Georgann Hawkins, aos dezoito anos, era dessas garotas de ouro para quem a sorte ou o destino tinha distribuído cartas perfeitas até aquela noite inexplicável de 10 de junho. Criada no subúrbio de Sumner, em Tacoma, Washington, fora animadora de torcida e eleita Princesa do Festival Daffodil. Estudou na Escola Secundária Lakes e, como Susan Rancourt, se formou com honras. Animada e reluzindo de boa saúde, Georgann tinha o encanto que a fazia se parecer com uma fada. Os longos cabelos castanhos eram brilhantes e seus olhos castanhos vivazes. Era miudinha, com 1,57 m e 52 quilos, e a mais nova das duas filhas da família de Warren B. Hawkins.

Enquanto muitos bons alunos tendem a considerar o currículo da Universidade de Washington muito mais difícil do que o do ensino médio, e por isso, o desempenho despenca para a confortável média de notas C, Georgann manteve o histórico com notas A. Sua maior preocupação naquela semana de provas finais em junho de 1974 era que tinha dificuldade em espanhol, e chegou até a pensar em desistir do curso, mas, na manhã de 10 de junho, telefonara para a mãe e comentara que pretendia estudar para a prova final do dia seguinte o máximo que conseguisse e achava que se sairia bem.

Georgann já tinha trabalho encaminhado em Tacoma para o verão. Conversava disso com os pais por telefone pelo menos uma vez por semana.

Durante a semana de recrutamento das repúblicas, em setembro de 1973, Georgann tinha sido escolhida por uma das principais irmandades do campus, a Kappa Alpha Theta, e morava na grande casa dentre as inúmeras outras repúblicas ao longo da 17th Avenue N.E.

Moradores de repúblicas e fraternidades ao longo da Greek Row — rua onde estão as repúblicas com nomes em letras gregas — visitavam uns aos outros com mais liberdade do que na década de 1950, quando era estritamente proibido que membros do sexo oposto se aventurassem acima das salas comunais formais, no primeiro andar. Georgann aparecia com frequência para ver o namorado, que morava na Beta Theta Pi, a seis casas de distância da Kappa Alpha Theta.

Durante as primeiras horas da noite de segunda-feira, 10 de junho, Georgann e uma irmã da república tinham ido para a festa, e beberam um ou dois drinques. Georgann explicou que precisava voltar e estudar para a prova de espanhol. Antes pretendia parar na casa Beta e desejar boa-noite ao namorado.

Georgann era cuidadosa e raramente ia a algum lugar sozinha à noite, mas a área ao longo da 17th Avenue N.E. lhe era bastante familiar, além de bem-iluminada, e sempre havia alguém que conhecia por perto. As fraternidades fronteavam a rua de cada lado, e uma calçada inteiramente gramada e repleta de árvores frondosas ficava ao meio. As folhas e galhos chegavam a bloquear um pouco da luz dos postes e alcançaram grande altura desde que foram plantadas, na década de 1920.

O beco que passa por trás das casas das repúblicas da 45th N.E. a 47th N.E. é claro como o dia, iluminado pelas luzes dos postes a cada três metros, mais ou menos. Fez calor naquela noite de 10 de junho, e todas as janelas que davam para o beco estavam abertas. É improvável que algum dos alunos residentes estivesse dormindo, mesmo à meia-noite. A maioria estudava com afinco para as provas finais, com a ajuda de café puro e pílulas de cafeína No-Doz.

Georgann de fato foi à casa Beta, um pouco antes da 0h30 de 11 de junho. Ficou com o namorado mais ou menos meia hora, pegou emprestado anotações de espanhol, em seguida se despediu e saiu pela porta dos fundos para caminhar os 28 metros até a porta dos fundos da casa Theta.

Um dos outros moradores da casa Beta ouviu a porta bater e enfiou a cabeça para fora da janela, reconhecendo Georgann.

"Ei, George!", chamou em voz alta. "O quê que tá pegando?"

A garota bonita, com belo bronzeado, de calça azul, blusa branca de frente única e top transparente vermelho, branco e azul, esticou o pescoço e olhou para trás. Sorriu e acenou, conversou por alguns instantes sobre a prova de espanhol, e então riu e gritou: "Adiós".

Virou-se e seguiu para sua residência ao sul. Ele a observou por aproximadamente nove metros. Outros dois estudantes que a conheciam se lembram de tê-la visto avançar os seis metros seguintes.

Georgann tinha mais treze metros pela frente — treze metros pelo beco bem-iluminado. É claro, havia áreas sombrias entre as grandes casas, cheias de cercas vivas de louro e rododendros em flor, mas Georgann estaria no centro do beco.

Sua colega de quarto, Dee Nichols, esperou pelo barulho conhecido de pedrinhas na janela. Georgann tinha perdido a chave da porta dos fundos e Dee teria que descer as escadas para abrir a porta.

Não houve o ruído de pedrinhas, nenhum som, nenhum grito, nada.

Uma hora se passou. Duas horas. Preocupada, Dee ligou para a casa Beta e descobriu que Georgann tinha ido para casa pouco depois da 1h. Acordou a supervisora da casa e disse baixinho: "Georgann sumiu, ela não voltou para casa".

Elas esperaram a noite toda, buscaram alguma explicação plausível para Georgann ter sumido daquele jeito, sem querer alarmar os pais dela às 3h.

De manhã, ligaram para a polícia de Seattle.

O detetive "Bud" Jelberg, da Unidade de Pessoas Desaparecidas, atendeu à denúncia e voltou a verificar com a fraternidade onde ela fora vista pela última vez, então ligou para os Hawkins. Normalmente, qualquer departamento de polícia espera 24 horas antes de começar a busca por adultos desaparecidos, mas, em vista dos eventos da primeira metade de 1974, o desaparecimento de Georgann Hawkins foi tratado com muita, muita seriedade logo de cara.

Às 8h45, o sargento Ivan Beeson e os detetives Ted Fonis e George Cuthill, da Unidade de Homicídio, chegaram à casa Theta, no número 4521 da 17th N.E. Estavam acompanhados de George Ishii, um dos criminalistas mais renomados do Noroeste. Ishii, que chefia o Laboratório de Criminalística da Zona Oeste do Estado de Washington, é um homem brilhante, que provavelmente entende mais de detecção, preservação e testes de evidências físicas do que qualquer outro criminalista no Noroeste dos Estados Unidos. Foi meu primeiro professor de investigação de cenas de crime e em dois trimestres eu aprendi mais a respeito de evidências físicas do que até então.

Ishii acredita implicitamente nas teorias do dr. E. Locarde, pioneiro criminalista francês que afirma: "Todo criminoso deixa algo de si mesmo na cena do crime — alguma coisa, por menor que seja — e sempre leva algo da cena consigo". Todo bom investigador sabe disso. É por isso que na cena do crime buscam tão intensamente aquela pequena parte do perpetrador que foi deixada para trás: o fio de cabelo, a gota de sangue, o fiapo de linha, o botão, a impressão digital do dedo ou palma, a pegada, os traços de sangue, as marcas de ferramentas ou os cartuchos de bala. E, a maioria das vezes, encontram.

O criminalista e os três detetives da Homicídios varreram o beco atrás da 45th e da 47th N.E. — aqueles 28 metros — apoiados nas mãos e nos joelhos.

E não encontraram absolutamente nada.

Mantiveram o beco isolado por fitas da polícia e vigiado por patrulheiros, e entraram na casa Theta para conversar com as irmãs da república de Georgann e a supervisora da casa.

Georgann morava no número 8, quarto que dividia com Dee Nichols. Todas as suas coisas estavam lá — tudo a não ser as roupas que usava e a bolsa de couro, bolsa tipo saco marrom com manchas avermelhadas. Naquela bolsa, levou o documento de identidade, alguns dólares, um frasco de perfume Heaven Sent com anjos no rótulo e a pequena escova de cabelo.

"Georgann nunca ia a lugar nenhum sem me deixar o número de telefone de onde estaria", contou Dee. "Sei que pretendia voltar para cá na noite passada. Tinha mais uma prova e depois iria para casa no dia 13, para passar as férias de verão. A calça azul — a que ela usava — estava sem três botões — só tinha sobrado um. Posso pegar no nosso quarto um dos botões como aquele." Como Susan Rancourt, Georgann era bastante míope. "Ela não estava de óculos nem lentes de contato ontem à noite", relembrou a colega de quarto. "Usou lentes o dia inteiro para estudar; depois que você as usa por tanto tempo, as coisas parecem borradas quando coloca os óculos, então também não estava com eles."

A desaparecida podia enxergar bem o suficiente para se guiar pelo beco conhecido, mas não teria visto nada a não ser o contorno vago da figura a mais de três metros de distância. Se alguém estivesse à espreita no beco, alguém que tivesse descoberto o nome de Georgann após ter ouvido o rapaz chamá-la da janela da casa Beta, com facilidade poderia ter falado "George..." baixinho e trazê-la para perto de si. Ela precisaria ficar perto o bastante para reconhecer a pessoa que a chamara.

Mas tão perto a ponto de ser agarrada, amordaçada e levada embora antes que tivesse chance de gritar?

Claro, qualquer pessoa olhando pela extensão do beco teria sido alertado pela visão do homem levando-a embora. Teria mesmo? Sempre há muitas pegadinhas e brincadeiras durante a semana de provas finais, qualquer coisa para aliviar a tensão, e jovens fortes com frequência carregam garotas que dão risadinhas e gritinhos, brincando de "homem das cavernas".

Contudo, ninguém vira nem isso. Georgann Hawkins pode ter sido nocauteada com um único golpe, anestesiada com clorofórmio, recebido injeção com sedativo de ação rápida no sistema nervoso ou apenas presa por braços fortes, a mão mantida apertada na boca para que não pudesse sequer gritar.

"Ela morria de medo do escuro", contou Dee em voz baixa. "Às vezes, dávamos toda a volta ao redor do quarteirão só para evitar um ponto escuro ao longo da calçada. Quando *ele* a pegou, sei que estava voltando depressa para cá. Acho que não teve nenhuma chance."

A irmã da república que estivera com Georgann na festa mais cedo, naquela noite, se lembrava de que tinham se separado na esquina da 47th N.E. com a 17th N.E. "Ela ficou parada e esperou enquanto eu andava até a casa, e gritei que estava bem, aí ela gritou de volta que também estava bem. Todas nós meio que ficamos de olho umas nas outras desse jeito. Ela entrou na casa Beta, e foi a última vez que a vi."

Foi incompreensível na época, e continua sendo incompreensível para os detetives de homicídios de Seattle, que Georgann Hawkins possa ter desaparecido tão completamente no espaço de treze metros. De todos os casos de garotas desaparecidas, o caso Hawkins é o que mais os deixa confusos. Foi algo que não poderia ter acontecido, e ainda assim aconteceu.

Quando a notícia do desaparecimento de Georgann chegou à imprensa, duas testemunhas se apresentaram com histórias incrivelmente parecidas de incidentes no dia 11 de junho. Uma jovem de uma república contou que caminhava diante das casas das repúblicas na 17th N.E. por volta da 0h30 quando viu um rapaz de muletas logo à frente. Uma das pernas da calça estava cortada na lateral, e a perna parecia engessada.

"Ele carregava maleta com alça, e a deixava cair o tempo todo. Eu me ofereci para ajudá-lo, mas disse que precisava entrar na casa alguns minutos e, se não se importasse de esperar, voltaria para ajudá-lo a levar as coisas para casa."

"E você o ajudou?"

"Não. Fiquei lá dentro mais tempo do que pensei, e quando voltei, já tinha ido embora."

Outro universitário também encontrou um homem alto e bonito com maleta e muletas. "Uma garota carregava a maleta para ele e, mais tarde, depois que levei minha namorada para casa, vi a garota de novo, sozinha."

Examinou a foto de Georgann Hawkins, mas disse ter certeza de que não era a mesma garota que tinha visto.

Nessa época, as anotações no arquivo de Susan Rancourt em Ellensburg a respeito do homem com o braço na tipoia não era de conhecimento geral. Foi apenas após notícias do homem com a perna engessada serem disseminadas que dois incidentes tão distantes foram combinados. Coincidência ou parte do plano astucioso para pegar jovens desprevenidas?

Os detetives investigaram todas as casas em ambos os lados da 17th N.E. Na fraternidade Phi Sigma Sigma, número 4520, diante da residência Theta, descobriram que a supervisora da casa se lembrava de ter sido acordada de um sono profundo entre uma e duas da manhã do dia 11 de junho.

"Foi um grito que me acordou. Um grito estridente... aterrorizador. E então, de repente, o grito parou, e tudo ficou quieto. Achei que fossem os jovens brincando, mas agora gostaria de... gostaria de..."

Mais ninguém ouviu o grito.

Lynda... Donna... Susan... Kathy... Brenda... Georgann. Todas desaparecidas por completo, como se a costura no pano de fundo da própria vida tivesse se aberto, sugado as moças para dentro e fechado sem deixar sequer um remendo na tapeçaria.

O pai de Georgann Hawkins, com voz falha, resumiu os sentimentos de todos os pais mortos de preocupação com a espera por notícias: "A cada dia fico um pouco mais para baixo. Você gostaria de ter esperanças, mas sou realista demais. Era uma jovem amigável, muito comprometida. Fico dizendo 'era'. Não deveria dizer isso. Criar filhos é um trabalho: os conduz ao longo do caminho, e acreditávamos que para ambas as nossas filhas o pior já tinha passado".

Qualquer detetive da Homicídios que já tentou lidar com a angústia de pais que se dão conta por intuição que os filhos estão mortos, mas que não têm o menor dos consolos — que é saber onde os corpos estão —, pode confirmar que essa é a pior parte. Um detetive exausto comentou comigo: "É difícil. É difícil pra caramba, quando você tem que contar para eles que encontrou um corpo, e que é o filho deles. Mas nunca acaba para os pais que simplesmente não sabem. Não podem ter um funeral de verdade, não têm como saber que os filhos não são mantidos em cativeiro e torturados em algum lugar, não podem encarar o pesar e superar. Diabos, você nunca supera, mas, se você sabe, é possível lidar e retomar a vida, de algum modo".

As garotas estavam desaparecidas. Cada grupo de pais lidava com isso de uma forma diferente, e levava os registros que talvez um dia significassem a identificação do cadáver decomposto. Registros dentários de todos os anos pagando por obturações e aparelhos ortodônticos para as filhas terem dentes bons que durariam a vida inteira. Os raios x dos ossos quebrados de Donna Manson, endireitados e fortes de novo. E, para Georgann, raios x de quando sofreu de síndrome de Osgood-Schlatter na adolescência, uma inflamação da tíbia perto do joelho. Após meses de preocupação, as pernas cresceram longas e bem torneadas, marcadas apenas por minúsculos calombos abaixo do joelho.

Todos que criamos filhos sabemos, como John F. Kennedy disse certa vez, que "ter filhos é entregar reféns ao destino". Perder filhos para doenças, ou até mesmo acidentes, pode ser "superado" com o passar do tempo, já perder filhos para um predador, um assassino insanamente brilhante, é mais do que qualquer ser humano deveria ter que suportar.

Quando comecei a escrever histórias policiais verídicas, prometi a mim mesma que me lembraria que escrevo sobre a perda de seres humanos, e nunca me esquecerei disso. Torcia para que meu trabalho pudesse de alguma maneira salvar possíveis vítimas, alertar do perigo. Nunca quis me tornar insensível, correr atrás do sensacional e do sanguinolento, e jamais fiz isso. Juntei-me ao Comitê de Amigos e Familiares de Pessoas Desaparecidas e Vítimas de Crimes Violentos a convite do grupo. Conheci muitos pais de vítimas, chorei com eles e ainda assim me sinto um pouco culpada — porque ganho a vida com as tragédias dos outros. Quando contei ao comitê como me sentia, me abraçaram e disseram: "Não, continue escrevendo. Faça o público saber como nos sentimos, faça com que saibam como sofremos e tentamos salvar os filhos de outros pais ao trabalhar por legislações que exijam sentenças obrigatórias e pena de morte para assassinos".

Eles são muito mais fortes do que jamais poderei ser.

E, portanto, segui em frente, para encontrar a resposta do terrível enigma. Acreditei que o assassino, quando encontrado, seria um homem com passado violento, homem a quem jamais deveria ser permitido caminhar pelas ruas, alguém que com certeza demonstrou sinais da mente perturbada no passado, alguém solto da prisão cedo demais.

09. _Denominador comum___

Aconteceu de estar sentada no escritório do capitão Herb Swindler certa tarde no final de junho de 1974 quando Joni Lenz e o pai chegaram à Unidade de Homicídios. Herb tinha a montagem com as fotografias das vítimas na parede e as mantinha ali como lembrete de que a investigação devia continuar sem abrandar a intensidade. Joni tinha se oferecido para ir lá e olhar as fotos das outras garotas, para ver se reconhecia alguma delas, ainda que os nomes lhe fossem completamente estranhos.

"Joni", disse Herb com gentileza. "Olhe para as fotos das garotas. Você alguma vez viu alguma delas? Vocês podem ter estado em uma boate juntas, trabalhado juntas, tido aulas em comum ou algo assim."

Com o pai ao lado em postura protetora, a vítima do ataque violento do dia 4 de janeiro estudou as fotografias. A garota magra ainda se recuperava dos danos cerebrais que sofrera e falou com hesitação e imprecisão, mas tentava ajudar com bastante afinco. Aproximou-se da parede, estudou cada foto com cuidado e então balançou a cabeça.

"N-n-n-ã-o", gaguejou. "Nunca as vi, não as conheci. Não consigo me lembrar — não consigo me lembrar de muito, mas sei que nunca vi elas."

"Obrigado, Joni", disse Herb. "Agradecemos por ter vindo."

Tinha sido um tiro no escuro, a minúscula possibilidade de que a única vítima viva revelasse a conexão. Herb olhou para mim e balançou a cabeça enquanto Joni Lenz mancava para fora da sala. Ainda que conhecesse alguma das outras, parte grande demais de sua memória do ano anterior tinha sido expulsa a pancadas das células cerebrais.

Agora, no início do verão de 1974, o público leitor conhecia o padrão das garotas desaparecidas. Não era mais questão que dizia respeito apenas aos detetives e principais pessoas envolvidas, e o público ficou aterrorizado. O número de jovens que pegava carona despencou drasticamente, e mulheres dos quinze aos 65 anos se assustavam até com a sombra.

As histórias começaram, o tipo de história que nunca pode ser traçada diretamente até a fonte. Ouvi variações do mesmo tema uma dúzia de vezes. Mas sempre vêm de um amigo de um amigo de um amigo de alguém cuja prima, irmã ou esposa estivera envolvida.

Às vezes dizia-se que os ataques aconteceram no shopping, às vezes no restaurante, e outras vezes no teatro. As histórias eram assim: "Esse homem e a esposa (ou irmã, filha etc.) foram ao shopping Southcenter para fazer compras e ela voltou ao carro para pegar algo. Bom, ela demorou demais para voltar, ele ficou preocupado e foi procurá-la. Chegou lá a tempo de ver um sujeito a levar para longe. O marido gritou e o sujeito a largou. Dera-lhe algum tipo de injeção que a fez desmaiar. Foi tremenda sorte o marido ter chegado a tempo, porque, com tudo que tem acontecido, provavelmente era o tal assassino".

Nas primeiras vezes que ouvi as versões "verdadeiras" da história, tentei rastreá-la de volta à origem, mas descobri ser impossível. Duvido que qualquer um dos incidentes chegou a acontecer mesmo. Foi a reação do público, histeria em massa. Se as garotas desaparecidas pudessem sumir como sumiram, então qualquer uma poderia, e não parecia haver maneira de evitar isso de acontecer.

A pressão sobre os agentes da lei, é claro, era tremenda. Em 3 de julho, mais de cem representantes de delegacias de todos os estados de Washington e do Oregon se reuniram em Olympia, na Faculdade Estadual Evergreen, para sessão de debates que durou o dia inteiro. Talvez se juntassem as informações pudessem encontrar o denominador comum que desvendaria os mistérios aparentemente inescrutáveis.

Fui convidada a ir e senti uma espécie de opressão esquisita enquanto caminhava ao longo dos passeios ladeados por abetos até a conferência. Donna Manson andou por ali quatro meses antes, e seguiu para o mesmo prédio. Agora, as chuvas davam lugar ao brilho do sol e os pássaros cantavam nas árvores acima de mim, mas a sensação de temor ainda estava lá.

Sentada entre os investigadores do Departamento de Polícia de Seattle, do Departamento de Polícia do Condado de King, da Polícia Rodoviária de Washington, da Unidade de Investigação Criminal do Exército dos Estados Unidos, da polícia da Universidade de Washington, da Força de Segurança Central de Washington, do Departamento de Polícia de Tacoma, da Delegacia do Condado de Pierce, da Delegacia do Condado de Multnomah (Oregon), da Polícia Estadual do Oregon e dúzias de outros departamentos de polícia menores, achei quase impossível acreditar que todos aqueles homens, com décadas e mais décadas de treinamento e experiência, ainda não tivessem descoberto mais sobre o suspeito que procuravam.

Não foi por falta de tentativa. Cada um dos departamentos de polícia envolvidos queria capturá-lo, e estava disposto a explorar qualquer possibilidade — por mais bizarras que fossem — para conseguir a prisão, uma boa prisão que fosse durar.

O delegado Don Redmond, do condado de Thurston, resumiu esse sentimento no discurso de abertura: "Queremos mostrar aos pais que nos importamos de verdade, queremos encontrar as filhas deles. As pessoas do estado de Washington terão que nos dar uma mãozinha. Em muitas ocasiões, as pessoas podem nos oferecer informações. Precisamos dos olhos e dos ouvidos das pessoas lá fora".

O departamento de Redmond, na capital de Washington, ainda procurava o assassino de Katherine Merry Devine e o paradeiro de Donna Manson. Agora havia outro homicídio de adolescente para lidar. Brenda Baker, de quinze anos, caronista como Kathy e Donna, fugira de casa em 25 de maio. No dia 17 de junho, seu corpo em estado de decomposição avançado foi encontrado nos limites do Parque Estadual Millersylvania. Era tarde demais para determinar a causa da morte ou para a identificação rápida. A princípio, acreditou-se que poderia ser o corpo de Georgann Hawkins. Históricos dentários provaram, contudo, que era Brenda Baker. O corpo da garota Baker foi encontrado a muitos quilômetros de distância do parque McKenny, onde Kathy Devine tinha sido encontrada. Ambos os locais ficavam a distâncias iguais da I-5, a estrada que corre entre Seattle e Olympia.

Examinando os casos das garotas desaparecidas lado a lado, algumas semelhanças marcantes não podiam ser ignoradas. Era como se o sequestrador escolhesse o tipo certo que queria e selecionasse as presas com cuidado:

- Todas tinham cabelo comprido, repartidos ao meio;
- Todas eram caucasianas, de compleição clara;
- Todas eram muito mais inteligentes do que a média;
- Todas eram esbeltas, atraentes, bastante talentosas;
- Todas tinham desaparecido na semana anterior às provas de meio ou fim de semestre nas faculdades locais;
- Todas vinham de família estável e amorosa;
- Todos os desaparecimentos aconteceram durante as horas de escuridão;
- Nenhuma delas era casada;
- Todas usavam calça ou jeans quando desapareceram;
- Em todos os casos, os detetives não tinham uma peça sequer de evidência física deixada pelo sequestrador;
- Obras eram realizadas em cada campus onde as garotas desapareceram.

E, em dois casos — Susan Rancourt em Ellensburg, e Georgann Hawkins em Seattle — um homem com algum membro engessado, o braço ou a perna, tinha sido visto perto do local onde sumiram.

Todas eram jovens; nenhuma delas podia ser considerada madura.

Era estranho, pervertido, insano. E, para os detetives que tentavam compreender o homem, era parecido com andar em um labirinto, você começava um novo caminho apenas para encontrá-lo bloqueado. As vítimas certamente não pareciam ser escolhidas ao acaso, e ponderavam sobre tudo isso.

Eles até mesmo se perguntaram se não era possível que estivessem procurando *mais* de um homem. Um culto que seleciona donzelas para sacrificar em rituais? Durante aquela primavera de 1974, uma onda de repórteres tinha chegado dos estados do Noroeste para escrever sobre mutilação de gado, encontrados em campos com apenas os órgãos sexuais retirados. Tudo isso cheirava à adoração ao diabo e a progressão normal (ou anormal) para tais mutilações seria sacrifício humano.

Para os detetives na Faculdade Estadual Evergreen, todos os homens cujo trabalho e estilo de vida faziam com que pensassem em termos racionais e concretos, o oculto era conceito estranho. Acredito na eficácia da PES (percepção extrassensorial), mas com toda certeza não era muito familiarizada com astrologia além do horóscopo de jornal. Entretanto, recebi um telefonema alguns dias antes da conferência em Olympia e marquei reunião com uma mulher que *era* astróloga.

Minha amiga, que usa as iniciais "R.L." quando faz tabelas astrológicas, havia trabalhado na Clínica de Prevenção de Suicídio na mesma época que eu. Quase com 40 anos, estava no último ano da Faculdade de História na Universidade de Washington. Não recebia notícias dela fazia tempo, até ela me ligar no final de junho.

"Ann, você é íntima da polícia", começou. "Descobri algo que acho que deveriam saber. Podemos conversar?"

Eu me encontrei com R.L. em seu apartamento, na zona norte, e ela me levou ao escritório, onde a mesa, o piso e a mobília estavam soterrados por tabelas com símbolos estranhos. Ela procurara um padrão — padrão astrológico — no caso das garotas desaparecidas.

"Encontrei uma coisa. Veja só isso", disse.

Eu estava completamente perdida. Podia identificar meu signo, as balanças de Libra, mas o resto era apenas um monte de rabiscos para mim. E lhe disse isso.

"Certo. Vou te dar o curso relâmpago. Você provavelmente conhece os signos solares. Há doze deles, que duram aproximadamente um mês por ano. É o que as pessoas querem dizer com 'sou aquariano', 'sou escorpiano' etc. Mas a lua passa por cada um desses signos todos os meses."

Ela me mostrou uma efeméride (aqueles almanaques astrológicos) e pude ver que as fases dos signos lunares pareciam durar mais ou menos 48 horas a cada mês.

"Certo, isso eu entendo. Mas não consigo ver o que tem a ver com os casos", argumentei.

"Existe um padrão. Lynda Healy foi levada quando a lua passava por Touro. Desse ponto em diante, as garotas desapareceram alternadamente nas fases lunares de Peixes e Escorpião. A chance de isso acontecer — a probabilidade! — é quase impossível."

"Você acha que alguém está deliberadamente sequestrando essas garotas, talvez as matando, porque sabe que a lua passa por determinado signo? Não consigo compreender isso."

"Não sei se essa pessoa entende alguma coisa de astrologia", disse. "Pode até não estar ciente das forças da lua."

Ela sacou um envelope selado. "Quero que entregue isto para alguém no comando. Só pode ser aberto depois do fim de semana dos dias 13 a 15 de julho."

"Ora, vamos! Eles me mandariam embora do escritório às gargalhadas."

"Quais outras pistas têm para seguir? Já vi esse padrão. Eu o calculei diversas vezes, e aí está. Se pudesse lhe contar quem, ou onde, ou quando vai acontecer de novo, eu contaria — mas não posso. Aconteceu uma vez quando a lua estava em Touro e em seguida meia dúzia de vezes indo e vindo entre Peixes e Escorpião. Acho que vai voltar para touro e iniciar o novo ciclo."

"Tudo bem", concordei afinal. "Vou levar o envelope, mas não prometo entregá-lo a alguém. Não sei para quem deveria entregar."

"Você vai encontrar alguém", disse com firmeza. Estava com aquele envelope na bolsa durante a conferência dos agentes da lei na Evergreen. Ainda estava indecisa sobre mencionar o envelope ou as previsões de R.L.

Herb Swindler assumiu o púlpito após o almoço, lançou uma pergunta surpreendente e arrancou algumas gargalhadas dos colegas da força policial.

"Alguém tem alguma ideia? Existe algum padrão em andamento que não consideramos? Alguém aqui entende algo de numerologia, alguém é médium?"

Achei que Herb estivesse brincando, mas não estava. Escreveu no quadro negro, listou as datas dos desaparecimentos das garotas na tentativa de encontrar conexão numérica.

Mas não parecia haver nada que pudesse ser chamado de padrão. Entre o desaparecimento de Lynda e o de Donna, houvera intervalo de 42 dias. Entre o de Donna e o de Susan, 36. Entre o de Susan e o de Kathy Parks, dezenove. Entre o de Kathy e o de Brenda, 25, e entre o de Brenda e o de Georgann, onze. A única coisa aparente logo de cara era que os sequestros aconteciam em intervalos cada vez menores.

"Ok", disse Herb. "Alguma sugestão? Não me importo com o quão louca possa parecer. Vamos trocar algumas ideias."

A carta queimava a ponto de fazer buraco na bolsa. Levantei a mão.

"Não ouvi nada sobre numerologia, mas minha amiga astróloga diz que existe padrão astrológico."

Houve alguns olhos revirados para o teto e algumas risadinhas, mas me lancei à frente, expliquei o que R.L. me contara. "Ele ataca as garotas apenas quando a lua se move por Touro, Peixes ou Escorpião."

Swindler sorriu. "Sua amiga acha que isso é incomum?"

"Ela diz que isso desafia as leis da probabilidade."

"Então ela pode nos contar quando vai acontecer de novo?"

"Não tenho certeza. Ela me deu um envelope selado. Você pode ficar com ele se quiser, mas só pode abri-lo em 15 de julho."

Pude sentir a inquietação da plateia; achavam que perdíamos tempo.

Passei o envelope para Herb, e ele o pesou na mão.

"Então ela acha que esta é a próxima vez que uma garota vai desaparecer, é isso?"

"Não sei. Não sei o que tem dentro do envelope. Ela quer testar uma teoria e disse para não abrir a carta antes do dia determinado."

A discussão passou para outras áreas. Suspeitei que a maioria dos detetives presentes achava que era uma "repórter louca", e eu mesma não tinha tanta certeza de que não era extrapolar demais tentar criar padrões onde não havia nenhum.

A opinião geral era que apenas um homem era responsável pelos desaparecimentos das garotas, e estávamos tentando descobrir qual artimanha usava para deixar as mulheres à vontade o bastante para que esquecessem sua cautela natural.

Em quem quase todas as moças iriam confiar de maneira quase automática? Que disfarce poderia assumir que as fizesse sentir que era inofensivo? Desde a infância, a maioria de nós foi treinada para acreditar que podemos confiar em pastores, padres, bombeiros, médicos, socorristas e policiais. O último pensamento não podia ser ignorado, por mais repugnante que fosse para aqueles homens que eram policiais. Um policial corrupto, talvez? Ou alguém em uniforme policial?

A hipótese seguinte mais provável era que a maioria das jovens teria ajudado uma pessoa deficiente — cego, acometido por um mal súbito, *de muletas ou membro engessado.*

Então o que você faz? Infiltra policiais em todos os campi do Noroeste, diz para deterem todos os homens vestidos de policiais, bombeiros, socorristas ou padres, e todos os homens com membros engessados? Não havia efetivo suficiente nos departamentos de polícia do Oregon e de Washington para ao menos sonhar com algo assim.

No fim das contas, a única coisa a ser feita era alertar o público o máximo possível pela imprensa, pedir informações aos cidadãos e trabalhar com todas as denúncias que surgissem, por mais débeis que fossem. Com certeza, o homem, ou o grupo, que apanhava as garotas escorregaria. Com certeza, deixaria alguma pista para nos levar até ele. Os agentes naquela conferência de 3 de julho rezaram para que mais nenhuma garota tivesse de sofrer antes que isso acontecesse.

Tragicamente, a impressão foi que a cobertura da imprensa da conferência serviu apenas para estapear com luva de pelica, um desafio para o homem que observava e aguardava, que sentia estar acima da lei, astuto demais para ser pego, por mais descarado que fosse.

O Parque Estadual do Lago Sammamish contorna o lado oriental do lago que lhe empresta o nome. O parque, quase vinte quilômetros a leste de Seattle, e quase adjacente à Interestadual 90, que sobe até o Snoqualmie Pass, atrai multidões durante o verão não apenas de Seattle, mas do próximo Bellevue, o maior subúrbio da cidade. Bellevue é uma próspera cidade residencial de 75 mil habitantes, e os vilarejos de Issaquah e North Bend também ficam perto.

O parque é plano, extensão de pradaria pontilhada por botões-de-ouro na primavera e por margaridas-do-campo no verão. Existem árvores, mas nenhum bosque escuro, e há residência para guardas florestais na propriedade. Salva-vidas vigiam os nadadores e advertem as embarcações de passeio para se afastar, e as pessoas que fazem piquenique podem olhar para o leste e observar os ondulantes paraquedas dos paraquedistas que pulam de pequenos aviões que circulam por ali o tempo todo. Quando meus filhos eram pequenos e morávamos em Bellevue, passávamos quase todas as noites quentes de verão no Parque Estadual do Lago Sammamish. As crianças aprendiam a nadar naquele lago, e costumava ir para lá sozinha com elas durante o dia. Parecia o lugar mais seguro do mundo.

O 14 de julho de 1974 era um daqueles gloriosos dias brilhantes que os cidadãos de Washington aguardam com ansiedade durante os intermináveis períodos chuvosos do inverno e do início da primavera. O céu estava azul límpido e as temperaturas chegaram aos 26°C antes do meio-dia, e ameaçavam alcançar 32°C antes de escurecer. Dias assim não são comuns, mesmo no verão na região oeste de Washington, e o parque estava lotado a ponto de transbordar naquele domingo — 40 mil pessoas disputavam lugar para espalhar as mantas e aproveitar o sol.

Além dos grupos familiares individuais, a cervejaria Rainier Brewery fazia a anual "festa da cerveja" no parque, e havia o piquenique da Associação Atlética da Polícia de Seattle. O estacionamento asfaltado ficou congestionado desde manhã cedo naquele dia.

Uma jovem bonita chegou ao parque por volta das 11h30 e foi abordada por um rapaz de camiseta branca e jeans.

"Olha, será que poderia me ajudar um minutinho?", perguntou e sorriu.

Ela viu que o braço dele estava suspenso na tipoia bege e respondeu: "Claro, do que precisa?".

Ele explicou que queria prender um pequeno barco a vela ao seu carro e não conseguia com o braço imobilizado. Ela concordou em ajudá-lo e caminhou ao lado do homem até um Fusca marrom metálico no estacionamento.

Não havia barco a vela algum por perto.

A mulher olhou para o jovem atraente — homem que mais tarde descreveu de cabelo loiro escuro, 1,77 m e 72 quilos — e perguntou onde estava o barco. "Ah, esqueci de contar: na casa dos meus pais — um pulinho colina acima."

Apontou para a porta do carona e a mulher hesitou, desconfiada. Ela lhe contou que seus pais a esperavam e que já estava atrasada.

O homem aceitou a recusa de boa vontade. "Tudo bem, eu deveria ter contado que não estava no estacionamento. Obrigado por ter se dado o trabalho de vir até o carro."

Por volta das 12h30, ela levantou os olhos e viu o mesmo homem andar na direção do estacionamento com outra moça bonita, de bicicleta, engajada em conversa animada com ele. E então se esqueceu do incidente — até ler os jornais no dia seguinte.

• • •

O 14 de julho tinha sido solitário para Janice Ott, 23 anos, oficial de Justiça do Centro Correcional Juvenil do Condado de King, em Seattle, o tribunal de detenção juvenil daquele condado. O marido, Jim, estava a 2.253 quilômetros de distância, em Riverside, Califórnia, onde concluía curso de projeto de dispositivos protéticos para deficientes físicos. O emprego no tribunal de justiça juvenil — pelo qual Janice esperou longo tempo — a impedira de ir para a Califórnia com o marido. Isso significava separação de muitos meses, e estavam casados havia apenas um ano e meio. Ela se juntaria a Jim em setembro para o reencontro. Por ora, telefonemas e cartas teriam de bastar.

Janice Anne Ott era miudinha, 45 quilos, mal passava de 1,50 m. Tinha cabelos loiros compridos, repartidos ao meio, e espantosos olhos verde-acinzentados. Se parecia mais com alguém do ensino médio do que com a jovem madura formada pela Faculdade Estadual Eastern Washington, em Cheney, com muitas notas A. O pai de Janice, em Spokane, Washington, era diretor-assistente de escolas públicas e outrora fizera parte do Conselho Estadual de Detenção e Liberdade Condicional. A orientação da família com certeza pendia para o lado do serviço público.

Como Lynda Ann Healy, Janice tinha bastante conhecimento das abordagens teóricas do comportamento antissocial e de mentes perturbadas, e, como Lynda, era idealista. Seu pai viria a dizer depois:

"Ela acreditava que algumas pessoas eram doentes ou mal-orientadas, e sentia que podia ajudá-las com seu treinamento e personalidade".

Pouco após o meio-dia, Janice chegou ao Parque Estadual do Lago Sammamish, na bicicleta de dez marchas que pedalou desde casa, em Issaquah. Deixara um bilhete para a garota com quem dividia a pequena habitação, em que disse que voltaria por volta das quatro da tarde.

Encontrou lugar para abrir a manta a aproximadamente três metros de três outros grupos. Usava jeans cortado e camisa branca amarrada na frente. Ficou apenas de biquíni preto, que vestia por baixo da roupa, e se deitou para desfrutar do sol.

Poucos minutos depois, sentiu a sombra e abriu os olhos. Um homem atraente, de camiseta branca, short branco de tenista e tênis brancos olhava para ela. Estava com o braço direito na tipoia.

As pessoas que faziam piquenique ali perto não conseguiram evitar entreouvir a conversa, enquanto Janice se sentava, piscando sob o sol forte.

Viriam a se lembrar que o homem tinha leve sotaque — talvez canadense, talvez britânico: "Com licença. Você poderia me ajudar a colocar meu pequeno barco a vela no carro? Não consigo fazer sozinho, porque estou com o braço quebrado".

Janice Ott disse ao homem para se sentar, e os dois conversaram sobre o barco. Ela lhe disse o nome e as pessoas próximas o ouviram responder que ele era "Ted".

"Olha, meu barco está na casa dos meus pais em Issaquah..."

"Ah, sério? Moro lá também", contou-lhe com sorriso.

"Você acha que poderia vir comigo e me ajudar?"

"Velejar deve ser divertido", comentou. "Nunca aprendi a velejar."

"Seria fácil ensinar a você", respondeu ele.

Janice explicou que estava de bicicleta e que não queria deixá-la na praia por medo de ser roubada. Ele respondeu com desenvoltura que havia espaço para a bicicleta no porta-malas do carro.

"Bom... Ok então, eu ajudo."

Conversaram mais ou menos dez minutos antes de Janice se levantar, vestir o short e a camiseta, e em seguida ir embora de lá com "Ted", empurrando a bicicleta na direção do estacionamento.

Ninguém voltou a ver Janice Ott com vida.

Denise Naslund, de dezoito anos, também foi ao Parque Estadual do Lago Sammamish naquele domingo de julho, mas não estava sozinha. Ela, o namorado e outro casal chegaram ao parque no Chevrolet 1963 de Denise. De cabelos e olhos escuros, Denise era exatamente dois dias mais velha do que Susan Elaine Rancourt, que na época estava desaparecida havia três meses. Talvez tivesse lido a respeito de Susan, mas é improvável. Denise tinha 1,62 m, 54 quilos e se enquadrava muito bem no padrão.

Certa vez trabalhou de babá para uma amiga minha, que se lembra dela como uma garota constantemente alegre e confiável. A mãe, a sra. Eleanore Rose, viria a relembrar mais tarde que Denise dizia: "Eu quero viver. Há tantas coisas para fazer e ver neste mundo lindo".

Denise estudava para ser programadora, e trabalhava meio período como auxiliar de escritório temporária para pagar o curso noturno. O piquenique em 14 de julho foi uma folga bem-vinda em sua agenda ocupada. A tarde tinha começado bem, mas estava um pouco estragada por uma discussão com o namorado, resolvida rapidamente. Ela e os outros três jovens do grupo tinham se esticado sobre as mantas ao sol, os olhos fechados, a cacofonia agradável de vozes de nadadores e de outras pessoas fazendo piquenique ao fundo.

Pouco antes das 16h — horas depois de Janice Ott ter desaparecido —, a garota de dezesseis anos, andava de volta até os amigos depois de ir ao banheiro, quando foi abordada por um homem com o braço na tipoia. "Com licença, minha jovem, você poderia me ajudar a colocar meu barco a vela na água?"

Ela fez que não com a cabeça, mas ele insistiu. Chegou a puxar o braço da garota. "Vamos lá."

Ela se afastou depressa.

Às 16h15, outra jovem no parque viu o homem com o braço na tipoia.

"Preciso pedir um favor bem grande", começou. Ele precisava de ajuda para lançar o barco na água, explicou.

A mulher disse que estava com pressa, e que seus amigos a esperavam para voltar para casa.

"Tudo bem", disse com um sorriso. Mas o homem ficou parado e encarou a mulher por instantes antes de se afastar. Ele usava um conjunto branco de tenista, e até parecia um sujeito legal, mas ela estava com pressa.

Denise e os amigos assaram salsichas por volta das 16h e os dois homens pegaram no sono logo em seguida. Por volta das 16h30, Denise se levantou e caminhou para o banheiro das mulheres.

Uma das últimas pessoas a vê-la com vida disse que Denise conversou com outra garota na estrutura de blocos de concreto, e depois saíram juntas da construção.

No local onde faziam piquenique, os amigos de Denise começaram a ficar inquietos. Havia se passado muito tempo desde que saíra, e ela deveria voltar em questão de minutos. A bolsa, chaves do carro e sandálias de couro trançado ainda estavam na manta. Parecia bastante improvável que tivesse decidido se afastar do parque apenas de short cortado e top azul. E não havia falado nada sobre nadar.

Então esperaram e esperaram e esperaram, até o sol começar a afundar no horizonte, lançando sombras sobre a área, e esfriar.

Eles não sabiam, claro, a respeito do homem com o braço na tipoia. Não sabiam que tinha abordado ainda outra mulher pouco antes das 17h, e lhe pedido o mesmo favor. "Estava pensando se poderia me ajudar a colocar meu pequeno barco no carro."

Aquela mulher de vinte anos tinha acabado de chegar ao parque, de bicicleta, e vira o homem a encarando. Não quis chegar perto, mas lhe explicou que na verdade não era muito forte e, além do mais, esperava uma pessoa. Ele perdera o interesse nela bem depressa e se afastara.

O timing parecia correto. Denise era o tipo de garota que ajudaria alguém, em especial alguém com deficiência física, mesmo que temporária.

Conforme o entardecer avançava, o parque foi esvaziando até sobrar apenas o carro de Denise no estacionamento. Seus amigos estavam preocupados. Vasculharam o parque todo sem encontrar sinal dela. Chegaram a pensar que poderia ter saído à procura do cachorro, que tinha ido longe.

Encontraram o cachorro, sozinho.

O namorado de Denise não conseguia acreditar no que estava acontecendo. Ele e Denise estavam juntos havia nove meses, e se amavam. Ela nunca o teria abandonado daquele jeito.

Relataram o desaparecimento ao guarda florestal às 20h30. Era tarde demais para dragar o lago, ou mesmo para fazer busca minuciosa pelo parque. No dia seguinte, uma das buscas mais extensas da história do condado de King iria começar.

Na casinha 75 da Front Street, em Issaquah, onde Janice Ott morava no apartamento do porão, o telefone começara a tocar às 16h. Jim Ott esperava a ligação da esposa — que prometera fazer quando conversaram na noite anterior, contato que nunca aconteceria. Jim discou o número dela repetidas vezes durante todo o entardecer, e ouviu apenas os toques infrutíferos do telefone na casa vazia.

Jim Ott aguardou ao lado do telefone na noite de segunda-feira também. Não sabia que a esposa não tinha voltado para casa.

Conversei com Jim Ott alguns dias depois de tomar o avião para Seattle, e ele me contou a respeito da estranha série de sinais que vinha recebendo ao longo dos dias depois de 14 de julho.

"Quando ela me ligou no sábado à noite — dia 13 —, me lembro que ela reclamou do tempo que demorava para uma carta viajar de Washington à Califórnia. Ela disse que tinha acabado de postar a carta, mas pensou em ligar porque demoraria cinco dias para que eu a recebesse. Naquela carta, havia escrito: *Cinco dias! Não é uma droga? Alguém poderia morrer antes de você saber.*"

Quando Jim Ott finalmente recebeu a carta, havia todos os indícios de que Janice havia morrido.

Ele pausou, para controlar os sentimentos. "Ainda na segunda-feira eu não sabia que ela havia morrido, e esperei ao lado do telefone até pegar no sono. Acordei de repente e olhei o relógio. 22h45. E eu ouvi a voz dela. Eu a ouvi com tanta clareza, como se estivesse no cômodo comigo. Ela estava dizendo: 'Jim... Jim... venha me ajudar'."

Na manhã seguinte, Jim Ott descobriu que a esposa havia desaparecido. "É estranho. Eu tinha enviado um cartão para Janice, que se cruzou no correio com a carta dela. Daqueles cartões sentimentais, com um casal meio que andando na direção do pôr do sol, e dizia: 'Gostaria que estivéssemos juntos de novo... tempo demais sem você'. E então escrevi na parte inferior — e não sei por que escolhi justamente aquelas palavras: 'Por favor, se cuide. Tome cuidado ao dirigir. Tome cuidado com pessoas que você não conhece. Não quero que nada aconteça com você. Você é a minha fonte de paz de espírito'."

Ott disse que ele e a esposa sempre foram próximos, e com frequência compartilhavam os mesmos pensamentos ao mesmo tempo. Agora ele esperava alguma outra mensagem, algum sinal de onde ela poderia estar. Mas depois daquelas palavras claras na quietude do seu quarto, no dia 15 de julho — "Jim... Jim... venha me ajudar..." —, houve apenas silêncio.

Em Seattle, nos escritórios do departamento de polícia, o capitão Herb Swindler abriu o envelope selado da astróloga que lhe entregara. Um pedaço de papel dizia: "Se o padrão continuar, o próximo desaparecimento acontecerá no fim de semana dos dias 13 a 15 de julho".

Ele sentiu um calafrio, pois aquilo havia se concretizado. *Duas vezes.*

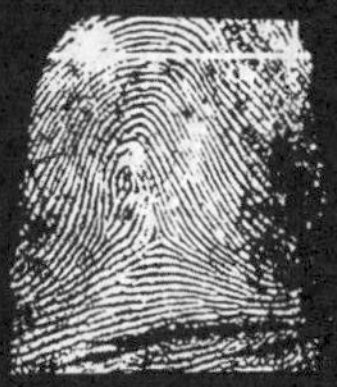

Sunday, July 28, 1974

County's 'mo...

By LOU CORSALETTI
and PAUL HENDERSON

A service-station map is of little use when it comes to covering the network of seldom-used roads and trails in the Cascade foothills east of Lake Washington. And so, in their search, the middle-aged Spokane couple never really knew quite where they were.

"It's such a vast area," the sad-faced school administrator said. "It's a jungle out there."

DR. D. E. BLACKBURN AND HIS WIFE came to Seattle on July 16 to help in the search for their missing daughter, Janice Anne Ott, 23, one of two women who disappeared under ominous circumstances two weeks ago today from Lake Sammamish State Park.

While county police and volunteers covered the park and surrounding area in a systematic search, Dr. Blackburn and his wife worked alone.

"We didn't want to get in their way, but time was heavy on our hands and we had to do something," the Spokane public-schools area director said.

The Blackburns have returned to Spokane with their hopes diminished. The ground search for Mrs. Ott and 18-year-old Denise M. Naslund of Seattle has been suspended pending further developments.

WITH NO TRACE FOUND of either woman the focus of the investigation is now on "Ted," the mystery man reported to have approached at least five women in the park on the day of the disappearances.

Ted's arm was in a sling and possibly also a cast. His manner reflected charm. He asked for help in loading a sailboat on his car. It is presumed that the boat did not exist. And it is presumed that Janice A. Ott took the bait.

Mrs. Ott, a petite blond who weighed less than 100 pounds, was reportedly seen walking with "Ted" to his car in the parking lot adjacent to the beach. The time was about 12:30 p.m.

And, as is made public here for the first time, witnesses place the mystery man back in the park later in the day, prior to the disappearance of Denise Marie Naslund, who failed to return to her boyfriend and another couple on the beach after going to a rest room at 4:30 p.m.

According to witnesses, an artist's drawing of "Ted" bears a close resemblance to the pleasant-acting young man with blondish-brown hair. The composite sketch and a description of the brown Volkswagen he was believed to have been driving both have received widespread publicity.

But no suspects have been found.

Capt. J. N. (Nick) Mackie, head of county police detectives, called the double disappearance the "most bizarre" case in county police history.

He said there is no evidence yet to connect the disappearances of the two women.

This much police know:

Shortly before noon, "Ted" approached a woman in the beach area and asked for help in putting a sailboat on top of his car. The woman agreed to help and accompanied the man to the parking lot.

He walked in the direction of a brown Volkswagen, indicating the car was his. A few feet short of the car the

Denise M. Naslund    Janice Anne Ott

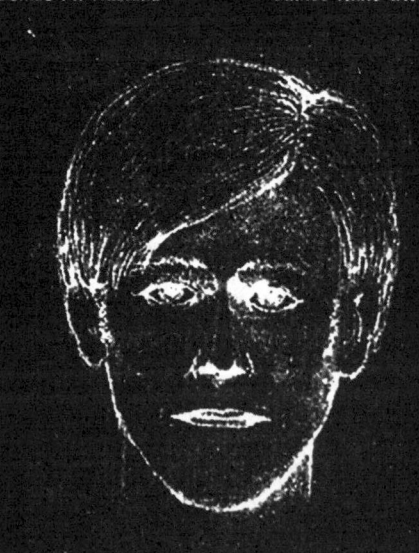

A composite drawing of "Ted," the man reported to have approached at least five women at Lake Sammamish State Park the day the two women disappeared.

woman asked about the boat. He apologized for being misleading and explained that the boat actually was at parents' house "up the hill."

The woman backed out.

SHORTLY AFTER NOON, the same man approached Mrs. Ott at the beach. The man introduced himself as "Ted" and repeated the sailboat story. Mrs. Ott agreed to help in return for his promise to give her a ride in the boat.

Minutes later both were seen walking toward the parking lot, with Mrs. Ott pushing her yellow 10-speed bike.

Late in the afternoon a man of the same descr...

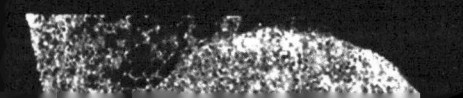

bizarre' case

"Ted" is described as being of medium build, about 5 ft 6 inches to 5 feet 7 inches tall and about 160 to 170 pounds.

The Blackburns say that their daughter would have been an easy mark for someone pretending to be in need of help. They called her "Jannie."

"All her life she wanted to please us and others," Blackburn said. "She had a burning desire to help . . . it doesn't surprise me a bit that she would agree to help someone in need."

Janice Ott grew up in Spokane. She was a straight-A student at Eastern Washington State College in Cheney. And as a caseworker for the King County Youth Service Center, she was following in the career footsteps of her father, who worked with the State Board of Prison Terms and Paroles before becoming an educator.

The Blackburns described their daughter as a "sunshine girl."

"She just couldn't believe that there were really bad people in the world," Blackburn said. "She thought that some people were sick or misdirected, and felt that she could help them through her training and her personality."

●

Denise Marie Naslund was studying to become a computer programmer and worked part-time to pay her way through night school. Her mother, Mrs. Eleanor Rose of White Center, said that Denise also had the kind of a helpful nature that could place her in danger with the man who called himself "Ted."

"People keep telling me that she probably just ran off. But I know that it isn't true," Mrs. Rose said. "Denise simply wouldn't do that."

Miss Naslund was wearing shorts and a halter top. Initially authorities had thought she was wearing brown sandals. But the sandals were later found in her car, which also was left in the park.

"Would she run off without her purse and without her car and in her barefeet?" Mrs. Rose asked incredulously.

●

A young man whose expression reflected despair sat with the Blackburns in a motel room in Bellevue last week, sharing insights with Times reporters. He was James Ott, 27, husband of Janice Anne Ott.

They were married December 28, 1972.

"I always warned her to be careful about other people," he said. "But she couldn't see bad in anyone."

Ott had been attending a work-study program in prosthetic devices in California, waiting for his wife to join him there in September.

She was to have called him each night at 10 o'clock. There was no call on Sunday, July 14, the day she had gone to the park, and on Monday night he fell asleep waiting by the phone.

James Ott dabbed at his eyes with a handkerchief and almost choked on his words.

"A voice woke me up in the night," he recalled. "There was just one word — 'Jim.' She called my name. But she wasn't there."

James Ott, 27, husband of Janice Anne Ott, waited in a motel for word on the search.

10. Psicopata sexual

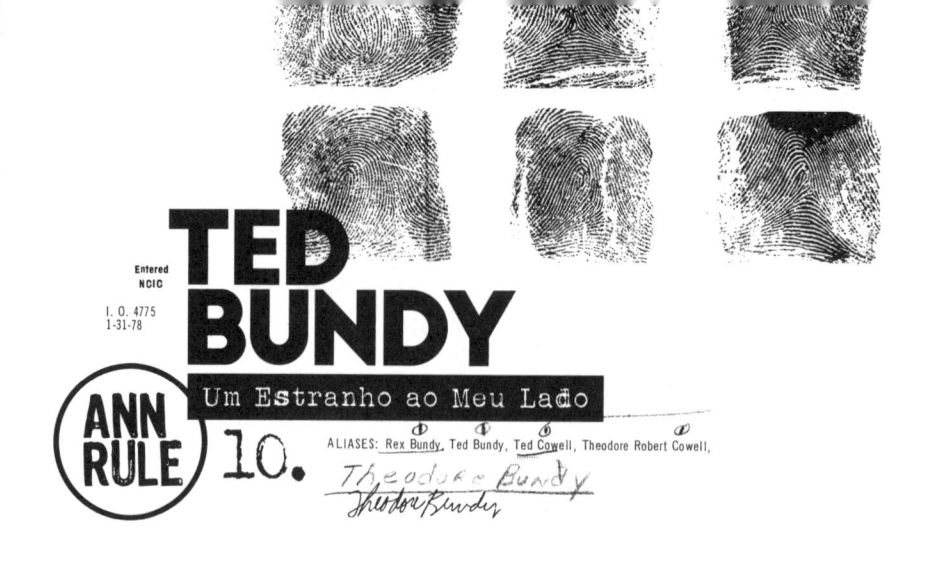

"Ted" tinha emergido, permitido que fosse visto em plena luz do dia, e abordado pelo menos meia dúzia de mulheres, além da dupla *desaparecida*. Dera até o nome. Seria o nome verdadeiro? Provavelmente não, mas, para a imprensa, que tinha se jogado em cima dos incríveis desaparecimentos, era algo para estampar nas manchetes. *Ted. Ted. Ted.*

A perseguição obstinada dos repórteres à procura de algo novo para escrever viria a interferir bastante na investigação policial. As famílias ansiosas das garotas desaparecidas do lago Sammamish foram sitiadas por algumas das táticas mais coercivas que qualquer repórter poderia usar. Como as famílias se recusavam a ser entrevistadas, houve alguns repórteres que insinuaram que poderiam ser obrigados a publicar boatos desagradáveis sobre Janice e Denise, a não ser que os parentes cedessem entrevistas, ou que, pior ainda, a recusa das famílias em relatar detalhes da intensa dor poderia significar a diminuição da publicidade necessária para encontrar as filhas.

Foi baixo e cruel, mas deu certo. Os pais enlutados deram permissão para que fossem fotografados e cederam dolorosas entrevistas. As filhas eram boas garotas e queriam que todos soubessem disso. Talvez dessa maneira pudessem ser encontradas.

Os investigadores tinham pouco tempo para perder com entrevistas. Tecnicamente, as investigações das garotas desaparecidas caíam em diversas jurisdições diferentes: Lynda Ann Healy e Georgann Hawkins desapareceram dentro dos limites da cidade de Seattle, e essa investigação era chefiada pelo capitão Herb Swindler e sua unidade. Janice Ott, Denise Naslund e Brenda Ball tinham sumido no condado de King, e os homens do capitão J.N. "Nick" Mackie estavam agora sob tremenda pressão enquanto tentavam solucionar o desaparecimento mais recente. O delegado do condado de Thurston, Don Redmond, era responsável pelo caso de Donna Manson, em conjunto com Rod Marem, da polícia do campus da Faculdade Estadual Evergreen. O caso de Susan Rancourt ainda era investigado de maneira ativa pelo condado de Kittitas e pela polícia do campus da Universidade Central de Washington, e o desaparecimento de Roberta Kathleen Park estava sob investigação da Polícia Estadual do Oregon e da cidade de Corvallis, Oregon.

O clamor popular por resultados rápidos com algumas respostas crescia a cada dia, e o impacto nos detetives era tremendo. Se não pudesse haver uma prisão — ou muitas prisões —, o leigo, bombardeado por atualizações nos noticiários noturnos e chamadas nas primeiras páginas dos jornais, não conseguia compreender pelo menos por que os corpos das garotas desaparecidas não podiam ser encontrados.

Para a polícia do condado de King, os sequestros e prováveis assassinatos das três garotas representavam 35% da média anual de carga de trabalho acontecendo em apenas um mês. Embora a população do condado seja equivalente ao meio milhão de pessoas de Seattle, a população vive espalhada, a maioria em cidades pequenas, rurais e silvestres, e não tão propensas a crimes violentos quanto a cidade populosa.

Houve apenas onze homicídios no condado em 1972, nove solucionados com sucesso até o fim do ano. Em 1973, foram cinco, todos solucionados. Embora a unidade de homicídios em 1974 lidasse com assaltos à mão armada além de casos de homicídio, um sargento e seis investigadores de campo tinham sido capazes de lidar com eficiência com a carga de trabalho. Os desaparecimentos de Brenda Ball e, seis semanas depois, de Janice Ott e Denise Naslund exigiriam a restruturação drástica da unidade.

Mackie era administrador altamente competente e ainda não tinha completado quarenta anos quando assumiu a liderança da Unidade de Crimes Hediondos. Reorganizara a administração da prisão e alcançara muitas conquistas, mas seu histórico não pendia para o trabalho investigativo. Os investigadores de campo eram chefiados pelo sargento Len Randall, loiro corpulento de fala mansa que tinha o hábito de se juntar aos homens em cenas de crime importantes.

Em grande parte, os detetives do condado de King formavam um grupo jovem. O único homem da unidade acima dos 35 anos era Ted Forrester, que aceitava o título de "Velho" com amabilidade relutante. Ele cuidava da região sudeste do condado — terras agrícolas, antigas cidades mineiras, florestas e os sopés do monte Rainier. Rolf Grunden ficava com a região sul, a parte urbana da futura megalópoles de Seattle-Tacoma. Mike Baily e Randy Hergesheimer dividiam a região sudoeste, também em grande parte urbana. O setor de Roger Dunn era a região norte do condado, a área entre os limites da cidade de Seattle e a fronteira do condado de Snohomish.

O homem mais novo na unidade era Bob Keppel, magro, de aparência quase pueril. Foi no setor de Keppel que os desaparecimentos no lago Sammamish tinham acontecido — o território a leste do lago Washington. Até 14 de julho de 1974, Keppel tinha cuidado de só uma investigação de homicídio.

No fim das contas, conforme os anos passavam, o caso "Ted" viria a pesar muito mais sobre os ombros de Bob Keppel. Logo, saberia mais sobre "Ted" e as vítimas do que qualquer outro investigador no condado, com a possível exceção de Nick Mackie.

Quando 1979 chegasse, os cabelos de Bob Keppel estariam riscados de grisalho e o capitão Mackie aposentado da força policial por invalidez devido a dois infartos debilitantes. O capitão Herb Swindler viria a passar por cirurgia cardíaca crítica. É difícil determinar o quanto a carga de estresse afeta os detetives envolvidos na investigação das garotas desaparecidas, mas qualquer pessoa próxima de detetives da unidade de homicídios vê a tensão, a terrível pressão provocada pelas responsabilidades. Se o presidente de corporações carrega a responsabilidade de lucrar ou deixar de lucrar, detetives de homicídios — especialmente em casos como os desaparecimentos com o "Ted" — de fato lidam com a vida e a morte, trabalham contra o tempo e probabilidades quase impossíveis. É a profissão que traz consigo as doenças ocupacionais de úlceras, hipertensão, doenças coronárias e, em alguns casos, alcoolismo. O público, as famílias das vítimas, a imprensa e os oficiais superiores exigem ações imediatas.

A busca por Denise Naslund e Janice Ott reuniu todo o efetivo da Unidade de Crimes Hediondos do Condado de King na região oriental, com os detetives de Seattle e o pessoal dos departamentos de polícia das cidadezinhas perto do Parque Estadual do Lago Sammamish: Issaquah e North Bend.

De certa maneira, agora tinham ponto de partida — não apenas para Janice e Denise, mas para as outras seis garotas que tinham certeza fazer parte do padrão mortal. "Ted" tinha sido visto. Mais ou menos dez pessoas se apresentaram à polícia quando a história chegou aos jornais em 15 de julho: as outras garotas abordadas, que estremeceram ao pensar que chegaram tão perto da morte, e as pessoas no parque que tinham visto "Ted" conversar com Janice Ott antes de ela ir embora com ele.

Ben Smith, desenhista de retratos falados da polícia, ouviu as descrições e desenhou um homem que acreditavam ser parecido com o estranho que usava roupas brancas de tenista. Ele o apagou e desenhou de novo, fazendo tentativas enfadonhas de capturar no papel o que estava nas mentes das testemunhas. Não era tarefa fácil.

Assim que o retrato falado apareceu na televisão, a polícia recebeu centenas de telefonemas. No entanto, "Ted" não parecia ter nenhuma característica particularmente incomum. O rapaz bonito parecia estar na casa dos vinte anos, ter cabelos ondulados loiro-acastanhados, feições uniformes, nenhuma cicatriz e nenhuma diferença excepcional que o distinguisse dos milhares de rapazes na praia. O braço quebrado sim, mas os detetives duvidavam que estivesse mesmo fraturado. Tinham certeza de que removera a tipoia e a descartara depois de ter servido ao seu propósito.

Não. Ao que parecia, o semblante de "Ted" era tão comum que talvez tivesse contado com a aparência prosaica, permitido ser visto e agora sentisse prazer perverso com a publicidade.

Por inúmeras vezes, os detetives sondavam as testemunhas. "Pense. Tente imaginar algo especial nele, algo que se destaque em sua mente."

E as testemunhas tentavam. Algumas chegaram a ser hipnotizadas, na esperança de que se lembrassem de mais. O sotaque, sim, um pouco inglês. Sim, tinha falado sobre jogar raquetebol enquanto conversou com Janice Ott. O sorriso, o sorriso era algo especial. Falava sem erros gramaticais. Ele soava culto. Ótimo. O que mais? Bronzeado, era bronzeado. O que mais?

Mas não havia mais nada, nada além da maneira estranha com que havia encarado algumas das quase vítimas.

E o Fusca marrom desbotado, de ano de fabricação indeterminado. Todos os Fuscas são parecidos. Quem poderia ver diferença? E a única testemunha que andara até o estacionamento com "Ted" não o vira entrar no veículo. Ele havia se encostado no Fusca enquanto explicava que o barco a vela não estava no parque. Poderia ser o carro de qualquer pessoa. Não, espere, ele gesticulou na direção da porta do carona. Devia ser o carro dele.

Ninguém em absoluto viu Janice Ott entrar no carro no estacionamento.

Havia a bicicleta de dez marchas de Janice Ott, uma Tiger amarela. Não era o tipo de bicicleta que podia ser desmontada depressa para facilitar o transporte. A bicicleta de dez marchas toda montada não caberia no porta-malas do Fusca sem ficar parte para fora. Com certeza alguém notaria o carro com a bicicleta, no suporte ou projetada em ângulos estranhos de dentro do carro.

Mas ninguém notou.

O parque à beira do lago foi fechado para o público enquanto mergulhadores da polícia, feito criaturas de outro planeta, mergulhavam inúmeras vezes abaixo da superfície do lago Sammamish, voltavam a emergir e balançavam negativamente a cabeça todas as vezes. Fazia calor. Se os corpos das garotas estivessem no lago, teriam inchado e vindo à tona, mas isso não aconteceu.

Patrulheiros do condado, policiais de Issaquah e oitenta voluntários das equipes de Busca e Salvamento dos Explorer Scouts [ramificação da Associação de Escoteiros], tanto a pé como a cavalo, varreram os quatrocentos acres do parque, sem encontrar nada. Helicópteros da polícia de Seattle circularam acima da área, com observadores olhando para baixo em vão à procura de algo que pudesse ajudar: a bicicleta amarelo vivo ou a mochila azul brilhante que Janice tinha emprestado para usar domingo, ou mesmo as garotas, os corpos que jaziam despercebidos dos grupos terrestres na vegetação alta a leste do estacionamento.

Viaturas da delegacia dirigiam devagar ao longo das estradas secundárias que serpenteavam por terras agrícolas além, e paravam para verificar celeiros antigos, barracões desertos e tombados, e casas vazias.

No final das contas, não encontraram nada.

Não houve carta pedindo resgate. O sequestrador não tinha levado as mulheres embora porque queria dinheiro. Tornou-se cada vez mais aparente, à medida que as semanas passavam, que o homem de branco provavelmente era um predador sexual. As outras mulheres tinham desaparecido em longos intervalos. Muitos detetives acreditam que o homem, também, funciona sob ciclo pseudomenstrual, que há ocasiões em que o ímpeto perverso de homens marginalmente normais se torna obsessivo, e são impulsionados a estuprar ou matar.

Mas duas mulheres em uma tarde? Será que o homem que procuravam era tão motivado por frenesi sexual que precisaria apanhar duas vítimas no intervalo de quatro horas? Janice desaparecera às 12h30. Denise, por volta das 16h30. Seria de se pensar que até mesmo o homem mais vigoroso e potente ficaria exausto e saciado após um ataque. Por que então voltaria ao mesmo parque e sequestraria outra mulher apenas quatro horas depois?

O padrão dos ataques parecia se intensificar, os sequestros acontecendo cada vez mais próximos uns dos outros, como se a terrível fixação do suspeito precisasse de estímulos mais frequentes para lhe proporcionar alívio. Talvez o esquivo "Ted" precisasse de mais de uma vítima para satisfazê-lo. Talvez Janice tenha sido mantida em cativeiro em algum lugar, amarrada e amordaçada, enquanto ele buscava a segunda vítima. Talvez precisasse da excitação macabra do ataque sexual e assassinato duplo — com uma vítima forçada a esperar e assistir enquanto matava a outra. Era a teoria que muitos de nós sequer conseguíamos suportar contemplar.

Todo detetive experiente de unidades de homicídios sabe que se um caso não se resolve em 24 horas as chances de encontrar o assassino diminuem proporcionalmente conforme o tempo passa. O rastro esfria cada vez mais.

Os dias e as semanas passaram sem quaisquer novos acontecimentos, os investigadores nem mesmo tinham os corpos das vítimas. Denise e Janice podiam estar em qualquer lugar — a 160 ou 320 quilômetros de distância. O pequeno Fusca marrom tinha que viajar apenas quatrocentos metros até chegar à movimentada rodovia I-90 que segue por cima das montanhas para o leste ou até a cidade densamente povoada de Seattle, a oeste. Era como procurar duas agulhas em um milhão de palheiros.

Na remota possibilidade de as mulheres terem sido mortas e enterradas em algum lugar nos amplos acres do terreno quase selvagem ao redor do parque, aviões alçaram voo e tiraram fotografias com filme infravermelho. Isso dera certo em Houston, em 1973, quando investigadores do Texas procuravam os corpos de garotos adolescentes massacrados pelo assassino em massa[1] Dean Coril. Se a terra e a folhagem foram remexidas recentemente, a vegetação já morta apareceria em vermelho-vivo na impressão final, muito antes que o olho humano conseguisse detectar qualquer mudança nas árvores ou arbustos. Havia algumas áreas suspeitas, e os policiais escavaram com delicadeza e cuidado. Encontraram apenas árvores mortas e nada mais no solo abaixo delas.

Filmes caseiros tinham sido rodados em vários dos grandes piqueniques corporativos realizados no lago Sammamish no dia 14 de julho, e foram requisitados sem demora. Os detetives estudaram as pessoas em primeiro plano, mas focaram com mais intensidade no segundo, na esperança de ter um vislumbre do homem com o braço na tipoia. Eles não sorriram diante das risadas e brincadeiras na tela, ficaram atentos ao homem que poderia ter estado fora de foco. Ele não estava lá.

Os repórteres foram dar uma olhada no Parque Estadual do Lago Sammamish no domingo após os sequestros. Descobriram, apesar do dia espetacularmente ensolarado — muito parecido com o domingo de uma semana antes — que poucas pessoas faziam piquenique ou nadavam. Diversas mulheres com quem conversaram apontaram para armas escondidas embaixo das toalhas de praia. Algumas levavam canivetes e apitos. Mulheres iam ao banheiro em grupos de duas ou mais. O guarda florestal Donald Simmons comentou que o público era aproximadamente 20% menor do que o esperado.

Contudo, conforme as semanas passaram, as pessoas se esqueceram ou afastaram os dois desaparecimentos da mente. O parque voltou a encher, e os fantasmas de Denise Naslund e Janice Ott não pareciam assombrar mais ninguém.

Ninguém a não ser os detetives da polícia do condado de King. Casos número 74-96644, 74-95852 e 74-81301 (Janice, Denise e Brenda) os assombrariam pelo resto de suas vidas.

O dr. Richard B. Jarvis, psiquiatra de Seattle especializado nas aberrações da mente criminosa, desenhou a imagem verbal do homem que agora conhecemos como "Ted", perfil baseado em seus anos de experiência. Acreditava que, se os casos das oito garotas desapa-

---

[1] Ann Rule em nenhum momento do livro faz referência ao termo "assassino em série". Durante a maior parte do século XX, a mídia não usava este termo porque ele não era conhecido ainda. Naquela época, o tipo de crime que hoje definimos como "assassinato em série" era simplesmente agrupado sob a categoria geral de "homicídio em massa". Ann Rule só menciona o termo mais adiante em seu adendo, escrito em 1989. Ver página 506. [NE]

recidas fossem relacionados, e se as garotas tivessem sido feridas, era provável que o agressor fosse alguém entre 25 e 35 anos, homem mentalmente doente, mas não do tipo que atrairia atenção para si como potencial criminoso.

Jarvis acreditava que "Ted" sentia medo das mulheres e de seu poder sobre ele, e que às vezes também demonstrava comportamento "socialmente isolado".

O psiquiatra conseguia ver muitos paralelos entre o homem no parque e um de Seattle de 24 anos e condenado em 1970 pelos assassinatos de duas jovens e pelo estupro e tentativa de estupro de outras garotas. Esse homem, designado como psicopata sexual, cumpre sentença de prisão perpétua.

O homem a quem Jarvis se referiu tinha sido um superatleta durante toda a vida escolar, popular, atencioso e respeitoso com as mulheres, mas mudara de maneira significativa após a namorada, com quem tivera longo relacionamento desde o ensino médio, o rejeitar. Mais tarde veio a se casar, mas deu início a vida como predador sexual depois que a esposa entrou com o pedido de divórcio.

Um psicopata sexual, de acordo com o dr. Jarvis, não é *legalmente* louco, e sabe, sim, a diferença entre o certo e o errado. No entanto, é impelido a atacar mulheres. Não costuma haver nenhuma deficiência na inteligência, nenhum dano cerebral ou psicose óbvia.

As declarações de Jarvis constituíram uma coluna interessante no jornal de Seattle que publicou a reportagem. Mais tarde, bem mais tarde, voltaria a ler o artigo e perceberia como havia chegado perto de descrever o verdadeiro assassino.

Durante os pouquíssimos momentos nos quais os detetives que trabalhavam no caso tinham tempo para conversar, debatíamos possíveis avaliações da verdadeira identidade de "Ted". Era óbvio que tinha de ser alguém bastante inteligente, atraente e charmoso. Nenhuma das oito garotas teria acompanhado um homem que não tivesse aparentado ser seguro, cujos modos não fossem tão refinados e agradáveis que a costumeira cautela e todas as advertências que essas garotas receberam desde a infância fossem ignoradas. Ainda que força e provavelmente violência tivessem acontecido depois, ele deve, na maioria dos casos, ter ganhado sua confiança a princípio. Parecia provável que frequentasse aulas, ou tivesse frequentado, na universidade. Aparentemente, estava familiarizado com os campi e o estilo de vida neles.

A estratégia usada para ganhar a confiança das garotas — além da aparência e personalidade — era, com certeza, a ilusão de relativo desamparo. Um homem com braço quebrado, ou perna toda engessada, não representaria exatamente ameaça.

Quem teria acesso a gesso, tipoias e muletas? Qualquer pessoa, talvez, caso fosse atrás disso tudo — mas um estudante de medicina, assistente hospitalar, socorrista ou funcionário de fornecedora de materiais médicos pareciam ser o mais óbvio.

"Ele tem de ser alguém que pareça estar acima de qualquer suspeita", refleti. "Alguém que nem mesmo as pessoas que passam tempo com ele pudessem ligá-lo a 'Ted'."

Era uma excelente teoria, e ainda assim tornava ainda mais improvável que o suspeito fosse encontrado.

O padrão astrológico, embora tivesse sido preciso com relação ao fim de semana em que os desaparecimentos aconteceriam, era efêmero demais para ser seguido. Talvez o homem *não* soubesse que era afetado por aqueles signos lunares, se é que era afetado.

Na época, eu levava tabelas cheias de símbolos estranhos de R.L. para Herb Swindler. Herb sofria muita gozação dos detetives, que não acreditavam em "nada daquela coisa de vodu".

Tanto a polícia do condado de King como a polícia de Seattle estavam soterradas por mensagens de médiuns, mas todas as "visões" dos locais onde as garotas seriam encontradas se mostraram incorretas. A busca por "um chalezinho amarelo perto de Issaquah" se mostrou infrutífera, assim como o esforço para localizar a "casa cheia de cultistas sexuais em Wallingford" e a "enorme casa vermelha cheia de sangue na zona sul". Ainda assim, as informações dos clarividentes eram tão úteis quanto as denúncias que vinham dos cidadãos. "Ted" tinha sido visto aqui, ali, acolá — e em nenhum lugar.

Se fosse possível acreditar no padrão astrológico lunar, o desaparecimento seguinte estava programado para acontecer entre 19h25 de 4 de agosto de 1974 e 19h12 de 7 de agosto — quando a lua estivesse em peixes de novo.

Não aconteceu nada.

Na verdade, os casos em Washington pararam tão de repente quanto tinham começado. De certo modo, haviam chegado ao fim. De outro, nunca chegariam ao fim.

11.

Talvez seja ____ o mesmo Ted

Consigo me lembrar de estar em pé na Unidade de Homicídios do Departamento de Polícia de Seattle durante o mês de agosto de 1974 olhando para um impresso, de espaçamento simples, que os detetives fixaram no teto do escritório, a quase quatro metros de altura. Chegava ao chão e se espalhava. Nessa folha estavam os nomes de suspeitos denunciados pelos cidadãos, nomes de homens que achavam que poderiam ser o misterioso "Ted". O simples fato de localizar e interrogar cada um dos "suspeitos" poderia levar anos, *se* houvesse efetivo suficiente para isso — e, é claro, não havia. É provável que não houvesse departamento de polícia no país com oficiais suficientes para investigar aquela enorme lista de suspeitos. Tudo que os policiais do condado de King e de Seattle podiam fazer era selecionar os que pareciam mais prováveis e averiguar.

Uma das denúncias que receberam, em 10 de agosto, pareceu familiar e agourenta para os detetives. Uma moça relatou o que lhe aconteceu no Distrito Universitário, a alguns quarteirões de onde Georgann Hawkins tinha desaparecido. "Andava ali perto da 16th N.E. com a 50th no dia 26 de julho às 11h30. Eu vi um homem — de 1,75 m ou 1,80 m, boa compleição, cabelos castanhos até os ombros — de jeans cortado em uma das pernas, que estava engessada até o quadril. Andava com muletas e carregava um tipo de maleta antiquada. Era preta, arredondada na parte de cima, com alça. Ele a derrubava o tempo todo, a pegava e então a derrubava de novo."

A garota declarou que passara por ele e olhara para trás quando ouviu a maleta cair na calçada. "Ele sorriu para mim. Parecia querer que o ajudasse, e eu estava quase indo... até notar os olhos dele... eram bastante esquisitos e me deram calafrios. Afastei-me bem depressa até chegar na Ave [principal via comercial no Distrito Universitário]. Era bem-apessoado, e o gesso branco era novo. Parecia que tinha acabado de colocar."

Ela nunca o tinha visto antes, e não voltou a vê-lo.

Unidades de patrulheiros do distrito policial de Wallingford, na zona norte da cidade, estavam constantemente atentos a homens de braço quebrado e perna engessada, mas encontravam poucos, e aqueles que detinham para interrogatório provavam ter ferimentos verdadeiros.

Algo me incomodou durante duas semanas conforme agosto se aproximava. Eu voltava ao retrato falado do "Ted" do Parque Estadual do Lago Sammamish, relia a descrição física e as referências ao "sotaque um pouco inglês, ou tipo de sotaque inglês". E vi a semelhança de alguém que conhecia. Empurrei esse pensamento para o fundo da mente e disse a mim mesma que tinha sido afetada demais pela histeria daquele verão longo e terrível.

Conhecia muitos "Teds", incluindo detetives de homicídios, mas o único Ted que conhecia que se encaixava na descrição era Ted Bundy. Não o vira nem conversara com ele havia oito meses e, até onde me lembrava, ele saíra de Seattle. Porém, na última vez que o vi, sabia que ele morara no 4123 da 12th Avenue N.E., a apenas alguns quarteirões de muitas das garotas desaparecidas.

Eu me senti culpada por chamar à memória, dessa forma, o amigo com quem convivi por três anos. Você não corre até a polícia para denunciar um bom amigo, amigo que parece a própria antítese do homem que procuravam. Não, não podia ser. Era ridículo. Ted Bundy jamais machucaria uma mulher, sequer faria um comentário de mau gosto para uma. Um homem cujo foco na vida era ajudar pessoas e eliminar a violência sexual que marcava aqueles crimes não poderia estar envolvido, por mais que se parecesse com o retrato falado.

Passei por períodos onde nem sequer pensava nisso, e então, geralmente pouco antes de pegar no sono, à noite, o rosto de Ted Bundy relampejava em minha mente. Muito tempo depois, viria a descobrir que não era a única que lutava com tal indecisão naquele mês de agosto — havia outras, com muito mais discernimento sobre Ted Bundy do que eu, e elas também estavam divididas.

Enfim, decidi fazer algo que acabaria com as minhas dúvidas. Até onde sabia, Ted não tinha carro, menos ainda um Fusca. Se pudesse verificar se isso ainda era verdade, então esqueceria aquilo de vez. Se, por mais absurdo que fosse, Ted Bundy tivesse algo a ver com o desaparecimento das garotas, eu tinha a obrigação de fazer a denúncia.

Optei por entrar em contato com Dick Reed, detetive da Homicídios de Seattle. Reed, alto e magro, com irreprimível humor de piadista, estava havia mais tempo na unidade de homicídios do que qualquer outro dos dezessete detetives e se tornara meu amigo íntimo. Sabia que podia contar com ele para buscar Ted no computador do Departamento de Trânsito de forma discreta, sem estardalhaço.

Telefonei para ele e comecei, hesitante: "Não acho que seja muito importante, mas está me incomodando. Tenho um bom amigo chamado Ted. Tem uns 27 anos e se enquadra na descrição, e morava perto da universidade, mas não sei onde está agora. Olha, acho que ele *nem tem* carro, porque pegava carona comigo, e não quero que pareça que isso é uma denúncia ou algo do tipo. Só quero saber se atualmente ele tem um veículo. Você pode fazer isso?"

"Claro", respondeu Reed. "Qual o nome dele? Vou fazer busca pelo nome no computador. Se ele registrou um carro, vai aparecer."

"O nome dele é Ted Bundy. B-u-n-d-y. Me liga depois, ok?"

Meu telefone tocou vinte minutos depois. Era Dick Reed: "Theodore Robert Bundy, mora no número 4123 da 12th Avenue N.E. Você acredita que ele tem um Fusca bronze 1968?"

Achei que estava brincando comigo. "Vamos, Reed. Que carro ele dirige de verdade? Ele nem tem carro, né?"

"Ann, é sério. Atualmente está cadastrado nesse endereço, e tem um Fusca bronze 1968. Vou sair e dar uma volta no quarteirão para ver se encontro o carro."

Reed me ligou de volta mais tarde, naquele dia, e disse não ter encontrado o carro estacionado perto da casa na 12th N.E. Disse que iria mais fundo. "Vou enviar as informações para Olympia e conseguir a foto da carteira de motorista dele. Vou encaminhá-la para o condado."

"Mas meu nome não precisa aparecer nas informações, precisa?"

"Sem problemas. Vou colocar como anônimo."

Reed acrescentou a foto de Ted Bundy àquele imenso funil com outros 2.400 "Teds" — e não deu em nada. Não era possível que os detetives do condado de King pudessem mostrar a série de fotografias de cada um dos 2.400 "suspeitos" para as testemunhas do Parque Estadual do Lago Sammamish. A simples quantidade de rostos as deixaria confusas, e não havia nada a respeito de Ted Bundy naquela época que o marcasse como provável suspeito. A busca por Ted no computador não obteve resultados que despertassem suspeitas.

Acabei me esquecendo disso. Não dei muita importância ao fato de Ted ter adquirido um Fusca. Muitas pessoas dirigiam Fuscas, e eu não soube de mais nada que indicasse Ted Bundy como suspeito viável.

Não via Ted desde a festa de Natal no final de 1973. Tentei telefonar para ele uma ou duas vezes na época em que morava na casa flutuante para convidá-lo para uma visita, mas nunca o encontrava em casa.

O emprego de Ted no Partido Republicano tinha chegado ao fim, mas ele estivera ocupado com a faculdade na Universidade Puget Sound, em Tacoma, durante grande parte do ano letivo de 1973—1974. Ele recebia seguro-desemprego no início da primavera de 1974, e sua presença na UPS tinha se tornado inconstante, na melhor das hipóteses. Em 10 de abril, largou de vez os estudos. Recebera um segundo aceite do agente de registros da Faculdade de Direito da Universidade de Utah para o outono seguinte. Ele nem mesmo fez as provas finais na UPS, embora não admitisse o fato para os estudantes no grupo de carona solidária. Quando perguntavam sobre as notas, descartava a pergunta: "Não me lembro".

Pode ter acreditado que a UPS estava aquém de seus padrões, que a Utah tinha muito mais a lhe oferecer. Na última inscrição para a Utah, informava que estava para se casar com uma antiga residente da universidade, Meg Anders, na época em que entrou para a faculdade de direito, no outono, e a anotação na inscrição feita pelo agente de registros dizia: "Muito ansioso para frequentar a Universidade de Utah — vai se casar antes do início do trimestre. Recomendo o aceite".

Uma das declarações de Ted que acompanhavam a inscrição fornece um insight interessante sobre sua autoconfiança:

> Não acredito que este seja momento para timidez, e não serei tímido. Venho planejando minha carreira em direito há muito tempo para permitir que a vaidade ou desempenho fraco no lsat [Law School Admission Test — Teste de Admissão para a Faculdade de Direito] me impeça de fazer todos os esforços para advogar meu caso para a admissão para a faculdade de direito. Portanto, digo agora, com a maior confiança, que o arquivo diante de vocês não é apenas de

"aluno qualificado", mas de indivíduo obstinado o bastante para se transformar em aluno e profissional de direito crítico e incansável, qualificado o bastante para ser bem-sucedido. Minhas notas dos últimos dois anos, minhas recomendações e minha declaração pessoal falam de Ted Bundy, o aluno, o trabalhador e o pesquisador em busca de educação na área legal. O lsat não revela e não pode revelar isso.

Atenciosamente,
Theodore R. Bundy

A assinatura de Ted é uma obra de arte de espirais e floreios, e havia um cartão a tiracolo que pedia que essa declaração fosse lida antes dos muitos outros formulários da inscrição.

Longe de ser o documento menos importante no arquivo de Ted no escritório do reitor de Admissões da Universidade de Utah, havia ainda a carta do governador Dan Evans, escrita a pedido de Ted, em 1973.

Reitor de Admissões
Faculdade de Direito da Universidade de Utah
Salt Lake City, Utah, 84112

Caro reitor:

Escrevo-lhe em apoio à inscrição de Theodore Bundy para a faculdade de direito. Ted vem expressando o desejo de frequentar a Universidade de Utah e é um prazer apoiá-lo com esta carta de recomendação.

Conheci Ted depois de ser selecionado para se juntar a minha equipe de campanha em 1972. Foi consenso dentre aqueles que dirigiram a operação que o desempenho de Ted foi extraordinário. Dado o papel-chave nos assuntos, nas pesquisas e na seção estratégica, demonstrou a habilidade de definir e organizar os próprios projetos, de sintetizar de maneira eficaz e comunicar com clareza informações factuais, e de tolerar situações incertas, às vezes até críticas. No fim das contas, provavelmente foi a compostura e discrição que lhe permitiram realizar as tarefas com sucesso. Essas qualidades fizeram com que suas contribuições à estratégia e à política fossem confiáveis e produtivas.

Se, contudo, houver a preocupação de que a campanha política não seja o parâmetro para um estudante de direito em potencial, então tenho certeza de que vai examinar, como eu examinei, as demais realizações e atividades de Ted. Examine os registros acadêmicos dos últimos dois anos de faculdade, examine o impressionante envolvimento comunitário, e examine os inúmeros cargos relacionados ao direito que ele exerceu desde a formatura. Acredito que ele seja qualificado e determinado para seguir a carreira de direito.

Recomendo a admissão de Ted Bundy em sua faculdade de direito. Estará aceitando um estudante excepcional.

Sinceramente,
Daniel J. Evans

A Utah estivera disposta a aceitar Ted em 1973. Era o aluno que queriam e, em 1974, Ted havia se recuperado do tal "acidente grave" que o impedira de frequentar a universidade no ano anterior.

Com a UPS no passado e a Utah no futuro em setembro, Ted arrumou um novo emprego. Ele foi contratado em 23 de maio de 1974 para trabalhar no orçamento do Departamento de Serviços Emergenciais do Estado de Washington, agência com grande efetivo, responsável por respostas rápidas a desastres naturais, incêndios florestais, ataques inimigos e até mesmo pragas (se tal catástrofe vier a acontecer). Em 1974, o primeiro episódio de escassez de gasolina da nação estava no auge. A alocação de combustível faria parte das obrigações do DSE.

Ted trabalhava cinco dias por semana, das 8h às 17h, e fazia hora extra, se preciso, na sede do DSE em Olympia. Ele viajava os 96 quilômetros da pensão dos Rogers, embora, algumas vezes, ficasse com amigos em Olympia ou parasse em Tacoma para passar a noite com a família.

Parecia um excelente emprego temporário para Ted enquanto passava o tempo antes de se mudar para Salt Lake City. O salário era de 722 dólares por mês, não tanto quanto ganhava como assistente de Ross Davis, e o emprego não tinha tanto prestígio, mas lhe daria a chance de economizar para as mensalidades e de ver por dentro a burocracia do escritório do governo estadual.

Na pensão dos Rogers, os residentes mais novos viram Ted tão pouco naquele verão de 1974 que o apelidaram de "Fantasma". Quase sempre era visto indo e vindo, às vezes assistindo TV. Ele costumava se ausentar durante muitos dias seguidos.

A atitude de Ted no Departamento de Serviços Emergenciais provocava avaliações mistas dos colegas de trabalho. Alguns gostavam dele, outros achavam que estava enrolando. Seu trabalho era errático. Era bastante comum que trabalhasse à noite em projetos de alocação de combustível, mas também costumava chegar bastante atrasado pela manhã. Se perdia um dia de trabalho, nunca se preocupava de ligar para avisar os supervisores de que iria faltar. Simplesmente aparecia no dia seguinte, e dizia que estivera doente.

Ted se inscreveu para a equipe de softbol do escritório e ia às festas de colegas de trabalho. Carole Ann Boone Anderson, Alice Thissen e Joe McLean gostavam muito de Ted. Alguns de seus outros colegas o consideravam vigarista, manipulador e um sujeito que dizia trabalhar duro, mas na verdade produzia pouco.

A ausência mais longa de Ted do trabalho, de acordo com Neil Miller, assistente administrativo do escritório do DSE, fora entre quinta-feira, 11 de julho, e quarta-feira, 17 de julho. Nessa ocasião, ele *de fato* telefonara para dizer que estava doente, mas Miller não consegue lembrar o que ele alegou. Ted tinha auxílio-doença para cobrir um dia, mas perdeu o pagamento de três.

Ele fora alvo de muitas brincadeiras após o desaparecimento duplo no lago Sammamish, no dia 14 de julho, e da avalanche de publicidade sobre o misterioso "Ted" que veio em seguida. Carole Ann Boone Anderson implicou com ele sem misericórdia por causa disso, embora fossem grandes amigos e Ted tivesse sido muito atencioso enquanto ela discutia a possibilidade de terminar o relacionamento com o namorado.

O chefe do Grupo de Busca e Salvamento do Estado de Washington também provocou Ted sobre ser "sósia" do "Ted" que a polícia procurava.

Mas ninguém falava sério.

TED BUNDY
Um Estranho ao Meu Lado
12.

Mais ossos que___
___o esperado

No total, haveria quatro indivíduos que viriam a sugerir o nome "Ted Bundy" aos detetives da unidade de homicídios. Por volta da mesma época em que eu pedi a Dick Reed para verificar se Ted dirigia o Fusca ou não, um professor da Universidade de Washington e uma mulher empregada pelo Departamento de Serviços Emergenciais em Olympia telefonaram para a polícia do condado de King para dizer que Ted Bundy se parecia com o retrato falado do homem do lago Sammamish, em 14 de julho. Assim como eu, cada um deles notou que não havia nada na personalidade ou nas atividades de Ted que o transformassem em suspeito, era apenas a semelhança na aparência e o nome "Ted".

Meg Anders examinara o desenho publicado em vários jornais e nos noticiários noturnos. Ela também viu a semelhança e também o tirara da cabeça a princípio. Para mim, isso fora um tanto perturbador. Para Meg, isso poderia significar o fim de todos os seus sonhos.

Além de Ted, Meg tinha apenas uma amiga íntima. Lynn Banks crescera com ela em Utah, e se mudara para Seattle mais ou menos na mesma época em que Meg também se mudara para lá. Lynn não a deixaria se esquecer da imagem do homem que a polícia procurava, embora Meg tentasse ignorá-la. Ela enfiou um jornal diante dos olhos de Meg e perguntou: "Com quem esse cara se parece? É alguém que nós conhecemos, não é?"

Meg desviou o olhar. "Sim, parece com ele, não é? Bastante..."

Lynn não gostava de Ted, sentia que ele tratava Meg com indiferença e que não era confiável. Mais do que isso, tinha suspeitas dele. Ela o tinha surpreendido certa vez, tarde da noite, enquanto se esgueirava pelo quintal dos fundos da casa em que morava, e Ted não deu boa explicação para estar ali. Agora, insistia que Meg fosse à polícia e contasse o quanto Ted Bundy se parecia com o retrato falado.

"Não", respondeu Meg com firmeza. "Não posso fazer isso, e não quero mais falar sobre isso."

Meg Anders não conseguia acreditar que o seu Ted pudesse ser o Ted que a polícia procurava. Ainda o amava muito, apesar da maneira como tinha mudado durante o verão de 1974. Meg bloqueava todos os argumentos de Lynn, e não queria pensar naquilo.

Ela ainda não tinha conhecimento do "noivado" de Ted com Stephanie Brooks no inverno anterior, e não fazia ideia do quão perto chegara de perdê-lo. Meg estava preocupada com as coisas que sabia: Ted e ela estavam prestes a se separar, física, se não emocionalmente, pelos quilômetros entre Seattle e Salt Lake City. Ele planejava partir para a faculdade de direito no Dia do Trabalho.[1] Meg quis que ele fosse para Utah e seguisse com sua educação em direito, mas temia os anos vindouros sem Ted. Haveria visitas, claro, mas não seria a mesma coisa.

Ted tinha começado a empacotar seus pertences e esvaziado o quarto onde morou por quase cinco anos. Guardou um bote inflável que ficava pendurado acima da cama — um bote que com frequência surpreendia as mulheres que levava para casa —, as plantas, a roda de bicicleta que pendia de correntes e o gancho de pendurar carnes no teto, discos, livros e roupas. Ele tinha uma velha picape branca com a qual podia se mudar e guinchar o Fusca.

Ted se tornara sexualmente frio com Meg durante o verão, e culpou a falta de interesse em sexo nas pressões do trabalho e no que chamava de "pico de frustração alto demais". Meg ficara magoada e confusa, pois estava convencida de que havia outras mulheres que davam conta de seus impulsos sexuais como ela outrora fazia.

---

1 O Labor Day, celebrado nos Estados Unidos na primeira segunda-feira de setembro. [NT]

Meg deu uma pequena festa de despedida para Ted, e tinha esperança de que fizessem amor em seguida. Mas não fizeram, e Ted a deixou com apenas um beijo.

Não foi uma despedida feliz. Meg decidiu que quando Ted voltasse a Seattle, em algumas semanas, para vender o carro e devolver os 500 dólares que devia a Freda Rogers, ela lhe diria que queria terminar o relacionamento. Não parecia que iriam casar, sequer parecia que tinham um relacionamento. Estava sentindo as mesmas emoções conflitantes que Stephanie Brooks no último mês de janeiro.

E, mesmo assim, Meg ainda o amava. Ela o amara por tanto tempo.

A bordo da picape e com o Fusca no guincho, Ted partiu para Salt Lake City no fim de semana do Dia do Trabalho. Pensei em Ted apenas uma vez durante o outono de 1974: enquanto limpava alguns arquivos antigos, encontrei o cartão de Natal que me enviara dois anos antes. Li a frente e então, de repente, algo me ocorreu. Houve muita discussão sobre o fato de que todas as mulheres desaparecidas tinham lindos cabelos compridos. Olhei para o cartão em minhas mãos: "Ela cortou os longos cabelos para comprar para seu amado uma corrente de relógio; ele vendeu o relógio para comprar pentes para seus cabelos".

Não, isso era apenas delírio da minha imaginação. Era só um cartão gentil, algo que Ted sem dúvida escolhera ao acaso. A menção aos cabelos longos era coincidência.

Embora tenha repassado o nome de Ted para Dick Reed, nada aconteceu. Se Ted se tornasse suspeito, eu seria informada. Obviamente, meus temores foram desnecessários. Pensei em jogar o cartão fora, mas mantive-o entre um punhado de cartas antigas. Duvidava muito de que voltaria a ver Ted algum dia.

No início de agosto daquele verão de calor incomum em 1974, um funcionário do condado de King tinha feito intervalo para o almoço na obra rodoviária três quilômetros a leste do Parque Estadual do Lago Sammamish. Enquanto desembrulhava o sanduíche, o apetite sumiu ao sentir o cheiro de carniça, então olhou para a ribanceira coberta de vegetação rasteira ao lado da estrada, procurou a fonte do cheiro, e viu o que acreditou ser a carcaça de cervo descartado por algum caçador ilegal.

O homem caminhou de volta para o caminhão e se afastou para um local mais agradável. Ele logo se esqueceu do incidente, mas se lembrou ao abrir o jornal de 8 de setembro.

Agora é apenas uma questão hipotética se teria mudado algo receber a notificação do funcionário da obra naquele dia. Poderia ter sido vital porque aquela testemunha não tinha visto carcaça de cervo, e sim um corpo humano — um corpo humano *inteiro* —, e os caçadores de perdizes que se arrastaram pela vegetação rasteira na mesma região um mês depois esbarraram apenas em ossos.

Elzie Hammons, trabalhador da construção civil, encontrou os restos mortais espalhados no dia 6 de setembro: mandíbula, caixa torácica e coluna vertebral.

Afinal, tragicamente, a primeira evidência sólida do desaparecimento de uma das oito garotas tinha emergido, oito meses depois de Lynda Healy ter sumido. Hammons soube por instinto o que tinha encontrado e correu até Issaquah para encontrar um telefone.

De imediato, policiais e detetives do condado de King responderam, e a área foi isolada. Os repórteres ficaram exasperados pela restrição, e os cinegrafistas tentaram capturar alguma coisa para mostrar nos noticiários noturnos. O público clamava por notícias da descoberta, mas pouquíssimas informações foram liberadas.

O capitão Nick Mackie, o sargento Len Randall e seus seis detetives, todos de macacão, passavam pelas cordas com frequência e carregavam pedaços de ossos encontrados entre as samambaias e a vegetação rasteira em mais de trinta pontos. Durante quatro dias, trabalharam à luz do sol, e sob holofotes quando ele se punha.

Os coiotes tinham feito bem o seu trabalho. No fim, os detetives, os duzentos escoteiros Explorer, policiais e cães farejadores tinham literalmente peneirado a terra e a cobertura de terreno seco no raio de pouco mais de noventa metros, e ainda assim encontram pouco. O calor escaldante de julho e agosto acelerou a decomposição, e os animais reduziram os corpos a crânios e ossos expostos.

Havia oito tufos de cabelo, alguns deles ainda longas madeixas de castanho-escuro exuberante, algumas loiro-avermelhadas. Havia um crânio, uma caixa torácica, uma coluna vertebral, um maxilar inferior de outro crânio, inúmeros ossos pequenos, *mas também havia cinco fêmures.*

Não encontraram roupas, joias, peças de bicicleta, mochilas. Os corpos jogados ali com tão pouco cuidado estavam despidos quando da ação dos animais, e nenhum dos pertences das vítimas foi descoberto.

Então a tarefa lúgubre de identificar os restos mortais começou. O dr. Daris Swindler (sem nenhum parentesco com Herb Swindler), bioantropólogo da Universidade de Washington, analisou os fêmures. Registros dentários de todas as mulheres desaparecidas foram comparados ao crânio e ao maxilar inferior. Amostras de cabelo das escovas que as mulheres deixaram para trás foram comparadas no microscópio com os tufos encontrados perto de Issaquah.

O capitão Nick Mackie convocou coletiva de imprensa. As olheiras e a voz cansada eram indicativos da tensão que enfrentava. "Nossos piores temores se provaram verdadeiros", anunciou. "Identificamos os restos mortais de Janice Ott e Denise Naslund, encontrados a aproximadamente quatro quilômetros do Parque Estadual do Lago Sammamish, de onde desapareceram em 14 de julho."

Ele não falou nada sobre as outras descobertas do dr. Swindler, da impressão que o antropólogo tinha de que talvez os fêmures não fossem de dois, mas de três ou quatro corpos diferentes. Se em algum momento houve mais crânios espalhados entre as mudas de amieiros e samambaias, eles tinham sumido, levados por animais.

Quem eram as outras duas garotas levadas para lá?

Era impossível saber. Não era sequer possível identificar o sexo a partir do fêmur. Tudo que o dr. Swindler pôde saber foi que eram fêmures de pessoas com "menos de trinta anos" e provavelmente entre 1,52 e 1,64 m de altura.

Uma busca por quaisquer ossos na encosta da colina foi dificultada pelo fato de que ali é entrecortado por minas e poços de carvão, abandonados quando a mineração na área foi suspensa, em 1949. Muitas daquelas minas estão cheias de água e são muito perigosas para tentativas de buscas. As minas mais para o topo da colina *foram* verificadas, e nada foi encontrado.

Memoriais foram realizados para Denise e Janice, e a busca pelo seu assassino continuou.

O inverno chega cedo nos sopés das montanhas Cascade, e mais para o final de outubro a região estava coberta de neve. Se o terreno ali tinha mais segredos para revelar, não havia nada que pudesse ser feito a não ser esperar pelo degelo de primavera.

Enquanto isso, a força-tarefa com os melhores detetives do Departamento de Polícia de Seattle e do Condado de King estabeleceu a sede na sala sem janelas escondida entre o primeiro e o segundo andar do fórum do condado. As paredes foram cobertas com mapas do lago Sammamish e do Distrito Universitário, panfletos com fotos das desaparecidas e retratos falados de "Ted". O telefone tocava o tempo todo. Milhares de nomes, milhares de denúncias. Em algum lugar naquele montante de informações devia haver a pista que levaria ao verdadeiro "Ted". Mas onde?

O capitão Nick Mackie tirou breves férias e fez uma viagem de caça de dois dias. Enquanto escalava uma colina na região oriental de Washington, foi derrubado pelo primeiro dos ataques cardíacos que viriam a significar o fim de sua carreira no cumprimento da lei. Ninguém que o observara se afligir devido aos desaparecimentos das garotas, que o vira trabalhar dez horas por dia, duvidava que a tensão contribuíra para o infarto. Ele tinha apenas 42 anos.

Mackie se recuperou e voltou ao trabalho em poucas semanas, e a busca pelo homem sorridente e bronzeado de roupas brancas de tenista continuou sem trégua.

Ted Bundy fora a Seattle em meados de setembro e estava de volta a Utah após poucos dias, pronto para começar as aulas de direito na universidade local. Encontrara apartamento na grande casa antiga com lucarnas no 565 da First Avenue, em Salt Lake City, imóvel bem parecido com o dos Rogers, onde morou em Seattle. Ted se mudou para o número 2, e em pouco tempo o decorou a seu gosto. Arrumou emprego de síndico noturno dos dormitórios no campus, e sua nova vida tinha começado. Conseguia arcar com as despesas ao obter desconto parcial no aluguel por gerenciar o prédio onde morava, e ganhava 2,10 dólares por hora no dormitório. Em pouco tempo, arrumou emprego de segurança do campus da Universidade de Utah com um salário melhor.

Ainda telefonava com frequência para Meg, mas conheceu muitas mulheres novas em Utah. Houve Callie Fiore, garota sardenta parecida com uma fada, quase excêntrica, que morava na casa na First Avenue. Sharon Auer, estudante de direito. Outra garota bonita, que morava em Bountiful, logo ao norte de Salt Lake City. Muito tempo mais tarde, ao vê-lo novamente, quando já havia se tornado o suspeito número um de tantas mortes e desaparecimentos, ele me perguntou: "Por que atacaria as mulheres? Saía com qualquer mulher que queria. Devo ter dormido com pelo menos uma dúzia naquele primeiro ano em Utah, e todas foram para a cama comigo por vontade própria".

Não duvidei disso. As mulheres sempre tinham gostado de Ted Bundy. Por que a necessidade de apanhar mulheres à força?

Durante o outono de 1974, não soube de nenhuma atividade criminosa em Utah. O estado ficava a centenas de quilômetros do meu "território", e estive ocupada com casos no Noroeste. Descobrira que precisaria me submeter a uma importante cirurgia — eletiva, mas algo que não podia esperar — e não poderia trabalhar por pelo menos um mês. Não tive opção, a não ser escrever duas vezes mais artigos para economizar o bastante para sustentar a família.

Caso tivesse a inclinação, a oportunidade ou o tempo para investigar os eventos ao redor de Salt Lake City naquele outono, eu teria lido sobre os casos que apresentavam estranho paralelo com os que chegaram ao fim em Washington. O cerco de terror parecia *de fato* ter acabado. Em outubro, três meses já tinham passado e nenhuma outra moça desaparecera. Os detetives duvidavam de que o assassino tivesse superado a compulsão e exorcizado os demônios que o impeliam. Pelo contrário, acreditavam que estivesse morto, encarcerado em alguma outra área, ou que tinha ido para outro lugar.

13. A chave das algemas

Foi em 18 de outubro de 1974, no anoitecer de sexta-feira, quando Melissa Smith, dezessete anos, filha do delegado de Midvale, Louis Smith, se preparava para ir a uma festa do pijama. Melissa era pequena, 1,59 m, 47 quilos, muito bonita, longos cabelos castanho-claros repartidos ao meio. Era cautelosa, ainda mais por causa da profissão do pai, e fora advertida repetidas vezes. Louis Smith tinha visto muita violência e tragédia para não temer por Melissa e a irmã.

Melissa planejara sair cedo para a festa que duraria a noite toda na casa de uma amiga, mas, quando telefonou para ela, ninguém atendeu. Portanto, ainda estava em casa quando outra amiga ligou para Melissa angustiada pela discussão com o namorado. A amiga trabalhava na pizzaria, e Melissa prometeu ir até lá para conversarem. De jeans, blusa azul com padrão floral e camisa azul-marinho, Melissa saiu de casa, sozinha.

Midvale é um vilarejo de 5 mil pessoas, localizado pouco ao sul de Salt Lake City, comunidade tranquila, em grande parte mórmon. Um bom lugar para criar os filhos, e Melissa, apesar de advertida pelo pai, nunca tivera motivo para sentir medo.

A caminhada até a pizzaria a forçava a pegar atalhos — descer a estrada de terra e a ribanceira, passar por baixo de viaduto e da ponte rodoviária, e atravessar o playground da escola. Melissa chegou para consolar a amiga e ficou no restaurante até pouco depois das 22h. Planejara voltar para casa, pegar as roupas de dormir e ir à festa do pijama. O caminho escolhido de volta para casa seria o mesmo de horas antes.

Melissa não chegou em casa. Ninguém a viu depois que saiu do estacionamento iluminado da pizzaria. Seu corpo seria encontrado apenas nove dias depois, perto do Parque Summit, muitos quilômetros a leste de Salt Lake City, nas montanhas Wasatch, muito tempo depois de ser descartado pelo assassino.

O patologista Serge Moore realizou a necropsia do corpo castigado encontrado nu nas montanhas solitárias. Melissa fora espancada com violência, possivelmente com pé de cabra, ao redor da cabeça. Sofrera fraturas cranianas com afundamento no lado esquerdo e na parte de trás da cabeça, e graves hemorragias subdurais. O corpo estava coberto de hematomas que ocorreram antes da morte.

Ela também fora estrangulada, por ligadura. Alguém amarrara a meia-calça azul da vítima em volta do pescoço com tanta crueldade que o osso hioide fraturou. Melissa foi estuprada e sodomizada.

O delegado Delmar "Swede" Larson, do condado de Salt Lake, e o capitão N.D. "Pete" Hayward, detetive da Homicídios de longa data e agora chefe da unidade, designaram a principal responsabilidade pela investigação do assassinato de Melissa Smith ao detetive Jerry Thompson.

Não era caso fácil. Ninguém tinha visto Melissa caminhar para dentro das sombras a partir do estacionamento, ninguém foi visto com ou perto dela. Seu corpo só foi encontrado após nove dias. O assassino já poderia estar do outro lado do mundo. Quanto às evidências físicas, tinham apenas o cadáver da garota. Havia tão pouco sangue embaixo do corpo que era provável que tivesse sido morta em outro lugar — mas onde? A investigação do assassinato de Melissa ainda era um inquérito tocado dia e noite quando o Halloween chegou, quatro dias depois do cadáver ser encontrado. Em 31 de outubro, aproximadamente 40 quilômetros ao sul de Lehi, Utah, Laura Aime, dezessete anos, decepcionada com a falta de agitação na noite de Halloween, saiu da lanchonete e seguiu para o parque próximo. Passava pouco da meia-noite.

Laura Aime tinha 1,83 m e apenas 52 quilos. A esbeltez de modelo lhe parecia magreza embaraçosa. Largara a escola e se mudara para a casa de amigos em American Fork, trabalhava em empregos ruins um após o outro. Contudo, mantivera contato quase diário com a família, de Salem, Utah.

Quando Laura desapareceu na noite de Halloween, os pais nem mesmo ficaram sabendo. Levou quatro dias até descobrirem, ao telefonar para a casa de amigas para saber por que Laura não havia entrado em contato com eles.

"Laura não está aqui", foi a resposta. "Não a vemos desde que saiu no Halloween."

Os Aime ficaram assustados. Quando as notícias do assassinato de Melissa Smith dominaram as manchetes, a mãe de Laura a alertara para tomar cuidado e parar de pegar carona, mas Laura lhe garantira que era bastante capaz de tomar conta de si.

Laura desapareceu. A garota bonita de cabelos longos, a andarilha em busca de algo a que se agarrar, caminhara noite adentro apenas de jeans e suéter listrado sem mangas.

Caso tivesse sido o inverno frio de costume, o lugar onde encontraram Laura Aime teria há muito tempo sido coberto por neve. Mas era brando Dia de Ação de Graças quando praticantes de caminhada iniciaram a trilha pelo cânion American Fork, em 27 de novembro. Encontraram o corpo nas montanhas Wasatch, às margens do rio abaixo do estacionamento. Nua, fora espancada com tal violência que o rosto estava irreconhecível. O pai a identificou no necrotério naquele sombrio Dia de Ação de Graças pois reconheceu algumas cicatrizes antigas no antebraço, de quando ela tinha onze anos e foi arremessada por um cavalo no arame farpado.

A necropsia do corpo de Laura Aime, realizada pelo dr. Moore, obteve conclusões muito parecidas com aquelas da necropsia de Melissa Smith. Laura Aime tinha fraturas cranianas com afundamento no lado esquerdo e na parte de trás da cabeça, e fora estrangulada. O colar que usava quando desapareceu ficou preso na meia-calça de náilon utilizada como ligadura, ainda engastado em volta do pescoço. Incontáveis contusões faciais se espalhavam, e o corpo apresentava fundas escoriações na parte que fora arrastado. A arma para infligir as fraturas cranianas parecia ter sido pé de cabra ou barra de ferro.

Laura Aime também sofrera ataque sexual. Amostras retiradas da vagina e do ânus apresentaram esperma imóvel. Era tarde demais para determinar o tipo sanguíneo do homem que a matara usando o sêmen sem vida que o agressor deixara.

Exames de sangue não apresentaram sinal de drogas, mas mostraram que a adolescente poderia estar sob a influência de álcool na hora da morte. O resultado indicou pouco mais de 0,1 — indicador legal de intoxicação, mas não tão alto a ponto de torná-la incapaz de se defender, correr ou gritar.

Ainda assim, um grito na noite de Halloween poderia passar despercebido. Se Laura Aime pedira socorro, ninguém a ouviu.

• • •

Tanto Meg Anders, a namorada de Ted Bundy em Seattle, quanto a amiga, Lynn Banks, cresceram em Ogden, Utah. Lynn estivera lá para visitar a família durante o outono de 1974. Leu sobre as duas mulheres assassinadas, analisou as fotos e viu semelhanças físicas com as vítimas de Washington. Quando voltou a Seattle, confrontou Meg com suas suspeitas.

Meg folheou os recortes de jornal que Lynn tinha levado consigo e suspirou de alívio quando leu que Melissa Smith desaparecera na noite de 18 de outubro.

"Aqui, viu? Dia 18 de outubro. Eu conversei com Ted nessa noite, por volta das 23h. Estava animado para caçar com meu pai no dia seguinte e de bom humor."

Lynn, baixinha — pouco menos de 1,50 m —, era muito mais persuasiva do que a estatura indicava, e estava assustada o bastante para ser insistente.

"Você *tem* de ir à polícia! Há muitas coisas que nós sabemos. Você não pode continuar escondendo isso."

Meg Anders chegou a entrar em contato com a polícia do condado de King no outono de 1974. A informação sobre Ted Bundy resultou na quarta inclusão do seu nome dentre os milhares denunciados. A minha tinha sido a primeira e, do mesmo modo, a informação não garantiu qualquer escrutínio especial. Meg mantivera seus temores para si na primeira ligação para os investigadores.

Foi a exortação da amiga que fez com que Meg denunciasse o amante, mas aquela amizade também terminou devido à animosidade que Lynn sentia em relação a Ted. O próprio Ted não fazia ideia de que Meg entrara em contato com os detetives.

• • •

O corpo de Melissa Smith tinha sido encontrado, e Laura Aime ainda estava desaparecida na noite de sexta-feira, 8 de novembro de

1974. Chovia na região de Salt Lake City, garoa fina e nebulosa que prometia se transformar em aguaceiro prolongado. Não era noite particularmente propícia para sair e ir às compras, mas Carol DaRonch, dezoito anos, seguiu na direção do Fashion Place Shopping Mall no subúrbio de Murray, Utah, mesmo assim. Dirigia seu novo Camaro e saiu de casa pouco depois das 18h30.

Carol terminara o ensino médio na primavera de 1974, e conseguira emprego na companhia de telefone Mountain Bell, mas ainda morava com os pais. Cliente frequente do shopping, Carol não tinha nada a temer quando parou o carro no estacionamento: pretendia fazer compras na Auerbach's e olhar as vitrines.

Encontrou alguns primos, bateu papo com eles por um tempo, fez as compras na Auerbach's e folheava alguns livros na Walden's Book Store quando olhou para cima e viu um homem bonito ao seu lado. Bem-vestido, de blazer, calça verde e sapato cordovês de couro envernizado, cabelos castanhos ondulados e bigode.

Ele lhe perguntou se estacionara na vaga perto da loja Sears, e Carol assentiu. Então perguntou qual o número da placa; e ela lhe passou. O homem pareceu reconhecê-lo. Disse-lhe que um comprador informara que alguém tentara arrombar o carro de Carol usando arame de cabide. "Você se importaria em vir comigo para verificar se algo foi roubado?"

Ela foi pega de surpresa e não lhe ocorreu se perguntar como o homem de bigode a encontrou, como poderia ter descoberto que justo ela era a dona do Camaro. Seu comportamento era de alguém que ela presumiu ser segurança ou policial, por isso o seguiu de boa vontade ao longo do iluminado corredor central do shopping, e saiu para a noite chuvosa. Ficou apreensiva enquanto caminhavam pelo estacionamento, mas o homem parecia tão no controle, e explicava que era provável que seu parceiro já estivesse com o ladrão sob custódia. "Talvez você o reconheça quando o vir", disse-lhe com tranquilidade.

Carol DaRonch pediu para ver a identificação, e o homem apenas riu. Carol tinha sido treinada para confiar em policiais, e se sentiu um tanto tola por questionar aquele sujeito. Ela abriu o carro com as chaves e esquadrinhou o interior: "Está tudo aqui, não falta nada. Não acho que ele conseguiu entrar".

O homem queria que ela abrisse a porta do passageiro, e Carol se negou. Não faltava nada, e não viu razão para abri-la. Ficou surpresa quando ele experimentou a porta mesmo assim. Deu de ombros, conduziu-a de volta ao shopping e disse-lhe que conversariam com seu parceiro.

Ele olhou ao redor. "Devem ter voltado para a subestação. Vamos encontrar com eles lá e identificá-lo."

"Como vou reconhecê-lo?", argumentou ela. "Eu nem estava aqui, estava lá dentro, fazendo compras."

O homem descartou as objeções, andou mais depressa, passou por muitas lojas e saiu para a escuridão do estacionamento norte. Ela lhe perguntou o nome, impaciente e desconfiada. Não havia perdido nada e tinha mais o que fazer do que seguir aquele homem em uma busca infrutífera.

"Policial Roseland, Departamento de Polícia de Murray", respondeu com brevidade. "Estamos quase lá."

Pararam no lado de fora da porta com o "139" marcado nela. Bateu, esperou e ninguém a abriu. Experimentou a porta, e a encontrou trancada. (A porta era a entrada dos fundos da lavanderia, não a subestação da polícia, mas Carol não sabia disso.)

Agora o homem insistia que ela o acompanhasse até a sede para assinar a queixa. Disse que a levaria até lá no próprio carro, por isso, Carol esperava ver a viatura. Em vez disso, a guiou até um Fusca detonado. Ouvira falar de carros sem identificação, até mesmo carros "à paisana", mas aquele não se parecia com nenhum veículo policial que Carol já tivesse visto. Ela exigiu ver a identificação dele.

Ele olhou para Carol como se fosse histérica. O homem, de má vontade, exibiu depressa a carteira, e ela teve um vislumbre do pequeno distintivo dourado. Então a guardou de volta no bolso tão depressa que ela foi incapaz de ver nome do departamento, ou mesmo o número.

Ele abriu a porta do passageiro e esperou a jovem entrar. Pensou em recusar, mas o homem estava impaciente, então Carol entrou no carro. No instante em que as portas se fecharam, percebeu o forte cheiro de álcool no hálito dele. Não achava que policiais podiam beber em serviço. Quando a instruiu a colocar o cinto de segurança, ela respondeu: "Não". Carol estava a postos, pronta para fugir, mas o carro já tinha saído da vaga e acelerava.

O motorista não seguiu na direção do Departamento de Polícia de Murray, ia na direção oposta. Ela olhou para os carros que passavam por eles e se perguntou se deveria gritar, pular do carro, mas iam rápido demais, e ninguém parecia notá-los.

E então o carro parou, tão de repente que passou por cima da guia perto da Escola Primária McMillan. Se virou para olhar o "policial Roseland", e viu que ele não sorria mais. A boca estava fechada com firmeza e, de algum modo, parecia distante. Quando ela perguntou o que estava fazendo, não respondeu.

Carol DaRonch esticou a mão para a maçaneta ao lado e se preparou para pular, mas o homem foi rápido. Em um instante, fechou a algema em seu pulso direito. Ela lutou, chutou e gritou enquanto ele se esforçava para colocar a algema no outro pulso. O sujeito errou e conseguiu apenas colocar a segunda argola no mesmo braço. Ela continuou a lutar, o arranhou e gritou a plenos pulmões — gritos que não foram ouvidos na tranquila vizinhança. Ele estava cada vez mais furioso com Carol.

De repente, a pequena arma preta apareceu na mão dele e a segurou ao lado da cabeça dela: "Se não parar de gritar, eu mato você, vou estourar os seus miolos".

Ela caiu de costas para fora do carro, no gramado encharcado da calçada, e viu a pistola cair no piso do veículo. Agora, estava com algo que parecia um pé de cabra na mão, e a empurrou contra o carro. Carol levantou a mão, e com a força nascida do desespero conseguiu manter o instrumento longe da cabeça. Ela o chutou nos genitais, se desvencilhou e correu. Não viu para onde, nem se importou, porque precisava fugir dele.

Wilbur e Mary Walsh desciam a Third Avenue East quando uma figura foi iluminada de repente pelos faróis do carro. Walsh meteu o pé no freio, evitou por pouco o atropelamento, e a esposa atrapalhou-se com as travas das portas. Não conseguiam ver quem tentava entrar no carro, esperavam um maníaco, possivelmente. Então viram que era apenas uma moça terrivelmente assustada que soluçava: "Não consigo acreditar, não consigo acreditar".

A sra. Walsh tentou consolá-la, dizendo-lhe que estava segura, que nada a machucaria agora.

"Ele ia me matar, disse que ia me matar se não parasse de gritar."

Os Walsh levaram Carol DaRonch para a delegacia de Murray, na State Street. Ela foi incapaz de andar e Wilbur Walsh carregou a garota para dentro. Sua entrada atraiu olhares surpresos dos homens em serviço.

Conforme os soluços se transformavam em arquejos, Carol contou aos policiais que um de seus homens — o policial Roseland — a tinha atacado. É claro, não havia nenhum policial Roseland no departamento, e ninguém usava o Fusca velho em serviço. Prestaram atenção enquanto ela descrevia o carro, o homem e a barra de ferro que usara contra ela. "Eu não vi a barra, eu a senti na mão enquanto ele tentava me acertar com ela. Tinha muitos lados, mais de quatro, acho."

Ela estendeu o pulso direito, ainda preso às duas algemas. Com cuidado, os policiais retiraram as algemas, as salpicaram com pó para tirar impressões digitais latentes e obtiveram apenas manchas borradas. Não eram da marca Smith & Wesson que costuma ser a preferida dos policiais, mas uma marca estrangeira chamada Gerocal.

Patrulheiros foram despachados para o local do ataque perto da escola primária. Encontraram o sapato de Carol DaRonch, perdido durante a luta, e mais nada. O Fusca, como era de se esperar, tinha ido embora havia muito tempo.

Unidades de patrulha passaram pelo shopping, procuraram o Fusca de cor clara com amassados e manchas de ferrugem e rasgo no estofamento do banco traseiro. Não o encontraram, tampouco o investigador de Murray, Joel Reed, conseguiu obter impressões digitais da maçaneta da porta 139. Exposição à chuva, até mesmo ao orvalho, pode eliminar impressões digitais com rapidez.

Carol DaRonch analisou a pilha de fotos de criminosos fichados e não reconheceu nenhum. Nunca tinha visto o homem antes, e rezava para nunca mais voltar a vê-lo. Três dias depois, encontrou duas gotinhas de sangue manchando a pele sintética de cor clara da gola de sua jaqueta, e a levou à polícia para testes laboratoriais. O sangue não era dela. Era tipo O, mas não havia o suficiente para diferenciar os fatores Rh positivo ou negativo.

Os detetives de Murray tinham as descrições do homem, o carro, o modus operandi e, graças a Deus, uma vítima viva. As semelhanças entre o sequestro quase bem-sucedido de DaRonch e o assassinato de Melissa Smith não podiam ser negadas. Melissa tinha desaparecido do estacionamento da pizzaria, restaurante a apenas pouco mais de um quilômetro e meio de distância do Fashion Place Mall, mas ninguém sabia qual artimanha fora usada para atraí-la para longe daquele estacionamento sem luta. Por ter um pai policial, ela teria ido de boa vontade com um agente da lei?

Era provável.

Qualquer que fosse a missão do "policial Roseland" naquela noite chuvosa de 8 de novembro, tinha sido frustrada, pois Carol DaRonch escapou. Se planejava estuprá-la, ou coisa pior, seu apetite fora amolado a ponto de ficar com o gume ainda mais afiado. Ele tinha mais coisas a fazer naquela noite.

• • •

A 27 quilômetros de Murray está o subúrbio de Bountiful, em Utah, ao norte da cidade dos mórmons — subúrbio que faz jus ao nome com a beleza natural e as opções de recreação. Em 8 de novembro, Dean Kent, de Bountiful, se preparava para ir ao musical em cartaz na Escola Secundária Viewmont. Dean Kent estivera doente, mas se sentia melhor. A esposa, Belva, ele e a filha mais velha deles, Debby, de dezessete anos, foram à estreia de *The Redhead* [A Ruiva].

O irmão mais novo de Debby Kent, Blair, não estava a fim de ver a peça e foi deixado no rinque de patinação, e a mãe prometeu pegá-lo às 22h. Pouco antes das 20h, chegaram à escola. Conheciam a maior parte das pessoas no auditório, afinal, produções teatrais escolares tendem a atrair principalmente as famílias de atores, colegas de classe e amigos convencidos a comprar ingressos.

Enquanto o público aguardava em expectativa silenciosa, a professora de teatro da Viewmont, Jean Graham, ela mesma jovem recém-saída da faculdade, foi abordada por um estranho nos bastidores. Estava ocupada, distraída, incumbida das preparações de última hora para a apresentação, e parou um só instante quando o homem alto e magro de bigode a chamou. Ela se lembra de que ele vestia blazer, calça social e sapatos de couro envernizado, e que era muito bonito.

Foi cortês, quase pesaroso, quando lhe perguntou se ela poderia acompanhá-lo até o estacionamento para identificar um carro. Ela fez que não com a cabeça, praticamente sem se perguntar por que precisaria de ajuda para isso. Apenas estava ocupada demais.

"Vai demorar só um minuto", insistiu.

"Não, não posso. Sou a responsável pela peça", respondeu um pouco brusca, e passou depressa por ele no corredor escuro. O homem ainda se demorava no saguão quando ela se encaminhou para a parte da frente do auditório, vinte minutos depois.

"Oi", disse ela. "Já conseguiu encontrar alguém para ajudar você?"

Ele não falou, mas a encarou de maneira estranha, seus olhos quase a perfurando. Ela achou estranho, mas estava acostumada com homens a encarando.

As obrigações exigiram que voltasse para os bastidores alguns minutos depois, e o homem ainda estava lá. Andou em sua direção e sorriu.

"Oi, você está muito bonita", elogiou-a. "Vamos lá, me dê uma mão com aquele carro. Só preciso de uns dois minutinhos." Seus modos eram descontraídos, persuasivos.

E ainda assim ela estava em alerta. Tentou passar por ele, disse-lhe que talvez o marido pudesse ajudá-lo. "Vou chamá-lo." Estava assustada, mas aquilo era ridículo, disse a si mesma. Havia centenas de pessoas ali perto. O homem deu um passo para o lado e bloqueou o caminho, e disputaram a posição na estranha dança de passinhos laterais, até que ela se livrou dele. Quem *era* esse sujeito? Não fazia parte da equipe, era velho demais para ser aluno, e jovem demais para ser pai. Então, correu para os bastidores.

Debby Kent saiu no intervalo para telefonar para o irmão e contar que a peça não acabaria até as 22h, e voltou para o segundo ato. Uma das amigas, Jolynne Beck, notou o estranho bonito andando de um lado a outro no fundo do auditório. Jean Graham também reparou nele, e se sentiu curiosamente preocupada quando o viu pela última vez, antes do fim da peça.

Debby Kent se ofereceu para dirigir até o rinque de patinação e pegar o irmão. "Eu volto para buscar vocês", prometeu aos pais.

Diversos moradores do condomínio de apartamentos do outro lado da escola se lembram de ouvir dois gritos breves e estridentes no estacionamento oeste entre as 22h30 e 23h daquela noite. Não tinham soado como brincadeira, era como se alguém estivesse com um medo mortal, gritos tão convincentes que as testemunhas saíram para vistoriar o estacionamento escuro.

Não viram absolutamente nada.

O irmão de Debby esperou em vão no rinque de patinação e os pais aguardaram impacientemente diante da escola enquanto a multidão diminuía. Por fim, não havia sobrado ninguém, mas o carro continuava no estacionamento. Onde estava Debby? Era meia-noite e não conseguiam encontrar a filha em lugar algum. Parecia que ela nem mesmo chegara até o carro. Notificaram o Departamento de Polícia de Bountiful e descreveram a filha: dezessete anos, longos cabelos castanhos repartidos ao meio.

"Ela não teria simplesmente nos deixado pra trás", disse a mãe ansiosa, "porque o pai está se recuperando de ataque cardíaco. E o carro continua estacionado na escola, não faz sentido."

A polícia de Bountiful tinha o relatório transmitido via rádio da tentativa de sequestro em Murray. Estavam cientes do caso de Melissa Smith e do desaparecimento de Laura Aime e, por isso, enviaram

viaturas para circular pela vizinhança ao redor da escola. Abriram-na para verificar cada sala na remota possibilidade de que Debby pudesse ter se trancado ali por acidente. Os pais telefonavam frenéticos para todas as amigas dela, mas ninguém tinha visto Debby Kent.
    Ninguém jamais voltou a ver Debby Kent.

• • •

Com os primeiros pálidos raios de sol da manhã seguinte, a equipe investigativa da polícia examinou o estacionamento da Escola Secundária Viewmont e vasculhou a vizinhança à procura de alguma pista para o desaparecimento inexplicável de Debby Kent.
    Descobriram sobre os gritos ouvidos na noite anterior, mas não encontraram nenhuma testemunha real do sequestro. Havia tantos carros assim no estacionamento que ninguém pôde identificar um deles, talvez o Fusca velho em tons de marrom?
    Os detetives de Bountiful, Ira Beal e Ron Ballantyne, se abaixaram para examinar o estacionamento agora vazio. E ali, entre a porta externa da escola e o estacionamento, encontraram uma chavinha, que eles sabiam do que era: chave de algema.
    Levaram-na de imediato para o Departamento de Polícia de Murray, e a inseriram na fechadura das algemas retiradas de Carol DaRonch. Ela deslizou com perfeição e as algemas abriram. Ainda assim, sabiam que algumas chaves de algemas são intercambiáveis. A chave não abriu as algemas Smith & Wesson, mas funcionou em inúmeras marcas menos nobres. Não podia ser considerada a evidência física positiva conectando os dois casos, mas com toda certeza era alarmante. Carol DaRonch tinha escapado e, ao que parecia, Debby Kent não.
    Assim como no estado de Washington naquele mesmo ano, os agentes do cumprimento da lei de Utah foram soterrados por telefonemas. A última ligação que parecia ter relação verdadeira com o caso foi feita em meados de dezembro. O homem que chegara à Escola Secundária Viewmont para pegar a filha depois da peça relatou ter visto um Volkswagen velho e malcuidado — Fusca de cor clara — disparar do estacionamento pouco depois das 22h30 em 8 de novembro.
    Não houve mais nada. Os pais de Debby Kent foram forçados a enfrentar um Natal sombrio e trágico, assim como os pais de Melissa Smith e Laura Aime. Carol DaRonch estava com medo de sair sozinha, mesmo durante o dia.

14.

_Crânios aos seus pés_____

Ted Bundy não vinha se saindo tão bem no primeiro ano na Faculdade de Direito da Universidade de Utah quanto em sua carreira universitária anterior. Tinha dificuldade em manter média C, e terminou o trimestre com duas matérias incompletas — Ted, que navegara com facilidade por cursos difíceis na Universidade de Washington e se formara "com honras", que tinha assegurado ao diretor de admissões da Utah que não era "apenas aluno qualificado, mas [...] indivíduo obstinado o bastante para se transformar em aluno e profissional de direito crítico e incansável, qualificado o bastante para ser bem-sucedido".

É claro, precisava trabalhar para pagar a universidade, e isso interferia nas horas de estudo, mas também bebia muito mais do que no passado. Telefonava para Meg com frequência e ficava bastante transtornado quando não a encontrava em casa. De modo estranho, enquanto ele próprio era infiel o tempo todo, Ted esperava — exigia — que Meg lhe fosse completamente fiel. De acordo com Lynn Banks, amiga íntima de Meg, ele ligava para o número de Lynn se não encontrasse Meg em casa, e insistia em saber onde ela estava.

Em 18 de novembro de 1974, fui internada no Group Health Hospital, em Seattle, para ser preparada para a cirurgia na manhã seguinte. Eu dera à luz quatro filhos sem anestesia, mas essa cirurgia se mostrou mais dolorosa do que qualquer coisa que consiga me lembrar, e fiquei profundamente sedada durante dois dias. Lembro-me de telefonar para Joyce Johnson em algum momento do entardecer de 19 de novembro, e dizer-lhe que estava bem, e me lembro de minha mãe, que viera de Salem, Oregon, para ficar com os meus filhos, sentada ao lado da cama.

Também me lembro do dilúvio de flores que recebi de diversos departamentos de polícia. Os detetives de Seattle me enviaram uma dúzia de rosas vermelhas e Herb Swindler apareceu com o vasinho de crisântemos amarelos, seguido de Ted Forrester, da Unidade de Crimes Hediondos do Condado de King, com outro vaso enorme. Não sei o que as enfermeiras pensaram quando viram o desfile contínuo de detetives visitantes com armas nada discretas nos cintos. Talvez que eu era a namorada de um mafioso sob vigilância.

É claro que era apenas um bando de tiras "durões" sendo gentis. Eles sabiam que estava sozinha e preocupada em me recuperar e ser capaz de trabalhar, e demonstravam o lado sentimental que costumam manter escondido. Em poucos dias, me senti muito melhor e desfrutei bastante da minha notoriedade.

Minha mãe me visitou e pareceu preocupada quando comentou: "Estou feliz por estar aqui com as crianças. Você recebeu um telefonema muito estranho ontem à noite".

"Quem era?"

"Não sei. Pareceu ser ligação de longa distância. Um homem chamou pouco antes da meia-noite, e pareceu terrivelmente aborrecido por você não estar em casa. Perguntei se queria deixar recado, mas disse que não e não me contou quem era."

"Aborrecido? Aborrecido como?"

"É difícil descrever. Ele poderia estar bêbado, mas parecia desorientado, em pânico, e falava depressa. Isso me incomodou."

"Provavelmente foi engano."

"Não, pediu para falar com a 'Ann'. Falei que estava no hospital e que pediria para você ligar de volta em um dia, mais ou menos, mas ele desligou."

Eu não fazia a menor ideia de quem poderia ser, nem mesmo me recordaria do telefonema até ser lembrada disso, quase um ano depois.

A Intermountain Crime Conference [Conferência de Criminologia Entre Montanhas, em tradução livre] foi realizada em Stateline, Nevada, no dia 12 de dezembro de 1974, e oficiais da lei se reuniram para discutir aqueles casos que pareciam indicar que outros estados poderiam estar envolvidos. Os detetives de Washington apresentaram os casos de garotas desaparecidas e assassinadas, e o pessoal de Utah discutiu sobre Melissa Smith, Laura Aime, Debby Kent e Carol DaRonch. Havia semelhanças, com certeza, mas infelizmente há centenas de moças assassinadas por ano nos Estados Unidos e muitas delas são estranguladas, espancadas e estupradas. O método de assassinato não era distinto o suficiente para supor que um homem específico era responsável pelo grupo particular de vítimas.

O nome de Ted estava agora listado — quatro vezes — naquelas infindáveis leituras do computador no escritório da força-tarefa do estado de Washington. Mas ainda era um dentre milhares; homem sem antecedentes criminais como adulto e com certeza alguém cujos registros empregatícios e históricos escolares não o marcavam como "tipo criminoso".

Estivera em Washington, e agora estava em Utah. Seu nome era Ted, e dirigia um Fusca. A namorada, Meg, tinha desconfiança o bastante para denunciá-lo, mas era muito ciumenta e tinha sido enganada. Houve uma dúzia ou mais de mulheres ciumentas que denunciaram os nomes dos namorados como possíveis "Teds".

Foi depois da Intermountain Conference de 1974, e depois de mais estímulos de Lynn Banks, que Meg Anders deu um passo além. Ligou para a delegacia do condado de Salt Lake e repetiu as suspeitas sobre Ted Bundy. Havia uma nota quase histérica na voz, e o capitão Hayward suspeitou que aquela mulher na ligação de longa distância em Seattle exagerava e se permitia ver conexões que eram, na melhor das hipóteses, tênues. Ele anotou o nome "Ted Bundy" e o entregou a Jerry Thompson para acrescentar à lista de suspeitos de Utah.

Sem evidências físicas ou informações sólidas, os detetives não podiam sair correndo e prender um homem, pois isso vai contra a lógica de toda a nossa filosofia de justiça. Demorariam oito meses até que Ted Bundy viesse, por meio das próprias ações, a se colocar diretamente diante dos olhos da lei, e quase viria a desafiar a polícia a impedi-lo.

O que me lembro da época do Natal de 1974? Muito pouco. Não havia motivo para tal. Lembro-me que voltei ao trabalho duas semanas depois da cirurgia, recuperação combinada com período de gripe. Não podia dirigir ainda, mas alguns dos detetives usaram o tempo livre para gravar as informações vitais de alguns dos casos que já tinham ido a julgamento e foram até a minha casa entregar as fitas para que pudesse datilografar as histórias.

Lembro-me de que o mês de janeiro seguinte trouxe um vendaval lamurioso, tempestade que castigou Puget Sound e atingiu nossa antiga casa de praia com tanta força que a janela da sala de estar ao longo de toda a parede sul foi varrida para dentro, espalhando plantas, abajures e cacos de vidro seis metros sala adentro. Foi como se o furacão dançasse ali, e congelamos até conseguir alguém para instalar a nova janela. Foi o mês em que o porão inundou e o telhado vazou em diversos pontos. Consigo me lembrar de estar muito desencorajada, mas não consigo lembrar de pensar uma vez sequer em Ted Bundy.

Ted voltou para Seattle em janeiro de 1975 e passou mais de uma semana com Meg, de 14 a 23 de janeiro, depois de fazer as provas finais em Utah. Meg não contou que o havia denunciado à polícia, e carregava um tremendo fardo de culpa, embora nenhum policial o tivesse abordado ainda. Ted foi tão gentil com ela, falando sério sobre casamento de novo, e as dúvidas do outono anterior agora pareciam apenas pesadelo. Aquele era o velho Ted, o homem que amara por tantos anos e assim ela conseguiu empurrar seus temores para algum lugar no fundo da mente. A única mulher em Utah que ele mencionou foi Callie Fiore, que descreveu como "pirada". Contou que houve a festa de despedida para ela em algum momento depois do Natal de 1974, e que a viram partir de avião.

Não mencionou que Callie não partira de verdade, e que voltou para Salt Lake City.

Quando Ted retornou à faculdade de direito, Meg se sentiu muito melhor. Havia planos para visitá-lo em Salt Lake City naquele verão e ele prometeu voltar para Seattle assim que pudesse.

• • •

Caryn Campbell tinha passado as férias em Aspen, Colorado, em janeiro de 1975. Caryn, enfermeira, noiva do dr. Raymond Gadowski de Farmington, Michigan, e o casal, junto dos dois filhos do casamento anterior de Gadowski, combinaram viagem de lazer com o simpósio sobre cardiologia de Gadowski em Aspen.

O grupo se registrou no elegante Wildwood Inn em 11 de janeiro e recebeu o quarto no segundo andar. Aos 23 anos, Caryn era nove anos mais nova do que Gadowski, mas o amava e se dava bem com o filho dele, Gregory, onze anos, e com a filha, Jenny, nove. Ela queria se casar, e logo. O casal discutiu naquele dia porque Gadowski não estava exatamente ansioso para mergulhar de cabeça no segundo casamento.

Caryn Campbell sofria de gripe branda quando chegaram, mas ainda estava apta a levar as crianças para esquiar e ver os pontos turísticos enquanto Gadowski comparecia aos seminários. Em 12 de janeiro, jantaram com amigos no Stew Pot, e Caryn pediu guisado. Os outros beberam coquetéis, mas Caryn, ainda enjoada, tomou apenas leite.

E então Caryn, Gadowski e as crianças voltaram para a aconchegante sala de estar do Wildwood Inn. Gadowski pegou o jornal vespertino e Caryn, ao lembrar que a revista nova estava no quarto, seguiu na direção do elevador para buscá-la e levou consigo a única chave do 210. Se tudo ocorresse normalmente, voltaria à sala de estar em dez minutos.

Caryn saiu do elevador no segundo andar e conversou com diversos médicos que esperavam ali, médicos que conhecera na convenção. Eles a observaram atravessar o corredor na direção do quarto.

Na sala de estar do hotel, Gadowski terminou de ler o jornal e olhou em volta. Os filhos brincavam contentes, mas Caryn não retornava. Olhou na direção dos elevadores, na esperança de vê-la emergir a qualquer momento, mas os minutos se arrastavam e ela não aparecia.

O jovem cardiologista disse para as crianças ficarem na sala e subiu até o quarto deles. Então se lembrou de que Caryn estava com a chave. Bateu na porta e esperou que ela atravessasse o quarto e a abrisse, mas ela não o fez.

Voltou a bater, pensando que talvez ela estivesse no banheiro e não o ouvira, e bateu mais forte. Ainda assim, ela não abriu a porta. Sentiu a pontada de preocupação: se tivesse piorado e passado mal, talvez desmaiado lá dentro, poderia ter batido a cabeça em alguma coisa, e estar inconsciente. Assim, correu até a recepção, pegou a cópia da chave e voltou rapidamente ao segundo andar. A porta se escancarou e o quarto diante dele parecia estar exatamente como o deixaram antes de saírem para jantar. Não havia sinal da bolsa de Caryn, e a revista que viera buscar ainda estava na mesinha ao lado das camas. Era óbvio que ela não voltara ao quarto.

Confuso e indeciso, Gadowski ficou parado no quarto vazio, a chave na mão. Então deu meia-volta e saiu para o corredor, trancando a porta. Havia muitas festas acontecendo naquela noite de sábado, e desconfiou que a noiva tivesse provavelmente encontrado alguns amigos e sido convencida a parar em algum lugar "para tomar só uma bebida". Não costumava ser desatenciosa e devia ter pensado que ficaria preocupado; no entanto a atmosfera na pousada era descontraída. Voltou para verificar a sala de estar e encontrou as crianças ainda sozinhas.

Gadowski andou de um lado para outro, cada vez mais rápido, e atravessou os bares do edifício extenso tentando ouvir o som da risada de Caryn, procurando a maneira familiar com a qual jogava o cabelo. O barulho e os ânimos fervilhantes das pessoas ao redor pareciam zombar dele. Caryn sumira, simplesmente sumira, e não conseguia compreender isso.

Juntou os filhos e os levou para o quarto. Eram 22h agora e, no lado de fora da pousada aquecida, estava congelando. Tudo que Caryn vestia quando caminhara na direção do elevador era jeans, leve jaqueta de lã marrom e botas. Roupas quentes o bastante para o dia, mas era inconcebível que saísse daquele jeito na noite de janeiro no Colorado.

Gadowski telefonou para o Departamento de Polícia de Aspen pouco depois das 22h. Os patrulheiros que chegaram redigiram a denúncia de pessoa desaparecida, mas asseguraram ao médico de Michigan que quase todo mundo que "desaparecia" dava as caras depois que os bares e festas chegavam ao fim.

Balançou a cabeça com impaciência. "Não, ela não é assim, estava doente e pode ter piorado."

A descrição da enfermeira e das roupas foi transmitida aos patrulheiros de serviço em Aspen. Muitas vezes durante a noite, viaturas encostaram ao lado de uma moça de jeans e jaqueta de lã, apenas para descobrir que era outra pessoa, mas nunca Caryn Campbell.

Pela manhã, Gadowski estava angustiado depois da noite insone, e as crianças choravam, chateadas. Os investigadores da polícia de Aspen examinaram o Wildwood Inn, revistaram cada quarto, depósito, armário, até mesmo as cozinhas, e subiram no forro do telhado, olharam nos poços dos elevadores. A bonita enfermeira não estava em lugar algum da pousada.

Interrogaram todos os hóspedes, mas ninguém tinha visto Caryn Campbell depois de ela cumprimentar o grupo diante do elevador do segundo andar e caminhado pelo corredor até o quarto.

Por fim, o dr. Gadowski fez as malas e voou de volta para casa com os filhos, torcendo todas as vezes que o telefone tocava para que, de algum modo, fosse Caryn, com uma explicação lógica para tê-lo abandonado.

O telefonema nunca aconteceu.

No dia 18 de fevereiro, o instrutor de recreação que trabalhava ao longo da estrada Owl Creek, a alguns quilômetros do Wildwood Inn, notou a revoada de pássaros circularem acima de algo em um banco de neve, a oito metros da estrada. Atravessou os montes de neve que derretiam e se virou, enjoado.

O que restava do corpo nu de Caryn Campbell jazia ali na neve, neve manchada de carmim, com o sangue dela. O patologista dr. Donald Clark realizou exame post mortem no cadáver e registros dentários confirmaram definitivamente ser Caryn. Ela morrera devido a repetidos golpes no crânio com instrumento rombudo e tinha, além disso, sofrido cortes profundos com uma arma afiada. Faca? Machado? Não sobrou tecido suficiente na região do pescoço para dizer se fora estrangulada, mas o osso hioide se trincou.

Era tarde demais para saber se fora vítima de ataque sexual, mas a condição de nudez do corpo apontava para estupro como forte motivo.

Pedaços não digeridos de guisado e leite foram identificados com facilidade no estômago. Caryn Campbell tinha sido morta poucas horas depois de comer no dia 12 de janeiro, o que determinaria a hora da morte em pouco depois de sair da sala de estar no Wildwood Inn e subir para o quarto.

Ela não chegou a entrar no quarto ou, se entrou, alguém esperava por ela lá, embora isso parecesse improvável. O quarto não tinha qualquer sinal de luta que fosse. Em algum lugar do corredor bem-iluminado no segundo andar do Wildwood Inn, em algum lugar entre os elevadores e o 210, Caryn encontrara seu assassino e, ao que parecia, o acompanhara sem luta.

Foi um desaparecimento que remeteu ao caso de Georgann Hawkins em junho de 1974. Menos de quinze metros para andar até a área segura e, então, sumiu.

Uma turista californiana estivera naquele corredor do Wildwood Inn na noite de 12 de janeiro e vira um rapaz bonito que sorriu para ela, mas não lhe deu importância, e partira para casa antes que o desaparecimento de Caryn Campbell tivesse se tornado público aos outros hóspedes do hotel.

...

O inverno minguava, e no estado de Washington a neve derretia e escorria pelos sopés das montanhas Cascade. No sábado, 1º de março de 1975, dois alunos da Faculdade Comunitária Green River trabalhavam no projeto de agrimensura florestal na montanha Taylor, "minimontanha" densamente arborizada a leste da Rodovia 18, de duas faixas que atravessa as florestas entre Auburn e North Bend, Washington. O local fica a aproximadamente dezesseis quilômetros da encosta onde os restos mortais de Janice Ott, Denise Naslund e a terceira pessoa não identificada (talvez quarta) foram encontrados em setembro de 1974. O avanço era difícil através dos amieiros cobertos de musgo, o solo acarpetado com samambaias e folhas caídas.

Um dos estudantes de silvicultura olhou para baixo e um crânio humano jazia aos seus pés.

Brenda Ball fora encontrada por último, embora precisassem dos registros dentários para confirmar sua identidade. Assim como tinham feito seis meses antes, os investigadores da polícia do condado de King ordenaram de pronto que a região erma fosse isolada e, outra vez, o detetive Bob Keppel liderou mais de duzentos membros de equipes de busca pela área. Homens e cães se moveram com lentidão minuciosa pela floresta úmida, revirando montes de folhas e cepos apodrecidos.

Denise e Janice foram encontradas a apenas poucos quilômetros do parque de onde desapareceram. O crânio de Brenda foi encontrado a quase cinquenta quilômetros de distância do Flame Tavern. Isso poderia, talvez, ser explicado pelo fato de que planejara pegar carona até o Parque Estadual Sun Lakes, a leste das montanhas. A Rodovia 18 teria sido rota alternativa para o Snoqualmie Pass. Será que ela entrara no carro de um estranho com o braço na tipoia, grata por ter carona que a levaria por todo o caminho até o Sun Lakes? E será que ele então tinha encostado o carro, parado naquela região desolada e a encarado com os olhos impiedosos de assassino?

A descoberta do crânio na montanha Taylor fazia um tipo macabro de sentido, mas isso foi tudo o que seria encontrado da garota de olhos escuros. Mesmo que os animais tivessem espalhado o restante do esqueleto, deveria haver algo mais, e não havia nada. Nada de ossos, nem sequer um trapo rasgado das roupas.

A causa da morte foi impossível de determinar, mas o crânio estava fraturado no lado esquerdo, afundado por instrumento rombudo. A busca lúgubre continuou por mais dois dias.

Na manhã do dia 3 de março, Bob Keppel escorregou e caiu enquanto descia um declive lamacento. Tropeçara — literalmente — em outro crânio, a trinta metros de distância do de Brenda Ball.

Registros dentários viriam a confirmar que Keppel tinha encontrado tudo o que restava de Susan Rancourt, a tímida estudante loira que desaparecera em Ellensburg, *a 140 quilômetros de distância!* Não havia nenhum motivo que fosse para Susan estar ali naquele arvoredo isolado. Aparentemente, o assassino estabelecera o próprio cemitério, levando consigo apenas as cabeças decepadas das vítimas, mês após mês. Era uma suposição terrível, ainda que não pudesse ser ignorada.

O crânio de Susan também tinha sido brutalmente fraturado.

Conforme as buscas prosseguiam, as outras famílias aguardavam, temendo que as filhas pudessem estar na montanha Taylor, e que fossem ouvir a batida na porta a qualquer momento.

Mais quinze metros de trabalho tedioso de peneirar folhas úmidas e afastar samambaias gotejantes, e lá estava outro crânio. Registros dentários confirmaram que a vítima era a garota que os investigadores não tinham esperado encontrar tão longe de casa: o crânio era de Roberta Kathleen Parks, desaparecida desde o mês de maio anterior em Corvallis, Oregon, a pouco mais de 420 quilômetros de distância. Assim como os outros, apresentava danos por esmagamento com instrumento rombudo.

A primeira a desaparecer foi a última a ser encontrada. Lynda Healy, a professora de crianças com deficiência mental, desaparecida havia quatorze meses do seu quarto no Distrito Universitário, pôde ser identificada apenas pelo maxilar inferior. As obturações no osso da mandíbula eram compatíveis com as tabelas dentárias de Lynda e seu crânio também tinha sido levado para a montanha Taylor.

Embora as buscas continuassem do amanhecer ao anoitecer durante mais uma semana, mais nenhum crânio, roupa ou joia foi encontrado.

Algumas dúzias de ossos pequenos, ossos do pescoço, foram descobertos, mas nem chegavam perto da quantidade suficiente para indicar que os corpos das vítimas foram transportados inteiros para dentro da floresta, e a percepção de que apenas as cabeças das garotas foram levadas para lá, uma de cada vez, ao longo do período de mais de seis meses, gerou muitos boatos sobre cultos, bruxaria e satanismo.

A polícia de Seattle arquivava eventos que envolviam o oculto: Arquivo 1004. Denúncias chegavam para a assediada força-tarefa — denúncias de pessoas que achavam ter visto "Ted" em reuniões de cultos. Como em qualquer caso com publicidade tão difundida, grande quantidade de "pirados" surge e apresenta teorias que fazem uma pessoa comum se arrepiar. Houve rumores totalmente infundados de que as garotas desaparecidas e assassinadas tinham sido sacrificadas, e os corpos decapitados descartados e amarrados com pesos para afundar nas águas quase insondáveis do lago Washington.

Uma médium do leste de Washington entrou em contato com o capitão Herb Swindler, e o convenceu a encontrá-la ao amanhecer no local de descoberta dos ossos, na montanha Taylor. Lá a mulher perfurou o solo com graveto e tentou inferir informações com base no modo como lançou sombras. A cena foi bizarra e não rendeu nenhuma teoria nova.

Swindler em pouco tempo foi soterrado por mensagens daqueles que alegavam ter contato direto com "o outro mundo", e por quantidade quase tão grande de pedidos de outros departamentos que tinham crimes que acreditavam ser resultado de adoração demoníaca. Ele era um policial sensato, e foi motivo de piada pelos detetives, que achavam a abordagem psíquica ridícula.

Entretanto, Swindler se lembrava da previsão astrológica que se concretizara no dia 14 de julho. Quando questionado se acreditava que o oculto estava envolvido, balançou a cabeça. "Não sei, nunca soube."

Os psiquiatras estavam mais inclinados a acreditar que o assassino era obcecado por compulsão terrível, compulsão que o forçava a caçar e matar o mesmo tipo de mulher, de novo e de novo e de novo, pois não era capaz de assassiná-la vezes suficientes para encontrar o desfecho.

Na sede da polícia do condado, o capitão Nick Mackie admitiu que os crimes poderiam nunca vir a ser solucionados. Os investigadores sabiam agora que Lynda, Susan, Kathy, Brenda, Denise e Janice estavam mortas. Continuavam no escuro em relação ao destino de Donna e Georgann e ainda havia os fêmures adicionais encontrados com Denise e Janice. Era provável que pertencessem às mulheres desaparecidas e isso era tudo que viriam a saber. Donna Manson e Georgann Hawkins poderiam nunca ser encontradas. Em Utah, a situação era a mesma com Debby Kent. Desaparecida.

"O nome do jogo é tenacidade", comentou Mackie. "Nós investigamos 2.247 homens parecidos com 'Ted', 916 veículos..."

Mackie contou que sobraram duzentos suspeitos após a seleção, mas duzentos ainda é número grande demais para se descobrir *tudo* a respeito desses homens. "Não temos evidência de cena de crime, nem causa de morte confirmada", disse Mackie. "É o pior caso em que já estive envolvido. Simplesmente não existe nada."

Mackie acrescentou que o perfil psicológico do assassino indicava que possivelmente teve comportamento criminoso no passado e provavelmente era psicopata sexual. "Você chega a certo ponto da investigação", comentou o exaurido investigador-chefe. "Então para tudo e começa mais uma vez." O nome de Ted Bundy permaneceu na lista dos duzentos suspeitos. Mas Ted Bundy não tinha antecedentes criminais, embora ele estivesse do lado oposto da lei, com base no pouco que a força-tarefa descobriu a seu respeito. Seus registros juvenis foram destruídos, e não sabiam nada a respeito das prisões por roubo de carro e invasão domiciliar de tanto tempo atrás. Meg não contou a eles que Ted roubara televisores, mesmo quando era o universitário cheio de méritos. Havia muitas coisas que ainda não tinha lhes contado.

Assim como os crimes tinham parado em Washington, também pararam em Utah. O homicídio de Caryn Campbell em Aspen aconteceu em outro estado, e parecia incidente isolado. O detetive Mike Fisher, de Aspen, estava ocupado verificando suspeitos locais, desconsiderando um a um todos os homens que conheciam a enfermeira. Ele não conseguia ver nenhuma ligação com os casos de Utah, e Washington ficava muito, muito longe.

As notícias sobre crimes estavam prestes a disparar no Colorado.

• • •

Vail, Colorado, fica a 160 quilômetros de Aspen, cidadezinha próspera com resorts de esqui, mas sem o glamour, o dinheiro, as drogas e a atitude *laissez-faire* de Aspen. Jerry Ford mantinha apartamento de veraneio em Vail, e o ator Cary Grant, de tempos em tempos, viajava discretamente para lá com a filha, Jennifer, para esquiar.

Jim Stovall, chefe dos detetives do Departamento de Polícia de Salem, Oregon, passava as férias de inverno em Vail, e trabalhava como instrutor de esqui. A filha, também instrutora de esqui, morava lá.

Stovall respirou fundo enquanto comentava comigo que Julie Cunningham, 26 anos, era boa amiga de sua filha, e Stovall, que solucionou tantos homicídios em Oregon, era incapaz de entender o que tinha acontecido com Julie na noite de 15 de março.

Aos 26 anos, Julie Cunningham deveria ter tido o mundo na palma da mão. Era muito atraente e tinha cabelos pretos sedosos, repartidos ao meio. Dividia um apartamento agradável em Vail com a amiga e trabalhava de vendedora em uma loja de equipamentos esportivos, e como instrutora de esqui em meio período. Mas Julie não era feliz. Procurava um homem que pudesse amar e confiar de verdade, alguém com quem se casar. Tinha feito o lance de se dedicar ao esqui, mas estava cansada disso. Queria se casar e ter filhos.

Julie não era muito boa em escolher homens, porque acreditava nas cantadas deles e acabava desiludida. Ouvia "Foi ótimo, ligo pra você qualquer dia desses" com muita frequência. Talvez Vail fosse o lugar errado para ela, talvez a aura de cidadezinha de esqui não fosse muito adequada para relacionamentos duradouros.

No início de março de 1975, Julie sofreria a última desilusão amorosa. Pensou ter encontrado o homem que queria e ficou empolgada quando a convidou para ir a Sun Valley passar as férias com ele. Mas foi "chutada" de novo quando chegaram ao resort que ganhou fama graças aos filmes de Sonja Henie, nos anos 1930. O homem nunca tivera qualquer intenção de um relacionamento sério, e ela voltou para Vail, chorosa e deprimida.

Aquele 15 de março caíra no sábado, e Julie não tinha encontro para aquela noite. Telefonou para a mãe e sentiu-se um pouco melhor. Elas se despediram pouco antes das 21h e Julie decidiu sair, de jeans, jaqueta de camurça marrom, botas e touca de esquiar, e seguiu para o bar a alguns quarteirões de distância. A colega de quarto estava lá e poderiam tomar uma cerveja ou duas, afinal, sempre há o dia de amanhã.

Mas *não* houve.

Não haveria mais amanhãs para Julie Cunningham. Ela nunca chegou ao bar e, quando a colega de quarto voltou para casa, nas primeiras horas do dia, Julie não estava lá.

O desaparecimento de Julie Cunningham foi eclipsado nos noticiários por outro acontecimento em Aspen: Claudine Longet, ex-esposa do cantor Andy Williams, foi presa pelo assassinato do amante, "Spider" Sabich, ex-campeão mundial de esqui, em 19 de março. A briga dos amantes e a notoriedade dos envolvidos rendiam manchetes muito maiores do que o desaparecimento da anônima instrutora de esqui.

Entretanto, o padrão se repetia, assim como acontecera em Washington, no ano anterior. Uma vítima em janeiro, nenhuma em fevereiro, uma em março.

Será que haveria outra vítima no Colorado em abril?

• • •

Denise Oliverson estava com 25 anos naquela primavera, era casada e morava em Grand Junction, Colorado, cidadezinha a leste da fronteira de Utah com o Colorado, na Rodovia 70. Denise discutiu com o marido na tarde de domingo, 6 de abril, e saiu de casa pedalando a bicicleta amarela, seguindo para a casa dos pais. Ela pode ter ficado menos brava a cada quilômetro que passava, afinal, era dia de primavera maravilhoso, e talvez tenha se dado conta de que a briga fora tolice. Talvez planejasse ir para casa fazer as pazes naquela noite.

Estava quente, e Denise usava jeans e blusa verde de manga longa estampada. Se alguém viu a bonita mulher de cabelos escuros pedalar a bicicleta de dez marchas naquela tarde, essa pessoa não se apresentou à polícia para relatar o fato.

Denise não chegou na casa dos pais, e eles não a estavam esperando. Também não voltou para casa naquela tarde e o marido imaginou que ainda estivesse zangada pela briga. Resolveu lhe dar tempo para se acalmar e então telefonaria.

Na segunda-feira, ligou para os sogros e ficou alarmado ao descobrir que Denise não estivera lá. A busca pelo caminho que provavelmente teria feito foi organizada. A polícia encontrou a bicicleta e as sandálias embaixo do viaduto próximo à ponte ferroviária, perto do rio Colorado, na U.S. 50. A bicicleta estava em boas condições. Não havia motivo para deixá-la ali.

Como Julie Cunningham, Denise Oliverson tinha desaparecido.

Haveria outras garotas que desapareceriam no Colorado durante aquela primavera radiante de 1975.

Melanie Cooley, dezoito anos, se parecia o bastante com Debby Kent, de Bountiful, Utah, para ser sua gêmea, se afastou da escola em Nederland, vilarejo minúsculo 80 quilômetros a oeste de Denver, no dia 15 de abril. Oito dias depois, funcionários do condado que reparavam a estrada encontraram o corpo agredido na estrada Coal Creek Canyon, a 32 quilômetros de distância. Fora espancada na parte de trás da cabeça, provavelmente à pedradas, com as mãos amarradas. Fronha imunda, talvez usada como garrote, talvez como venda, ainda estava retorcida em volta do pescoço.

No primeiro de julho, Shelley K. Robertson, 24 anos, não se apresentou no trabalho em Golden, Colorado. A família fez indagações e descobriu que alguns amigos a tinham visto na segunda-feira, 30 de junho. Um policial a vira no posto de combustível em Golden, no dia primeiro de julho, na companhia de um homem de cabelos desgrenhados em uma picape velha. Ninguém mais a viu depois disso.

Shelley tinha o hábito de pegar carona, e a família tentou acreditar que decidira visitar outro estado por capricho. Mas conforme o verão avançava sem nenhuma notícia dela, isso pareceu improvável.

Em 21 de agosto, dois estudantes de mineração encontraram o corpo nu de Shelley, na mina no sopé do Berthoud Pass, a pouco mais de 150 metros de seu interior. A decomposição estava em estado bem avançado, e tornou impossível determinar a causa da morte. A mina fica bem perto de Vail, a quase 160 quilômetros de Denver. Os investigadores acharam possível que o corpo de Julie Cunningham estivesse escondido lá, e a mina foi vasculhada, mas não encontraram mais nada.

E então terminou. Não houve mais vítimas; se houve, foram moças cujos desaparecimentos não foram relatados à polícia. Em cada jurisdição, os detetives tinham investigado parentes, amigos e criminosos sexuais conhecidos, e descartaram todos eles, através de testes de polígrafo ou álibis.

De todas as vítimas do oeste, nenhuma tinha cabelos curtos, e nenhuma podia ser descrita de qualquer outra maneira que não bonita. E nenhuma tinha a inclinação de ir embora por vontade própria com completos estranhos. Mesmo as garotas com hábito de pegar carona eram cautelosas. Ainda assim, há um denominador comum em quase todos os casos. Algo nas vidas das vítimas dera errado na ocasião em que desapareceram, algo que pode tê-las deixado distraídas e, portanto, transformando-as em presas fáceis para um assassino esperto.

Tanto Brenda Baker como Kathy Devine fugiam de casa, Lynda Ann Healy estivera doente, Donna Manson sofria de depressão, Susan Rancourt estava sozinha no campus à noite pela primeiríssima vez na vida. A doença do pai de Roberta Kathleen Parks a deprimira e chateara, e Georgann Hawkins andava extremamente preocupada com a prova final de espanhol. Janice Ott estava com saudade do marido, e deprimida por isso naquele domingo em julho. Denise Naslund se desentendera com o namorado. Das mulheres de Washington, apenas Brenda Ball estava a mesma pessoa amável de sempre na última vez que os amigos a viram. Ainda assim, clientes no Flame Tavern se lembram de que estava preocupada porque não conseguia carona para casa naquela noite.

Em Utah, Carol DaRonch era a garota ingênua que confiava demais, Laura Aime estava um pouco bêbada, e decepcionada com o fracasso de seus planos festivos para o Halloween, Debby Kent andava preocupada com o recente ataque cardíaco do pai, e procurava poupá-lo de qualquer ansiedade, e Melissa Smith estava inquieta com o "coração partido" da amiga, e é provável que pensasse na conversa quando foi embora da pizzaria.

As vítimas do Colorado também viviam de cabeça cheia. Caryn Campbell discutira com o noivo por causa da demora em marcar o casamento, e estava doente, um romance fracassado deprimira Julie Cunningham, Denise Oliverson brigara com o marido e Shelley K. Robertson discutira com o seu namorado no fim de semana antes de desaparecer. Os pensamentos de Melanie Cooley são desconhecidos.

O conselho mais básico dado a mulheres que precisam andar sozinhas à noite é: "Fiquem alertas, estejam atentas aos arredores, e andem depressa. Vocês estarão mais seguras se souberem para onde vão e se alguém que as observa sentir isso".

Será que o homem que abordara essas jovens tinha de algum modo adivinhado que se deparara com as vítimas no momento em que estavam particularmente vulneráveis, em que não estavam pensando com a mesma clareza de costume? Quase parece que sim. O predador que persegue a presa afasta o mais fraco do bando e então mata a seu bel-prazer.

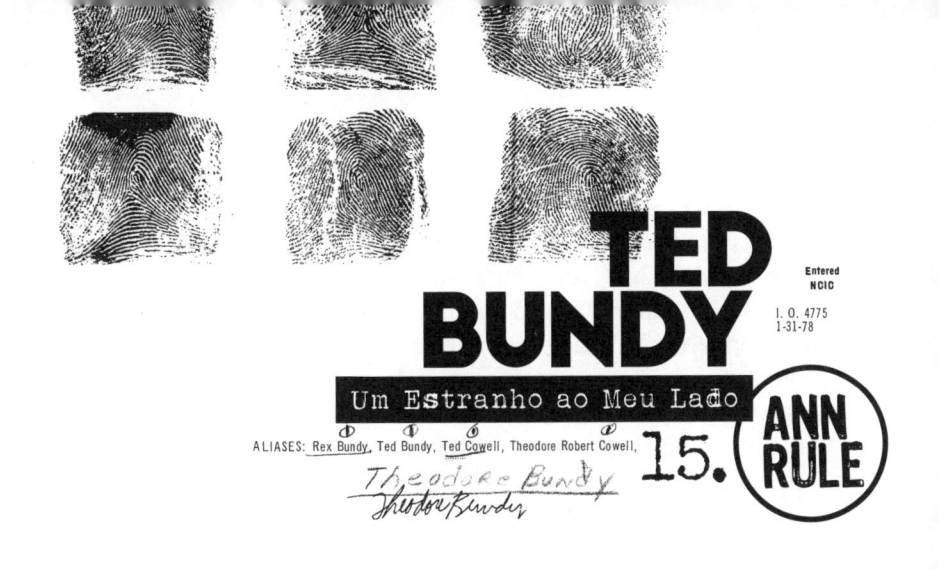

Quem não tem___
___um pé de cabra?

Em maio de 1975, Ted Bundy convidou alguns velhos amigos do Departamento de Serviços Emergenciais do Estado de Washington para visitá-lo no apartamento na First Avenue, em Salt Lake City. Carole Ann Boone Anderson, Alice Thissen e Joe McLean passaram quase uma semana com ele. Ted parecia de excelente humor, e gostou de levar os amigos para uma volta de carro pela região de Salt Lake City. Depois, os levou para nadar e andar a cavalo. Ele e Callie os levaram a uma boate gay certa noite. Alice ficou um tanto surpresa — embora Ted tenha dito que já estivera lá antes, parecia bastante desconfortável.

O trio de Washington considerou o apartamento de Ted muito agradável. Ele replicou a decoração que viu em algumas revistas. Na cozinha, ainda tinha a roda de bicicleta pendurada no gancho de açougue, que também usava para guardar facas e outros utensílios, como se fosse um móbile. Tinha ainda TV colorida e bom sistema de som, e punha Mozart para tocar durante cada refeição gourmet que preparava.

Durante a primeira semana de junho de 1975, Ted voltou para Seattle para plantar um jardim para os Rogers na antiga pensão, e passou grande parte do tempo com Meg. Ela ainda não tinha mencionado a conversa com a polícia do condado de King ou com a delegacia do condado de Salt Lake. Os casos das mulheres desaparecidas em Washington não eram mais destaque nos jornais locais.

Visto que nem o condado de King nem o Departamento de Polícia de Seattle podiam abrir mão dos detetives destacados para a força-tarefa no verão, quando tantos de seus investigadores estavam de férias, a força-tarefa seria desativada até setembro.

Meg e Ted decidiram se casar no Natal seguinte. Embora só tenham ficado juntos durante cinco dias em junho, fizeram planos para que fosse visitá-lo em Utah em agosto. Meg estava quase convencida de que estivera errada, que permitira que Lynn Banks anuviasse sua mente com suspeitas sem nenhuma base em fatos. O tempo, porém, estava encurtando, encurtando mais do que Meg ou Ted se davam conta.

Se alguma coisa incomodava a consciência de Ted Bundy naquele verão de 1975, ele não demonstrou. Trabalhava como segurança e gerenciava o prédio em que morava. Ainda que às vezes bebesse demais, isso não era nada incomum para universitários. Mas as notas na faculdade de direito continuaram a cair. Ele começava a não corresponder às expectativas de alguém com seu Q.I. e ambição ilimitada.

Por volta das 2h30 de 16 de agosto, o sargento Bob Hayward, veterano com 22 anos de serviço na Polícia Rodoviária de Utah, sujeito corpulento e com calvície a caminho, estacionou diante de uma casa no subúrbio de Granger, Utah. Bob Hayward é irmão do capitão "Pete" Hayward, o investigador-chefe da unidade de homicídios da delegacia do condado de Salt Lake, mas suas obrigações são bem diferentes. Como a Polícia Rodoviária do Estado de Washington, a de Utah lida apenas com controle de tráfego, mas Hayward tem o tipo de sexto sentido que muitos policiais experientes têm, isto é, a habilidade de notar algo que parece só um tantinho fora do lugar.

Naquelas horas amenas antes do amanhecer, Hayward notou o Fusca de cor clara passar diante de casa. A vizinhança é estritamente residencial, e ele conhecia quase todo mundo que morava ali perto, assim como os carros das pessoas que vinham visitá-los. Era raro haver movimento àquela hora, e se perguntou o que o Fusca fazia ali.

Hayward, que não saltara do carro, acendeu os faróis para pegar o número da placa do veículo estranho. De repente, as luzes do Fusca se apagaram e ele disparou em alta velocidade. Hayward logo deu início à perseguição. O Fusca passou por duas placas de pare e avançou para a via principal, a 3500 South.

Em pouco tempo, contudo, o carro desacelerou e Hayward se pôs bem atrás do veículo. O Fusca entrou no estacionamento do posto de combustível abandonado e parou. O motorista saiu, andou até a traseira do carro e sorriu. "Acho que estou perdido", disse com pesar.

Bob Hayward é rabugento, não o tipo de patrulheiro que um motorista irresponsável ou em alta velocidade gostaria de encontrar. Ele olhou com atenção o homem diante de si, sujeito que parecia ter por volta de 25 anos, usava jeans, pulôver preto de gola alta e tênis. Os cabelos eram um tanto longos e desgrenhados.

"Você passou por duas placas de pare. Posso ver a carteira de motorista e o documento do carro?"

"Claro." O homem entregou a identificação.

Hayward examinou a carteira de motorista. Tinha sido emitida para Theodore Robert Bundy no endereço na First Avenue, em Salt Lake City.

"O que você faz aqui a uma hora dessa?"

Bundy respondeu que tinha ido assistir a *Inferno na Torre* no drive-in Redwood, e voltava para casa quando se perdeu no bairro.

Foi a resposta errada. O drive-in que Bundy mencionou ficava na área de patrulha de Hayward, e passara por lá mais cedo aquela noite. *Inferno na Torre* não era o filme em cartaz.

Enquanto o robusto sargento e Bundy conversavam, dois policiais da polícia rodoviária encostaram na traseira da viatura de Hayward, mas permaneceram dentro do carro, observando. Hayward não parecia em perigo.

Hayward olhou para o Fusca e percebeu que, por alguma razão, o banco do carona fora retirado e depositado de lado no banco traseiro.

Se virou para Bundy e perguntou: "Você se importa que eu dê uma olhada dentro do carro?"

"Fique à vontade." O sargento viu o pequeno pé de cabra no chão, atrás do banco do motorista, e a bolsa aberta jogada na parte da frente. Ele passou o feixe da lanterna sobre a bolsa aberta e viu alguns dos itens do interior: máscara de esqui, pé de cabra, picador de gelo, rolo de corda e alguns cabos.

Pareciam ferramentas que poderiam ser usadas por arrombadores.

Hayward prendeu Ted Bundy por evasão policial, o revistou e o algemou. Então ligou para o condado de Salt Lake e pediu reforços de um detetive em serviço.

O policial Darrell Ondrak tinha ficado com o terceiro turno naquela noite e respondeu ao chamado para o número 2725 da W. 3500 South. Encontrou os patrulheiros Hayward, Fife e Twitchell à espera com Ted Bundy.

Bundy sustentou que não dera permissão para que o carro fosse revistado. Ondrak e Hayward o contradisseram.

"Eu nunca disse 'Sim, você tem permissão para revistar'", insistiu Ted. "Estava cercado por homens uniformizados: o sargento Hayward e dois patrulheiros, dois policiais uniformizados. Não estava tremendo de medo, exatamente, mas... mas senti como se não pudesse impedi-los. Estavam determinados, hostis, e fariam o que bem entendessem."

Ondrak olhou o interior da bolsa de lona. Viu o picador de gelo, a lanterna, luvas, pedaços rasgados de lençol, a máscara de esquiar de tricô e outra máscara — objeto grotesco feito com meia-calça. Buracos para os olhos tinham sido cortados na parte do forro, e as pernas estavam atadas na parte de cima. Também havia um par de algemas.

Ondrak verificou o porta-malas e encontrou algumas sacolas plásticas de lixo grandes e verdes.

"Onde você conseguiu todas essas coisas?", perguntou para Ted.

"São só lixo que peguei em volta da minha casa."

"Para mim parecem ferramentas usadas por um arrombador", disse Ondrak, sem rodeios. "Vou confiscar esses itens, e desconfio que o promotor público emitirá acusação de posse de ferramentas para invasão domiciliar." De acordo com Ondrak, Ted respondeu apenas: "Tudo bem".

O detetive Jerry Thompson encontrou Ted Bundy cara a cara cedo naquela manhã de 16 de agosto de 1975. Thompson, alto, bem-apessoado, talvez cinco anos mais velho que Bundy, viria a se tornar adversário importante mais tarde, mas naquele momento eles nem ao menos trocaram um olhar. Thompson tinha outras coisas para fazer, e Bundy estava determinado a cair fora e ir para casa. Ele foi posto sob liberdade provisória sem fiança.

Essa foi a primeira vez na vida adulta que Ted Bundy tinha sido preso, e em situação totalmente aleatória. Caso não tivesse passado diante da casa do sargento Bob Hayward, se não tivesse tentado fugir do policial em perseguição, teria chegado em casa em segurança.

Por que havia fugido?

No dia 18 de agosto, Thompson olhou os relatórios de prisão do fim de semana. O nome "Bundy" chamou sua atenção. Ele o tinha ouvido em algum lugar antes, mas não conseguia lembrar de onde. Nem mesmo sabia o nome do homem que fora detido no sábado de manhã, mas então se lembrou. Ted Bundy era o homem que a garota de Seattle denunciara em dezembro de 1974.

Thompson releu o relatório de prisão com atenção. O carro de Bundy era um Fusca de cor clara e a lista de itens encontrados no carro agora lhe parecia muito mais incomum. Pegou o relatório de DaRonch e o arquivo de Debby Kent.

As algemas encontradas no carro de Bundy eram da marca Jana. As algemas no pulso de Carol DaRonch eram Gerocal, mas se perguntou quantos homens tinham o costume de levar algemas consigo. Havia o pé de cabra, parecido com a barra de ferro com a qual DaRonch tinha sido ameaçada.

Ted Bundy tinha sido fichado com 1,80 m e 77 quilos. Estudava direito na Universidade de Utah... sim, foi isso que a namorada dele em Seattle também tinha dito. Ele fora preso em Granger, a poucos quilômetros de Midvale, onde Melissa Smith tinha sido vista com vida pela última vez.

Havia mais semelhanças, mais elementos em comum diante de Thompson do que tivera até o momento em seus dez meses tentando encontrar o homem com o Fusca — o "policial Roseland". Em 21 de agosto, Ted foi preso sob acusações adicionais: posse de ferramentas de invasão domiciliar. Não pareceu ficar visivelmente preocupado pela prisão, e deu explicações satisfatórias para os itens encontrados no carro. As algemas? Encontrou na caçamba de lixo. Usara a máscara de meia-calça embaixo da máscara de esqui como proteção contra os ventos gelados nas pistas de esqui. E quem é que não tinha pés de cabra, picadores de gelo e sacos de lixo? Pareceu achar divertido os detetives considerarem aquelas coisas ferramentas de invasão domiciliar.

Foi a postura que Ted Bundy viria a assumir repetidas vezes conforme os anos passavam. Era inocente, acusado de coisas impensáveis para ele.

A prisão feita pelo sargento Hayward, em 16 de agosto, foi o catalisador para uma intensa balbúrdia na delegacia do condado de Salt Lake durante o fim de agosto e setembro de 1975. O capitão Pete Hayward e o detetive Jerry Thompson acreditavam que tinham o homem responsável pelo sequestro de DaRonch, e suspeitavam que Ted Bundy poderia muito bem ser quem sequestrara Melissa, Laura e Debby.

Ted de pronto assinou o formulário de permissão para revistarem seu apartamento na First Avenue, e acompanhou Thompson e o sargento John Bernardo enquanto esquadrinhavam os cômodos asseados. Era uma busca sem mandado judicial, eles não estavam atrás de itens específicos. Em essência, isso significava que os detetives não tinham autoridade para retirar nada do apartamento de Ted, mesmo se encontrassem algo que acreditassem ser uma evidência. Se vissem algo suspeito, teriam que procurar um juiz e obter mandado de busca listando aqueles itens.

Thompson olhou para a roda de bicicleta suspensa no gancho de açougue, e para a variedade de facas que pendiam dela. Então olhou para a tábua de corte.

Acompanhando o olhar de Thompson, Ted disse com humildade: "Gosto de cozinhar".

Os detetives viram as fileiras de livros didáticos. Alguns meses depois, o detetive de Washington viria a comentar comigo que os investigadores de Utah tinham encontrado um "livro esquisito sobre sexo" na biblioteca de Ted. Quando mais tarde perguntei a Ted sobre isso, me contou que tinha *Os Prazeres do Sexo*, de Alex Comfort, e eu ri. Eu também tinha um exemplar, assim como milhares de outras pessoas. Não era exatamente no estilo de Krafft-Ebing.

Havia outros itens no apartamento, aparentemente inócuos, mas significativos para a investigação em andamento. Havia o mapa das regiões de esqui no Colorado, com o Wildwood Inn em Aspen marcado nele, e folheto do Centro de Recreação de Bountiful. Quando questionado, Ted respondeu que nunca estivera no Colorado, que um amigo deve ter deixado o mapa. Achava que poderia ter passado por Bountiful, Utah, de carro, mas que outra pessoa deixara o folheto no apartamento.

Thompson hoje em dia insiste que encontrou sapatos de couro envernizado no closet de Bundy naquela primeira visita, mas quando voltou depois, com o mandado de busca, eles tinham sumido. A TV e o sistema de som também foram removidos.

Se os dois detetives esperavam encontrar algo sólido para ligar Ted às vítimas de homicídio em Utah, ficaram desapontados. Não havia roupas, joias ou bolsas de mulher.

Quando terminaram de revistar todo o apartamento, Ted concordou em dar permissão para fotografarem o Fusca, estacionado atrás do edifício. Tinha amassados e pontos de ferrugem, e rasgo na parte de cima do banco traseiro.

Bernardo e Thompson foram embora. Acreditavam estar mais perto de desvendar a verdade, ainda que a atitude casual de Ted Bundy os deixasse um tanto desconcertados. Ele com certeza não parecia preocupado.

Uma das amigas de Ted em Salt Lake City era Sharon Auer. Ela o colocou em contato com John O'Connell, advogado de defesa alto e barbado que usava botas e chapéu de caubói. Respeitado na cidade dos mórmons, O'Connell de imediato colocou fim às conversas de Ted com os detetives. Telefonou para Thompson e disse que Bundy não se apresentaria no escritório no dia 22 de agosto, como tinha sido agendado.

Embora Ted não conversasse mais com os detetives, a foto tirada para o fichamento, com muitas outras, foram mostradas a Carol DaRonch e a Jean Graham, professora de teatro que vira o estranho pouco antes de Debby Kent desaparecer para sempre.

Dez meses haviam se passado e, ainda assim, a sra. Graham quase de imediato escolheu a foto de Bundy da pilha. A foto policial o mostrava barbeado. Ela disse que Ted Bundy era igual ao homem que vira, com exceção do bigode.

Carol DaRonch não foi tão categórica. Na primeira vez em que examinou a pilha de fotos, colocou a foto de Ted de lado, mas não fez nenhum comentário. Thompson então lhe perguntou por que separara aquela foto das outras, e ela pareceu reticente.

"Por que separou aquela?".

"Não tenho certeza. Parece ser ele... mas não posso dizer com certeza."

No dia seguinte, o detetive de Bountiful, Ira Beal, lhe mostrou a série de fotos de carteiras de motorista. Nesse grupo, Ted estava com a mesma aparência de dezembro de 1974, e parecia bem diferente do homem na foto da polícia tirada em agosto de 1975. Ted era homem com características de camaleão: a aparência mudava drasticamente em quase todas as fotos que tirava, aparentemente sem nenhum esforço consciente de sua parte.

Carol examinou o segundo conjunto de fotos. Dessa vez, escolheu a foto de Ted Bundy quase de imediato. Também comentou que estava de bigode quando o encontrou em 8 de novembro de 1974.

A identificação do Fusca de Bundy feita pela vítima de sequestro foi menos clara. Diversas vezes vira fotos do carro, e quando foi levada para ver o Fusca de Ted, o veículo tinha sido lixado, os pontos de ferrugem pintados e o rasgo na parte de trás do banco costurado. Também fora limpo e esfregado por dentro e por fora.

Ted Bundy nunca mais voltaria a escapar da constante atenção dos agentes da lei. Ele não estava na prisão, mas era como se estivesse. Unidades de vigilância o observaram continuamente durante setembro de 1975, e as engrenagens giravam nos bastidores. Os registros de compras de gasolina no cartão de crédito foram requisitados, o histórico escolar obtido por intimações e — provavelmente o passo mais desastroso em sua futura liberdade — os investigadores de Utah contataram sua noiva, Meg Anders.

16.

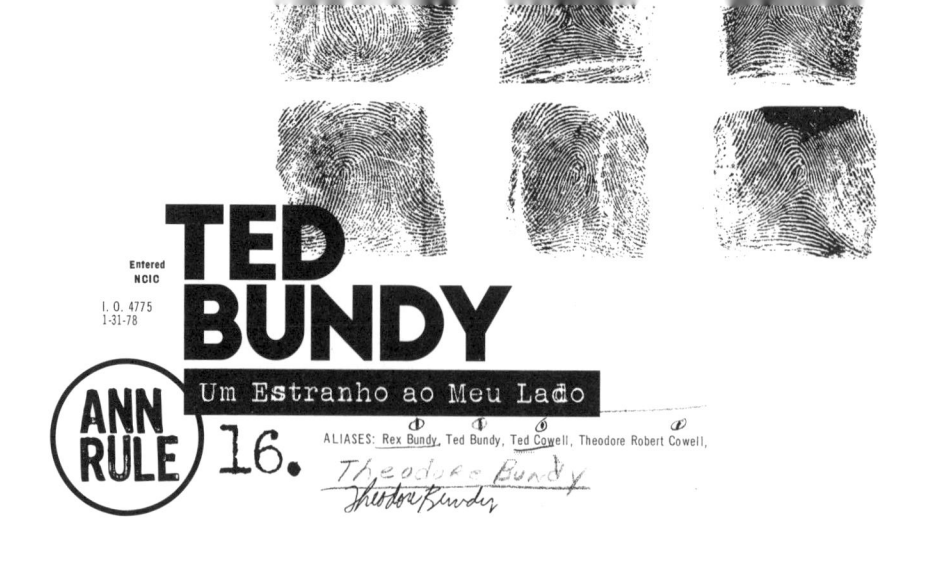

"Você vai ler___ _sobre mim nos jornais"

Eu não vira nem recebera mais notícias de Ted Bundy desde a festa de Natal da Clínica de Prevenção de Suicídio em dezembro de 1973. E então meu telefone tocou na tarde no fim de setembro de 1975. Era Ted, de Salt Lake City. Fiquei surpresa, mas feliz por ouvir sua voz. Senti uma pontada de culpa quando ele começou: "Ann, você é das poucas pessoas em quem posso confiar de verdade em Seattle".

Ótimo. Eu me lembrei de ter denunciado o nome dele para Dick Reed em agosto de 1974 e me perguntei o quão confiável iria me considerar se soubesse. Mas isso tinha sido há muito tempo, e não tivera notícias dele desde então. Queria lhe perguntar o que fazia em Salt Lake City, mas ele tinha outra coisa em mente.

"Ouça, você tem contato com a polícia. Poderia descobrir por que estão atrás de intimações para conseguir meus históricos escolares da faculdade de direito?"

Diversos pensamentos dispararam na minha cabeça. Por que agora? Por que depois de quinze meses? Será que Ted estava sendo investigado pelo que eu tinha feito tanto tempo atrás? Será que eu o implicara em alguma coisa que aparentemente o deixara muito preocupado? Nunca tinha ouvido falar de Carol DaRonch, Melissa Smith, Laura Aime ou Debby Kent. Estava completamente desinformada da investigação em Utah, e não parecia possível que a força-tarefa fosse esperar mais de um ano para investigar uma pista que forneci.

Respondi devagar. "Ted, é provável que possa descobrir, mas não posso ser dissimulada e teria de contar a eles quem quer saber."

"Sem problemas, só estou curioso. Vá em frente e diga que Ted Bundy quer saber." Ele me passou seu número e pediu para ligar a cobrar caso descobrisse alguma coisa.

Eu fitei o telefone na mão. Realmente não conseguia acreditar que a conversa simplesmente havia terminado. Ted soara exatamente como sempre: alegre e confiante. Pensei em ligar para a polícia de King. Nunca interferi em suas investigações, e hesitei naquele momento. Eram quase 16h e os detetives estariam saindo dos turnos em questão de minutos.

Telefonei para a Unidade de Crimes Hediondos do condado, e Kathy McChesney atendeu. Expliquei que Ted Bundy era velho amigo meu e que tinha acabado de me telefonar pedindo informações sobre a intimação. Houve longa pausa, e o fone foi coberto enquanto ela se consultava com alguém no escritório. Por fim, voltou à ligação.

"Diga a ele... diga que ele é apenas uma das 1.200 pessoas sendo verificadas, que é um inquérito de rotina."

Eles estavam enrolando — não a mim, mas Ted. Estivera envolvida com unidades de homicídios tempo suficiente para saber que não pediriam históricos de tantos suspeitos, e que alguma coisa com certeza estava acontecendo. Não discuti. Parecia claro que Kathy estava desconfortável. "Ok, vou dizer isso a ele."

Intimações não são emitidas sem causa provável. Claro, alguma coisa estava acontecendo, alguma coisa grande. Senti calafrios. Nem mesmo um roteiro para televisão poderia fazer com que fosse crível que a escritora de histórias policiais conseguisse assinar contrato para escrever um livro sobre o assassino e então fazer com que o suspeito fosse seu amigo íntimo. Ninguém cairia nessa.

Liguei de volta para Ted naquela noite e aguardei enquanto o telefone tocava. Depois de uns oito toques, atendeu, ofegante. "Tive de subir a escada correndo. Eu estava na varanda da frente", disse.

"Eu liguei para eles", comecei, "e me pediram para dizer que você é apenas um de aproximadamente 1.200 sujeitos que estão verificando."

"Ah... Ok, ótimo."

Ele não pareceu preocupado, mas me perguntei como alguém tão esperto como Ted poderia acreditar naquilo.

"Se você tiver outras perguntas, disseram que pode ligar diretamente para eles."

"Certo."

"Ted... o que está acontecendo por aí?"

"Nada demais. Bem, fui pego pela polícia rodoviária por uma coisinha de nada em agosto. Estão alegando que eu tinha ferramentas de invasão domiciliar no carro, mas a acusação não vai se sustentar."

Ted Bundy com ferramentas de invasão domiciliar? Impossível.

Mas prosseguiu. "Acho que estão com alguma ideia maluca de que eu estou ligado a alguns casos em Washington. Você se lembra de algo a respeito de umas garotas desaparecidas por aí?"

Claro que me lembrava. Convivia com aquilo desde janeiro de 1974. Ele alegou ter pouco conhecimento sobre os casos, e quase tinha se entregado com a última frase. Era como se tivesse me dito que era procurado por violação de trânsito em Washington. Não soube o que dizer, mas o que quer que estivesse acontecendo, precisava ser baseado em mais do que apenas o fato de eu ter sugerido seu nome à polícia.

"Vou fazer parte da fila de suspeitos amanhã", contou. "Vai ficar tudo bem. Caso contrário, você vai ler sobre mim nos jornais."

Eu não conseguia entender como uma fila de suspeitos em Utah poderia ter relação com os casos em Washington. Ted não tinha mencionado Carol DaRonch ou o caso de sequestro. Se fosse suspeito em Washington, faria parte da fila de suspeitos em Seattle. As únicas pessoas que possivelmente poderiam identificar o "Ted" de Washington eram as testemunhas do lago Sammamish. Mas algo me impediu de lhe fazer mais perguntas.

"Olha, obrigado. Vou manter contato", disse e nos despedimos.

Em 2 de outubro, dia outonal de dourado brilhante, estive no jogo de futebol americano do nono ano. Meu filho, Andy, começava à direita na linha de defesa. Ele quebrou o polegar na primeira jogada, mas o time dele venceu, e estávamos de bom humor quando paramos no McDonald's para comer hambúrgueres no caminho de casa.

Na volta para casa, no carro, liguei o rádio. Um boletim interrompeu a música: "Theodore Robert Bundy, ex-morador de Tacoma, foi detido hoje em Salt Lake City e acusado de sequestro qualificado e tentativa de lesão corporal".

Eu devo ter ofegado. Meu filho olhou para mim. "Mãe, qual é o problema?"

"É o Ted", consegui gaguejar.

"Não é aquele seu amigo da Clínica de Prevenção de Suicídio?"

"Sim. Ele me disse que leria sobre ele nos jornais."

Dessa vez, não haveria liberdade provisória sem fiança. Ela foi estabelecida em 100 mil dólares, e Ted foi encarcerado na prisão do condado.

O investigador Dick Reed me telefonou naquela noite. "Você estava certa!", exclamou.

Eu não queria estar certa. Não queria estar nem um pouco certa.

Dormi pouco naquela noite. Mesmo quando sugeri o nome de Ted para Reed, não o tinha visualizado de verdade como alguém capaz de agir com violência. Não tinha permitido que meus pensamentos fossem tão longe. Eu via Ted do modo como me lembrava dele, imaginava-o debruçado sobre os telefones da Clínica de Prevenção de Suicídio, ouvia a voz calorosa e solidária. Tentei imaginá-lo agora atrás das grades e não consegui.

Logo cedo na manhã seguinte, recebi um telefonema da Associated Press. "Temos mensagem para Ann Rule, transmitida de Salt Lake City através de nosso sistema de comunicação."

"Aqui é a Ann."

"Ted Bundy quer que você saiba que ele está bem, que tudo vai dar certo."

Agradeci, desliguei o telefone, mas ele tocou quase na mesma hora. Primeiro, um repórter do *Seattle Times* me perguntou da minha ligação com Ted Bundy. Era uma namorada secreta? O que poderia contar de Ted? Expliquei quem era — escritora, como o repórter que me ligou. "Escrevi diversos artigos para a *Sunday Times Magazine*. Você não reconhece o nome?"

"Ah, sim — Rule. Por que ele lhe enviou aquela mensagem através da AP?"

"Ele é um amigo e queria que eu soubesse que está bem."

Não quis que meu nome fosse citado porque ainda estava confusa demais pelo que aconteceu. "Apenas diga que o homem que conheço não pode ser responsável por nenhuma das coisas pelas quais é acusado."

O telefonema seguinte veio logo em seguida. Era o *Seattle Post-Intelligencer*, que também tinha captado a mensagem da Associated Press. Repeti o que contara ao repórter do *Times*.

Foi como se alguém tivesse morrido de repente. Pessoas que conheceram Ted da Clínica de Prevenção de Suicídio — Bob Vaughn, Bruce Cummins, John Eshelman — ligavam para conversar daquilo. E nenhum de nós acreditava que Ted fosse capaz de fazer o que tinha sido acusado de ter feito. Era impensável. Relembramos histórias de Ted, tentando convencer uns aos outros de que o que líamos nas exageradas manchetes não podia estar acontecendo.

Eu não sabia na época que Carol DaRonch, Jean Graham e a amiga de Debby Kent, Jolynne Beck, que vira o homem no auditório no dia 8 de novembro, tinham todas identificado Ted na fila de suspeitos em Utah, em 2 de outubro. Ted era suspeito, em pé na fila com outros sete homens, cercado por detetives. Todos na fila eram um pouco mais velhos, um pouco mais gordos do que ele. A questão iria emergir: será que essa fila de suspeitos foi justa?

• • •

Escrevi para Ted em 4 de outubro, lhe contando do apoio em Seattle, dos telefonemas dos amigos, das declarações favoráveis publicadas nos jornais de Seattle, e lhe prometi que continuaria a escrever. E concluí a carta: "Não há nada nesta vida que seja tragédia completa — nada —, tente se lembrar disso".

Em retrospecto, fico surpresa com a minha ingenuidade. Algumas coisas nesta vida *são* tragédias completas. A história de Ted Bundy pode muito bem ser uma delas.

Eu estava prestes a me tornar parte da vida de Ted de novo. Até hoje, não sei o que nos uniu. Foi mais do que meu zelo como escritora, foi mais do que sua tendência de manipular mulheres capazes de ajudá-lo. Existe uma ampla área cinzenta em algum lugar no meio que nunca fui capaz de definir com clareza.

Seu advogado, John O'Connell, me telefonou durante a primeira semana de Ted na cadeia, atrás de informações da investigação em Washington. Não pude lhe contar nada. Isso significaria trair minha responsabilidade para com os detetives em Seattle. Tudo o que *pude* fazer foi escrever para Ted. Quaisquer crimes que tenha cometido, quaisquer que fossem as coisas secretas que poderiam um dia ser reveladas, ele parecia precisar de alguém.

Começava a me sentir dividida.

E Ted começou a me escrever, cartas longas com garranchos em folhas amarelas de blocos de anotações. Sua primeira correspondência estava repleta de seu senso de deslocamento — cartas de alguém que nunca estivera na prisão. Ele mal podia acreditar. Estava atordoado e enfurecido pela situação complicada, mas aprendendo depressa as manhas para sobreviver lá dentro. Grande parte da prosa era pomposa e dramática ao extremo, mas ele *estava* preso na situação que parecia impossível a Ted Bundy, e com certeza podia ser perdoado por sua inclinação ao *páthos*.

"Meu mundo é a jaula", escreveu em 8 de outubro de 1975. "Quantos homens antes de mim escreveram essas mesmas palavras? Quantos se esforçaram em vão para descrever a cruel metamorfose que ocorre em cativeiro? E quantos chegaram à conclusão de que não há nenhuma palavra satisfatória para comunicar os sentimentos a não ser gritar: 'Meu Deus! Quero minha liberdade!'."

Seu colega de cela era veterano, na casa dos cinquenta anos, e Ted o via como "alcóolatra malfadado". O homem não perdeu tempo em começar a ensinar as manhas ao "garoto". Ted aprendeu a esconder cigarros e, quando eles acabavam, a enrolar os seus próprios. Aprendeu a quebrar os fósforos ao meio porque fósforos não duravam muito. Guardava laranjas, copos de isopor e papel higiênico, notou que dependia dos caprichos dos guardas para todas as coisinhas que deixavam a vida na prisão um pouco mais suportável. Aprendeu a dizer "por favor" e "senhor" quando queria telefonar ou precisava de cobertor e sabonete adicionais.

Ele escreveu que crescia como pessoa e descobria novas coisas sobre si mesmo. Aprendia com base na observação silenciosa dos colegas detentos. Elogiou a lealdade dos amigos e se preocupou com a forma com que a publicidade que o cercava atingiria àqueles próximos a ele. Ainda assim, nunca perdeu de vista um final feliz.

> As horas noturnas são as horas difíceis. Eu as deixo mais
> fáceis pensando na construção a ser feita quando a tempestade
> passar. Eu vou me libertar. E, algum dia, Ann, você e eu
> vamos ver esta carta como o bilhete de um pesadelo.

Era o bilhete de um pesadelo. As frases rebuscadas, muitas vezes clichês, não podiam ser afastadas do fato de que estar trancafiado era um tipo de inferno para Ted.

Continuei escrevendo para ele, e a lhe enviar alguns cheques com pequenas quantias que conseguia guardar para que tivesse dinheiro para cigarros e a cantina. Não sabia no que acreditar, e todas as minhas cartas eram repletas de termos deliberadamente ambíguos. Continham informações do que aparecia na imprensa local, detalhes do que estava escrevendo e dos telefonemas de amigos em comum. Tentei bloquear as imagens que de tempos em tempos dominavam minha mente e a abalavam. Era a única maneira que tinha para poder reagir a Ted como costumava fazer.

A segunda carta da Penitenciária do Condado de Salt Lake chegou em 23 de agosto, e grande parte dela era um poema, incontáveis estrofes sobre a vida na prisão. Ele ainda era apenas um observador — e não participante. O poema divagava em ambos os lados de dezesseis páginas de papel amarelo de bloco de anotações.

Ele o chamou de "Noites de Dias", e começava:

    Isto não é viver
        O homem livre deve ser
    Esse homem eu devo ser.

A métrica costumava falhar, mas todas as palavras rimavam à medida que mais uma vez se queixava da falta de privacidade e da culinária da prisão, dos onipresentes *game shows* e novelas na televisão da sala de recreação, programas que chamava de "câncer visual de cérebro".

Escreveu, como viria a fazer com muita frequência, sobre a crença em Deus. Nunca tínhamos conversado sobre religião, mas agora Ted, ao que parecia, passava bastante tempo lendo a Bíblia.

    O sono demora a chegar
        Palavras do sagrado vou interpretar
        As escrituras paz trarão
        Elas me falam de libertação
        Para perto de Deus elas trazem
        Aqui nesta estranha paragem
        Mas o presente d'Ele é tão claro
        Descubro que Ele está ao meu lado
        Misericórdia e redenção
        Sem nenhuma exceção
        Ele me deixa à vontade
        Carcereiro, faça o que tiver vontade
        Nenhum mal pode me derrubar
    Quando o Salvador me chamar.

O poema interminável falava de outra libertação. *Dormir*. Ele podia esquecer o pesadelo que vivia, as grades e os gritos dos outros detentos, quando dormia, então cochilava sempre que dava. Estava preso no "mar de humanos enjaulados".

Passava com facilidade da Bíblia para o cardápio da prisão, e aí, um pouco do antigo senso de humor emergiu.

    Me faz querer morrer
        Comida dos animais do zoológico comer
        Esta noite tem costeleta de porco
        O judeu ficou louco
        Eu dei a minha embora
        Ele ainda tivesse o rabo de fora
        E depois a sobremesa ele pôs de lado
        O cozinheiro, aquele velho descarado
        Com doce nos surpreendeu
    Pêssego na gelatina escondeu.

Durante todos os dias vindouros na prisão, ele iria desprezar a gelatina. Quanto aos outros internos da prisão, Ted os considerava infantis — "Crianças crescidas".

    Alguns devem acreditar
        Que nasceram para enganar
        Fazer o dinheiro dobrar
        Que do banco vieram a tirar
        Não querem se dedicar
        A nos eixos entrar
        A não ser no tribunal
        Eles recorrem afinal
        A fazer uma apelação
    Por uma vida nova e perdão.

Sua própria provação interior emergiu no fim do poema. O medo da "jaula" estava ali.

    Dias de glória
        O autocontrole me apoia
        A cabeça não perco
        Bondoso não é o pânico...
        Dias de glória
    Minha integridade é uma joia.

Será que esse poema foi planejado? Algo para tirar proveito da minha compaixão, que na verdade não precisava de nenhum estímulo? Ou será que era um desabafo da angústia de Ted? No outono de 1975, estava terrivelmente confusa. Por um lado, importunada por detetives que tinham certeza de que Ted era culpado até o último fio de cabelo, por outro, pelo próprio homem, que insistia repetidas vezes ser inocente e perseguido. Essa dicotomia de emoções ficariam comigo por um longo, longo tempo.

Na época, ainda sentia que eu poderia ter causado a prisão de Ted. Descobri anos depois que minhas informações foram verificadas e descartadas desde o começo, e então soterradas sob milhares de tiras de papel com nomes escritos. Não eram as minhas dúvidas, mas as de Meg, que o tinham empurrado contra a parede.

Minhas lealdades conflitantes ameaçavam me custar parte vital da minha renda. Ouvi dizer que a polícia do condado de King queria aquelas duas cartas que sabiam que Ted me enviara, e que, se não as entregasse, poderia dizer adeus às histórias que recebia daquele departamento. Isso queria dizer que um quarto do meu trabalho seria cortado, e simplesmente não podia arcar com isso.

Fui direto a Nick Mackie. "Ouvi boatos de que, se não entregar as cartas de Ted à força-tarefa, as portas serão fechadas para mim. Acho que devo contar a você o que sinto com franqueza, e o que está acontecendo na minha vida."

Contei a Nick que tinha descoberto que o pai dos meus filhos estava morrendo, que era questão de semanas ou poucos meses, no máximo. "Acabei de ter que explicar isso aos meus filhos, e eles não querem acreditar. Eles me odeiam porque tive de colocar os fatos em palavras para prepará-los. Ele está tão doente que não tenho mais nenhum apoio financeiro dele, e estou tentando ganhar a vida sozinha. Se não puder escrever sobre os casos do condado, não acho que vou conseguir dar conta."

Mackie é incrivelmente justo. Mais do que isso, pôde sentir empatia por mim. Criava dois filhos sozinho, pois perdera a esposa alguns anos antes. O que eu estava contando a ele tocou no ponto fraco. E éramos amigos havia anos.

"Ninguém jamais disse que você seria banida deste departamento, não permitiria isso. Você sabe que pode acreditar em mim. Sempre foi justa conosco, e a respeitamos por isso. Claro, gostaríamos de ver essas cartas, mas quer você as entregue ou não, as coisas vão continuar como sempre foram."

"Nick", disse com honestidade. "Eu li aquelas cartas várias vezes e não consigo encontrar nada nelas que faça Ted parecer culpado, nem mesmo lapsos inconscientes. Se me deixar perguntar a ele se vocês podem vê-las, e ele concordar, vou trazê-las aqui na mesma hora. Essa é a única maneira justa que consigo pensar para fazer isso."

Nick Mackie concordou. Telefonei para Ted e expliquei meu problema, e ele respondeu que, claro, devia deixar os detetives do condado verem as cartas. Ele não tinha nada a temer, nada para esconder. Eu me encontrei com Mackie e com o dr. John Berberich, o psicólogo do Departamento de Polícia de Seattle, e estudaram a primeira carta e o segundo poema longo. Não parecia haver nada inerente ali que fosse confissão subconsciente ou manifestação de culpa.

Berberich, que tem a constituição de um jogador de basquete, conversou comigo e com Mackie durante o almoço. Será que havia alguma coisa que fosse capaz de me lembrar da personalidade de Ted que tivesse me deixado desconfiada? Qualquer coisa que fosse? Vasculhei as lembranças dos anos passados e não consegui encontrar nada. Não havia o menor incidente que fosse do qual pudesse falar. "Ele me parecia ser um jovem particularmente agradável", respondi. "Eu quero ajudar. Quero ajudar a investigação e quero ajudar Ted, mas não existe nada de estranho nele — nada que tivesse visto. Ted é filho ilegítimo, mas parece ter aceitado isso."

Pensei que Ted poderia parar de entrar em contato comigo depois de mostrar as cartas aos detetives. Ele sabia que eu sempre andava nos círculos dos mesmos detetives que tentavam pegá-lo em momento de descuido. Mas suas correspondências continuaram, e minha ambivalência chegou ao nível em que eu trabalhava sob mais estresse do que era capaz de suportar.

Na tentativa de compreender meus sentimentos, de lidar com aquele estresse, consultei um psiquiatra. Eu lhe entreguei as cartas.

"Não sei o que fazer. Nem mesmo sei quais são minhas motivações de verdade. Parte de mim se pergunta se Ted Bundy é culpado, não apenas dos casos em Utah, mas dos casos aqui em Washington. Se isso for verdade, então posso escrever o livro para o qual assinei o contrato, e escrevê-lo da posição que qualquer escritor invejaria. Quero isso, de forma egoísta, para minha própria carreira, e porque representaria minha independência financeira. Poderia mandar meus filhos para a faculdade e mudar para uma casa que não estivesse caindo aos pedaços."

Ele me olhou. "E...?"

"E, por outro lado, o homem é meu amigo. Mas será que o estou apoiando emocionalmente, escrevendo para ele, porque simplesmente quero solucionar todos aqueles homicídios, porque devo alguma coisa aos meus amigos detetives também? Estou, em essência, armando para ele? Estou sendo injusta? Tenho o direito de me corresponder com Ted mesmo com a impressão incômoda de que pode ser culpado? Estou sendo honesta com ele?"

"Deixe-me lhe fazer uma pergunta", contrapôs o psiquiatra. "Se for provado que Ted Bundy é o assassino, se pegar prisão perpétua, o que faria? Pararia de escrever para ele? Você o abandonaria?"

A resposta era fácil. "Não! Não, sempre escreveria para ele. Se o que os detetives acreditam for verdade, se for culpado, então vai precisar de alguém. Se isso pesar na consciência dele... Não, continuaria a escrever para ele, manteria contato."

"Então aí está a resposta: você não está sendo injusta."

"Tem outra coisa. Não consigo entender por que Ted se comunica comigo agora. Eu não o via ou recebia notícias dele havia quase dois anos. Eu sequer sabia que se mudara de Seattle até me ligar, pouco antes de sua prisão. Por que eu?"

O psiquiatra tamborilou os dedos sobre as cartas. "Com base no que ele escreveu, acredito que Ted Bundy aparentemente enxerga você como amiga, talvez como algum tipo de figura materna. Ele precisa se comunicar com alguém que acredite estar em seu nível intelectual, e admira você como escritora. Existe a possibilidade de um aspecto mais manipulador. Ele sabe que você é íntima da polícia, e pode querer usá-la como ligação, sem que o próprio Ted precise falar com eles. Se cometeu esses crimes, é provável que seja exibicionista, e um dia vai querer que sua história seja contada. Ele sente que você faria isso da maneira que o retrataria por completo."

Eu me senti um pouco melhor depois dessa visita. Tentaria não olhar para o futuro, mas continuaria a me comunicar com Ted. Ele sabia a respeito do meu contrato para o livro. Eu não tinha mentido. Se escolheu se manter próximo de mim, então iria deixá-lo dar as cartas.

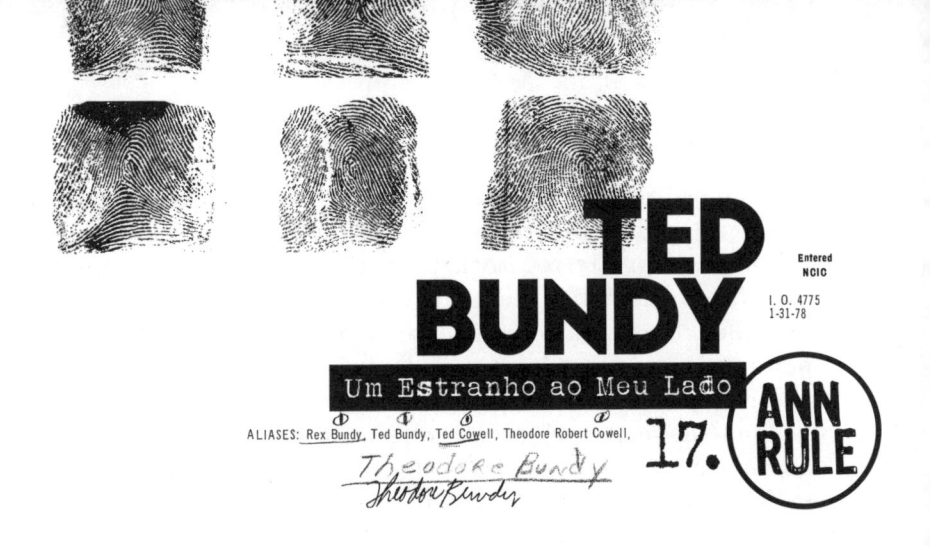

As suspeitas de Meg

Se eu me sentia culpada e um tanto desleal com Ted durante o outono de 1975, Meg Anders sofria o inferno na pele. As informações que passara à delegacia do condado de Salt Lake tinham sido desconsideradas até a primeira prisão de Ted, em 16 de agosto. Agora, os investigadores de Utah, Colorado, e Washington estavam ansiosos para saber tudo o que Meg se lembrava de Ted, todos os pequenos detalhes e informações que a tinham feito suspeitar dele. Tentavam encontrar o responsável pela série mais brutal de assassinatos da qual conseguiam se lembrar, e parecia de fato se tratar de Ted Bundy. A privacidade de Ted e Meg não importava mais.

Meg gostou de Ted desde o momento em que o conheceu no Sandpiper Tavern. Nunca tinha sido capaz de compreender o que o fez ficar com ela. Durante grande parte da vida, teve a sensação esmagadora de fracasso, sempre tinha se sentido como a única pessoa da família que não atendera às expectativas. Todo mundo, a não ser Meg, tinha profissão de prestígio, e ela se considerava "apenas uma secretária". O amor de um homem brilhante como Ted tinha ajudado a aliviar o sentimento de inferioridade, e agora estava prestes a ver aquele relacionamento exposto a um escrutínio inclemente.

Nem os investigadores do condado de Salt Lake nem os agentes da força-tarefa de Seattle gostaram de submeter Meg Anders ao que era necessário: interrogatório para sondar detalhes mais íntimos de sua vida e a demolição lenta de tudo o que construíra nos últimos seis anos. Mas uma coisa era óbvia: Meg Anders sabia mais a respeito do misterioso Ted Bundy do que qualquer pessoa viva, com a possível exceção do próprio Ted.

Em 16 de setembro, Jerry Thompson e Dennis Couch da delegacia do condado de Salt Lake e Ira Beal do Departamento de Polícia de Bountiful, Utah, voaram para Seattle para conversar com Meg. Primeiro, conversaram com o pai dela em Utah, que sugeriu ser de importância inestimável para a investigação se conversassem com ela diretamente.

Thompson estava ciente de que as dúvidas de Meg quanto a Ted tinham precedido os homicídios em Utah, e remetiam aos desaparecimentos de Janice Ott e Denise Naslund em julho de 1974.

Os três detetives de Utah se reuniram com Meg na sala de interrogatório nos escritórios da Unidade de Crimes Hediondos da Polícia do Condado de King. Notaram o nervosismo causado pela tensão emocional que ela enfrentava. Mas também viram que parecia determinada a expor todas as informações que a tinham levado, afinal, à polícia.

Meg acendeu o cigarro e declarou com firmeza que não queria que os procedimentos fossem gravados em fita.

"Ted saía bastante no meio da noite", começou. "E não sabia aonde ele ia. Então cochilava o dia todo. E encontrei coisas... coisas que não conseguia entender."

"Que tipo de coisas?"

"Uma chave de roda com fita adesiva até a metade embaixo do banco do meu carro. Ele disse que era para a minha proteção. Gesso no quarto dele. Muletas. Uma faca oriental em uma espécie de estojo de madeira que guardava no porta-luvas do meu carro. Às vezes, ela estava lá, mas nem sempre. Ele também tinha um cutelo, eu o vi guardá-lo na mala quando se mudou para Utah."

Relatou que Ted nunca estivera com ela nas noites em que as garotas em Washington tinham desaparecido. "Depois que vi os retratos falados de 'Ted' no jornal, em julho de 1974, pesquisei as edições antigas dos jornais na biblioteca para obter as datas do desaparecimento das garotas, verifiquei o calendário e os cheques compensados, e ele... bom, ele nunca estava por perto nesses dias."

Meg contou que ficara com mais medo depois que a amiga, Lynn Banks, voltou de Utah em novembro de 1974. "Ela chamou minha atenção para o fato de que os casos de lá eram iguaizinhos aos daqui, e disse: 'Ted está em *Utah* agora'. Foi quando liguei para meu pai e pedi para ele entrar em contato com vocês naquelas bandas."

Enquanto acendia outro cigarro, Meg perguntou a Thompson: "Vocês vão falar para o Ted que contei tudo isso?".

"Não, não vamos", prometeu. "E você? Você vai contar a ele?"

"Acho que não. Eu fico rezando e rezando para que vocês descubram a verdade. E acho que torço para descobrirem que não é o Ted, que é outra pessoa... mas bem lá no fundo, não tenho certeza."

Quando lhe pediram para explicar as dúvidas em detalhes, Meg falou do gesso no quarto de Ted na pensão de Freda Rogers. "Eu o questionei sobre isso e ele me contou que o tinha roubado da fornecedora de equipamentos médicos onde trabalhava, e que não sabia por que o fizera. 'Só por diversão', me disse. Explicou que as muletas eram do senhorio."

Meg disse que em outra ocasião encontrara um saco de papel cheio de roupas femininas no quarto de Ted. "O item de cima era um sutiã de tamanho grande. O resto, apenas roupas, mas roupas femininas. Nunca perguntei sobre aquilo, porque estava com medo e um pouco envergonhada."

Os detetives perguntaram a Meg se Ted tinha mudado de alguma maneira nos últimos doze meses mais ou menos, e ela lhes contou que seu interesse sexual diminuíra a quase nada durante o verão de 1974. Contou também das explicações a respeito da pressão no trabalho. "Disse que não havia outra mulher."

As perguntas eram dolorosamente embaraçosas para Meg.

"Ele mudou seus interesses sexuais?"

Ela abaixou o olhar. "Ele comprou um livro, o tal de *Os Prazeres do Sexo*, algum dia em dezembro de 1973. Leu sobre relação anal e insistiu em experimentar. Não gostei, mas consenti. Então tinha alguma coisa naquele livro sobre *bondage*. Ele foi direto até a gaveta onde guardava minhas meias-calças e parecia saber onde procurar."

Meg contou que se deixou amarrar às quatro hastes da cama com as meias-calças de náilon antes de transarem, mas achou a experiência repugnante. Consentira aquilo três vezes, mas, durante a terceira vez, Ted começou a estrangulá-la e ela entrou em pânico. "Não quis mais aquilo. Ele não disse muita coisa, mas ficou descontente comigo quando eu disse 'Já chega'."

"Mais alguma coisa?"

Meg estava mortificada, mas continuou. "Às vezes, depois que pegava no sono à noite, acordava e o encontrava embaixo das cobertas. Ele observava... o meu corpo... com a lanterna."

"O Ted gosta do seu cabelo como está agora?", perguntou Ira Beal. O cabelo de Meg era comprido e liso, repartido ao meio.

"Sim. Sempre que falo em cortá-lo, fica bastante nervoso. Ele gosta muito de cabelos compridos. A única garota que vi — com certeza — que tinha namorado além de mim, tem cabelos iguais aos meus."

Os três detetives se entreolharam.

"O Ted sempre te conta a verdade?", perguntou Thompson.

Meg fez que não com a cabeça. "Eu o peguei em várias mentiras. Ele me contou que foi preso lá por violação de trânsito, e eu disse que sabia que isso não era verdade e que havia itens no carro que pareciam ser ferramentas para invadir casas. Ele só disse que não significava muito, que a revista foi ilegal."

Também lhes contou que Ted tinha roubado no passado. "Roubou uma televisão em Seattle e algumas outras coisas. Uma vez, só uma, me disse que se algum dia contasse para alguém sobre isso, ele... quebraria a porra do meu pescoço."

Meg disse que estava em contato com Ted, que conversaram na noite anterior, e ele voltara a agir da maneira carinhosa de sempre, dizendo-lhe o quanto a amava, planejando o casamento. "Ele precisa de dinheiro: setecentos dólares para o advogado, quinhentos para a mensalidade da faculdade. E ainda deve quinhentos dólares para Freda Rogers."

Ela também sabia que Ted, quando tinha dezoito ou dezenove anos, descobrira por um primo que era filho ilegítimo. "Isso o deixou bastante transtornado porque ninguém tinha lhe contado isso antes."

"Ted usa bigode de vez em quando?", perguntou Beal de repente.

"Não, às vezes usa a barba cheia. Ah, ele tinha um bigode falso. Guardava-o na gaveta. Às vezes o colocava e me perguntava se ficava bem de bigode."

O interrogatório chegou ao fim. Meg fumou um maço inteiro de cigarros e havia implorado para que os investigadores de Utah lhe dissessem que Ted não estava envolvido, mas não podiam fazer isso.

A imagem de Ted Bundy que surgia era muito diferente daquela do filho perfeito, do protótipo moderno de herói de Horatio Alger.

Meg Anders estava enfrentando uma vida dupla, algo que lhe era intolerável, mas que parecia ser o modo padrão de Ted. Conversava com ele por telefone com frequência, e Ted minimizava o interesse que a polícia tinha nele, ainda que, enquanto falava, estivesse sob constante vigilância dos oficiais de Utah. E ela continuava a responder os detetives que tentavam situá-lo naqueles períodos de tempo essenciais, alguns dos quais ocorridos um ano e meio antes.

O dia 14 de julho de 1974 foi um dia infame em Washington — o dia em que Janice Ott e Denise Naslund tinham desaparecido do Parque Estadual do Lago Sammamish.

Meg se lembrava daquele domingo. "Nós discutimos na noite anterior e fiquei surpresa ao vê-lo naquela manhã. Ele foi para a minha casa. Eu lhe contei que estava indo para a igreja e que depois planejava me deitar ao sol, e brigamos de novo naquela manhã. Simplesmente não estávamos nos dando bem. Fiquei bastante surpresa ao vê-lo mais tarde."

Ted ligou para Meg em algum momento após as 18h e a convidou para comer fora.

"Havia alguma coisa diferente nele naquela noite?"

"Parecia exausto, realmente esgotado. Estava com um resfriado forte. Eu lhe perguntei o que tinha feito durante o dia, porque estava muito cansado, e respondeu apenas que ficou à toa."

Ted havia retirado o suporte para esquis do carro — suporte de Meg — e o recolocado no carro dela naquela noite. Depois que saíram para comer, adormeceu no chão da casa dela e voltou para a dele às 21h15.

Beal e Thompson se perguntaram se era possível. Será que um homem poderia deixar a namorada na manhã de domingo, sequestrar, estuprar e matar duas mulheres, e então retornar casualmente para ver a namorada e levá-la para jantar? Voltaram a questionar Meg sobre os impulsos sexuais de Bundy. Ele era — os policiais tentaram perguntar de maneira delicada — o tipo de homem que normalmente tinha diversos orgasmos enquanto faziam amor?

"Ah, muito tempo atrás, quando começamos a sair. Mas não, não ultimamente. Ele é apenas normal."

Thompson tomou a decisão: sacou a foto com todos os itens encontrados no carro de Ted quando fora preso pelo sargento Bob Hayward em 16 de agosto. Meg os analisou.

"Você viu alguma dessas coisas alguma vez?"

"Nunca vi o pé de cabra, mas já vi as luvas e a sacola de ginástica. Geralmente, está vazia. Ele leva os equipamentos esportivos nela."

"Alguma vez o confrontou a respeito da chave de roda com fita adesiva que encontrou no seu carro?"

"Sim, ele disse que nunca se sabe quando você vai ficar preso no meio de uma revolta estudantil."

"Onde ficava guardada?", perguntou Thompson.

"Normalmente, no porta-malas do meu carro. Ele pegava meu carro emprestado muitas vezes. Também era um Fusca, e era marrom. Certa vez, vi a chave de roda embaixo do banco dianteiro."

Meg se lembrou que com frequência Ted dormira no carro diante de sua casa. "Não sei o motivo, só ficava lá. Isso foi muito tempo atrás, e teve a chave de roda, ou algo do tipo, que deixou na minha casa certa noite. Eu o ouvi voltar e abri a porta para ver o que queria. Ted parecia bastante enjoado, como se escondesse algo e perguntei: 'O que tem no bolso?'. Ele não quis me mostrar. Enfiei a mão no bolso dele assim mesmo e tirei um par de luvas cirúrgicas. Esquisito. Ele não disse nada. Parece incrível agora que não tenha simplesmente dito para ele: 'Vá embora'."

Era esquisito. Mas, até os eventos de 1974 e 1975, Meg nunca tinha conectado os hábitos noturnos de Ted a algo específico. Assim como muitas mulheres apaixonadas, tinha apenas empurrado tudo para fora da sua cabeça.

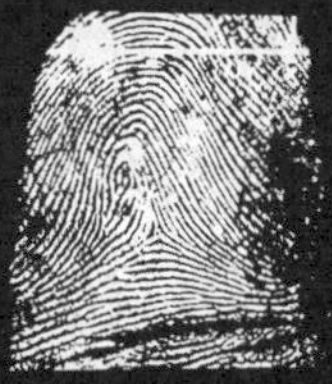

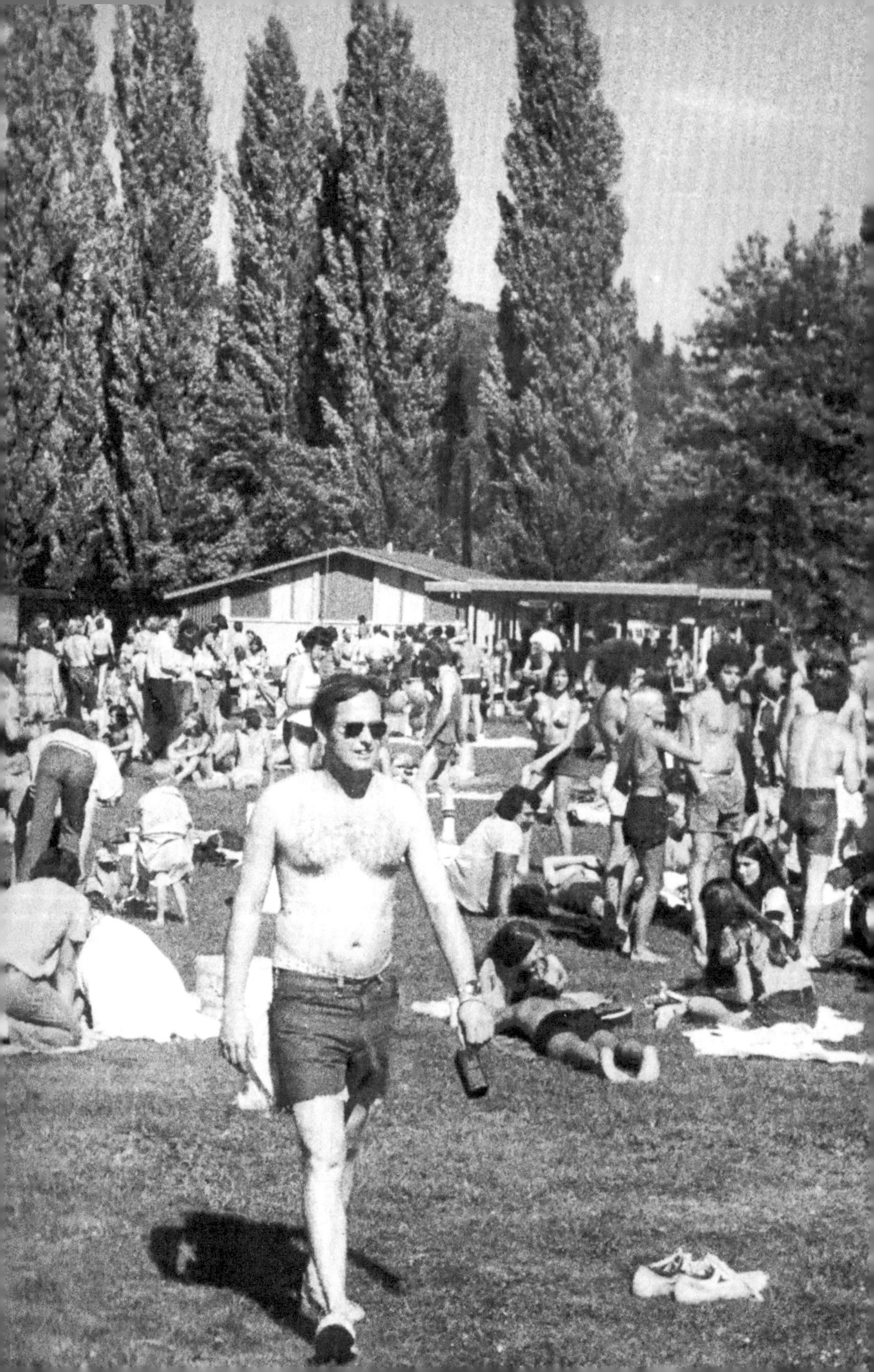

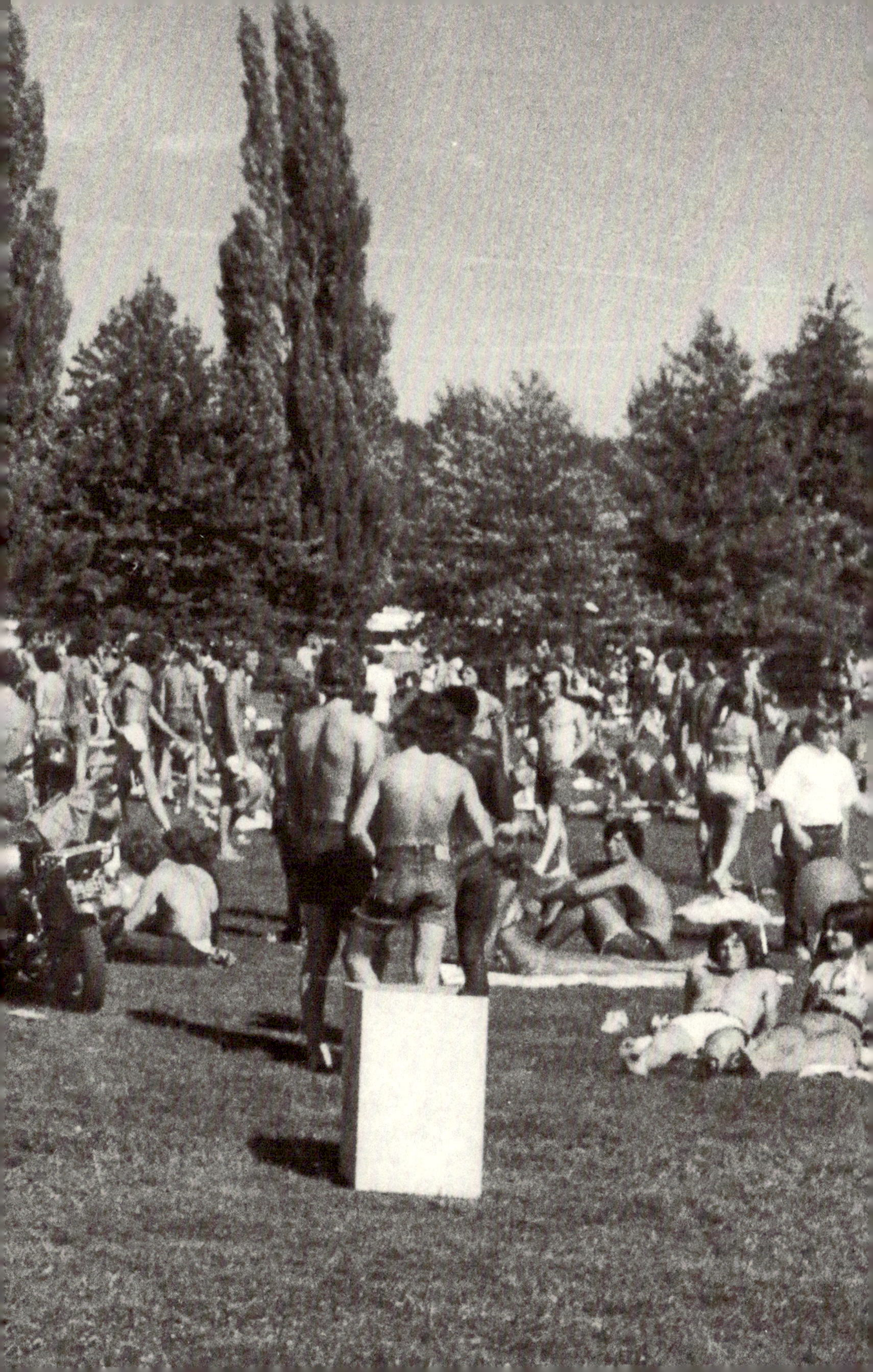

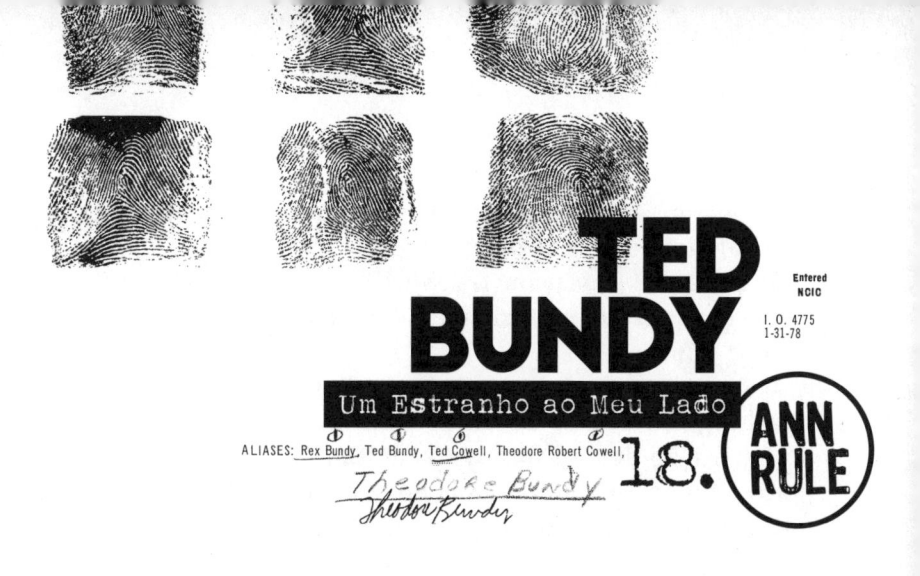

18. A imagem perfeita se quebra

Ted me escreveu em outubro de 1975 e disse que se sentia "no olho do furacão", e, de fato, ele estivera no centro de um tipo de tempestade desde a prisão, em meados de agosto. Eu não tivera notícias dele desde que me telefonou no final de setembro, e ele fez pouco caso de tudo, assim como o fez ao falar com Meg e outros amigos de Washington.

Passaria muito tempo até que eu descobrisse a investigação realizada ao longo de todo o outono. Muito de vez em quando, nos anos seguintes, um detetive deixaria alguma coisa escapar e então acrescentaria apressadamente: "Esqueça que eu disse isso". Eu não esquecia, mas não contava para ninguém o que tinha ouvido, e com toda certeza não escrevia nada sobre isso. De tempos em tempos, alguns fragmentos de informações vazavam para a imprensa, mas a história completa viria a ser conhecida apenas após o julgamento em Miami, dali a quatro anos. E como eram apenas fragmentos da história, tentei me abster de fazer julgamentos.

Caso Ted fosse um completo estranho para mim — como todos os outros suspeitos sobre os quais escrevi —, poderia me resolver com meus sentimentos mais cedo. Não acredito que tenha sido porque estava confusa, pois mentes melhores do que a minha continuaram a apoiá-lo.

Enquanto escrevia sobre outros predadores, me peguei imaginando se algum daqueles homens poderia ser responsável pelos homicídios dos quais acusavam Ted. Verifiquei para ver onde estavam nas datas em questão, mas cada um deles tinha álibis sólidos no período dos crimes de "Ted".

No outono de 1975, havia mais de uma dúzia de detetives em Washington, Utah e Colorado trabalhando em tempo integral na investigação de Ted Bundy: o capitão Pete Hayward e o detetive Jerry Thompson da delegacia do condado de Salt Lake; o detetive Mike Fisher da promotoria do condado de Pitkin em Aspen, Colorado; o sargento Bill Baldridge da delegacia do condado de Pitkin; o detetive Milo Vig da delegacia do condado de Mesa, em Grand Junction, Colorado; o tenente Ron Ballantyne e o detetive Ira Beal do Departamento de Polícia de Bountiful, Utah; o capitão Nick Mackie e os detetives Bob Keppel, Roger Dunn e Kathy McChesney, da delegacia do condado de King, Washington; o sargento Ivan Beeson e os detetives Ted Fonis e Wayne Dorman, da Unidade de Homicídios da Polícia de Seattle.

Ted declarou a Jerry Thompson e John Bernardo que *nunca* estivera no Colorado, e inventou desculpas para explicar mapas e folhetos das regiões de esqui ao dizer: "Alguém deve tê-los deixado no meu apartamento".

Mike Fisher, ao verificar os comprovantes do cartão de crédito de Bundy, descobriu que não era verdade. Além disso, foi capaz de situar o Fusca de Bundy com dois conjuntos diferentes de placas no Colorado nos exatos dias e a poucos quilômetros dos locais em que as vítimas desapareceram naquele estado.

As duplicatas dos registros da rede de postos de combustíveis Chevron Oil Company mostraram que Ted tinha comprado gasolina como se segue: 12 de janeiro de 1975 (o dia em que Caryn Campbell desapareceu do Wildwood Inn), em Glenwood Springs, Colorado; 15 de março de 1975 (o dia em que Julie Cunningham saiu para sempre de seu apartamento), em Golden, em Dillon e em Silverthorne, no Colorado; 4 de abril de 1975, em Golden, Colorado; 5 de abril em Silverthorne; 6 de abril (o dia em que Denise Oliverson desapareceu) em Grand Junction, Colorado.

Mas "Ted" fora visto apenas uma vez, no Parque Estadual do Lago Sammamish, em 14 de julho de 1974. Os detetives do condado de King desenharam o máximo da vida de Ted Bundy que conseguiram. Foi por isso que os registros da faculdade de direito foram requisitados via intimação. Como a investigação sobre Ted tinha sido realizada com o mínimo de alarde, a detetive Kathy McChesney ficou surpresa na vez em que liguei a pedido dele. Os investigadores não sabiam de que Ted sequer estava ciente das suspeitas sobre ele em Washington.

Os registros da empresa de telefonia Mountain Bell em Salt Lake City foram requisitados na mesma época em que o histórico da faculdade. Os registros telefônicos remetiam a setembro de 1974, quando Ted tinha se mudado para Utah.

Kathy McChesney me perguntou se eu poderia ir até o escritório no início de novembro de 1975. Ela fora incumbida de entrevistar as mulheres que Ted conhecera em Seattle, por mais distantes que fossem.

Mas uma vez falei — dessa vez, para os registros — das circunstâncias em que conheci Ted, nosso trabalho na Clínica de Prevenção de Suicídio e nossa amizade íntima, mas esporádica, ao longo dos anos que se seguiram.

"Por que acha que telefonou para você pouco antes da prisão em Salt Lake City?", perguntou.

"Acho que por saber que trabalhava com você o tempo todo e porque ele não queria falar diretamente com os detetives."

Kathy folheou a pilha de papéis, pegou um, e perguntou de repente: "O que Ted disse para você quando telefonou no dia 20 de novembro de 1974?"

Eu olhei para ela sem entender. "*Quando?*"

"No dia 20 de novembro do ano passado."

"Ted não me telefonou", respondi. "Eu não falava com Ted desde 1973."

"Temos os registros telefônicos dele: há uma ligação para o seu número pouco antes da meia-noite da quarta-feira, 20 de novembro. O que ele disse?"

Eu conhecia Kathy McChesney desde a época na Academia de Treinamento Básico de Homicídios da Polícia do Condado de King, em 1971 (ela era a policial da delegacia e eu a "auditora" convidada). Kathy fora promovida a detetive, embora se parecesse mais com colegial, e era afiada. Eu a entrevistara inúmeras vezes no período em que trabalhou na Unidade de Crimes Sexuais. Não queria evitar a pergunta, mas fiquei confusa. É difícil lembrar onde você estava em data tão específica um ano inteiro antes.

Então a ficha caiu. "Kathy, eu não estava em casa, estava no hospital porque tinha sido operada no dia anterior. Mas minha mãe me contou de uma ligação estranha. Um homem que não quis deixar o nome e... é, foi no dia 20 de novembro."

Esse mistério tinha sido resolvido, mas desde então, com frequência, me pergunto se os eventos que se seguiram poderiam ser um tanto diferentes se estivesse em casa para atender Ted naquela noite. Nos anos vindouros, receberia dúzias de telefonemas de Ted — ligações de Utah, Colorado e Flórida —, assim como dezenas de cartas, e viríamos a ter diversos encontros pessoais. Eu voltaria a ser puxada para sua vida, dividida entre crença total nele e dúvidas que ficavam cada vez mais fortes.

Kathy McChesney acreditou em mim. Nunca tinha mentido para ela, e nunca mentiria. Se soubesse de cara que Ted havia me ligado, teria lhe contado.

Ted também fez outras duas ligações naquela noite de 20 de novembro, entre 23h e meia-noite. Embora tivesse terminado o seu noivado secreto com Stephanie Brooks em janeiro daquele ano e a mandado embora sem desculpa ou explicação, ele ligara para a casa dos pais dela na Califórnia, às 23h03. Stephanie não estava. Uma amiga da família se recordava de conversar com o homem de fala amigável, que perguntou de Stephanie. "Disse que Stephanie estava noiva e morava em San Francisco... e ele desligou."

Em seguida, ele discou o número da residência em Oakland onde nenhum dos moradores tinha ouvido falar sobre Ted Bundy ou Stephanie Brooks. O casal que morava lá não tinha nenhum contato em Seattle ou em Utah, e o homem que atendeu concluiu que fora engano.

Quando Ted chegou ao meu número em Seattle, já estava bastante aborrecido — como dissera minha mãe. Quando me perguntei quem teria ligado, o nome de Ted nem passou pela minha cabeça. Agora, quando Kathy quis saber mais, percebi que o momento da ligação da meia-noite pode ter sido imperativo. Ted telefonou doze dias depois de Carol DaRonch escapar do sequestrador e de Debby Kent desaparecer. Se passaram vinte dias desde que Laura Aime havia sumido, e um mês do sequestro de Melissa Smith.

"Gostaria de ter estado em casa naquela noite", disse para Kathy.
"Eu também."

As incumbências de Kathy a levaram à residência da família de Ted Bundy em Tacoma. Não acreditavam em nenhuma das acusações contra o filho. Não haveria nenhuma permissão para revistar o seu lar ou a área ao redor do chalé no lago Crescent. Tal acusação impensável não teria apoio dos Bundy e não havia nenhuma causa provável para os mandados de busca.

Freda Rogers, a senhoria de Ted durante cinco anos, também foi ferrenha ao protegê-lo. Desde o dia que alugou seu quarto no 4143 da 12th N.E., ao sair batendo às portas, Freda gostara dele. Fora bom inquilino, mais como um filho do que locatário, com frequência se oferecia para ajudá-los. O quarto dele no canto sudoeste da velha casa raramente estava trancado, e era limpo todas as sextas-feiras pela própria Freda. É claro que, se tivesse alguma coisa a esconder, Freda argumentou, ela teria percebido. "As coisas dele não estão mais aqui. Ted levou tudo embora em setembro de 1974. Olhem por aí, se quiserem, mas não vão encontrar nada."

Os detetives Roger Dunn e Bob Keppel revistaram a casa dos Rogers de cima a baixo, chegaram até a subir ao sótão. Se algo fosse escondido lá em cima, o isolamento teria sido mexido, e não tinha. Andaram pelo terreno com detectores de metal, procurando algo que poderia ter sido enterrado. Roupas? Joias? Peças de bicicleta? Não havia nada.

Kathy McChesney conversou com Meg Anders. Meg apresentou cheques que Ted preencheu em 1974. Não eram nada incriminadores, apenas cheques baixos usados para comprar comida. Os próprios cheques de Meg a ajudaram a isolar o que *ela* fizera em dias particularmente importantes, e a determinar se vira o noivo naquelas datas.

Quando questionada a respeito do gesso no quarto de Ted, Meg respondeu que o vira havia muito tempo, talvez em 1970. "Mas vi uma machadinha embaixo do banco dianteiro do carro dele, com proteção de couro rosado, no verão de 1974, e as muletas. Eu as vi em maio ou junho de 1974 e ele disse que eram de Ernst Rogers. Tínhamos ido ao lago Green certo dia. Eu lhe perguntei da machadinha porque aquilo me incomodava. Não consigo me lembrar qual foi a explicação que deu, mas fez sentido na época. Foi em agosto de 1974 e tinha acabado de voltar da viagem a Utah. Ele falava de comprar um rifle naquele dia. O cutelo, e o martelo de carne... vi essas coisas enquanto ele fazia as malas. E a faca oriental, que ele disse ser um presente."

"Você consegue se lembrar de mais alguma coisa que a deixou incomodada?", perguntou McChesney.

"Bom, na época não me incomodou, mas ele sempre guardava dois macacões de mecânico e a caixa de ferramentas no porta-malas do carro dele."

"O Ted tinha algum amigo na Faculdade Evergreen, em Olympia?"

"Só Rex Stark, o homem com quem trabalhou no Comitê de Prevenção de Crimes. Rex esteve no campus em 1973 e 1974, e Ted passou algumas noites com ele quando trabalhava em Olympia. Rex tinha casa em um lago por lá."

"Ele tinha amigos em Ellensburg?"

"Jim Paulus. Ele o conhecia do ensino médio bem como a esposa dele. Nós os visitamos uma vez."

Meg não sabia de ninguém que Ted pudesse conhecer na Universidade Estadual do Oregon. Não, nunca encontrara pornografia no quarto dele. Não, não tinha barco a vela, mas havia alugado um certa vez. Ted gostava de procurar estradas secundárias isoladas quando saíam para passear de carro.

"Ele costumava ir a bares sozinho?"

"Só ao O'Bannion e ao Dante's."

Meg consultou o diário. Havia tantas datas para lembrar.

"Ted me ligou de Salt Lake City, em 18 de outubro do ano passado, três vezes. Ele ia caçar com meu pai na manhã seguinte. Ele me telefonou no dia 8 de novembro, depois das 23h. [Pelo fuso horário de Salt Lake City, isso foi depois da meia-noite.] Havia bastante barulho ao fundo quando ligou."

Melissa Smith desapareceu no dia 18 de outubro. Em 8 de novembro, Carol DaRonch foi sequestrada às 19h30 e Debby Kent desapareceu às 22h30.

Ao puxar pela memória os acontecimentos de julho de 1974, Meg se lembrou de que Ted tinha ido ao Parque Estadual do Lago Sammamish no dia 7 de julho, a semana anterior aos desaparecimentos de Denise e Janice. "Ele me contou que foi convidado para uma festa de esqui aquático. Quando veio à minha casa mais tarde, disse que não foi muito divertido."

Na verdade, não houve festa alguma, embora os detetives do condado de King viessem a descobrir mais tarde que dois casais conhecidos de Ted dos tempos do Partido Republicano praticaram esqui aquático no lago Sammamish, e viram ele caminhar sozinho ao longo da praia. "Ficamos surpresos ao vê-lo ali porque deveria estar na reunião em Tacoma naquele fim de semana."

Quando questionado sobre o que estava fazendo, Ted respondeu: "Apenas dando uma volta". Convidaram-no a se juntar a eles para esquiar, mas recusou porque não levara bermuda. Ele levava o casaco pendurado nos ombros e o casal não viu nenhum gesso.

No domingo seguinte, 14, Meg, claro, tinha visto Ted bem cedo pela manhã, e então outra vez em algum momento após as 18h, quando voltou para a casa dela para trocar o suporte de esquis e levá-la para comer hambúrguer.

"Minha mãe sempre mantém um diário", contou Meg. "Meus pais vieram me visitar no dia 23 de maio de 1974. No Memorial Day, dia 27, Ted foi com a gente para um piquenique em Dungeness Spit."

"E o dia 31 de maio?", perguntou Kathy McChesney. Essa foi a noite em que Brenda Ball desapareceu do Flame Tavern.

"Essa foi a noite anterior ao batismo da minha filha. Meus pais ainda estavam em Seattle, Ted levou a gente para comer pizza e então nos deixou em casa antes das 21h." (Brenda tinha desaparecido em algum momento depois das 2h, quase vinte quilômetros ao sul do apartamento de Meg, cinco horas mais tarde.) Liane foi batizada às cinco da tarde do dia seguinte e Ted chegara para assistir à cerimônia. Em seguida, ficou no apartamento de Meg até as 23h. "Estava bastante cansado, e naquela noite também adormeceu no tapete", contou a McChesney.

Meg forneceu o nome da mulher que Bundy namorou no verão de 1972, alguém que tinha feito com que Meg terminasse o namoro com ele brevemente. Claire Forest era uma morena esbelta, de cabelos longos e lisos repartidos ao meio. Ao ser contatada pelos detetives, Claire Forest se lembrou bem de Ted. Embora seu interesse por ele nunca tivesse sido sério, saíram com frequência em 1972.

"Ele sentia como se não se encaixasse em minha... minha 'classe'. Acho que é a única maneira de descrever. Não queria ir à casa dos meus pais porque dizia que não se encaixava."

Claire se recordava de certa vez sair para passear de carro com Ted, passeio por estradas secundárias na região do lago Sammamish. "Ele me contou que uma mulher mais velha — acho que era a avó —, morava por ali, mas não conseguia encontrar a casa. Eu, por fim, fiquei de saco cheio daquilo e lhe perguntei qual era o endereço, mas ele não sabia."

Ted, é claro, não tinha nenhuma avó perto do lago Sammamish.

Claire Forest contou que tivera relações com Bundy em apenas uma ocasião. Embora sempre fosse delicado e carinhoso com ela até então, aquele único ato sexual em si fora violento.

"Fomos fazer um piquenique em abril no rio Humptulips e bebi bastante vinho. Estava tonta e Ted ficava enfiando minha cabeça embaixo d'água. Ele tentava desatar o nó da parte de cima do meu biquíni. Não conseguiu, e de repente arrancou a parte de baixo, e teve a relação comigo sem dizer nada. Ele estava pressionando o antebraço embaixo do meu queixo com tanta força que eu não conseguia respirar. Falei isso, mas Ted não diminuiu a pressão até ter terminado. Não houve afeto algum naquilo.

"Depois disso, foi como se nunca tivesse acontecido. Voltamos para casa e ele falou de sua família... de todos, menos do pai. Acabei terminando com ele por causa da outra namorada. Ela ficou quase histérica quando me pegou com ele uma vez."

Claire Forest não foi a única mulher que relembraria que os modos de Ted Bundy podiam mudar de repente, de carinho e afeto para gélida fúria. No dia 23 de junho de 1974, Ted tinha aparecido na casa de uma moça que o conhecera de forma platônica desde 1973. Ela o apresentou a uma amiga, Lisa Temple. Ele não pareceu particularmente interessado em Lisa, porém, mais tarde, convidou as duas e outro amigo para viajar e fazer rafting com ele no dia 29 de junho. Os dois casais tinham jantado com amigos em Bellevue, em 28 de junho, passaram a noite lá e partiram para Thorpe, Washington, na manhã seguinte. O homem que os acompanhava mais tarde viria a relembrar que, enquanto procurava fósforos, encontrou um par de meias-calças no porta-luvas do Fusca de Ted. Ele sorrira e não dera nenhuma importância àquilo.

A viagem de rafting começara com muitas risadas, porém, na metade da viagem rio abaixo, a atitude de Ted mudou de repente, e parecia se deleitar em atormentar Lisa. Insistiu que ela atravessasse as águas amarrada a uma boia atrás do bote. Lisa ficara aterrorizada, mas Ted apenas a encarou com olhos frios. O outro casal ficou pouco à vontade. Ele lançou o bote na água em uma barragem — trecho perigoso de onde botes raramente eram lançados.

Chegaram ao fim depois de atravessar as águas revoltas, com ambas as garotas completamente amedrontadas. Como Ted estava sem dinheiro, Lisa pagou o jantar do quarteto, em North Bend. "Ele me levou para casa", lembra-se, "e voltou a agir com gentileza. Disse que voltaria mais ou menos à meia-noite. Ele realmente voltou, e fizemos amor. Foi a última vez em que o vi. Eu não conseguia acompanhar essas mudanças de humor. Em um minuto era gentil, e no seguinte agia como se me odiasse."

Kathy McChesney localizou Beatrice Sloane, a idosa que se tornara amiga de Ted quando trabalhou no iate clube de Seattle.

"Ah, ele era um belo de um golpista", relembrou a senhora. "Conseguia me convencer de qualquer coisa."

As recordações da sra. Sloane a respeito de Ted e Stephanie correspondiam àquelas que Kathy já tinha descoberto daquele romance anterior. Não havia dúvidas de que a mulher conhecera Ted, e muito bem. Kathy a levou pelo Distrito Universitário e indicou os endereços onde Ted havia morado quando ambos ainda tinham contato. Enumerou as coisas que tinha lhe emprestado: porcelanas, pratarias, dinheiro. Relembrou caronas que lhe dera quando não tinha carro. Ele parecia ter sido como um neto para ela — um neto extremamente manipulador.

"Quando foi a última vez que a senhora o viu?", perguntou McChesney.

"Bom, eu o vi duas vezes, na verdade, em 1974. Na loja Albertson, no lago Green, em julho, e ele estava com o braço quebrado na época. Depois o vi na 'Ave', mais ou menos um mês depois, e me contou que iria embora em breve para cursar a Faculdade de Direito em Salt Lake City."

Os detetives do condado de King contataram Stephanie Brooks, agora casada e morando na Califórnia. Relembrou seus dois romances com Ted Bundy — os dias de faculdade e o "noivado", em 1973. Nunca soubera da existência de Meg Anders e chegara à conclusão de que Ted a cortejara a segunda vez apenas por vingança. Sentia-se com sorte por ter se livrado dele.

Dois Ted Bundys pareciam emergir. Um, o filho perfeito, o aluno da Universidade de Washington formando "com honras", o advogado e político novato; o outro, golpista charmoso, capaz de manipular mulheres com facilidade, quer fosse sexo ou dinheiro que desejasse, e não fazia nenhuma diferença se elas tinham dezoito ou 65 anos. E havia, talvez, um terceiro Ted Bundy: que se tornava frio e hostil com as mulheres diante de pouquíssima provocação.

Com muita habilidade, fizera malabarismos nos compromissos com Meg e Stephanie a ponto de uma não saber da existência da outra. Agora, parecia ter perdido as duas de vez. Stephanie estava casada e Meg declarou que não queria mais se casar com Ted, pois sentia medo mortal dele. Ainda assim, em questão de semanas, ela o aceitaria de volta e se culparia por duvidar dele.

Quando o assunto era mulheres, Ted sempre tinha uma de reserva. Mesmo enquanto permanecia na Penitenciária do Condado de Salt Lake, sem saber que Meg conversara de maneira eloquente com os detetives, teve apoio emocional de Sharon Auer. Sharon parecia ter se apaixonado por ele. Eu logo viria a me dar conta de que não era prudente mencionar o nome de Sharon para Meg, ou falar sobre Meg para Sharon.

É interessante notar que ao longo de todos os julgamentos, ao longo de todos os anos de manchetes que rotulariam Ted como monstro ou pior, sempre haveria pelo menos uma mulher encantada por ele, que viveria pelos poucos momentos quando poderia visitá-lo na prisão, que cuidaria de seus afazeres e proclamaria sua inocência. As mulheres viriam a mudar com a passagem do tempo, mas, ao que parece, as emoções que ele provocava nelas não.

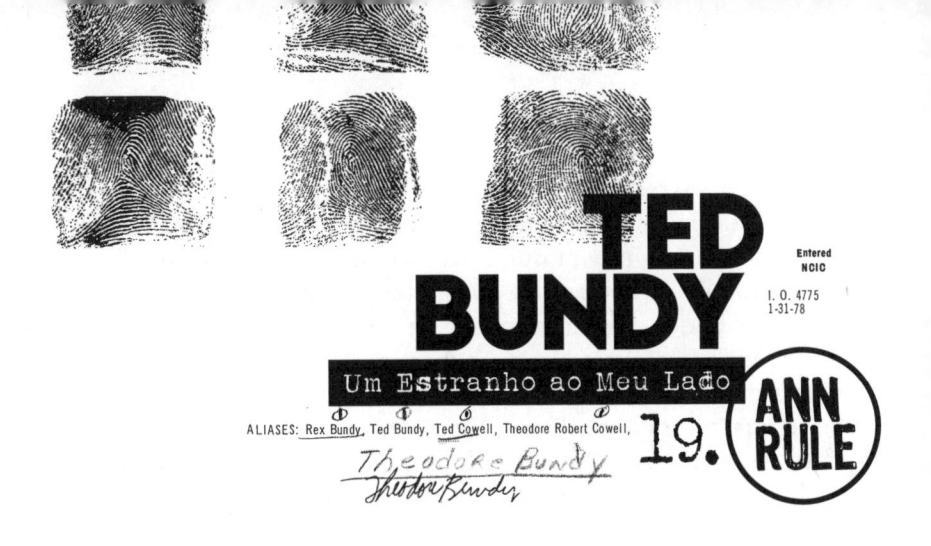

Uma lista contra
Ted Bundy_____

Ted teve detratores enquanto mofava na prisão, em Salt Lake City, durante o outono de 1975, mas também apoiadores leais. Um deles era Alan Scott, o primo com quem crescera desde que se mudara para Tacoma, quando tinha quatro anos. Scott, ele próprio professor de jovens perturbados, insistia que nunca detectara o menor sinal que fosse de comportamento anormal no primo. Ele, sua irmã Jane e Ted sempre foram próximos, mais próximos do que Ted jamais tinha sido com seus meios-irmãos e meias-irmãs. Seus primos não eram os Bundy, e Ted nunca tinha realmente se sentido parte do clã dos Bundy.

É irônico então que Jane e Alan Scott viessem a ser elos adicionais na cadeia de evidências circunstanciais que conectava Ted às garotas desaparecidas em Washington, mas não foram esses elos de boa vontade. De fato, acreditavam completamente em sua inocência. Trabalharam para levantar fundos para a defesa de Ted, e muitos de seus velhos amigos contribuíram.

A dra. Patricia Lunneborg, do departamento de psicologia da Universidade de Washington, declarou sem rodeios que era impossível que Ted Bundy fosse o assassino, e disse que não havia motivo, em absoluto, para acreditar que algum dia tivesse conhecido Lynda Ann Healy, apesar do fato de que ambos cursaram psicologia anormal (Psych. 499) nos trimestres de inverno e de primavera de 1972. "Há centenas de estudantes em muitas seções diferentes da 499", disse com escárnio. "Não há como provar que estiveram nas mesmas seções."

Lunneborg disse ainda que pretendia fazer tudo ao seu alcance para apoiar Bundy contra as acusações e insinuações ridículas que sofria.

Mas havia outro elo entre Bundy e Lynda Ann Healy — através de sua prima Jane. Quando Lynda morara no McMahon Hall, a colega de quarto era a mulher que mais tarde viria a ser a colega de quarto de Jane Scott. O detetive Bob Keppel localizou Jane em um barco de pesca no Alasca, e a interrogou por telefone para Dutch Harbor.

Jane não foi uma testemunha bem-disposta. Disse que seu primo tinha sido alguém normal, gentil, e não o tipo de garoto ou homem que mataria alguém. Ela o tinha visto, contou Jane, três ou quatro vezes durante a primeira metade de 1974 e ela conhecera Lynda Healy. Não conseguia se lembrar se Ted também a conhecera. Sim, houve algumas festas ao longo dos anos, mas não sabia ao certo se ele frequentava as mesmas festas que Lynda.

"Você alguma vez conversou com Ted sobre o desaparecimento de Lynda?", perguntou Keppel.

"Sim", respondeu Jane com relutância. "Mas não consigo me lembrar de nada específico. Nós só falamos do quão terrível aquilo foi."

Alan Scott foi ainda menos cooperativo, posição compreensível, pois havia morado na pensão de Freda Rogers de setembro de 1971 a fevereiro de 1972. Ted e ele mantiveram contato, e os primos conversaram poucos dias após os desaparecimentos de Roberta Parks, Brenda Ball, Georgann Hawkins, Denise Naslund e Janice Ott. "Ele estava tranquilo, feliz, empolgado em ir para a faculdade de direito em Utah, e parecia ansioso para se casar com Meg."

Não acrescentou que alguém que sequestra e mata jovens não pode agir com tanta calma, mas foi isso que deixou implícito. Scott fora velejar com o primo no lago Washington, e costumavam fazer trilha juntos.

"Onde?", perguntou Keppel.

"Na região de Carbonado e próximo à rodovia 18, perto de North Bend."

A montanha Taylor, o local de descanso dos quatro crânios das vítimas de Washington, ficava próxima à Rodovia 18, perto de North Bend.

Keppel perguntou baixinho: "Quando vocês fizeram trilha lá em cima?"

"De julho de 1972 até o verão de 1973."

Scott não quis mostrar aos detetives do condado de King o lugar exato por onde fizeram a trilha. Estava relutante em incriminar o primo, mas, no final das contas, receberia intimação para guiá-los contra a vontade ao longo dos caminhos que tinham se tornado conhecidos de Bundy.

Em 26 de novembro de 1975, a intimação foi entregue a Alan Scott, e ele acompanhou Bob Keppel até a área onde fizera trilha com Ted. Dirigiram rumo à montanha Taylor, e Scott apontou os campos de grama alta e as florestas ao longo das estradas Fall City-Duvall e da Issaquah-Hobart. "Ted conhecia as estradas por esta região e nós andávamos por aí no meu carro, olhando fazendas e celeiros antigos, Havia um lugar com enorme passarela ao longo da estrada Fall City-Preston. Foi a única vez que realmente saímos do carro e fizemos trilha." Apontou para a estrada, pouco mais de um quilômetro ao norte de Preston. "Fizemos trilha por mais ou menos duas horas subindo a encosta da colina."

A área ficava a poucos quilômetros da montanha Taylor.

Ao que parecia, a região entre Issaquah e North Bend tinha sido o refúgio preferido de Ted: tinha levado Claire Forest e Meg para lá, mencionado o lugar à amiga idosa e também levado o primo. Fora sozinho ao Parque Estadual do Lago Sammamish apenas uma semana antes do dia 14 de julho. Seria apenas coincidência ou algo significativo para a investigação?

Contrariamente aos relatos publicados, *houve* identificações de Ted Bundy por testemunhas oculares. Uma testemunha foi "contaminada", no entanto, pelo zelo da repórter. Quando Ted foi preso no caso do sequestro de DaRonch, a repórter televisiva correu para a casa de uma das mulheres abordadas pelo estranho no lago Sammamish, em 14 de julho. A âncora lhe mostrou a foto de Ted Bundy e perguntou: "Este é o homem que pediu ajuda?".

A mulher não conseguiu identificá-lo. O homem na foto que lhe foi mostrada parecia mais velho do que a pessoa bonita e bronzeada do lago. Mais tarde, os detetives do condado de King lhe mostraram a série de oito fotografias de detentos, incluindo a de Ted Bundy, e ela admitiu que era tarde demais. Tinha visto a foto antes, e agora estava confusa. Foi um grande golpe na investigação.

A pressa desenfreada da imprensa para mostrar Ted ao público continuou atrapalhando as autoridades. Duas outras mulheres que viram "Ted" no parque o reconheceram de pronto, mas com base em fotos exibidas no jornal ou na televisão. Estavam convencidas de que Ted Bundy e o "outro" Ted eram a mesma pessoa, mas qualquer advogado de defesa afirmaria que foram persuadidas em nível subconsciente ao ter vislumbres da foto de Bundy na imprensa.

Um homem presente no lago Sammamish em 14 de julho esteve fora do estado quando as notícias da prisão em Utah foram divulgadas, e não tinha visto uma imagem de Ted que fosse. Ainda assim, sem hesitar, selecionou a foto de Bundy da série de detentos. O mesmo ocorreu com o filho do promotor público do Oregon, que estivera em Ellensburg no dia 17 de abril, quando Susan Rancourt desapareceu. Ele tinha "70%" de certeza — longe de ser tão valioso no tribunal quanto o 100% seria. "Dirigi de Ellensburg de volta a Seattle tarde da noite", relembrou. "Quando estava uns 16 quilômetros ao leste de Issaquah, notei o carrinho estrangeiro estacionado em estrada secundária. As luzes traseiras eram pequenas e redondas, como as de Fusca."

O local que mencionou é perto da montanha Taylor. Outro pequeno elo?

Para um escritor de ficção, isso seria o bastante, mas para a verdadeira investigação criminal, eram evidências circunstanciais. Blocos e mais blocos foram empilhados até não haver dúvidas nas mentes dos investigadores de Washington de que Theodore Robert Bundy era o "Ted" que procuravam havia tanto tempo. Mas será que era o suficiente para apresentar acusações? Ainda não, afinal não tinham sequer um único fio de cabelo, botão ou brinco, nada que seguramente ligasse Ted Bundy a alguma vítima. Nenhum promotor com a cabeça no lugar colocaria as mãos naquele caso. Contaram mais de quarenta "coincidências" e, mesmo que se leve todas em consideração, não é suficiente.

A "coincidência" final foi o caso que a detetive da Unidade de Crimes Sexuais de Seattle, Joyce Johnson, tinha investigado, estupro ocorrido no dia 2 de março de 1974, no número 4220 da 12th Avenue N.E., a apenas algumas casas de distância da pensão de Freda Rogers.

A vítima, mulher atraente de vinte anos, tinha ido dormir por volta de uma da manhã daquele sábado. "Minhas cortinas estavam fechadas, mas uma das cortinas não fica rente ao parapeito. Alguém poderia olhar para dentro e ver que estou sozinha. Aproximadamente 75% das vezes tenho alguém comigo. Naquela madrugada, tinha me esquecido de colocar a ripa de madeira na janela para trancá-la. O homem removeu a tela e, quando acordei, por volta das 4h, o vi parado na soleira da porta. Vi seu perfil. Havia a luz vinda da sala de estar onde deixara a lanterna acesa. Ele se aproximou e se sentou na cama, e me disse para relaxar, que não ia me machucar."

A mulher lhe perguntou como entrara, e o estranho respondeu: "Isso não é da sua conta".

O homem vestia camiseta e jeans, e gorro azul-marinho puxado por cima do rosto até abaixo do queixo. "Não era máscara de esqui, mas acho que cortou buracos para os olhos, porque conseguia enxergar. A pronúncia era culta e ele tinha bebido, pois pude sentir o cheiro. Ele tinha uma faca com o cabo entalhado, mas disse que não ia usar se eu me comportasse."

O homem vendou os olhos da vítima com fita adesiva e em seguida a estuprou. Ela não resistiu. Quando ele terminou, prendeu as mãos e os pés com fita adesiva, e disse-lhe que era apenas para "deixá-la mais lenta".

Ela o ouviu andar até a sala de estar e rastejar pela janela, depois ouviu o barulho de passos rápidos na direção do beco.

Não ouviu barulho de carro.

Ela contou para a detetive Johnson: "Estava tão calmo e seguro de si, que acho que já tinha feito isso antes."

Os detetives da polícia de Seattle, o capitão Nick Mackie e os detetives — Bob Keppel, Roger Dunn, Kathy McChesney — estavam convencidos de que tinham encontrado "Ted". Listaram as conexões com os casos das desaparecidas:

- Ted Bundy é compatível com a descrição física — quatro pessoas o tinham ligado ao retrato falado do homem visto no lago Sammamish;
- Usava roupas brancas de tenista;
- Havia morado a distância de quase dois quilômetros de Lynda Ann Healy, Georgann Hawkins e Joni Lenz;
- Dirigia Fusca marrom-claro;
- Costumava fingir sotaque britânico;
- Jogava raquetebol;
- Tivera faca, cutelo, chave de roda enrolada em fita adesiva, pé de cabra, machadinha, muletas, gesso, luvas cirúrgicas e inexplicáveis roupas femininas;
- Seu paradeiro nos dias cruciais não podia ser determinado;
- Faltara ao trabalho três dias antes e dois dias depois dos desaparecimentos no lago Sammamish;
- Viajava com regularidade pela rodovia I-5 entre Seattle e Olympia;

- Tinha amigo no campus da Faculdade Evergreen e ficava com ele;
- Ele tinha amigo em Ellensburg, que se lembrava de sua visita na primavera de 1974;
- Tivera meias-calças no porta-luvas do carro;
- Sua prima conhecia Lynda Healy e ele cursara as mesmas aulas que Lynda;
- Fora visto no Parque Estadual do Lago Sammamish uma semana antes de Janice e Denise desaparecerem;
- Tinha feito trilha na região da montanha Taylor;
- Gostava de se aproximar de mulheres sorrateiramente e de assustá-las;
- Preferia mulheres de cabelos escuros longos, repartidos ao meio;
- Tentou sufocar pelo menos duas mulheres enquanto faziam amor;
- Frequentava o Dante's Tavern, o bar aonde Lynda fora na noite em que desapareceu;
- Seus modos para com as mulheres podiam mudar em instantes — da ternura para a hostilidade;
- Costumava usar bigode falso;
- Gostava de velejar, e já tinha alugado barcos;
- Nos casos do Colorado, seus cartões de crédito foram usados nas mesmas áreas e cidades, nos mesmos dias em que as mulheres desapareceram;
- Já havia mentido e roubado;
- Parecia ter fascinação por *bondage* e sodomia;
- Fora preso com posse de máscara de esqui, máscara de meia-calça, algemas, luvas, sacos de lixo, tiras de pano e pé de cabra;
- Relatara à polícia que suas placas tinham sumido em Utah, mas as guardou e usou de maneira intercambiável com as novas placas emitidas;
- Seu tipo sanguíneo era O, o mesmo encontrado no casaco de Carol DaRonch, vítima de sequestro;
- Fora identificado por DaRonch, Graham, Beck e pelo jovem em Ellensburg, e também por três testemunhas no Parque Estadual do Lago Sammamish, no dia 14 de julho;
- Sua benfeitora idosa o vira em julho de 1974 com o braço engessado;
- Ao longo do ano de 1974, havia dormido durante o dia e sumido — para algum lugar — durante as noites;
- Uma mulher foi estuprada por um homem que correspondia à sua descrição a apenas três casas de distância da pensão dos Rogers;

- Um de seus amigos do ensino médio era conhecido da família de Georgann Hawkins;
- Era inteligente, charmoso e capaz de abordar mulheres com facilidade e sucesso;
- Tinha o hábito de usar calça de veludo cotelê (o padrão estriado no sangue na cama de Lynda Healy?).

A lista continuava, e os investigadores sempre voltavam ao fato de que, onde quer que Ted Bundy fosse, logo havia uma adorável moça, ou duas, ou três, desaparecidas...

Por outro lado, havia dúzias de pessoas dispostas a jurar que Ted Bundy era o cidadão perfeito, alguém que trabalhava para erradicar a violência, para trazer ordem e paz através do "sistema", e que Ted Bundy era amante — e não destruidor — da humanidade. Se era o que os detetives acreditavam ser, um assassino em massa, tinha sido feito a partir de molde completamente novo.

No dia 13 de novembro de 1975, enquanto Ted permanecia na Penitenciária do Condado de Salt Lake e os amigos e parentes tentavam angariar os 15 mil dólares necessários para pagar a fiança, o que veio a ser conhecida como a Cúpula de Aspen foi realizada. Mackie, Keppel e Dunn estavam presentes, assim como Jerry Thompson e Ira Beal de Utah, Mike Fisher de Aspen e dúzias de outros investigadores que tinham casos não solucionados de garotas desaparecidas e assassinadas. No hotel Holiday Inn, os detalhes de todas essas investigações foram trocados, e o nome Theodore Robert Bundy foi ouvido com frequência. Uma quantidade enorme de informações circulou na reunião, fazendo com que todos os departamentos envolvidos acreditassem ainda mais que agora tinham o assassino na prisão. Na prisão, mas sem evidências físicas suficientes para apresentar mais acusações. Os jornais estavam repletos de suposições, mas poucos fatos.

Se o "Ted" misterioso e desconhecido os tinha frustrado antes, o Ted Bundy conhecido ainda os eludia.

Em 20 de novembro, Ted foi liberado sob fiança — 15 mil dólares angariados por Johnnie e Louise Bundy. Quando, e se, voltasse a encarar julgamento pelas acusações de sequestro de Carol DaRonch, o dinheiro seria devolvido e então destinado a John O'Connell para pagar a defesa de Ted.

Em Seattle, Meg Anders estava com tanto medo do ex-namorado que fez com que os detetives prometessem que seria notificada no minuto em que ele atravessasse a fronteira do estado de Washington. É indicativo de seus poderes de persuasão destacar que, no intervalo de um dia ou dois após o retorno a Washington, Ted estava de volta com ela, e morava em seu apartamento. Todas as dúvidas foram apagadas e ela estava completamente apaixonada por ele novamente. Não negou os relatos publicados de que estavam noivos. Repreendeu-se por tê-lo traído e iria, durante anos, permanecer ao lado dele.

Ted estava livre, mas não livre de verdade. Aonde quer que fosse, continuava sob a constante vigilância de agentes recrutados dos departamentos de polícia do condado de King e de Seattle. Mackie me explicou a situação: "Não podemos acusá-lo, mas também não podemos arriscar que saia de nossas vistas. Se alguma coisa acontecer enquanto estiver por aí, se outra garota desaparecer, as consequências seriam terríveis".

Sendo assim, desde o momento em que o avião de Ted pousou no aeroporto Seattle-Tacoma, ele foi seguido. A princípio, pareceu ignorar os carros à paisana que o seguiam enquanto passava os dias com Meg e a filha dela, ou ficava no apartamento de um amigo.

Não sabia se receberia notícias de Ted enquanto estivesse em Seattle, mas diversos investigadores me puxaram de lado e disseram: "Se Ted ligar para você, não queremos que vá sozinha a lugar algum com ele — a não ser que nos conte onde você estará primeiro".

"Ah, por favor", exclamei. "Não tenho medo de Ted. Além do mais, vocês o estão seguindo para todos os lugares mesmo. Se eu estiver com ele, vocês vão me ver."

"Só tome cuidado", advertiu um detetive da Homicídios de Seattle. "Talvez devêssemos saber onde encontrar os registros dentários caso precisemos identificar você."

Ri, mas as palavras foram chocantes. O humor distorcido que acompanharia Ted Bundy para sempre tinha começado.

20.

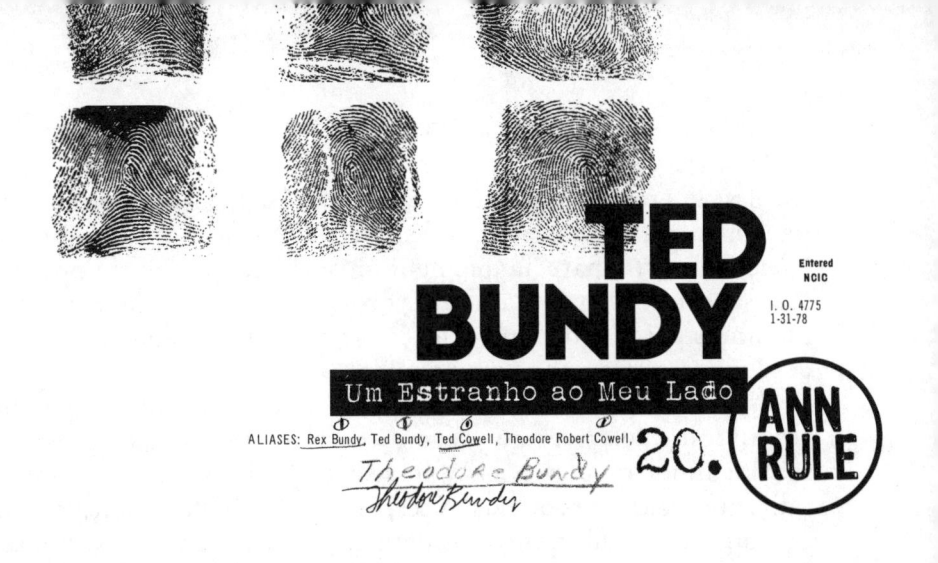

Um drinque com___
___o acusado

Ted me ligou pouco depois do Dia de Ação de Graças, e combinamos de nos encontrar para almoçar na Brasserie Pittsbourg, restaurante francês no porão de antigo edifício na Pioneer Square, a apenas dois quarteirões das sedes da polícia do condado de King e Seattle.

Não nos encontrávamos havia dois anos, e ainda assim mal parecia ter mudado, exceto pela barba mais farta. Estava um pouco mais magro, ponderei enquanto ele andava na minha direção sob a chuva, sorrindo. Vestia calça de veludo cotelê e casaco de lã bege e marrom.

Foi estranho. A foto dele estava na primeira página dos jornais de Seattle com tanta frequência que deveria ser fácil reconhecê-lo, mas ninguém nem sequer relanceou o olhar para ele durante as três horas que passamos juntos. Com todos os "avistamentos" do fantasma "Ted", ninguém nem notou aquele Ted verdadeiro. Esperamos na fila, pedimos o especial do dia e uma garrafa de Chablis, e eu paguei a conta.

"Quando tudo acabar", prometeu, "*eu* vou levar você para almoçar."

Levamos nossos pratos para a sala dos fundos e nos sentamos nas velhas mesas cobertas com toalhas feitas de papel de açougueiro. Foi bom vê-lo, saber que estava fora da prisão que odiara tanto. Foi quase como se nada tivesse acontecido. Ele era o principal suspeito, mas isso era tudo o que eu sabia na época. Eu não tinha nenhum conhecimento além das poucas insinuações que lera nos jornais. Naquele momento, parecia que nenhuma das acusações era possível. Não sabia que Meg contara tantas coisas aos investigadores, e nem um único detalhe das investigações que vinham sendo realizadas desde agosto chegara ao meu ouvido.

Estava um pouco nervosa e olhei ao redor, meio que esperando ver diversos detetives que reconheceria sentados nas outras mesas. Eu almoçara com Nick Mackie e dr. Berberich no mesmo restaurante algumas semanas antes, e o Brasserie Pittsbourg era um restaurante popular entre os detetives. A comida era excelente e ficava em local conveniente.

"Não ficaria surpresa em ver Mackie aqui", contei a Ted. "Come aqui umas três vezes por semana. Ele quer conversar com você e talvez você devesse fazer isso. Mackie não é um cara ruim."

"Não tenho nada para conversar com ele. Tenho certeza de que é muito legal, mas não há motivo algum para nos encontrarmos. Se estivessem alertas, poderiam ter conversado comigo ontem. Atravessei o primeiro andar do fórum, bem na frente dos escritórios deles, e ninguém me viu."

A vigilância tinha se transformado em jogo para Ted e considerava os homens que o seguiam desajeitados e embaraçosos. Divertia-se ao despistá-los. "Basta virar alguns becos, dobrar algumas esquinas, e não conseguem me achar. Ou, às vezes, dou a volta e converso com eles, e isso os deixa bastante desconcertados. O que esperavam? Não tenho nada a esconder."

Sentia um orgulho especial por ter despistado Roger Dunn na biblioteca da Universidade de Washington. "Entrei pela porta da frente do banheiro masculino e saí pela porta dos fundos e ele não sabia que tinha outra porta. Acho que ainda está parado lá, me esperando sair."

Ted não achava divertido, contudo, a atitude predominante em relação à sua culpa na cabeça do público. Estava especialmente irritado porque planejara uma tarde de diversão para a filha de doze anos de Meg com a melhor amiga, mas a mãe da garotinha a proibiu de ir. "A mãe dela nem deixou a filha ir à barraca de hambúrgueres comigo, é ridículo. O que achou que eu faria? Atacaria a filha dela?"

Sim, provavelmente pensou isso. Eu ainda não tinha me decidido a respeito de Ted naquele encontro no outono de 1975, mas não apostaria a segurança das minhas filhas com base nos meus sentimentos.

A postura de Ted era a de um inocente. Estava magoado pelas acusações e tinha acabado de passar oito semanas na cadeia. Tentei me colocar no lugar dele, entender a indignação. E, ainda assim, estava consumida pela curiosidade. Mas não havia como meter as caras e perguntar: "Ted, foi você? Foi você que fez aquelas coisas?" Não há regras de etiqueta social para questionar um velho amigo acusado de crimes tão terríveis.

Ele continuou a descartar as acusações de Utah como se não fossem mais importantes do que um pequeno mal-entendido. Estava totalmente confiante de que venceria no tribunal no caso DaRonch, afinal, as acusações de ferramentas de invasão domiciliar eram ridículas demais. Tudo ia bem com Meg. Se ao menos a polícia os deixasse em paz e permitisse que desfrutassem daqueles momentos juntos. Ela era maravilhosa, solidária e sensível.

Bebericamos o vinho, pedimos outra garrafa e observamos a chuva escorrer pelas janelas. O restaurante ficava no porão ao nível da calçada, e, por isso, pelas janelas só víamos tornozelos e pés daqueles que passavam no lado de fora. Ted raramente me olhava nos olhos. Em vez disso, se sentou de lado na cadeira, o olhar fixo na parede oposta.

Brinquei com o cravo vermelho fresco no vaso entre nós e fumei demais, assim como ele. Ofereci alguns dos meus cigarros quando os dele acabaram. As mesas ao nosso redor estavam vazias, e por fim éramos as únicas pessoas na sala.

Como poderia me expressar? Eu tinha que perguntar *alguma coisa*. Estudei o perfil de Ted. Ele parecia mais jovem do que nunca e, de algum modo, mais vulnerável.

"Ted…", eu disse, afinal. "Você tinha ciência de todas as garotas que desapareceram aqui no ano passado? Você tinha lido isso no jornal?"

Houve longa pausa.

Por fim, respondeu: "Esse é o tipo de pergunta que me incomoda".

Incomoda como? Eu não conseguia interpretar a expressão facial. Seu olhar ainda não encontrava o meu. Será que achou que eu o estava acusando? Será que eu estava? Ou será que ele achava aquilo tudo um tédio de matar?

"Não", continuou. "Estava muito ocupado com a faculdade de direito na UPS e não tinha tempo de ler jornal. Nem sequer sabia disso tudo, porque não leio esse tipo de notícia."

Por que não queria olhar para mim?

"Não conheço nenhum detalhe", disse. "Só o que meu advogado está averiguando."

É claro que mentiu para mim, afinal fora importunado por muitas pessoas por causa da semelhança física com o "Ted" do parque. Sua própria prima, Jane Scott, tinha falado para ele da amiga, Lynda Ann Healy. Carole Ann Boone Anderson brincara com ele sem parar nos escritórios do Departamento de Serviços Emergenciais. Mesmo que não tivesse conhecimento ou mesmo culpa nos casos, sabia, sim, sobre aqueles desaparecimentos.

Ted só não queria falar daquilo, definitivamente. Não ficou bravo comigo por perguntar, apenas não queria discutir os casos. Conversamos de outras coisas, como velhos amigos dos dias na Clínica de Prevenção de Suicídio, e prometemos nos encontrar de novo antes que voltasse a Utah, para o julgamento. Quando paramos sob a chuva no lado de fora, Ted esticou os braços de impulso e me abraçou. Em seguida, disparou pela First Avenue e gritou para trás: "Eu te ligo!".

Enquanto subia a rua na direção do carro, senti as mesmas emoções que viriam a me dilacerar tantas vezes. Ao olhar para este homem, e ouvir o homem, não conseguia acreditar na sua culpa; ao ouvir os detetives, de quem também gostava e confiava, era impossível não acreditar. Eu tinha a distinta vantagem de não me sentir fisicamente atraída por Ted, quaisquer sentimentos de ternura por ele eram os de irmã para com o irmão mais novo, talvez mais intensos, porque perdera meu irmão mais novo.

Só voltei a ver Ted no sábado, 17 de janeiro de 1976. Meu ex-marido havia morrido, repentina mas não inesperadamente, em 5 de dezembro e, mais uma vez, preocupações familiares afastaram os pensamentos sobre Ted da minha cabeça. Conversei com ele por telefone uma ou duas vezes em dezembro, e estava otimista, confiante, ansioso pela batalha judicial à frente.

Quando me ligou e pediu para encontrá-lo no dia 17 de janeiro, fiquei surpresa pelo contato. Disse que sentiu vontade de me ver de repente, que em breve voltaria para Salt Lake City para ser julgado, e perguntou se me importaria em ir até o Magnolia District em Seattle e encontrá-lo em um bar local.

Enquanto dirigia os quarenta quilômetros, me dei conta de que ninguém sabia que ia me encontrar com Ted. Eu, de alguma maneira, também sabia que ele despistaria a equipe de vigilância sempre presente. Enquanto andava na minha direção, pouco depois do meio-

-dia, em um pub popular entre os soldados do vizinho Fort Lawton, olhei para ambos os lados da rua à procura dos carros à paisana que há muito aprendera a reconhecer. Não havia nenhum.

Ele sorriu. "Eu os despistei. Não são tão espertos quanto pensam."

Encontramos uma mesa do outro lado aos soldados que berravam. Eu estava com um pacote embaixo do braço, uma dúzia de edições de revistas com minhas histórias que tinha pegado no correio. Foi apenas depois de Ted olhar para o pacote diversas vezes que percebi que suspeitava de que eu tivesse um gravador. Rasguei o pacote e lhe entreguei uma revista.

Pareceu relaxar.

Conversamos por cinco horas. Minha lembrança dessa longa conversa é apenas isso. É indicativo da minha crença em sua inocência na época não ter me dado o trabalho de fazer qualquer nota quando cheguei em casa. De muitas maneiras, o encontro foi muito mais tranquilo do que o almoço anterior. De novo, bebemos vinho branco — um bocado de vinho branco para Ted, pelo menos, que, ao final da tarde, oscilava sob os pés.

Por causa do vinho, ou talvez por superarmos nosso primeiro encontro depois da prisão, Ted parecia menos irritadiço. Levando em consideração o rumo que a conversa tomou, isso foi notável, e ainda assim me senti capaz de mencionar coisas que poderiam mesmo irritá-lo.

O barulho no outro lado do bar parecia distante e ninguém podia nos entreouvir. O pedaço de lenha falso ardia alegremente na lareira a gás ao lado da mesa. E, como sempre, a chuva chiava continuamente lá fora.

Em determinado momento, perguntei: "Ted, você *gosta* de mulheres?"

Ted ponderou a pergunta e respondeu devagar: "Sim... Acho que sim".

"Você parece se importar com a sua mãe e acho que tudo remonta a isso. Você se lembra quando me contou que certamente era filho ilegítimo, e comentei que sua mãe sempre o mantivera com ela, independentemente de quão difícil isso possa ter sido?"

Assentiu. "Sim, ela fez isso. Eu me lembro de quando conversamos isso."

Ted acabou se abrindo. Ele me contou que Meg o entregara à polícia. Senti aquela velha pontada de culpa porque ele não sabia que eu também o denunciara. Era óbvio que Ted achava que eu tinha mais informações do que aparentava. "Aquelas muletas no quarto

— as muletas que ela mencionou aos policiais — eram para o meu senhorio. Eu trabalhei na distribuidora de equipamentos médicos, e peguei o gesso e as muletas lá."

Não demonstrei, mas fiquei surpresa. Não tinha ouvido falar de muletas ou gesso, e com certeza não sabia que Meg tinha procurado a polícia.

Ted não parecia guardar rancor de Meg, que o jogara na maior confusão em que alguém poderia estar. Sua postura moderada e complacente parecia inapropriada. Eu me perguntei o que Meg contou aos detetives sobre ele. Imaginei como Ted conseguia perdoá-la com tanta facilidade. Ali estava ele me dizendo que a amava mais do que já tinha amado, e, ainda assim, se não fosse por Meg, não teria que voltar para Utah em alguns dias para enfrentar julgamento por sequestro. O máximo que teria que se preocupar seriam as acusações de se evadir de policial e posse de ferramentas de invasão domiciliar.

Eu pensava que a maioria dos homens teria desprezado a mulher que fizesse o mesmo que Meg, mas ele falou dos momentos maravilhosos que tiveram juntos quando voltou para casa no Natal, e da sua intimidade, mesmo que fossem seguidos pela polícia o tempo todo.

Isso era confuso demais até para lhe perguntar a respeito. Era algo de que eu teria de ponderar. Assenti positivamente quando me pediu para cuidar de Meg, e me certificar de que tivesse alguém para conversar.

"Ela é tímida. Ligue para ela, tá? Converse com ela."

Ted ainda estava confiante. Parecia que o julgamento em Salt Lake City era mais desafio do que ameaça. Ele era como o atleta prestes a participar das Olimpíadas e ia mostrar a eles.

Em determinado momento naquela longa tarde, me levantei para ir ao banheiro, passei por mesas cheias de soldados meio embriagados e por uma dezena de pessoas que pareciam não reconhecer Ted como o infame Ted Bundy. Enquanto andava de volta para a mesa, alguém de repente estava atrás de mim, as mãos pousando de leve na minha cintura. Pulei e então ouvi o riso. Ted se aproximou de mim por trás, tão silencioso que sequer percebi que se afastara da mesa. Mais tarde, descobri que Ted gostava de se esgueirar por trás de mulheres (de acordo com Meg e Lynn Banks), e que se deleitava em pular na frente delas após sair de trás de arbustos e ouvi-las gritar. E me lembrei de como me assustara no bar naquele dia.

À medida que a tarde se estendia e escurecia lá fora, com a obscuridade impenetrável da noite de janeiro em Seattle, decidi contar a Ted qual era a minha posição. Escolhi minhas palavras com o máximo de cuidado. Provavelmente fui mais honesta com ele sobre os meus sentimentos do que jamais voltaria a ser. Contei-lhe da minha consulta com o psiquiatra e meu dilema em ser justa com ele, ao mesmo tempo que sabia que tinha contrato para o livro da história das garotas desaparecidas.

Ele pareceu entender completamente. Seus modos comigo foram os mesmos de cinco anos antes, quando mencionara meus problemas nos escritórios da Clínica de Prevenção de Suicídio. Ele me assegurou que podia compreender minha ambivalência.

"E sabe... preciso lhe contar isso", continuei. "Não consigo me convencer completamente da sua inocência."

Ele sorriu. A mesma resposta insípida à qual viria a me acostumar.

"Tudo bem. Posso entender isso. Existem... coisas que gostaria de contar a você, mas não posso."

"Por quê?"

"Simplesmente não posso."

Eu lhe perguntei por que simplesmente não fazia o teste de polígrafo e acabava logo com aquilo.

"Meu advogado, John Henry Browne, acha que é melhor assim."

Era um paradoxo por si só que Browne aconselhasse Ted. Ele não fora acusado de nada em Washington, ainda que estivesse sob vigilância contínua e fosse acusado pela imprensa e grande parte do público. Browne, porém, trabalhava para a Defensoria Pública, agência fundada para defender suspeitos que *de fato* tinham sido acusados de crimes.

Parecia um jogo sem regras. Também não era comum alguém ser condenado pela imprensa. Solicitaram a Ted que não usasse mais a biblioteca da Faculdade de Direito da Universidade de Washington, porque as alunas se assustavam ao vê-lo por lá.

"Ted", disse-lhe de repente. "O que você queria quando me telefonou de Salt Lake City naquela noite em novembro de 1974?"

"Que noite?", pareceu confuso.

"Foi no 20 de novembro, quando estava no hospital. Você falou com a minha mãe."

"Eu não telefonei para você nesse dia."
"Eu vi os registros telefônicos do número do seu apartamento, em Salt Lake City. Você me ligou pouco antes da meia-noite."
Não parecia irritado, apenas relutante de maneira teimosa.
"A polícia do condado de King está mentindo para você."
"Mas eu *vi* os registros."
"Eu *não* telefonei para você."
Desisti de perguntar. Talvez não se lembrasse.
Ted se gabou mais um pouco sobre como se tornara expert em despistar os homens que o seguiam, e como os provocava.
"Eu sei. Billy Baughman diz que andou até o carro dele e lhe perguntou se estava com a máfia ou com a polícia, que você só queria ter certeza."
"Quem é ele?"
"Detetive da Homicídios de Seattle. Ele é legal."
"Tenho certeza de que são todos príncipes."
Ted conversou um pouco mais em profundidade com apenas um dos detetives que o seguiam. John Henry Browne lhe pedira para não conversar com a polícia, pois não era obrigado a fazer isso, mas Roger Dunn havia ficado cara a cara com Ted enquanto estacionava o carro perto do apartamento do amigo, no dia 3 de dezembro.

Os dois homens, caçador e presa, se encararam, e Ted perguntou a Dunn se ele tinha mandado.

"Não. Só quero conversar com você."

"Entre. Vou ver o que posso fazer."

Se Dunn esperava troca de informações voluntária, se desapontou. Ted de imediato ligou para o escritório de Browne, informou ao assistente que Dunn estava com ele. Browne lhe disse para deixar o apartamento assim que possível, não queria Ted conversando com agentes estaduais de Washington.

Ted tinha sido mais solidário. "Gostaria muito de ajudar. Sei que a pressão da mídia sobre vocês é grande. Pessoalmente, não sinto nenhuma pressão, mas não vou conversar com você agora. Talvez, mais tarde, John e eu possamos entrar em contato."

"Gostaríamos de eliminá-lo como suspeito, se pudermos. Até agora, não conseguimos."

"Sei que há coisas que sei e que vocês não sabem, mas não tenho permissão de discuti-las."

Roger Dunn tinha ouvido falar do comportamento evasivo que Ted repetiria para mim com frequência, e também notara que não queria encará-lo. E então a entrevista chegou a um fim abrupto. Ted estendera a mão e cumprimentaram-se.

Eles se avaliaram um segundo, e nunca se encontrariam novamente.

Sentada no bar esfumaçado, senti que havia mais coisas que Ted queria me contar. Eram quase 18h e tinha prometido ao meu filho que o levaria ao cinema naquela noite para comemorar o aniversário. Ted não queria que o encontro terminasse e me perguntou se queria ir a algum lugar para fumar maconha. Recusei o convite: não usava maconha e tinha prometido ao meu filho que voltaria cedo para casa. Além do mais, embora não parecesse assustada, talvez estivesse um pouquinho desconfortável.

Ted estava bastante embriagado quando me abraçou no lado de fora do bar, e então desapareceu na chuva enevoada. Eu o veria novamente, mais duas vezes, depois que nos despedimos, mas nunca voltaria a vê-lo livre.

21. Ted Bundy vai a julgamento

É minha crença que o julgamento de Ted em Salt Lake City pela acusação de sequestro qualificado de Carol DaRonch foi o único procedimento legal em que teve tudo a favor. Optara por deixar o destino apenas nas mãos do juiz e dispensar o júri. Na segunda-feira, 23 de fevereiro de 1976, o julgamento foi iniciado no tribunal do juiz Stewart Hanson.

Ted estava empolgado com a reputação de Hanson como jurista justo. Realmente acreditava que sairia daquela livre. Tinha John O'Connell ao lado, veterano de 29 julgamentos de homicídio, e considerado um dos melhores advogados de Utah. Também tinha amigos no tribunal, Louise e Johnnie Bundy, Meg, outros que viajaram de avião de Seattle, e aqueles de Utah que ainda acreditavam nele, Sharon Auer e os amigos que o convenceram a se juntar à igreja mórmon pouco antes da primeira prisão.

Contudo, o delegado da polícia de Midvale, Louis Smith, o pai de Melissa, também estava lá, assim como os pais e amigos de Debby Kent e Laura Aime. Não poderia haver acusações que envolvessem suas filhas, mas eles queriam ver o que pensavam como um símbolo da justiça ser feita.

No final das contas, o veredito dependeria da confiança na testemunha ocular, Carol DaRonch, e do testemunho do próprio Ted Bundy. O'Connell tentara fazer com que o testemunho do sargento Bob Hayward sobre a prisão de Bundy em 16 de agosto fosse omitido, mas Hanson se recusou.

Não houve, é claro, durante aquele primeiro julgamento, nenhuma menção aos outros crimes dos quais Ted Bundy era o principal suspeito, e nenhuma menção ao fato de que o Fusca que vendera a um adolescente (por coincidência, ex-colega de sala de Melissa Smith) no dia 17 de setembro de 1975, tinha sido confiscado pela polícia e desmontado sistematicamente enquanto criminalistas procuravam evidências físicas que o ligassem aos outros casos dos quais Ted era suspeito.

Carol DaRonch não foi testemunha confiante, parecia incomodada pelo modo como Ted a encarava fixamente. Soluçou durante o testemunho, relembrou o terror de dezesseis meses atrás. No entanto, apontou para Ted, sentado impassivelmente à mesa da defesa, identificando-o positivamente como o homem que lhe dissera ser o "policial Roseland".

Ted, sentado ali com o rosto bem-barbeado, terno cinza-claro e gravata, não se parecia em nada com sequestrador. A testemunha de acusação, obviamente histérica, desabou repetidas vezes diante das perguntas de O'Connell, questões que sugeriam que Carol DaRonch fora levada a identificar Ted pela persuasão sutil — e não tão sutil — dos detetives do capitão Pete Hayward. Durante duas horas, o advogado de defesa interrogou a garota chorosa.

"Você identificou basicamente quem os agentes da lei queriam que identificasse, não?"

"Não... não", respondeu baixinho.

Ted continuou encarando-a de maneira implacável.

Quando o próprio Ted subiu ao banco das testemunhas, admitiu mentir para o sargento Bob Hayward no momento da prisão por evadir o policial, e que mentira para O'Connell. Explicou que tinha "dado no pé" quando Hayward o perseguiu na viatura em 16 de agosto — mas apenas porque fumara maconha. Queria tempo para jogar o "baseado" fora e deixar a fumaça se dissipar. Admitiu também que não vira filmes no drive-in, mas que disse isso a Hayward. Ele a princípio não havia confessado a história verdadeira para John O'Connell.

Bundy não tinha álibi consistente para a noite de 8 de novembro, mas negou ter visto Carol DaRonch alguma vez na vida antes do julgamento.

As algemas? Apenas algo que apanhara no depósito de lixo e guardara como curiosidade e que não tinha as chaves.

O advogado-assistente do condado, David Yocum, interrogou Bundy no banco das testemunhas.

"Alguma vez usou bigode falso? Você não usou um quando era espião durante a campanha de Dan Evans?"

"Eu não 'espionei' ninguém, e nunca usei bigode falso naquele período", respondeu Ted.

"Você não se gabou para uma conhecida que gosta de virgens e que pode tê-las sempre que quiser?"

"Não."

"Você não disse para essa mesma mulher que não via a diferença entre o certo e o errado?"

"Não me lembro dessa declaração; se a fiz, está fora de contexto, e não representa minha opinião."

"Você alguma vez usou a placa antiga no carro depois de receber a placa nova do estado de Utah?"

"Não, senhor."

Yocum então apresentou dois comprovantes de compra de gasolina com cartão de crédito.

"Você notificou o estado de que perdeu as placas de número LJE-379 em 11 de abril de 1975. Estes comprovantes mostram que ainda usava as placas 'perdidas' no verão de 1975. Por quê?"

"Não consigo me lembrar dos incidentes. O atendente provavelmente me perguntou o número da placa e posso ter inadvertidamente dado o número antigo por hábito."

Ted mentiu. Não era grande mentira, mas o suficiente para macular o restante do testemunho. Confessou que mentira para O'Connell a respeito da maconha até duas semanas antes do julgamento. O júri poderia ter acreditado nele, mas o juiz Hanson não. O magistrado se retirou para ponderar a decisão após as declarações finais na sexta-feira, 27 de fevereiro. Na segunda-feira, 1º de março, os principais implicados foram convocados para o tribunal às 13h35.

O juiz de 37 anos, de acordo com a própria declaração, passou um fim de semana "angustiante". Declarou Ted Bundy culpado de sequestro qualificado sem qualquer margem de dúvida. Ted, libertado sob fiança, foi devolvido à custódia da delegacia do condado de Salt Lake para aguardar a leitura da sentença.

Ted ficou chocado. Os soluços de Louise Bundy eram os únicos sons no tribunal naquela tarde nevada. Condenado, Ted não disse nada até ser algemado pelo capitão Hayward e por Jerry Thompson, e então disse, cheio de escárnio: "Vocês não precisam dessas algemas, não vou a lugar algum".

Meg Anders assistia a tudo enquanto Ted era levado para fora do tribunal. Aconteceu o que achou que aconteceria quando telefonou para a polícia com suas suspeitas. Agora estava arrependida e queria Ted de volta.

A leitura da sentença foi marcada para 22 de março. Haveria, claro, apelação.

Ted estava atrás das grades de novo, no mundo que odiava. Escrevi para ele, cartas insípidas cheias do que acontecia na minha vida, apenas ninharias. Eu lhe enviava cheques de valores baixos pelo escritório de John O'Connell para comprar coisas como produtos de papelaria e selos na loja da prisão. E, ainda assim, adiei qualquer julgamento de minha parte.

Até *eu* ter provas de que Ted era culpado daquele e talvez de outros crimes, iria aguardar.

A frequência das cartas para mim aumentou. Eram mais reveladoras sobre o estado de espírito do que qualquer pessoa seria capaz de parafrasear. Algumas delas foram datadas com os dias errados, como se o próprio tempo já não tivesse mais significado para ele.

22. Entre cartas e grades

Sua primeira carta pós-condenação foi postada em 14 de março de 1976, embora a tenha datado erroneamente como 14 de fevereiro.

> Querida Ann,
>
> Obrigado pelas cartas e contribuição para os produtos. Ando devagar para responder cartas desde o revés mais recente. Provavelmente, função da minha necessidade de rearranjar mentalmente a vida. Para me preparar para o inferno que é a vida na prisão. Para compreender o que o futuro me reserva.

Ele disse que escrevia como "empreitada para injetar estímulos", para ajudá-lo a começar a avaliar o que lhe aguardava. Estava confuso pelo veredito de culpado, e desdenhoso do juiz Hanson, certo que o jurista fora influenciado pela opinião pública em vez das evidências. Esperava receber sentença de prisão perpétua sem possibilidade de condicional em cinco anos, e acreditava que o Departamento de Liberdade Condicional para Maiores lidava com seu relatório pré-sentença de maneira tendenciosa.

"O relatório parece focar na teoria de Jekel [sic] e Hyde, algo proposto por todos os psicólogos que me examinaram."

Ted ouvira falar que o agente da condicional acreditava que fizera algumas confissões prejudiciais nas cartas para mim. É claro que não era o caso. Em minhas mãos só tive aquelas duas cartas antes do julgamento e, com a permissão de Ted, as entregara aos detetives da polícia do condado de King.

Em 22 de março, o juiz Hanson anunciou que adiaria a leitura da sentença por noventa dias, pela avaliação psicológica pendente. Ted me escreveu naquela noite agachado no chão com as costas contra a parede de aço da cela, para captar luz suficiente do lustre do corredor para escrever. Não parecia especialmente preocupado com a avaliação psicológica na Penitenciária Estadual de Utah, em Point of the Mountain.

"Se a vida na cadeia é algum indício, a prisão deve ser repleta de material que o sofrimento humano gera, cheia de histórias surpreendentes que os detentos contam. Por diversos motivos, preciso tirar vantagem da oportunidade e começar a usar esse valioso reservatório de ideias. Vou começar a escrever."

Ted queria meus conselhos editoriais, e que fosse sua agente para vender os livros que pretendia escrever sobre seu caso. Estava ansioso para agirmos logo a fim de estabelecer nossos papéis como colaboradores, e para acordarmos a porcentagem da distribuição dos lucros que, com certeza, entrariam no futuro. Ele me pediu para manter a proposta confidencial até o momento certo, e que me correspondesse com ele pelo escritório do advogado.

Não sabia ao certo o que pretendia escrever, mas respondi com longa carta detalhando os diversos caminhos para a publicação e explicando a forma correta de submeter manuscritos. Também voltei a repetir informações do contrato para livro que já tinha com W.W. Norton do caso das garotas desaparecidas, e enfatizei minha crença de que a história dele teria de fazer parte do meu livro — exatamente quanto não podia saber. Ofereci-lhe parte dos meus lucros, calculados com base no número de capítulos que pudesse escrever com as próprias palavras.

Por fim, o incitei a esperar um pouco antes de tentar publicar, para sua própria proteção. As complicações legais em Utah e no Colorado não tinham terminado. Colorado avançava depressa na investigação, embora o público, do qual eu fazia parte, conhecesse poucos detalhes. A descoberta das compras com o cartão de crédito, no entanto, tinha vazado.

E eu tinha novidades. Estava prestes a viajar a Salt Lake City, como parte da preparação para o livro com registros de viagem que editava então para uma editora do Oregon. Tentaria a permissão para visitá-lo na cadeia.

Não seria fácil conseguir essa permissão, afinal, não era parente, e não estava na lista de visitantes aprovados para Theodore Robert Bundy. Quando liguei para o escritório do diretor Sam Smith, na antiga penitenciária de Draper, em Utah, fui informada de que, se voltasse a ligar quando chegasse em Salt Lake City, eles teriam a resposta. Estava convicta de que seria "não".

Em primeiro de abril de 1976, voei para Utah. Nunca viajara de jato, e não tinha viajado de avião desde 1954. A velocidade do voo e saber que deixaria a chuva de Seattle para trás e estaria na relativamente amena Salt Lake City em questão de poucas horas deixou a viagem ainda mais surreal.

O sol brilhava e o vento poeirento soprava punhados de salsola ao longo da paisagem amarronzada enquanto dirigia o carro alugado no aeroporto. Estava me sentindo desorientada, assim como viria a me sentir três anos depois, quando cheguei a Miami, mais uma vez por causa de Ted.

Telefonei para a penitenciária e descobri que visitas eram permitidas apenas aos domingos e quartas-feiras. Era quinta-feira, e já eram 16h. Conversei com o diretor Smith, que disse: "Vou pedir que alguém da equipe de diagnósticos ligue de volta para você".

Recebi a ligação. Qual era o propósito em visitar Bundy?

"Ele é um velho amigo."

Quanto tempo ficaria em Utah?

"Só hoje e amanhã de manhã."

Quantos anos eu tinha?

"Quarenta." Essa resposta pareceu certa. Era velha demais para ser "tiete do Ted".

"Ok. Vamos lhe dar permissão para visita especial. Esteja na prisão às 17h15. Você terá uma hora."

A Penitenciária Estadual de Utah, em Point of the Mountain, fica aproximadamente quarenta quilômetros ao sul do hotel que estava, e quase não tive tempo para encontrar a estrada certa e chegar a Draper, parada postal, população de setecentas pessoas. Olhei para a direita e vi as duas torres com guardas armados de espingardas. A antiga penitenciária e a paisagem ao redor pareciam ser da mesma cor: cinza meio amarronzado. O sentimento de desamparo tomou conta de mim e senti empatia por Ted por estar encarcerado.

Eu passei um verão como estagiária na Escola de Treinamento para Garotas do Estado do Oregon — instituição correcional juvenil para meninas — aos dezenove anos, e carregara pesado chaveiro repleto de chaves achatadas para todos os lugares que ia, mas aquilo foi muito tempo antes. Tinha me esquecido da segurança necessária para manter seres humanos atrás de muros e grades. O guarda na porta me disse que não podia entrar com a bolsa.

"O que faço com ela?", perguntei. "Não posso deixá-la dentro do carro porque as chaves estão dentro. Posso entrar com as chaves?"

"Sinto muito. Não pode levar nada para dentro."

Ele afinal cedeu e abriu o escritório com paredes de vidro onde pude deixar as chaves do carro depois de por a bolsa no veículo alugado. Levei o cigarro na mão.

"Sinto muito. Nada de cigarros, nada de fósforo."

Eu os coloquei em cima do balcão e esperei que Ted fosse trazido para baixo. Senti claustrofobia, como sempre sinto em prisões, ainda que meu trabalho fosse me levar para quase todas as penitenciárias em Washington cedo ou tarde. Senti o peito apertar e a respiração prendeu.

Para afastar os pensamentos daquele mal-estar do encarceramento, olhei ao redor. A sala de espera estava vazia, é claro. Não era o horário regular de visitas. As paredes sem graça e as cadeiras vergadas pareciam as mesmas de cinquenta anos atrás. Em volta, máquina de doces, quadro de avisos, fotos dos funcionários e cartão religioso de Natal que tinha sobrado. Para quem? De quem? Anotações disciplinares sobre os detentos, anúncios de itens à venda, formulário para matrículas para aulas de defesa pessoal. Para quem? Os funcionários? Os visitantes? Os presidiários?

Eu me perguntei onde iríamos conversar. Através da parede de vidro com auscultadores? Através de telas de aço? Não queria ver Ted na jaula, sei que se sentiria humilhado.

Algumas pessoas odeiam o cheiro de hospitais. Eu odeio o cheiro de cadeias e penitenciárias, pois todas têm o mesmo cheiro: fumaça rançosa de cigarro, desinfetante, urina, suor e poeira.

O homem sorridente andou na minha direção — tenente Tanner da equipe de funcionários da prisão — e pediu para me registrar. Antes disso, passamos pelo portão elétrico que se fechou com estrondo pesado atrás de nós. Assinei o nome, e o tenente Tanner me acompanhou por um segundo portão elétrico. "Podem conversar aqui. Vocês terão uma hora. Eles vão trazer o sr. Bundy em alguns minutos."

Era o corredor! Um segmento minúsculo no espaço entre os dois portões automáticos de ambos os lados. Havia duas cadeiras empurradas contra o suporte de casacos pendurados e, por algum motivo, latas de verniz embaixo delas. Um guarda sentado em reservado de vidro, a um metro e vinte de distância. Eu me perguntei se conseguiria ouvir a conversa. Além de mim, ficava a prisão propriamente dita, e ouvi passos se aproximando. Desviei o olhar, do jeito que alguém desvia o olhar ao perceber algo que incomoda. Não consegui fitar Ted na jaula.

A terceira porta elétrica deslizou, e lá estava ele, acompanhado de dois guardas. Eles o revistaram, procuraram objetos escondidos. Não fui revistada. Será que tinham me verificado? Como sabiam que não portava algum contrabando, alguma lâmina de barbear escondida na manga?

"Sua identificação, senhora."

"Está no carro", disse. "Tive que deixar tudo no carro."

As portas voltaram a se abrir, e corri de volta ao carro para pegar a carteira de motorista e provar quem eu era. Entreguei-a para o guarda, ele a analisou, depois a devolveu. Não tinha olhado diretamente para Ted. Nós dois aguardávamos. E agora, estava diante de mim. Por um instante louco, me perguntei por que os presidiários usavam camisetas de suas preferências religiosas. A dele era laranja e dizia "Agnóstico" na frente.

Olhei de novo. Não, dizia *"Diagnóstico"*.

Estava muito magro, de óculos e o cabelo mais curto que já tinha visto. O suor cheirava forte quando me abraçou.

Deixaram-nos sozinhos para conversar no estranho corredor-chapelaria. O guarda atrás do vidro do outro lado parecia desinteressado. Fomos interrompidos por fluxo contínuo de pessoas — guardas, psicólogos e esposas de detentos — que iam para a reunião do AA. Um dos psicólogos reconheceu Ted, o cumprimentou e apertou sua mão.

"Esse é o médico que fez meu perfil psicológico para o John [O'Connell]", contou Ted. "Disse ao John, em caráter extraoficial, que não conseguiu ver como eu poderia fazer aquilo."

Muitas das pessoas que passavam por nós em roupas civis assentiam e falavam com Ted. Foi tudo muito civilizado.

"Estou no 'aquário'", explicou. "Somos quarenta pessoas no centro de diagnóstico. O juiz ordenou que fosse mantido em custódia protetora, mas recusei. Não quero ficar isolado."

Ainda assim, admitiu que houve bastante agitação durante sua chegada a Point of the Mountain. Estava ciente de que homens condenados por crimes contra mulheres tinham alta taxa de mortalidade dentro das quatro paredes. "Fizeram fila para me ver quando cheguei e passei pelo corredor polonês."

Contudo, achava a prisão muito melhor do que a cadeia. Estava se transformando depressa em "advogado de cadeia".

"Vou sobreviver aqui dentro — se sobreviver — graças ao cérebro e conhecimento da lei. Eles me procuram para aconselhamento legal, e todos estão maravilhados com o John. Tive apenas um momento bastante ruim. Um cara — assassino que literalmente arrancou a garganta do homem que matou — andou até mim e pensei que tinha chegado a minha hora. Ele só queria saber coisas do John, em descobrir como fazer com que ele o representasse. Eu me dou muito bem com todos eles."

Olhou para o portão trancado atrás de mim. "Eles o deixaram aberto quando você saiu para buscar a identificação. Vi os casacos aqui, a porta aberta, e a ideia de fugir passou pela cabeça, mas apenas por um minuto."

O julgamento que acabara de ser concluído havia irritado Ted, e queria conversar sobre aquilo. Insistiu que os detetives do condado de Salt Lake convenceram Carol DaRonch a identificá-lo. "A descrição original do homem dizia que tinha olhos castanho-escuros e os meus são azuis. Ela não conseguia se decidir sobre o bigode e disse que os cabelos dele eram escuros, penteados com gel para trás. Ela identificou o meu carro com base em fotografia polaroide com filme exposto à muita luz. Fez o carro parecer azul, e na verdade é marrom. Mostraram-lhe a minha foto muitas vezes. É claro que me reconheceu. Porém, no tribunal, nem mesmo conseguiu identificar quem a pegou e a levou para a delegacia.

"Jerry Thompson disse ter visto três pares de sapatos de couro envernizado no meu closet. Por que não fotografou? Por que não os confiscou como prova? Eu nunca tive sapatos de couro envernizado. Alguém disse que usava botas de couro envernizado para ir à igreja. Será que eu usaria as roupas de *maníaco* para ir à *igreja*?

"Ela nem chegou a ver o pé de cabra. Tudo o que disse foi que sentiu a ferramenta de ferro ou aço com muitos lados quando foi agarrada por trás. Disse que estava acima da cabeça."

Ted desdenhou do psicólogo, Al Carlisle, que lhe testava, assim como desdenhou dos detetives de Utah. A maioria dos testes eram familiares a qualquer aluno de psicologia: o MMPI (Minnesota Multiphasic Personality Index — Inventário Multifásico Minnesota de Personalidade), que consiste em centenas de perguntas que podem ser respondidas com "sim" ou "não", com algumas perguntas "de mentira" repetidas em intervalos deliberados. Identifiquei as perguntas de mentira quando era caloura na faculdade, em especial "Você pensa com frequência em coisas ruins demais para falar disso?". A resposta "correta" é "sim" — todo mundo pensa —, mas muitas pessoas escrevem "não". Para Ted Bundy, esse teste era coisa de jardim da infância.

O TAT (Teste de Apercepção Temática) faz o indivíduo olhar para a imagem e contar a história a partir dela. E então existe o teste de Rorschach, ou "teste do borrão de tinta". O próprio Ted administrara testes em algumas pessoas na faculdade. A Penitenciária Estadual de Utah tinha o próprio teste psicológico, série de adjetivos em que o indivíduo sublinha aqueles que se aplicam à sua personalidade.

"Ele quer saber da minha infância, família, vida sexual, e eu conto o que posso. Então fica feliz e pergunta se quero vê-lo de novo. Aí respondo: 'Ok'. Por que não?"

Paramos quando outro grupo atravessou o corredor.

"No nosso encontro seguinte, aparece sorrindo", continuou Ted. "Tem o diagnóstico. Sofro de personalidade passivo-agressiva. O homem está tão satisfeito consigo mesmo, Ann, se reclina na cadeira, e aguarda. Espera mais coisas de mim. O que quer? Uma confissão completa?"

Falei pouco durante a visita. Tinha tanto a desabafar e, com a exceção das visitas de Sharon Auer, e, de tempos em tempos, de O'Connell e o assistente, Bruce Lubeck, Ted sentia não ter alguém do seu nível para conversar.

"John acha que deveria ter ficado bravo no tribunal. Ele cursou a faculdade de direito com o juiz Hanson e conhece o homem. Fiquei ali sentado só para entender as motivações por trás dos promotores, e era ridículo demais demonstrar alguma emoção sobre aquilo. Mas o John acha que deveria ter me enfurecido!"

Conversamos de Sharon e Meg. Ele conhecia Sharon havia mais de um ano, e ela o visitava fielmente todas as quartas-feiras e aos domingos. "Não mencione a Sharon para a Meg. A Sharon tem ciúme da Meg e a Meg na verdade não sabe nada sobre a Sharon."

Prometi que não me envolveria em sua complicada vida amorosa, e fiquei espantada por conseguir manter dois relacionamentos intensos encarcerado e com possível sentença de perpétua pairando acima da cabeça.

"Minha mãe está chateada com Meg por ela ter contado à polícia que eu sou filho ilegítimo." A legitimidade do nascimento de Ted logo se tornaria a menor das preocupações de Louise Bundy.

"Este lugar... eles têm tudo o que querem aqui: drogas, anfetamina. Não vou usar drogas, não vou embarcar na costumeira viagem da prisão. Estou me ajustando e quero trabalhar pela reforma penitenciária. Sou inocente, mas posso trabalhar de dentro."

Ted ainda queria escrever, e acreditava que Sharon poderia agir de mensageira, pois regularmente carregava papéis e documentos legais quando o visitava. Disse que ela poderia levar seus escritos e enviá-los para mim.

"Preciso de 15 mil dólares para contratar detetives particulares. Acho que Carol DaRonch, ou alguém conhecido dela, conhecia o homem que a atacou. Preciso de dinheiro para contratar outra equipe de psicólogos independentes para enviar relatórios ao conselho de sentenças. Todo mundo toma decisões a meu respeito, e nem sequer tenho permissão de ir nas reuniões..."

"Não acho que você deva tentar publicar coisa alguma antes de 1º de junho", disse. "E Colorado. Ainda falta o Colorado."

"Conversei com o pessoal do Colorado não têm acusação contra mim."

"E aqueles comprovantes de cartão de crédito no Colorado?"

Sorriu. "Não é contra a lei estar no Colorado. Claro, estive lá, mas muitas pessoas vão para o Colorado."

Eu lhe perguntei se pretendia incluir a descrição dos casos de homicídio quando fosse escrever, e me respondeu que acreditava que aqueles "casos sensacionalistas" seriam essenciais para vender o livro. "Sam Shepard foi declarado inocente depois de anos na prisão", relembrou, "e o livro sobre a provação sofrida por um inocente vendeu bem."

Sentada ali naquele cubículo abafado, mais uma vez fiquei do lado dele. Ted parecia frágil demais e cercado por forças sobre as quais não tinha controle. E, mesmo assim, o carisma ainda estava lá. Eu *acreditei* na história dele. Ele era quem sempre fora, mas estava em situação que não tinha relevância alguma para o Ted verdadeiro dentro dele.

Ele se lembrou do meu mundo, e com educação perguntou como ia a venda da casa, e como os meus filhos estavam. Implorou para que ficasse ao lado de Meg, e me contou o quanto a amava e sentia sua falta.

E então os guardas voltaram. Deram um tapinha no ombro dele. Tinham nos dado quinze minutos adicionais. Ele se levantou, voltou a me abraçar e me deu um beijo na bochecha. Revistaram-no novamente. Eu me dei conta de que foi por isso que não tinham me revistado. Se tivesse dado alguma coisa a ele, teriam descoberto antes de eu ir embora.

A porta deslizou para mim, parei um instante, observei-o enquanto era levado de volta para o interior da prisão: parecia muito menor ao lado dos dois guardas.

"Ei, senhora... Droga! Cuidado!"

A porta se fecha automaticamente e pulei para a frente a tempo de não ficar presa nas mandíbulas de metal. O guarda me encarou como se fosse estúpida. O tenente Tanner educadamente me agradeceu por ter ido e me acompanhou até a porta da frente da penitenciária.

E então estava no lado de fora de novo, passava pelas duas torres e entrava no carro para pegar a estrada de volta a Salt Lake City. O vento provocou tempestade de areia, e a prisão atrás de mim quase sumiu de vista.

De repente, havia luzes vermelhas girando em cima da van atrás de mim. Tinha ficado paranoica naquela uma hora e meia em Point of the Mountain, e me perguntei por que me perseguiam. O que eu *fiz*? Então a van se aproximou, cada vez mais perto, e me preparei para encostar o carro. Mas então o carro dobrou em estrada secundária, seu alarido desvanecendo ao vento. Percebi que falava sozinha. *Não, não... não pode ter feito aquilo. Foi empurrado lá para dentro pela opinião pública. Aquele homem com quem acabei de conversar é o mesmo homem que sempre conheci. Ele tem que ser inocente.*

Segui na direção da cidade, passei pelas saídas para Midvale e Murray, cidades que antes não tinham sido nada além de nomes no mapa e agora eram locais de dois sequestros. Passei por pessoas voltando do trabalho, entediadas com as rotinas diárias, e me senti agradecida por estar livre. Poderia ir para o hotel, jantar com um amigo, embarcar no avião e voltar para Seattle. Ted não podia. Estava no aquário com outros "peixes".

Como isso podia acontecer com um rapaz de futuro tão brilhante pela frente? Estava mergulhada em meus devaneios e passei da entrada para o hotel e vaguei, perdida, pelas ruas amplas, limpas, mas confusas de Salt Lake City.

Foi naquela noite, 1º de abril de 1976, que tive o sonho. O horror me arrancou do sono em quarto estranho em cidade estranha.

Estava em grande estacionamento, carros saíam de ré e se afastavam depressa. Um dos veículos atropelou um bebê, ferindo-o gravemente. Eu o apanhei, e sabia que cabia a mim salvá-lo, tinha de ir ao hospital, mas ninguém queria me ajudar. Carreguei o bebê, embrulhado quase por completo no cobertor cinza, até a agência de aluguel de carros, que tinha muitos carros. Mas ao ver o bebê em meus braços, eles se recusaram a me atender. Tentei pegar ambulância, e os atendentes me deram as costas. Desesperada, encontrei um carrinho de criança e coloquei o neném ferido nele, puxei-o atrás de mim por quilômetros até encontrar o pronto-atendimento.

Carreguei o bebê, correndo, até o balcão de atendimento. A enfermeira da recepção olhou para o embrulho nos braços. "Não, não vamos cuidar dele."

"Mas ainda está vivo! Ele vai morrer se não fizerem alguma coisa."

"É melhor. Deixe-o morrer. Não vai ser bom para ninguém cuidar dele."

A enfermeira, os médicos, todos se viraram e se afastaram de mim e do bebê ensanguentado.

E então olhei para ele. Não era bebê inocente, era o demônio. Mesmo enquanto o segurava, afundou os dentes na minha mão...

Eu não tinha que ser acadêmica freudiana para entender o sonho, pois foi óbvio demais. Será que tentava salvar um monstro, protegia algo ou alguém perigoso e maligno demais para sobreviver?

23. Inteligente o bastante para parecer normal

Algo bem fundo no meu inconsciente emergiu e me disse forçosamente que talvez eu acreditasse que Ted Bundy era o assassino. Mas tinha me comprometido a continuar em contato com ele, independentemente do que o futuro reservasse. Suspeitava de que não percebia as coisas do mesmo modo que eu, mas me recusava a acreditar que não sofresse com esse peso terrível. Acreditava que talvez pudesse um dia ser o meio pelo qual se livraria desse peso. Se conversasse comigo sobre o que aconteceu, poderia revelar fatos ainda ocultos, e isso não apenas iria ajudá-lo a receber a redenção a que aludira no poema, como poderia dar um pouco de alívio, de encerramento, aos pais e parentes que ainda esperavam descobrir o que acontecera às filhas. Estranhamente, nunca consegui imaginar Ted assassino, nunca visualizei o que tinha acontecido. Provavelmente, era melhor que não conseguisse. Quando lhe escrevia, as cartas tinham de ser para quem me lembrava, caso contrário não conseguiria fazê-lo.

Uma vez antes, Ted me telefonou quando estava nas garras da ansiedade emocional. Embora tenha negado ter feito o telefonema em 20 de novembro de 1974, eu vi os registros telefônicos. Ele *tinha* ligado naquela noite, e eu acreditava que chegaria o dia em que iria precisar de mim de novo. Algo parecia ter dado terrivelmente errado na mente de Ted, e agora suspeitava que a parte "doente" dele era capaz de cometer homicídios. Se isso fosse verdade, então precisaria de alguém para ouvi-lo, que não o julgasse, mas ajudaria a fazer as confissões mais fáceis. Acreditava que Ted poderia expiar a culpa pelo texto, e continuei encorajando-o a escrever.

Ele me pedira para telefonar para Meg. Em nosso encontro na prisão, Ted me dissera: "Eu amo Meg espiritualmente", e me perguntei se ela não estava envolvida com alguém que, mesmo que não estivesse na prisão, jamais se casaria com ela. Para o bem dela, escrevi: "Meu instinto em relação às conversas que tivemos sobre Meg recentemente — e anos atrás — me diz que você, essencialmente, não vê o futuro com ela, por mais que a ame e por mais que compartilhem uma história. Há algo que falta, algo especial para o relacionamento duradouro. Isso, claro, não é algo que discutirei com Meg, mas encorajarei qualquer esforço que venha a fazer para se tornar uma pessoa completa por si só, para que não precise de nenhum homem tanto quanto precisa de você agora".

Ted pareceu concordar, mas haveria cartas onde se mostraria aterrorizado com a possibilidade de perdê-la. Mesmo assim, havia Sharon, e mantive a promessa de não falar sobre uma com a outra.

Eu telefonei para Meg, e ela se lembrou de mim daquela festa de Natal de tanto tempo antes. Parecia ansiosa em me encontrar de novo, e marcamos de jantar juntas.

Em a 7 de abril (embora tenha voltado a colocar a data errada, 7 de março de 1976), recebi carta de Ted, a primeira desde que retornara de Utah.

Todos os pequenos envelopes brancos fornecidos pela prisão tinham o endereço do remetente pré-impresso neles, com a caixa postal em Draper, Utah, e, acima disso, Ted escreveu "T.R. Bundy".

Tinha se recomposto àquela altura, esforço que nunca falhava em me fazer admirar sua habilidade em ser assim. De alguma maneira, conseguia se recompor e se recobrar sob tamanho estresse, e se ajustar a cada situação.

A carta era um pedido de desculpa, em parte, por usurpar grande parte da conversa em nosso encontro na prisão. "Desenvolvi a típica síndrome de presidiário: a obsessão com meu caso legal... o julgamento e o veredito vivem dentro de mim como algum tipo de úlcera cerebral."

Escrevia muitas cartas e observações na cela, e comentou que a mão esquerda (é canhoto) estava tão forte que rompia os cadarços sem querer.

Ted fez comentários da conexão entre nós, conexão que parecia se tornar mais forte: "Você a chamou de carma, pode ser. Ainda assim, qualquer que seja a força sobrenatural que guia nossos destinos, nos uniu em situações mentalmente estimulantes. Tenho que acreditar que essa mão invisível servirá mais Chablis gelado para nós em tempos menos traiçoeiros, mais tranquilos que estão por vir".

Em outra ocasião, Ted me incitou a cuidar de Meg por ele, e sugeriu que pedisse a ela que lesse alguns dos poemas amorosos que ele enviara. Ted anexou um desses poemas, poema impresso em papel azul nas instalações de impressão da penitenciária e terminava assim:

>   Te envio este beijo
>   Entrego este corpo aos abraços.
>   Esta noite me deito com você
>   Com ditos de amor não confessos.
>   Se fosse possível amaria você,
>   Com palavras estendo estes braços
>   Que com força envolvem você.

Quando encontrei Meg para jantar, 30 de abril de 1976, levava consigo uma dúzia ou mais de poemas amorosos de Ted. Ela os tinha datilografado com cuidado, com cópias para ela e para Ted. Eram sonetos românticos, coisas que qualquer mulher apaixonada teria se apegado. E Meg com certeza era uma mulher apaixonada. Ainda assim, mesmo enquanto os lia, fui acometida pela incongruência da situação. Aquela era a mulher que colocara Ted no presente perigo, e *eu* sabia que Sharon Auer também estava apaixonada por ele — Sharon, que acreditava que Ted a amava.

Meg chorou enquanto relia os poemas, destacava passagens particularmente carinhosas. "Não consigo entender como pode me perdoar depois do que lhe fiz, como pode escrever poemas assim."

Ela enfiou os poemas de volta no grande envelope pardo e olhou ao redor do salão. Ninguém notou as lágrimas. A luta do campeonato peso-pesado passava na televisão acima do bar, e todos estavam vidrados no combate.

"Sabe", disse baixinho. "Não faço amigos com facilidade. Tive um namorado e uma amiga e agora perdi os dois. Não vejo mais a Lynn, não consigo perdoá-la por me fazer duvidar do Ted, e não sei quando voltarei a vê-lo."

"O que aconteceu, Meg?", perguntei. "O que fez você procurar a polícia? Houve alguma outra coisa além das suspeitas de Lynn?"

Balançou a cabeça. "Não posso contar. Sei que você está escrevendo um livro. Espero que entenda, mas não posso falar disso."

Eu não a pressionei. Não estava ali para espremer informações, mas sim porque Ted tinha me pedido para ficar ao lado de Meg. Pressioná-la seria muito parecido com cutucar a criatura com um pedaço de pau, uma criatura já ferida.

Ainda assim, Meg queria informações de mim. Tinha ciúme de Ted, mesmo encarcerado na Penitenciária Estadual de Utah. Ela queria saber de Sharon. Eu lhe contei, com sinceridade, que na verdade não sabia muita coisa a respeito de Sharon Auer. Não mencionei que conversei com Sharon por telefone quando estive em Salt Lake City e ouvira a voz virar gelo ao mencionar Meg. Foi a primeira vez que percebi que Sharon soava tão possessiva quanto Meg, mas ainda incerta a respeito de Ted.

Meg me pareceu muito vulnerável, e me perguntei por que Ted não a libertava de vez. Tinha 31 anos e queria casar, a chance de ter os filhos pelos quais ansiava antes que houvesse um intervalo muito grande entre eles e Liane, antes que Meg fosse velha demais. Ted certamente sabia que demoraria anos para estar livre novamente, e ainda assim a atava com poemas, cartas e ligações. Para piorar, ela o amava mais do que nunca e tentava lidar com mais culpa do que conseguia suportar.

Foi estranho. Enquanto meditava como Meg sobreviveria em sua completa dependência de Ted, recebi outra carta dele, 17 de maio, na qual parecia aterrorizado em perdê-la! Estava apreensivo enquanto enfrentava as últimas duas semanas antes da leitura da sentença, em junho, e isso pode ter contribuído para a ansiedade. Parecia sentir que Meg se afastava, então me pediu para procurá-la e falar sobre ele.

"Você é a única pessoa em quem confio", escreveu Ted, "que é sensível e está na posição para abordar Meg por mim. Acho que seria mais fácil para Meg se expressar com você do que comigo."

O final da carta trazia ainda suas opiniões dos psiquiatras e psicólogos que tinham passado três meses examinando-o:

[...] Depois de conduzirem inúmeros testes e extensos exames, me declararam normal e estão profundamente perplexos. Nós dois sabemos que ninguém é "normal". Talvez o que deveria dizer é que não encontraram nenhuma explicação para justificar o veredito ou outras alegações. Nenhuma convulsão, nenhuma psicose, nenhum transtorno dissociativo, nenhum hábito, opinião, emoção ou medo incomuns. Controlado, inteligente, mas, de maneira alguma, louco. A teoria em andamento agora é que me esqueci de tudo por completo, teoria refutada pelas próprias descobertas. "Muito interessante", murmuram. Eu posso ter convencido um ou dois deles de que sou inocente.

Liguei para Meg em nome de Ted, e descobri que estava completamente inalterada em sua devoção a ele. Ela deu um jeito de ligar para ele por dois minutos e dizer isso, e me pediu para garantir a ele que não estava namorando ninguém. Ele não queria deixá-la, e, ao que parecia, Meg também não. Em 5 de junho, Meg foi à minha casa para passar a noite. Tinha acabado de se despedir dos pais depois da visita de uma semana, e estava tensa porque não foram compreensivos quanto a sua lealdade contínua a Ted. Também estava preocupada com Sharon, e se mostrou mais ciente do relacionamento de Sharon com Ted do que ele imaginava. Eu estava no meio da situação que me deixava desconfortável. Suspeitava de que era sutilmente manipulada para manter Meg amarrada a Ted.

Eu lhe escrevi sobre Meg em 6 de junho: "Acho que ela está ciente de seu caso com Sharon, mas enfatizei que realmente não sei nada disso e que não *quero* saber. Quando chegar a hora de pensar em conflitos cotidianos, você vai ter que colocar tudo em ordem".

O futuro de Ted ainda estava no limbo. A leitura da sentença da condenação pelo sequestro de DaRonch, marcada para 1º de junho, tinha sido adiada por mais trinta dias. Era concebível — mas não provável — que recebesse liberdade condicional. Ou poderia receber prisão perpétua. Os psicólogos ainda lutavam com sua personalidade. Eu recebera ligação de Al Carlisle, o psicólogo responsável pelo relatório sobre Ted, em uma noite de domingo. Ele começou de maneira abrupta: "Você conhece Ted Bundy?".

"Quem quer saber?", perguntei. Conhecer Ted Bundy estava se transformando em algo que ninguém se gabava.

Então se identificou, e soou tímido e diferente. Eu disse apenas o que tinha visto — não adiantava nada incluir sonhos e temores ao que supostamente era estudo psicológico racional. Expliquei que, em todos os contatos com Ted, eu o tinha considerado normal, empático, amigável e gentil. E isso era verdade.

"Bom", disse. "Conversei de Ted Bundy com muitas pessoas, e fiquei surpreso com as opiniões amplamente divergentes."

Quis perguntar quais eram as opiniões, mas não pareceu ser a reação apropriada, então, aguardei.

"Eu mesmo gosto dele. Passei umas doze horas com Ted, e gosto dele." Carlisle queria cópias das duas "cartas do Ted" que tinham conquistado fama tão imerecida, e disse que as enviaria, mas apenas com a permissão dele. Ted permitiu e eu as enviei pelo correio para o psicólogo da prisão.

Ted voltou a me escrever em 9 de junho. Com a leitura da sentença próxima, tinha se preparado para a briga. "As perspectivas são animadoras!"

Considerava os exames psicológicos "maliciosos, tendenciosos e infernais". Ted lembrou-se de seus próprios estudos psicológicos, e se sentia preparado para lidar com perguntas que os médicos fariam a ele e a seus amigos — perguntas que sugeriam que Ted talvez fosse estranho, homossexual ou pervertido na relação sexual. Ted ficou bravo porque os examinadores lhe contaram que alguns de seus amigos comentaram coisas negativas dele, mas não quiseram revelar o conteúdo das entrevistas nem os nomes dos amigos.

"Fiquei perplexo! Estamos nos Estados Unidos? Devo ser atacado de maneira anônima? Listei os nomes de diversos amigos íntimos, pessoas que me conhecem bem. Nenhum foi contatado. Quem são meus detratores? Nenhuma resposta..."

Mas *havia* recebido algumas respostas. A equipe de testes lhe informara que os entrevistados anônimos sugeriram que ele era instável.

"Bom, às vezes você parecia feliz e agradável. Em outras ocasiões, parecia pessoa diferente e também indiferente", tinham contado a ele. "Estão tentando criar a dupla personalidade de jeito desesperado", escreveu Ted, irritado. "Vou acabar com eles."

Estava ansioso para a audiência de suas capacidades mentais, certo de que poderia demolir tudo o que a equipe de diagnóstico tinha construído nos últimos três meses.

Ted começara a entrar na batalha judicial pela própria liberdade, e sua participação viria a aumentar ao longo dos anos vindouros. Estava "com tudo", confiante de que sua mente, sua inteligência, poderiam superar o que quer que fosse que os exames psiquiátricos pretendiam revelar. Acho que realmente acreditava, pela própria retórica, que seria libertado.

Fez a declaração ao juiz Hanson. Enquanto apresentava o pleito, foi o Ted metido e espirituoso, tão distante dos fatos que a situação toda foi ridícula. Sua postura viria a irritar diversos juízes e jurados nas futuras batalhas judiciais, mas foi, ao que parecia, atitude necessária para a sobrevivência do ego. Sempre acreditei que Ted preferiria, literalmente, *morrer* a ser humilhado — preferiria encarar prisão perpétua ou cadeira elétrica antes de se humilhar.

Na audiência, Ted atacou as prisões em agosto e outubro de 1975 com desdém. Admitiu certa "estranheza" de comportamento quando fora confrontado pelo sargento Bob Hayward, mas não conseguia ver nenhuma ligação entre ações, conteúdo do carro e sequestro de DaRonch. Não apresentara álibi para a noite de 8 de novembro de 1974, e argumentou: "Se não consigo me lembrar precisamente do que aconteceu na data que agora antecede a minha prisão por sequestro em dezoito meses e meio, é porque minha memória não melhora com o tempo. É certo dizer o que eu não fazia, contudo. Não passava por cirurgia cardíaca, não fazia balé, não estava no México, não sequestrava uma completa estranha à mão armada. Certas coisas a pessoa não se esquece, e certas coisas a pessoa não tem inclinação a fazer sob nenhuma circunstância."

Ted foi condenado em 30 de junho, apesar do lamurioso apelo de que ficar na prisão não serviria a nenhum propósito. "Algum dia, quem sabe quando, cinco, dez ou mais anos no futuro, quando a hora em que puder sair chegar, sugiro que se pergunte onde estamos, o que foi conquistado, se o sacrifício da minha vida valeu a pena. Sim, serei candidato à reabilitação. Porém, não pelo que fiz, mas pelo que o sistema fez comigo."

Ele recebeu sentença relativamente leve. De um a quinze anos. Visto que nenhuma outra acusação de tal magnitude tinha sido feita contra Ted, foi condenado por posse de provisões por delito em segundo grau. Se tudo corresse como esperado, poderia receber liberdade condicional dali no máximo dezoito meses.

Mas, é claro, nada correu como esperado. A investigação do assassinato de Caryn Campbell em Aspen, Colorado, acelerava. O investigador Mike Fisher tinha os comprovantes do cartão de crédito e recebera a notícia do criminalista laboratorial do FBI, Bob Neill, de que, dentre os fios de cabelo encontrados no Fusca de Ted ao ser processado e aspirado, havia fios de cabelo microscopicamente semelhantes em classe e características não com uma, mas com três das possíveis vítimas: Caryn Campbell, Melissa Smith e Carol DaRonch.

Fios de cabelo não são tão particulares quanto impressões digitais, e ainda assim Bob Neill, especialista com duas décadas de experiência no laboratório de criminalística do FBI, afirmou que nunca tinha encontrado fios de cabelo de supostas vítimas em um único local antes. "As chances de três amostras diferentes de cabelo serem tão microscopicamente parecidas e *não* pertencerem às vítimas são de uma em 20 mil. Nunca vi nada assim antes."

Um detetive de Washington comentou comigo que o pé de cabra encontrado no carro de Ted era compatível com a depressão no crânio de Caryn Campbell. Dizia-se haver testemunha ocular, a mulher que vira o jovem desconhecido no corredor do segundo andar do hotel Wildwood minutos antes de Caryn desaparecer. As notícias entre as redes de agências do cumprimento da lei eram que o caso do Colorado era muito mais forte do que o caso de sequestro em Utah.

Se Ted tinha ciência do florescente caso do Colorado, como suspeitava, ele ainda estava mais dominado pelas emoções que permaneceram após a condenação em Utah quando escreveu para mim em 2 de julho de 1976. Essa carta é bastante típica por ser a avaliação feita pelo próprio indivíduo — formando de psicologia com honras — da sua avaliação psiquiátrica.

A carta foi datilografada em máquina de escrever antiga com letras carregadas de tinta, mas o orgulho de Ted pela dissecação de uma hora e meia da avaliação psiquiátrica transcendia as páginas borradas.

> Estava assobiando ao vento, e, ainda que de maneira curiosa, senti profunda sensação de realização. Eu me senti tranquilo, mas enfático. Controlado, mas sincero, e cheio de emoções. Não importava quem ouvisse, embora desejasse que cada palavra atingisse o juiz com o máximo de força possível. Por pouco tempo, por pouquíssimo tempo, voltei a ser eu mesmo, entre pessoas livres, com toda a habilidade que consegui reunir, lutando da única maneira que conheço: com palavras e lógica. E, também por pouco tempo, experimentei o sonho de ser advogado.

Ele sabia que tinha perdido, mas colocava a culpa da derrota na polícia, nos promotores e no juiz, no que denominou "a fraqueza dos homens que são tímidos demais, cegos demais, assustados demais para aceitar a cruel enganação do caso do estado".

O diagnóstico psiquiátrico concluíra que Ted Bundy não era psicótico, neurótico, vítima de doença cerebral orgânica, de alcoolismo, nem de vício em drogas, não sofria de transtorno de personalidade ou amnésia, e não era depravado sexual.

Ted citou o dr. Austin, o psiquiatra, o único membro da equipe que considerou ser o mais franco: "Acredito que o sr. Bundy ou é homem que não tem problemas, ou é inteligente o bastante para aparentar estar próximo ao limite do 'normal' [...] Visto que foi determinado pelo tribunal que não diz a verdade a respeito do presente crime, questiono seriamente se podemos esperar que o sr. Bundy diga a verdade a respeito da participação em qualquer programa ou acordo de liberdade condicional".

A conclusão de Ted foi que o juiz Hanson tinha influenciado a avaliação inteira pelo veredito original e que a equipe de diagnósticos meramente enfeitara o relatório para ser compatível com o veredito.

Era evidente que Carlisle concluíra que Ted era "pessoa reservada", alguém que não era conhecido a fundo por outros. "Quando alguém tenta conhecê-lo, se torna evasivo."

"Ann, pense em mim como você me conhece", escreveu Ted. "Sim, sou pessoa reservada, e daí... e a parte de ser alguém incapaz de intimidade... é absurda."

Ted tinha recebido o California Life Goals Evaluation Schedules Test [Avaliação Califórnia de Programa de Objetivos de Vida, em tradução livre]. As respostas demonstraram que tinha seis objetivos:

- Liberdade de viver sem penúria;
- Controlar as ações de terceiros;
- Guiar terceiros com seu consentimento;
- Evitar o tédio;
- Obter autorrealização;
- Viver a vida da própria maneira.

Nenhum desses objetivos poderia ser considerado anormal, e Ted foi rápido em sinalizar isso na carta para mim. Ele de pronto confessou que estava inseguro, como o dr. Carlisle tinha sugerido, e que talvez tentasse estruturar os relacionamentos com outras pessoas.

"Novamente, pense em mim, em nossos dias na Clínica de Prevenção de Suicídio, e mais recentemente em nossas conversas durante os encontros em Seattle. É completamente possível que eu realmente estruture meus relacionamentos com outras pessoas, talvez não de maneira consciente. Mas deve haver alguma ordem em minha vida."

Uma das conclusões que mais tiravam Ted do sério era que o dr. Carlisle havia declarado que dependia bastante das mulheres, e deduziu que essa dependência era suspeita.

"Que eu depondo de vocês, mulheres, tem que significar alguma coisa. O quê, contudo? Eu inegavelmente dependo das mulheres. Ter sido dado à luz por uma, ensinado na escola por mulheres, e ser muito, muito apaixonado por outra mulher. Pergunto a qualquer mulher com quem já tive algum envolvimento social, profissional ou íntimo para examinar nosso relacionamento. Eu fui alguma pilha de nervos descontrolada... me subjugando diante da feminilidade superior?"

Carlisle descobrira que Ted tinha medo de ser humilhado nos relacionamentos com mulheres, e Ted, em tom sardônico, confessou ter "desgosto pessoal por ser depreciado e humilhado... Infira o que bem entender disso, mas, como o Compadre Coelho, me jogue no canteiro de roseira-brava [companhia feminina] quando quiser. Ainda estamos muito longe de sair por aí pegando garotas adolescentes".

Para cada conclusão que o dr. Carlisle impôs, Ted tinha réplica. Negou que "fugia dos problemas" ou era instável, destacou sua força incrível diante dos rigores do julgamento do caso DaRonch e a habilidade de funcionar sob pressão. Ninguém podia criticá-lo nesse quesito.

Ted prosseguiu com as críticas incisivas. Citou o relatório de Carlisle, e não conseguia concordar que o perfil fosse, como notou o psicólogo, "consistente com a natureza do crime pelo qual foi condenado".

"Se isso for verdade [escreveu Ted], há muitos sequestradores em potencial perambulando livres por aí... a conclusão é absurda e indicativa da tentativa incansável de satisfazer as suposições subjacentes ao veredito. O relatório era uma fraude desprezível."

O sofrimento e desespero de Ted ficavam perceptíveis nos últimos parágrafos da longa carta.

"Estou exausto. A realidade amarga está evidente, mas o impacto total do meu destino ainda não foi compreendido por completo. Desde que a sentença foi proferida, os primeiros lampejos de raiva e desespero intensos se originaram da percepção de que Meg e eu nunca teremos a vida juntos. A força mais bonita em minha vida foi afastada de mim."

Ele me pediu para compartilhar a carta com Meg, e explicar que era a primeira escrita desde a condenação, e me pediu para consolá-la. "Nunca poderá haver adeus para mim e para Meg, mas choro amargamente ao pensar que não haverá mais nenhum olá."

Fiquei bastante impressionada com a habilidade de Ted em pensar como advogado, na ordem refinada da avaliação. Seu Q.I. testado na Penitenciária Estadual de Utah resultou 124 — não chegava a ser um gênio;[1] é próximo do que o estudante de faculdade de quatro anos precisa para se formar —, mas Ted claramente era superior aos resultados dos testes. Minhas lealdades vacilaram mais uma vez. Seria sempre assim.

E, ainda assim, mesmo enquanto lia a declaração de Ted sobre o grande amor por Meg, estava ciente de que parecia capaz de descartar seus relacionamentos convergentes com outras mulheres. Se não conseguia ser fiel a Meg, como poderia acreditar completamente em seu amor inabalável por ela? Para mim, era muito difícil *saber*. Apesar do sonho, apesar do bombardeio de opiniões dos agentes da lei, ainda havia tantas facetas da história escondidas, e ainda havia a chance de Ted estar sendo injustamente incriminado.

Se estava me manipulando, Ted fazia um excelente trabalho.

---

[1] Conforme cita Harold Schechter em seu livro *Anatomia do Mal* (DarkSide®, 2013, p. 42): "Há uma tendência a exagerar as faculdades mentais dos *serial killers*, especialmente quando são tão frequentemente retratados pela mídia como prodígios intelectuais à la Hannibal Lecter — um psicopata tão assombrosamente erudito que comete assassinato ao som de Mozart e que sabe Dante de cor no original em italiano. Lecter, entretanto, é uma criação puramente mítica. Ele é um reflexo não da forma como os *serial killers* realmente são, mas de como eles gostam de imaginar a si mesmos. Em seu narcisismo patológico — sua percepção profundamente distorcida da própria superioridade —, *serial killers* gostam de imaginar que são gênios do crime que podem passar a perna em todo mundo. Assassinos em série com Q.I. de gênio, no entanto, são praticamente inexistentes". [NE]

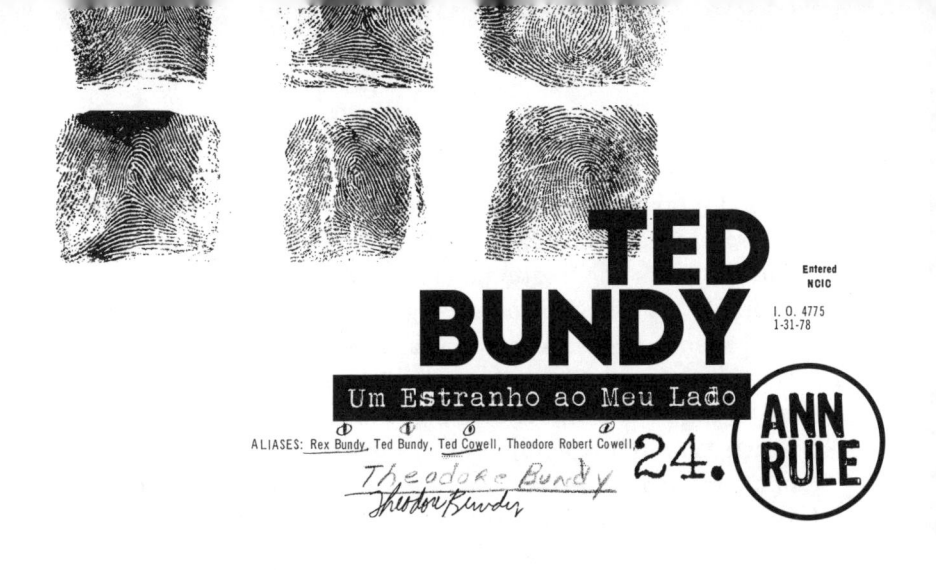

──De mãos atadas──

Ainda que Ted não fosse condenado pelo sequestro de DaRonch, esse tinha sido o menor dos crimes dos quais era suspeito. E enquanto as autoridades do Colorado parecessem juntar as peças do caso do homicídio de Campbell, os investigadores do estado de Washington ficavam incrivelmente frustrados.

No outono de 1975, o capitão Herb Swindler fora transferido da Unidade de Crimes Contra a Pessoa da polícia de Seattle para ser o comandante do distrito policial de Georgetown, na zona sul de Seattle. Houve boatos de que a preocupação de Herb com médiuns e astrólogos, com todas as possibilidades do oculto nos assassinatos em massa, irritaram o alto escalão. Com a transferência para Georgetown, Herb, para todos os efeitos, ficaria de fora do caso das garotas desaparecidas. Suas obrigações agora envolveriam supervisionar o contingente uniformizado dos patrulheiros em seu distrito. Ainda era posição que exigia agente de alta patente e alguém com bom senso incomum, mas o contato de Herb com os detetives seria mínimo. E a hierarquia no andar superior da Secretaria de Defesa Pública não iria mais ouvir histórias das técnicas investigativas bizarras de Swindler.

Não foi tapa na cara. Foi mais como batida de leve com os nós dos dedos. Swindler tinha sido o único detetive a acreditar que Roberta Kathleen Parks do Oregon fazia parte do padrão de Seattle — acertadamente. Fora retirado da investigação em setembro de 1975, ironicamente apenas algumas semanas antes da prisão de Ted.

O substituto de Swindler, o capitão John Leitch, veterano alto e loiro — da minha idade, e de alguma genialidade. Herb gostava de discutir tudo o que acontecia, já Leitch era calado como a esfinge, e não confiava em mim. Com o tempo, viria a me aceitar com confiança relutante, e a se divertir ao me provocar de meu "namorado, o Ted". Porém, em 1976, John Leitch e eu andávamos um em volta do outro com certa cautela. Eu o considerava administrador firme que deixava os detetives da unidade em paz para fazer o trabalho, tipo de policial intelectual. Não sei o que pensava de mim, embora tendesse a me ver como parte da imprensa em vez de ex-policial. Gostava dele, embora Leitch me intimidasse.

Ele, por outro lado, estava bastante preocupado que eu pudesse ser considerada "agente policial" nas transações que diziam respeito a Ted Bundy. Ele não precisava ter se preocupado, esse era o papel que eu com toda certeza não queria representar. Ainda estava na corda bamba entre Ted e os detetives, corda que parecia estendida acima de precipícios cada vez mais altos. Era imperativo que continuasse a escrever histórias policiais factuais, e qualquer quebra de confiança com a agência policial significaria o fim disso. E também não queria ser desleal com Ted, embora ficasse cada vez mais difícil não acreditar que Ted era o responsável por tudo.

Nick Mackie, da delegacia do condado, me conhecia havia tanto tempo que não me via como ameaça. Durante grande parte da primavera e do verão de 1976, nos encontramos de tempos em tempos para conversar sobre Ted. E o próprio Ted sabia disso, porque continuei transmitindo as mensagens de Mackie. Às vezes, ficava rabugento com minhas sugestões para que conversasse com o comandante do condado de King, mas nunca pareceu se irritar de verdade com isso.

Embora Mackie nunca me revelasse exatamente o que os detetives tinham contra Ted, tentava me convencer o tempo todo de que estavam certos. Não sei quantas vezes me perguntou, um tanto exasperado: "Vamos lá, confesse. Você acha mesmo que ele é culpado, não acha?"

E eu sempre respondia: "Não sei, simplesmente não sei. Às vezes, tenho certeza de que é culpado, e às vezes me questiono".

Em duas ou três ocasiões, minhas conversas com Mackie se estenderam ao longo do almoço e avançaram tarde afora. Nós dois procurávamos respostas que pareciam sempre fora do alcance.

Eu tinha bastante certeza de uma coisa. Depois de escrever sobre pelo menos uma dúzia de casos no Noroeste que lidavam com assassinos "em massa" de jovens mulheres nos oito anos anteriores, acreditava que "Ted" tinha "suvenires" escondidos, que guardara um troféu de cada assassinato.

"Nick, acho que em algum lugar há brincos, roupas, possivelmente até fotos polaroides, algo escondido de cada garota. Nunca me deparei com caso parecido em que o suspeito não tivesse essas recordações."

"Concordo, mas onde? Vasculhamos a pensão dos Rogers, o sótão, a garagem, e escavamos o jardim. Não encontramos nada."

Claro, a família Bundy se recusara terminantemente a permitir que a casa em Tacoma fosse revistada, tampouco que a busca pelos terrenos do chalé de veraneio no lago Crescent fosse feita. O promotor adjunto sênior Phil Killier alertara Mackie de que não havia causas prováveis suficientes para obter mandado de busca para aquelas propriedades. A incapacidade de sair à procura de evidências físicas que ligassem Ted aos casos em Washington, em especial o local no lago Crescent, atormentava Mackie. Eu não o culpava; sem mandado de busca, qualquer coisa que os detetives encontrassem seria considerada "fruto de árvore envenenada", o que significa que seria inadmissível como prova em tribunal por ser obtida de maneira ilegal. Se Keppel, Dunn ou McChesney fosse ao chalé e encontrasse alguma coisa, como a bolsa de Georgann Hawkins, a bicicleta de Janice Ott ou os anéis de turquesa de Lynda Healy, seria absolutamente inútil, porque era evidência maculada. Tive esse conceito martelado na cabeça quando fiz o curso "Prisão, Revista e Apreensão" antes.

Mackie refletiu. "Não podemos ir, mas gostaria que alguém pudesse, e que nos trouxesse uma única evidência física."

Essa era a única maneira de fazer com que aquilo fosse admissível. Se eu fosse revistar qualquer propriedade que se sabia ter sido frequentada por Ted *depois* dessa conversa com Nick, qualquer coisa que eu encontrasse seria "fruto de uma árvore envenenada". Eu seria a extensão do braço do departamento de polícia, porque nunca tinha considerado fazer a busca por conta própria.

As mãos dos detetives estavam atadas. As regras do sistema judiciário em investigações criminais são bastante intrincadas, e muitas delas parecem pender muito para o lado do suspeito.

Era improvável que Ted Bundy fosse algum dia acusado ou julgado pelos casos de homicídio em Washington. Não havia mais nada além das dúzias de circunstâncias que pareciam desafiar a probabilidade.

Meses mais tarde, quando o capitão John Leitch se sentiu à vontade para conversar comigo com sinceridade cautelosa, concordou que se sentia da mesma maneira. Sua opinião era que a única maneira de Ted vir a ser julgado pelos casos de Washington seria se os oito casos fossem combinados. "Se todos os fatos conhecidos surgissem sobre todas as garotas daqui, acho que haveria a condenação. Mas essa parece ser a única maneira."

E nenhum advogado de defesa permitiria que os casos do Noroeste fossem combinados. John Henry Browne lutaria feito tigre se a sugestão surgisse.

25.

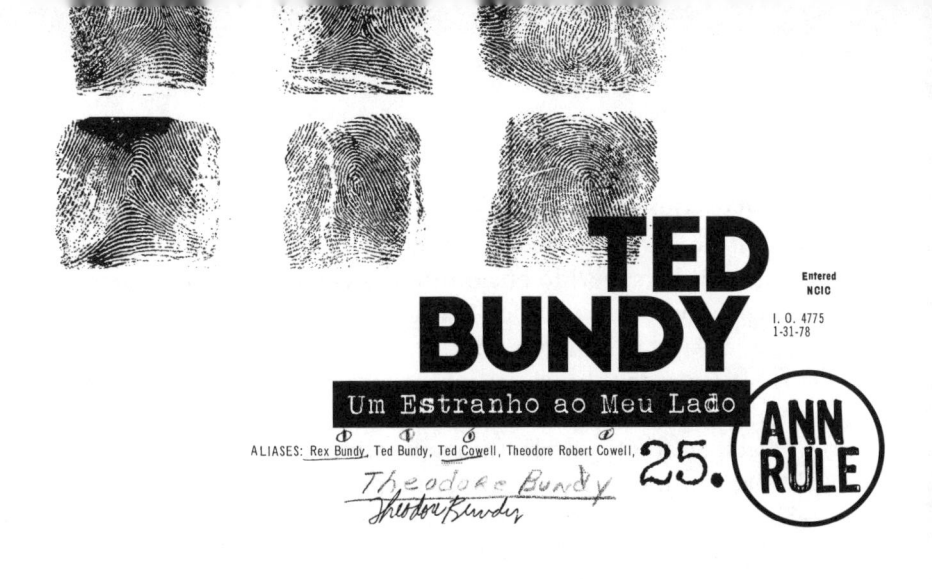

A escuridão de todos os sonhos

Encarcerado na Penitenciária Estadual de Utah, o ego de Ted aparentemente permaneceu intacto. Nossas cartas continuaram, naquela intimidade esquisita que às vezes é mantida através da palavra escrita — intimidade e, de tempos em tempos, honestidade que é mais difícil de manter viva no cara a cara. Se conseguisse eliminar a descrença, poderia continuar a apoiá-lo — se não de todo o coração, então por minhas cartas. A verdade estava presa em algum lugar, suspensa, em intrincada teia de suspeitas, negação e da investigação em andamento.

Eu também mantive contato com Meg, e me deparei com ela reunindo nova determinação. Matriculou-se para algumas aulas noturnas e procurava casa para comprar. Também se tornava cada vez mais desconfiada dos laços de Ted com Sharon Auer. Quando Louise Bundy voltou da leitura da sentença de Ted, cometeu o erro tático de falar para Meg de novo e de novo a opinião de que Sharon era "pessoa adorável".

Meg afinal deduzira que Sharon era muito mais para Ted do que garota de recados. Quando conversei com ela em agosto de 1976, Meg vacilava entre dizer adeus a Ted para sempre (não por causa das acusações, mas porque mentira sobre Sharon) e continuar a apoiá-lo com seu amor. Ela lhe enviou carta para abrir caminho para a separação, e se arrependeu de imediato. "Eu repensei... talvez tenha me precipitado."

Ted passou aquele verão na prisão, acostumando-se cada vez mais ao confinamento. Voltei a receber notícias suas apenas no dia 25 de agosto. Tinha sugerido encaminhar a carta com as opiniões do relatório psiquiátrico para Nick Mackie, algo que não foi encarado de boa vontade. Ainda assim, essa carta, que chegou oito semanas depois da carta indignada sobre a avaliação, parecia refletir as emoções do homem que se recompunha.

Ficou contente em destacar que tinha nova máquina de escrever, obtida, contou, quando escreveu o primeiro decreto após ser transferido para a população geral da prisão.

"A população geral é a massa anônima de verdadeiros detentos que nós, peixes, sempre tememos que tenta nos estuprar e, ainda pior, roubar nosso material de escrita. Foram bastante superestimados. Nunca roubam material de escrita", escreveu Ted.

Ele estava se saindo bem em meio à população carcerária. Durante um tempo, Ted ficou com receio de navegar por entre esses condenados — qualquer homem condenado por crimes contra mulheres ou crianças é um anátema, o degrau mais baixo da hierarquia da prisão. Tais homens costumam ser espancados, estuprados ou mortos. Mas ninguém tinha ameaçado Ted, e ele contou que podia andar pela prisão toda sem medo porque tinha algo de valor para dar aos detentos de Point of the Mountain: conselhos legais. Era parado com frequência e recebia pedidos para ajudar outros presidiários a preparar as apelações por novos julgamentos. Assim como tinha me contado durante minha visita quando ainda era um "peixe", sobreviveria graças ao cérebro.

Além do mais, era meio que uma celebridade, e sua defesa franca nos próprios conflitos judiciais impressionou os cabeças do presídio. Os veteranos faziam questão de ser vistos com Ted e de colocar o selo de aprovação nele.

"Acredito que também gostam de ver o ex-republicano, o ex-estudante de direito, o ex-membro de classe média branco atacar o sistema com o vigor que acham que merece", comentou Ted. "Eu me mantenho próximo dos negros e dos chicanos, e meu serviço para os homens desses grupos ajuda minha imagem. Uma coisa que consegui evitar com sucesso é a imagem 'Sou melhor do que você, tão inteligente que não deveria estar aqui com vocês criminosos'."

Seus dias transcorriam trabalhando na copiadora da penitenciária, ouvindo as queixas de outros detentos e "desejando que eu não estivesse aqui". Pareceu feliz em relatar que Meg se tornava mais independente, embora isso significasse que não escrevia para ele com a mesma frequência de antes, mas estava ansioso por sua visita no dia 28 de agosto.

Ted não tinha abrandado por completo, contudo, e se lançou em uma arenga direcionada a Nick Mackie e outros membros da lei. Não queria que Mackie lesse a carta da avaliação psiquiátrica, embora me perdoasse por ter sugerido isso.

> Acho que você tem que saber minha opinião sobre policiais em geral e Mackie em particular. Os policiais têm um trabalho, trabalho difícil, para fazer, mas sinto muito por não dar a mínima para o "trabalho" que fizeram comigo, independentemente de quão genuína seja a devoção ao dever. Tenho a política permanente de agora em diante nunca conversar com agentes da lei sobre qualquer coisa, exceto a hora e a localização do banheiro. Mackie ganhou meu desrespeito particular. Verdade, pode ser bom policial, alimenta o cachorro com ração Alpo e não come os filhos vivos, mas minha empatia por ele termina aí.

Algum dia, disse Ted, estaria interessado em ouvir a "teoria monstruosa" mantida pelo Departamento de Polícia do Condado de King, mas no presente não estava interessado em "contos de fada". Ele me pediu para continuar em contato com Meg, e para "dizer a Mackie apenas que ganhou lugar especial em meu coração, assim como provavelmente ganhei um no dele".

As cartas de Ted naquele verão e outono de 1976 variaram de raiva ao humor (como nessa última) a pedidos de informação com as linhas mais sombrias de depressão. As mudanças de humor, dadas as circunstâncias, eram esperadas. O pedido para aguardar em liberdade o resultado da apelação tinha sido negado e a acusação de homicídio no Colorado pairava sobre a cabeça.

Houve diversas cartas em que me pediu para verificar as credenciais de repórteres do Noroeste que tentavam entrevistá-lo. Rastreei a maioria deles até as fontes, e relatei que pareciam essencialmente escritores inócuos de pequenas publicações.

Algo aconteceu à estabilidade de Ted naquela primeira semana de setembro, algo que pareceu fazê-lo se desesperar por completo. Reconstruindo mais tarde a sequência de tempo, deduzi que Meg dissera algo para ele durante o encontro de 28 de agosto que o fez pensar que a perdera para sempre.

A carta que Ted me enviou em 5 de setembro foi datilografada na capa do bloco de papel para máquinas de escrever, e o conteúdo parecia infundido na mais sombria desesperança. Não podia ser interpretada de outra maneira a não ser como bilhete de suicídio, e isso me assustou.

Ted explicou que a carta era como um telefonema para a Clínica de Prevenção de Suicídio, mas que não podia haver nenhuma resposta. "Não estou pedindo ajuda, estou me despedindo."

Escreveu que não era mais capaz de lutar por justiça, que não tinha apenas um dia ruim, mas que havia chegado ao "fim de toda a esperança, à escuridão de todos os sonhos".

A carta como um todo — cada frase nela — podia significar apenas uma coisa: Ted planejava se matar. "O que vivo agora é uma dimensão completamente nova de solidão misturada com resignação e calma. Ao contrário de épocas de moral baixa a que sobrevivi no passado, sei que não vou acordar pela manhã revigorado e renovado. Vou acordar sabendo apenas o que tem de ser feito — se tiver coragem."

Enquanto meus olhos corriam pela página, senti os cabelos da nuca se arrepiarem. Já poderia ser tarde demais: escrevera aquilo três dias antes.

As últimas frases eram o apelo ao mundo que acreditava que era culpado de uma quantidade de crimes terríveis contra mulheres: "Por último, e mais importante, quero que saiba, que o mundo todo saiba: sou inocente. Nunca machuquei outro ser humano na vida. Deus, por favor, acredite em mim".

Apesar de ter dito que a carta não poderia ser respondida, me lembrei do que Ted e eu havíamos aprendido na Clínica de Prevenção de Suicídio: qualquer contato feito por alguém em angústia emocional — qualquer pessoa procurando aproximação — deve ser considerado pedido de ajuda. Ted *tinha* escrito para mim e supus que o significado disso era que esperava ser impedido por mim de acabar com a própria vida. Telefonei para Bruce Cummins, nosso mentor de tanto tempo atrás na clínica, e li a carta para ele. Bruce concordou que eu tinha de tomar uma atitude.

Liguei para o escritório de John O'Connell, em Salt Lake City. Era isso ou notificar o escritório do diretor Sam Smith na prisão, e Ted tinha amigos melhores no escritório do advogado. Conversei com Bruce Lubeck e lhe contei que temia que Ted estivesse prestes a se matar. Prometeu ir a Point of the Mountain para ver Ted.

Não sei se foi ou não. Escrevi uma carta de entrega especial, carta cheia de "Segure firme" e a enviei, prendendo a respiração durante dias, esperando ouvir o boletim especial no noticiário.

Isso nunca aconteceu.

Em vez disso, em 26 de setembro, Ted me escreveu uma explicação parcial. Ele se referiu de maneira indireta a se enforcar, mas me assegurou que estava "se segurando firme — com nada além de minha alma, acrescento para seu alívio".

Ao que parecia, não tinha sido minha carta que o havia feito mudar de ideia, mas a sessão de handebol, que considerou um método eficaz de catarse.

"Isso [handebol] tem uma maneira curiosa de drenar a amargura. Ou talvez seja a maneira que o corpo tem de se impor contra os impulsos destrutivos da mente, temporariamente inconsciente do desejo inflexível, irrestrito e eterno do corpo de sobreviver. O corpo pode parecer apenas hospedeiro para o cérebro, mas o intelecto, frágil e egoísta, não é páreo para o imperativo da vida em si. Se segurar firme, de maneira intangível, é melhor do que não ser tangível em absoluto."

Ted se desculpou por ter me assustado. Pergunto-me se deu-se conta de como fiquei preocupada ao receber o bilhete de suicídio, se lembrava-se de como me senti culpada por não conseguir salvar a vida do meu próprio irmão quando começou a ter pensamentos suicidas.

Após decidir viver, a raiva e bravata irromperam nas cartas seguintes.

De novo e de novo, repreendeu a polícia. "Os detetives da polícia são raça curiosa, mas a pessoa aprende depressa que, quando eles têm alguma coisa, agem primeiro e conversam depois... Nunca subestimei a criatividade e a periculosidade de tais homens. Como animais selvagens, quando encurralados podem se tornar bastante instáveis."

Ted tinha motivos para temer a "periculosidade" dos detetives da polícia. No dia 22 de outubro, quase exatamente um ano desde que fora acusado no caso de sequestro de DaRonch em Utah, recebeu a acusação formal pelo homicídio de Caryn Campbell, no condado de Pitkin, Colorado. Desconfio de que estava tão ansioso por confrontar seus acusadores quanto me disse que estava. Sua força diante do ataque parecia verdadeira, como sempre seria. Os evidentes desafios que era capaz de encarar. Era melhor em pé, negando com escárnio as acusações.

É possível, contudo, que Ted não tivesse planejado estar ali quando essas acusações fossem feitas. Em 19 de outubro, Ted não retornara do pátio para a cela. O diretor Sam Smith anunciou que Ted fora encontrado atrás do arbusto e que estivera de posse de "kit de fuga": cartão de seguro social, esboço de carteira de motorista, mapas rodoviários e anotações de cronogramas de linhas aéreas.

Ted tinha escrito que seu comportamento "imaculado" lhe rendera mais liberdade ao redor da penitenciária, e agora havia especulações de que, com trabalho na copiadora, talvez pretendesse imprimir documentos de identificação falsos. Ted imediatamente foi colocado em confinamento solitário. Em retrospecto, tendo em vista a propensão para a fuga que viria a emergir nos meses vindouros, *é* provável que planejasse fuga de Point of the Mountain, fuga que foi abortada.

Em 26 de outubro, recebi carta de Sharon Auer, que anexou curto bilhete de Ted para mim. Sharon ainda era parte significativa de sua vida, ainda que as cartas de Ted para mim não exaltassem ninguém mais além de Meg. Sharon ficou horrorizada com a cela de segurança máxima onde Ted era mantido, embora as impressões do "buraco" fossem baseadas na descrição feita por Ted, visto que não lhe permitiam receber visitas.

Ted lhe escrevera que enxergava a cela parecida com a prisão mexicana. "Com dois metros e quarenta de altura, três metros de comprimento, um metro e oitenta de largura. À distância de sessenta centímetros da parte da frente há grades de aço do chão ao teto. A sólida porta de aço — com apenas olho mágico para o guarda olhar o interior — bloqueia a parte frontal da cela. As paredes são cobertas por pichação, vômito e urina."

A cama de Ted era uma placa de concreto e colchão fino, e o único item que evocava esperança na cela era o crucifixo acima da pia. Ele não podia ter nada para ler, mas lhe era permitido receber cartas. Permaneceria ali durante quinze dias, e Sharon ficou irritada por ter recebido a punição mais severa possível por infração tão pequena, a *posse* de cartão de seguro social. Ela contou que tentava escrever para ele três ou quatro cartas por dia. "Os desgraçados podem não me deixar visitá-lo, mas com certeza vão se cansar de carregar correspondências para Ted..."

Ao ler a carta, mais uma vez fiquei perplexa e um tanto entristecida ao pensar no desenlace daquela situação, quando as duas mulheres que amavam Ted um dia percebessem que foram levadas a crer que cada uma delas era a *única*. E quanto a mim? Eu constituía o terceiro canto da rede de três mulheres que davam a Ted apoio emocional. Conseguira permanecer relativamente incólume. Ainda que dividida por sentimentos conflitantes e dúvidas, ao menos *eu* não estava apaixonada por Ted. Sharon e Meg estavam.

Ted me escreveu da solitária no Halloween. Disse que apenas esteve com o cartão de seguro social de uma mulher, não do tipo usado para identificação, e culpou o diretor Smith por exagerar as circunstâncias. Nunca descobri qual era o nome da mulher no cartão. Ted estava bravo, mas não subjugado.

"Uma adversidade desse tipo serve apenas para me deixar mais forte, em especial quando está claro para mim que é projetada para criar a pressão que alguns acreditam que vai estilhaçar minha 'fachada normal'. Que absurdo. Disse certo detento, quando soube da decisão de me colocarem em isolamento: 'Estão tentando te quebrar, Bundy. É, só estão tentando te quebrar'. Eu não poderia ter concordado mais com ele, mas, visto que não existe nada para ser 'quebrado', vou ter de sofrer, em vez disso. O fato de que algumas pessoas continuam a me julgar erroneamente se tornou quase cômico."

Ted chegou a comentar o caso no Colorado apenas para insistir que era inocente de qualquer envolvimento. Insinuou que tinha documentos que destruiriam o caso no Colorado. "O julgamento no Colorado vai marcar o início do fim de um mito."

Contou que me enviara bilhete por Meg — o que foi um deslize, porque não tinha sido Meg quem o encaminhara para mim, mas Sharon. E me repreendeu com delicadeza por viver no luxo da minha casa nova, por escrever para ele em meu novo papel de carta personalizado. "Papel de carta personalizado é um dos pequenos, mas necessários, luxos da vida."

Ted tentava apertar os botões da minha culpa. Eu vivia livre e em meio ao esplendor, e ele estava no "buraco". Eu me recusei a morder a risca, e escrevi em resposta:

> Você disse que havia entregado a mensagem para mim por Meg — mas foi Sharon quem a enviou. É provável que tenha apenas cometido um erro. Não saia por aí confundindo as duas, ou você vai ficar em maus lençóis! Enquanto inveja a minha segurança, lembre-se de que tem dois membros do sexo oposto apaixonados por você, e eu não tenho nenhum. Felizmente, ando tão ocupada com o trabalho, a casa e os problemas dos filhos que não sobra muito tempo para ponderar sobre essa falta gritante. Ainda durmo com a minha máquina de escrever, e continua fria, encaroçada e indiferente.

A resposta de Ted chegou após a extradição para a audiência de acusação de homicídio no Colorado, que se desenrolou no seu aniversário de trinta anos. Eu lhe enviara dois cômicos cartões de aniversário (explicando que a Hallmark não fazia cartões especificamente para o apuro em que se encontrava: "Olá... Feliz Aniversário de Trinta Anos e Feliz Audiência"). Ele optara por encarar a situação com humor irônico e irritadiço, e eu ajustei minhas respostas devidamente.

Ted escreveu após a audiência de acusação, que atraíra a maior multidão de repórteres que já vira em um único lugar desde que a provação começara, e fez pouco caso do senso de jogo limpo e justiça da imprensa, "visto que ela não tem nenhuma". Ele me garantiu que a "testemunha ocular" em Aspen não tinha importância, pois selecionara a sua foto de um ano depois do desaparecimento de Campbell.

Embora a extradição para a audiência de Ted em 24 de novembro de 1976 tivesse atraído um bando de repórteres, ele não era o presidiário mais famoso na Penitenciária Estadual de Utah naquela semana. Foi o colega detento Gary Gilmore, assassino condenado com desejo de morte, que ganhou a capa da *Newsweek* em 29 de novembro. Comparado a Gary Gilmore, Ted era definitivamente notícia secundária. Não seria sempre assim.

Gilmore era criminoso reincidente que alvejara dois jovens durante assaltos. Havia uma espécie de misticismo ao seu redor. Ele também estava envolvido em fatídico romance com uma mulher que parecia tão deslumbrada e motivada quanto a Meg de Ted. A moça imatura, Nicole Barrett, fizera pacto suicida malogrado com Gary Gilmore, e me fez lembrar de Meg em sua obsessão com o amante. Ted, aparentemente, não via correlação alguma entre seu romance e o de Gilmore, e detestava o outro homem por manipular Nicole. Analisara o casal quando se encontraram na área de visitantes.

"A situação de Gilmore fica cada vez mais curiosa. Eu o vi algumas vezes na sala de visitas com Nicole. Nunca vou me esquecer do amor profundo e da angústia nos olhos dela. Gilmore, contudo, é manipulador, instável e egoísta... A imprensa se joga em cima dessa saga estilo Romeu e Julieta. Trágica. Irreconciliável."

Tampouco tinha algo positivo a dizer dos conselheiros legais de Gilmore.

Ted tinha pouco tempo para ruminar sobre a "saga" de Gary e Nicole. Ocupava-se na revisão e indexação de setecentas páginas de testemunho do julgamento de DaRonch e, ao mesmo tempo, estudava a lei penal do Colorado. Depois de revisar o julgamento de Utah, não conseguiu ver como o juiz o declarou culpado, e tinha certeza de que o veredito seria outro no Colorado.

"Eu me sinto como general conduzindo batalha, *não* o general Custer, claro", escreveu com entusiasmo. "Legalmente, estou em terreno bastante sólido!"

Ted nunca deixava de comentar o que estava acontecendo no meu mundo, mesmo que significasse apenas uma ou duas frases no fim de suas cartas. Dessa vez, escreveu:

> Estou ansioso pela restituição da *Cosmopolitan* e outras para que você possa alugar um helicóptero e me tirar daqui. A prisão sustenta, falsamente, que tenho cronogramas de linhas aéreas. Imagine só! Se fosse tolo o bastante para ir a um aeroporto, com certeza não daria a mínima em qual voo entraria, contanto que tivesse certeza de que o avião decolasse e aterrissasse. Estou indo bem, batalhando pra diabo. Você sabe o que é necessário para os durões seguirem em frente.
>
> com amor,
> *ted*

A conversa da fuga, por mais irreverente que fosse, tinha começado a piscar a luz de alerta como mensagem subliminar na tela da televisão, escondida entre as discussões de Ted sobre batalhas judiciais. Por outro lado, todos os presidiários sonham em fugir, e todos conversam disso — as possibilidades, as chances. Uma quantidade minúscula de fato tenta.

Ted tinha mencionado que iria "fazer mudança de cenário", e isso quis dizer que um dia iria parar de lutar contra a extradição para o Colorado, mas faria isso em seu próprio tempo. Tinha muita pesquisa para fazer antes. Não havia mais dinheiro para advogados, nada mais para se obter da família e dos amigos em Washington, e isso significava que estaria nas mãos dos defensores públicos. Cada vez mais, abraçava o próprio destino judicial. Ele mesmo cuidaria das coisas.

Quase a partir do momento em que me mudei para a casa nova, deixei que o mar e o vento tomassem conta da casinha de praia que tínhamos desocupado, minha sorte no trabalho sofreu reviravolta para melhor. Tive encomendas para a *Cosmopolitan, Good Housekeeping* e *Ladies Home Journal*. Após anos com as publicações baratas, afinal consegui entrar para as revistas de qualidade. De um modo bastante curioso, todos os meus serviços eram relacionados a vítimas de crimes violentos. O público norte-americano, em 1976, tinha afinal começado a demonstrar preocupação pelo destino de vítimas de crimes. Muitas pessoas se tornaram vítimas ou conheciam vítimas. Visto que estivera ocupada com mudança e prazos de publicação, não escrevia para Ted havia três ou quatro semanas, e recebi carta dele um tanto hostil, de maneira melancólica, em meados de dezembro.

Querida Ann,

Eu me rendo. Disse alguma coisa ofensiva? Pior ainda, o meu hálito é ofensivo? Minhas cartas foram roubadas pela CIA e você acha que não escrevo mais e por isso não escreve para mim? Sou caso irremediável demais? (Não responda isso.) Eu aguento. Sim, senhora, nunca deixe que se diga que perdi a calma porque meus amigos me esqueceram.

Não foi época feliz para Ted. Pela primeira vez estava atrás das grades durante o período natalino. Apenas um ano antes, tínhamos nos sentado juntos no Brasserie Pittsbourg. Parecia que tinham se passado vinte anos.
A carta de Ted foi sua mensagem de Natal, poemas rabiscados em papel pautado.

Este bilhete vai ter que servir como meu cartão de Natal para você. Um modo de lhe agradecer pela alegria que trouxe para minha vida, sem mencionar o apoio à minha vida. Agora tudo o que preciso é um daqueles curiosos versos que todos os cartões comprados em lojas têm:

Que a rena do Papai Noel tenha a bondade
   De não deixar bolotinhas
   No seu telhado

Está aqui!
   Não finja que não consegue ver.
   Se do Natal você não gostar
   Num trem para o inferno você vai descer.
   Então aquelas luzes em casa vá pendurar
   E trate de mumificar as arvorezinhas
   Não esqueça: se cartões de Natal você não mandar
Notícias minhas você não receberá.

O poema final foi a mudança da amargura dos dois primeiros — poema religioso. Ted costumava se referir a Deus nas cartas, embora nunca o tenha mencionado em nenhuma de nossas conversas fora dos muros da prisão.

Escrevi de volta imediatamente, e em seguida telefonei para Meg, para descobrir que estava de viagem marcada. Passaria o Natal em Utah, e se encontraria mais uma vez com Ted. Eu torcia para que essa visita não fosse o catalisador para renovada torrente de depressão sombria para Ted como a última viagem dela para Utah. Seus dias em Point of the Mountain estavam chegando ao fim e teria que tomar uma decisão a respeito de ir para o Colorado em breve. Seu nome ainda não era muito conhecido em Aspen, exceto pelos policiais. O julgamento de Claudine Longet por homicídio estava marcado para janeiro em Aspen, e ela vinha ganhando as grandes manchetes.

Ficou evidente que a visita natalina de Meg foi mais bem-sucedida do que o encontro em agosto. Ted me escreveu dois dias depois do Natal. "Ela veio me ver ontem. Em visita tão breve e doce, me reuni com o elemento que falta em minha vida. Vê-la é ter o vislumbre do paraíso. Tocá-la me faz acreditar em milagres. Com tanta frequência sonhei com ela que vê-la de verdade foi experiência deslumbrante. Ela se foi de novo e, mais uma vez, sinto sua ausência em todos os momentos de inconsciência."

Relembrou a briga que ele e Meg tiveram após eu o levar à festa de Natal da Clínica de Prevenção de Suicídio, em 1972. Depois que o larguei embriagado na pensão dos Rogers, foi ao seu quarto e adormeceu profundamente.

"Meg e eu discutimos e ela estava com voo marcado para a manhã seguinte, bem cedo. Decidiu passar na pensão antes do voo, me beijar e fazer as pazes... jogou pedrinhas na janela e me chamou... Achou que acordaria se estivesse lá, Meg foi embora correndo com o coração partido porque pensou que eu estivesse 'dormindo' com outra pessoa. Nunca acreditou por completo em minhas garantias fervorosas de que estava em sono profundo e intoxicado. Nunca contei a ela que tinha ido à festa com você."

Mas, obviamente, *eu mesma* tinha contado a Meg na noite em que nos conhecemos, em dezembro de 1973. Talvez Ted não tivesse me ouvido explicar, ou talvez tivesse se esquecido.

Ted escreveu que tentava levar o espírito natalino para a cela, espalhando todos os cartões de Natal sobre a escrivaninha. Até comprara e embrulhara presentes para os "vizinhos". Os pequenos presentes eram latas de ostras defumadas e barras de Snickers. "Agora estou tentando o impossível: sugerir que todos nós, detentos durões, cantemos canções natalinas na véspera de Natal. Já fui chamado de doente degenerado por sugerir ideia tão perversa."

Até onde posso determinar, o Natal de 1976 seria o último feriado desse tipo que Ted e Meg passariam juntos, mesmo separados por telas de arame na sala de visitas. E, ainda assim, ela parecia ser mais do que um amor para Ted. Ela parecia ser uma força vital em si.

"O que sinto por Meg é a máxima emoção onipresente. Eu a sinto vivendo dentro de mim. Sinto-a me dando vida quando não existe nenhuma outra razão para isso, a não ser agradecer pelo presente da vida em si."

Ted anexou a lista de testemunhas para o julgamento do caso Campbell, destacou que muitos nomes estavam escritos errados. E concluiu a carta de Natal:

> Quanto ao Ano-Novo, vai começar tão mal que terá que melhorar. Talvez se você colocar um pouco de Chablis em latas de ponche Hawaiian Punch e me enviar um engradado para o Ano-Novo, eu consiga esquecer o início agourento. Mas que diabos—
> Feliz Ano-Novo.
>
> com amor,
> *ted*

Ted deixaria Utah pela última vez em 28 de janeiro, para o Colorado. Ele me enviou um bilhete curto no dia 25, me pedindo para não voltar a escrever até entrar em contato comigo em seu "novo endereço".

O ano vindouro, 1977, seria de tremendas reviravoltas na vida de Ted, e também na minha. Duvido que fosse possível para algum de nós antever o que o futuro nos reservara.

Ted Bundy___
___assume o caso

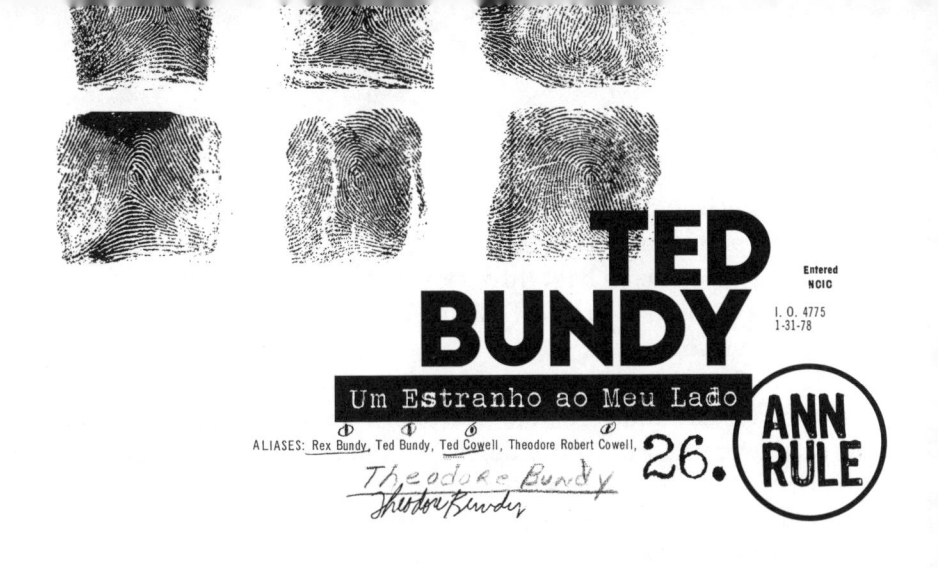

Em 28 de janeiro de 1977, Ted foi removido da Penitenciária Estadual de Utah, transferido de carro para Aspen, Colorado, e colocado na cela da antiga prisão do condado de Pitkin. Agora, tinha um novo adversário judicial: o juiz distrital George H. Lohr, mas Lohr não parecia ser assim tão durão. Afinal de contas, tinha acabado de condenar Claudine Longet a modestos trinta dias na prisão por atirar em "Spider" Sabich. Claudine começaria a cumprir pena em abril, na mesma prisão, embora a cela fosse receber nova demão de tinta, só para ela, e seus amigos lhe forneceriam comida vinda de fora.

O delegado Dick Keinast desconfiava de Bundy e argumentou que havia risco de evasão, devido ao kit de fuga supostamente descoberto em sua posse na penitenciária de Utah. Por isso, queria Ted algemado nas aparições no tribunal, mas Lohr indeferiu o pedido e declarou que Ted poderia usar roupas civis e ir sem algemas.

O antigo fórum que abrigava a prisão fora construído em 1887, e oferecia acomodações espartanas, mas Ted gostou da mudança para longe dos muros elevados da penitenciária de Utah. Quando lhe telefonei em fevereiro, fiquei satisfeita e surpresa ao descobrir que a prisão do condado de Pitkin era gerenciada do mesmo modo que a prisão em Michigan, sob a jurisdição do meu avô, tantos anos antes. Era prisão bastante "familiar": ouvi o agente gritar no corredor e então a voz de Ted surgiu na linha. Parecia feliz, descontraído e confiante.

Ao longo da estadia de onze meses no Colorado, com frequência conversaria com Ted pelo telefone. À medida que passava a assumir cada vez mais a própria defesa, recebeu privilégios telefônicos gratuitos para ajudá-lo a preparar o caso. Muitos desses telefonemas, contudo, seriam para mim e outros amigos, e não parecia haver nenhum limite imposto para o tempo que poderia passar em ligações de longa distância.

Consigo me lembrar de Bob Keppel e Roger Dunn balançarem a cabeça diante da audácia de Ted combinada com o fácil acesso ao telefone. "Não vai acreditar nisso", disse-me Keppel certo dia nos escritórios da Unidade de Crimes Hediondos do Condado de King. "Adivinha quem telefonou para nós?"

Claro que era Ted. Ele havia descaradamente telefonado para dois de seus perseguidores mais dedicados para obter informações que precisava para a defesa no Colorado.

"O que você disse para ele?", perguntei a Keppel.

"Disse que ficaria feliz em trocar informações. Se quisesse conversar conosco, fazer algumas perguntas, bom, nós também temos algumas perguntas que queremos fazer para ele há muito tempo. Ted não quis discutir nossas perguntas, no entanto. Só ligou como se fosse o advogado de defesa reunindo fatos. Não consigo acreditar no atrevimento dele."

Ted também telefonava para mim com frequência. Fui acordada muitas manhãs por volta das 8h para ouvir o som da sua voz, do Colorado.

Não houve muitas cartas, mas cheguei a receber uma enviada em 24 de fevereiro. Era uma carta feliz, ele desfrutava da atmosfera de férias de Aspen, embora estivesse na cela da prisão. "Eu me sinto ótimo... Não sinto nenhuma pressão vinda do caso. Quero dizer, *pressão*... Eles estão acabados."

Ted considerava o condado de Pitkin "operação da casa da mãe-joana" e desdenhou em especial do promotor público de lá, Frank Tucker, que tentava, escreveu ele, encontrar áreas em comum entre o assassinato no Colorado e os casos em Utah, e tentava outra vez percepções da personalidade do suspeito. Ted disse que conseguia ver através do caso de Tucker, e que ele, o réu, era ameaça para o promotor público pela autoconfiança. "Esse homem não deveria jogar pôquer nunca e, pelo que vi outro dia, jamais deveria estar no tribunal."

Ted citou a entrevista que o promotor Tucker dera a seu respeito. "Ele [Ted] é a pessoa mais petulante que já enfrentei. Ele diz ao advogado o que fazer. Chega com braçadas de livros, como se ele mesmo fosse advogado. Envia bilhetes ao juiz e liga para ele à noite. Recusa-se a conversar comigo ou com qualquer outro promotor."

Essa era, claro, exatamente a imagem que Ted desejava disseminar. "Bajulação não vai levá-lo a lugar algum. A história toca meu coração, mas alguém devia contar a ele que não pedi para vir ao Colorado. Imagine, a audácia de afirmar que digo aos meus advogados o que fazer! Jamais liguei para juiz algum à noite em toda a minha vida."

Ted esperava um julgamento justo em Aspen, e que não seria difícil selecionar júri imparcial no condado de Pitkin. Ele me encorajou a ir ao julgamento se pudesse, e acreditava que a data seria marcada para algum dia no início do verão.

Enquanto lia essa carta em que Ted parecia tão controlado, me lembrei do jovem que gritou "Quero minha liberdade!" naquela primeira cela de prisão no condado de Salt Lake. Ted não tinha mais medo, se adaptou ao encarceramento, e se regozijava com a perspectiva da batalha vindoura. A carta foi concluída com: "Aguardamos data no fim de junho ou começo de julho — se Deus quiser e se o promotor público não cagar nas calças caras que usa".

Sim, Ted mudara de maneira radical: de ultrajado e desesperado, que me escrevera da prisão em Salt Lake City, dezoito meses antes, a ríspido, de amargura cáustica agora. Detectei isso nas ligações para mim. Odiava policiais, promotores e imprensa. Foi, talvez, uma progressão natural, de alguém tanto tempo atrás das grades, para o homem que ainda proclamava sua inocência. Já não falava ou me escrevia da ideia de ele mesmo vir a escrever sobre o caso.

Embora odiasse a comida da prisão do condado de Pitkin, gostava dos companheiros de cela e colegas detentos, em grande parte bêbados e ladrões de meia-tigela ali por poucos dias. Dava duro no caso e, quando março chegou, tinha planos de atuar como seu próprio advogado de defesa. Descontente com o defensor público, Chuck Leidner, porque se acostumara com as habilidades de John

O'Connell, e esperava mais, mas defensores públicos em geral são jovens advogados que não foram postos à prova, sem a experiência dos figurões profissionais, os advogados de defesa criminal de honorários exorbitantes.

Em março, a Secretaria de Saúde do Colorado declarou que a prisão do condado de Pitkin era instalação de curto prazo, e que nenhum detento deveria ser mantido lá por mais de trinta dias. Isso foi um problema, pois precisariam transferir Ted.

Ele me contou que lia bastante, o único alívio que tinha das novelas e dos *game shows* na televisão. Seu livro favorito era *Papillon*, a história da fuga impossível da prisão da ilha do Diabo. "Eu li quatro vezes." Mais uma vez, houve a insinuação sutil, mas parecia surreal pensar que Ted conseguiria fugir da prisão do condado de Pitkin, nas profundezas das entranhas do antigo fórum. E se o caso contra ele era tão cheio de buracos como proclamava, por que fugir? A condenação de Utah não tinha sido assim tão severa, e era improvável que alguma acusação viesse do estado de Washington. Ele poderia muito bem estar em liberdade antes do aniversário de 35 anos.

Chuck Leidner ainda representava Ted quando foram para a audiência preliminar do caso de Caryn Campbell, 4 de abril. Os habitantes de Aspen, que sentiram o gostinho de estar na galeria no caso Longet-Sabich, outra vez encheram o tribunal. Boatos diziam que o caso de Ted Bundy poderia até mesmo ultrapassar a histeria presenciada mais cedo naquele ano.

Ted e os advogados queriam que o julgamento, se houvesse um, fosse em Aspen. Gostavam da atmosfera descontraída e, como Ted me contara na carta, acreditavam que o pessoal de Aspen ainda não se decidira quanto à sua culpa.

Além do mais, o promotor Frank Tucker estava contra a parede. Havia perdido o diário de Claudine Longet, documento que, todos supunham, seria de suma importância para a promotoria no caso daquele homicídio, diário íntimo que de algum modo chegara até sua casa apenas para ser estranhamente perdido. Potenciais membros do júri em Aspen não se esqueceriam disso. Ciente, talvez, da credibilidade reduzida, Tucker levara reforços de Colorado Springs: os promotores Milton Blakely e Bob Russell, dois profissionais.

Na audiência preliminar, a promotoria apresenta o caso ao juiz para estabelecer a causa e então ir a julgamento. O caso do condado de Pitkin dependia — assim como o do condado de Salt Lake antes dele, e dos vindouros casos da Flórida — da identificação de testemunha ocular. Dessa vez, a testemunha era a turista que vira o estranho no corredor do Wildwood Inn, na noite de 12 de janeiro de 1975.

O investigador de Aspen, Mike Fisher, lhe havia mostrado a seleção de fotos de detentos um ano após aquela noite, e ela selecionara a de Bundy. Agora, durante a audiência preliminar, em abril de 1977, foi-lhe pedido que olhasse em volta do tribunal e apontasse para qualquer pessoa que se assemelhasse ao homem que viu.

Ted reprimiu o sorriso quando ela apontou — não para ele —, mas para o subdelegado do condado de Pitkin, Ben Meyers.

O caso do estado esfriara. O juiz Lohr ouviu enquanto Tucker destacava outras evidências: comprovantes do cartão de crédito de Bundy, folheto das áreas de esqui no Colorado que estavam no apartamento de Ted, em Salt Lake City, e Wildwood Inn circulado, dois fios de cabelo no velho Fusca compatíveis microscopicamente com os de Caryn Campbell, compatibilidade do pé de cabra de Bundy com os ferimentos no crânio da vítima.

Foi aposta arriscada para a promotoria, a não ser que conseguissem conectar aquele caso com alguns dos casos de Utah. O juiz Lohr decretou que Ted Bundy seria julgado pelo homicídio de Caryn Campbell, e acrescentou que não era sua função considerar a probabilidade de condenação ou a credibilidade das evidências, apenas sua existência.

Após a audiência preliminar, Ted "despediu" sumariamente os defensores públicos, Chuck Leidner e Jim Dumas. Queria se envolver na própria defesa, assim, iniciava o padrão que repetiria diversas vezes, um tipo de arrogância direcionada àqueles designados pelo estado para defendê-lo. Se não pudesse ter o que considerava o melhor, então seguiria por conta própria. O juiz Lohr foi forçado a aceitar sua decisão de se defender, mas encarregou Leidner e Dumas de permanecerem na equipe de defesa como conselheiros jurídicos.

Embora Ted se opusesse, foi transferido em 13 de abril de 1977 da prisão do condado de Pitkin para a prisão do condado de Garfield, em Glenwood Springs, 72 quilômetros de distância, de acordo com a ordem emitida pela Secretaria de Saúde.

A prisão do condado de Garfield tinha apenas dez anos, e era consideravelmente mais agradável do que a antiga cela no porão em Aspen. Conversávamos com frequência por telefone, e comentou que gostava do delegado do condado de Garfield, Ed Hogue, e de sua esposa, mas a comida continuava uma porcaria. Apesar das instalações modernas, se tratava de outra prisão "familiar".

Não demorou muito para Ted soterrar o juiz Lohr com pedidos de tratamento especial. Visto que atuava como o próprio advogado, precisava de máquina de escrever, mesa, acesso à biblioteca de direito de Aspen, uso irrestrito e sem censura de telefone, ajuda de laboratórios forenses e investigadores. Queria três refeições por dia, e disse que nem ele nem os outros detentos podiam sobreviver sem almoço e enfatizou a própria perda de peso. Queria suspensão da ordem que proibia os outros detentos de conversar com ele. (Hogue emitira essa ordem logo após a chegada de Ted, depois de os carcereiros interceptarem o diagrama da prisão — tabela que delineava as saídas e o sistema de ventilação.)

"O Ed é um cara legal", contou-me ao telefone. "Não quero arrumar confusão para o lado dele, mas precisamos de mais comida."

Seus pedidos foram atendidos. De algum modo, Ted Bundy tinha conseguido elevar o status de detento na prisão do condado para o de realeza em visita. Além de toda a paraférnalia que desejava, também recebeu permissão para diversas viagens semanais, acompanhado de policiais, à biblioteca de direito no Fórum do Condado de Pitkin, em Aspen.

Ted fez amizade com os policiais; descobrira algumas coisas de suas famílias, e os tiras até gostavam dele. "São todos legais. Até me deixaram passear ao longo do rio porque estava dia bastante agradável. Claro, foram comigo", contou-me.

Não tive notícias de Ted durante as quatro primeiras semanas de maio, e imaginei o que poderia ter acontecido. Ainda que parecesse estar cada vez mais amargo e sarcástico — como se desenvolvesse carapaça impermeável —, havia escrito ou telefonado para mim com regularidade até antes de maio. Por fim, recebi carta bem humorada de 27 de maio.

Querida Ann,

Acabei de voltar do Brasil e encontrei suas cartas empilhadas na minha caixa postal em Glenwood. Jesus, deve ter pensando que me perdi nas florestas de lá. Na verdade, fui até lá para

> descobrir onde os filhos da puta estão escondendo os 11 bilhões
> de toneladas de café que dizem que o mau tempo destruiu.
> Não encontrei o café, mas trouxe 180 quilos de cocaína.

Ted ainda mantinha contato com Meg, pelo menos por telefone, e ela lhe transmitira minha preocupação com a falta de notícias. Não, não estava bravo comigo, me assegurou. Alguém lhe dissera, contudo, que tinha "desenvolvido opinião relativa à minha inocência, opinião esta que não era de forma alguma consistente com a minha inocência de fato".

Agora, Ted queria que lhe escrevesse com "declaração franca" de como me sentia a respeito de sua culpa ou inocência. Disse que compreendia eu estar muito próxima da polícia, e que sabia que tinham convencido muitas pessoas de sua culpa, mas queria carta minha explicando meus sentimentos.

E tinha outra mensagem para Nick Mackie: "Diga ao Mackie que se não parar de pensar em mim, *ele* vai acabar no Western State [hospital psiquiátrico de Washington]. Eu os pus contra a parede por lá, e são eternos otimistas falando de acordos".

A data do julgamento fora adiada para 14 de novembro de 1977, e Ted prosseguia sem advogados. Estava bastante entusiasmado com seu novo papel, e sentia que tinha instintos de investigador. "Porém, o mais importante é que vou persistir e persistir, e trabalhar e agir até ser bem-sucedido. Ninguém pode trabalhar mais do que eu, porque tenho mais a perder do que qualquer um."

Também estava exultante por saber que custava grande quantia em dinheiro para o condado. Um repórter local reclamara em reportagem dos custos elevados de investigadores, testemunhas especializadas, agentes adicionais para vigiar Ted durante as visitas à biblioteca, despesas dentárias, suprimentos e telefonemas. Ted considerou essas críticas "revoltantes pra diabo. Ninguém pergunta ao promotor ou à polícia quanto do dinheiro público é jogado fora. Descartem o caso, me mandem para casa e guardem todo esse dinheiro, eis a minha resposta".

Cortou o cabelo com os vinte dólares que lhe enviara, a primeira visita ao barbeiro desde dezembro de 1976, e o juiz Lohr ordenou que fosse levado ao médico para verificar se a perda de peso — que ele creditava à escassez de comida na prisão do condado de Garfield — era tão acentuada quanto Ted dizia. No dia após a ordem, a prisão começou a servir almoço pela primeira vez na história, e Ted reivindicou a vitória moral por isso.

Ele suspeitava que o delegado tentava engordá-lo antes de ser examinado pelo médico, mas ainda chamava Hogue de "bom homem". O delegado também tinha concordado com que os amigos e familiares de Ted lhe enviassem comida. Pacotes de passas, frutas secas e carne-seca seriam bem-vindos.

Embora Ted tivesse começado a carta com toque de hostilidade suspeita — pedido de declaração de minha lealdade —, seu humor se suavizou à medida que escrevia.

> Muito obrigado pelo dinheiro e selos. Sei que seu sucesso recente de modo algum deixaram você na vida boa, portanto essas doações, sem dúvida, representam sacrifícios. Não vou demorar tanto tempo para voltar a escrever. Prometo.
>
> Com amor,
> *ted*

Mas foi o que fez. Demorou muito, muito tempo para escrever, porque Ted Bundy foi embora. Bem de repente.

TED BUNDY
Um Estranho ao Meu Lado
27.
ANN RULE

ALIASES: Rex Bundy, Ted Bundy, Ted Cowell, Theodore Robert Cowell,

Entered NCIC
I. O. 4775
1-31-78

___"É normal as pessoas pularem
da janela por aqui?"___

Aquela carta me deixou preocupada. Ted estava, em essência, me pedindo para dizer que acreditava em sua inocência de todo o coração, algo que não podia fazer. Era algo que nunca me pedira antes, e me perguntei o que tinha acontecido para deixá-lo desconfiado. Não havia traído sua confiança, enviava cartas e telefonava para o Colorado, bem como não mostrara as respostas de Ted a ninguém. Mesmo que não conseguisse dizer a Ted que acreditava ser inocente das acusações e suspeitas contra ele, eu, como sempre, mantive o apoio emocional.

Recebi a carta questionadora de Ted na primeira semana de junho, e me digladiava com a maneira que poderia responder enquanto ele se preparava para a audiência que determinaria se a pena de morte seria considerada no julgamento. Era a decisão que vinha sendo tomada individualmente em cada caso de homicídio no Colorado. A audiência estava marcada para 7 de junho.

Ted foi levado de carro de Glenwood Springs para Aspen na manhã de 7 de junho, pouco antes das 8h. Usava as mesmas roupas que vestira quando almoçamos no Brasserie Pittsbourg, em Seattle, dezembro de 1975: calça de veludo cotelê marrom, camisa de gola alta com mangas longas e o pesado casaco de lã marrom variegado. Em vez dos mocassins que gostava, calçava as pesadas botas da prisão. O cabelo curto e bem-penteado, graças, de maneira um tanto irônica, ao cheque de vinte dólares que lhe enviara.

Os agentes do condado de Pitkin, Rick Kralicek e Peter Murphy, seus guardas habituais, o pegaram naquela manhã para a viagem de 72 quilômetros de volta a Aspen. Ted conversou desenvolto com os dois policiais que conhecia bem, perguntando outra vez de suas famílias.

Kralicek dirigia com Bundy sentado ao lado, e Peter Murphy no banco de trás. Mais tarde, Murphy iria recordar que, enquanto saíam dos limites de Glenwood Springs, Ted se virou e o encarou, com diversos movimentos rápidos das mãos algemadas. "Soltei a alça que prendia 0.38 e ela 'estalou' alto e inconfundível. Ted voltou a se virar e a olhar fixamente para a estrada adiante até chegarmos a Aspen."

No tribunal, Ted foi entregue para a custódia do policial David Westerlund, agente da lei que fora seu guarda por apenas um dia e não estava familiarizado com ele.

O tribunal se reuniu às 9h, e Jim Dumas — um dos defensores públicos dispensados por Ted anteriormente, mas que ainda trabalhava para ele — argumentou contra a pena de morte por mais ou menos uma hora. Às 10h30, o juiz Lohr convocou o intervalo, e disse que a promotoria poderia apresentar os argumentos quando voltassem. Ted se dirigiu, como costumava fazer, para a biblioteca de direito, escondido da linha de visão de Westerlund pelas estantes.

O policial permaneceu no posto diante da porta do tribunal. Estavam no segundo andar, a mais de sete metros acima do nível da rua e tudo parecia normal. Ted aparentemente fazia alguma pesquisa entre as estantes, enquanto esperava que o tribunal voltasse a se reunir.

Lá fora, na rua, uma passante ficou surpresa ao ver a figura em tons de marrom repentinamente pular para fora da janela bem acima dela. Ela observou enquanto o homem caía, se levantava e corria manco rua abaixo. Intrigada, o observou fixamente enquanto se afastava antes de entrar no fórum e ir ao escritório do delegado. Sua primeira pergunta galvanizou os oficiais em serviço. "É normal as pessoas pularem da janela por aqui?"

Kralicek a ouviu, praguejou e seguiu para as escadas.

Ted Bundy havia fugido.

Não estava algemado, e as algemas para os tornozelos que usava quando estava fora do tribunal tinham sido removidas. Estava livre e tivera muito tempo para observar a área ao redor do Fórum do Condado de Pitkin quando os policiais, com tanta gentileza, permitiram que caminhasse perto do rio durante os períodos de exercício.

Envergonhado, o delegado Dick Keinast admitiria mais tarde: "Pisamos na bola. Me sinto uma merda por isso".

Montaram barricadas, levaram cães farejadores e espalharam a cavalaria ao redor de Aspen para procurar o homem que telegrafara de várias formas que estava planejando fugir. Whitney Wulff, secretária do delegado Keinast, lembrou-se de que Ted andava até as janelas nas audiências, olhava para baixo e então fitava os homens do delegado para ver se o observavam.

"Acho que sempre nos testava", contou. "Certa vez, se aproximou de uma assistente do fórum e olhou para nós. Fiquei preocupada com a possibilidade de refém e alertei o policial que o escoltava para ficar perto do detento." Mas Westerlund era novo no trabalho, inconsciente das suspeitas de outras pessoas de que Bundy talvez planejasse fuga.

Ted se "vestira duplamente" — na gíria dos detentos —, com roupas extras embaixo das vestimentas comuns para o tribunal. O plano era tão audacioso que saíra como planejado desde o começo. Atingira o gramado frontal do fórum com tanta força que deixou buraco de profundidade de dez centímetros na grama com o pé direito. Os policiais suspeitaram que machucou o tornozelo, mas ficou evidente que não o bastante para atrasá-lo por muito tempo.

Então, Ted de imediato se dirigiu às margens do rio Roaring Fork, a quatro quarteirões do fórum, onde caminhara com frequência antes. Ali, escondido entre a vegetação rasteira, despiu depressa a camada exterior de roupas. Agora vestia camisa social e se parecia com qualquer outro morador de Aspen enquanto caminhava de volta com casualidade controlada pela cidade. Era o lugar mais seguro em que poderia estar. Todos os seus perseguidores tinham se espalhado para montar bloqueios nas estradas.

A notícia da fuga de Ted apareceu nos boletins noticiários de todas as estações de rádio entre Denver e Seattle, e desceu até Utah. Em Aspen, os moradores foram aconselhados a trancar a porta, esconder os filhos e colocar os carros na garagem.

Frank Tucker, o promotor público que foi o principal alvo de chacota de Ted naquele verão, comentou em termos de eu-te-disse: "Não estou surpreso. Falava isso o tempo todo".

Ao que parecia, todos esperavam que Ted fosse fugir, mas ninguém tinha feito nada para impedir, e agora *eles* corriam em círculos para recapturá-lo. As barricadas nas duas estradas que saíam da cidade demoraram 45 minutos para ser montadas. Os cães estavam quase quatro horas atrasados no voo de Denver porque caixas transportadoras não foram encontradas, e as companhias aéreas se recusaram a transportá-los sem as caixas. Se existe um santo patrono dos fugitivos, ele via Ted Bundy com bons olhos.

Em Seattle, comecei a receber ligações de amigos e agentes da lei, me avisando que Ted estava à solta. Achavam que poderia me procurar, pensar que poderia escondê-lo ou dar dinheiro para que atravessasse a fronteira canadense. Esse era o confronto pelo qual não ansiava. Duvidei que voltaria a Washington, pois havia gente demais que poderia reconhecê-lo.

Se conseguisse se afastar das montanhas ao redor de Aspen, seria melhor que seguisse para Denver, ou para outra cidade grande. Por via das dúvidas, Nick Mackie me deu seu número de telefone residencial, e meus filhos foram instruídos a ligar e pedir ajuda caso Ted aparecesse à nossa porta.

Meu telefone tocou três vezes na noite de 7 de junho. Cada vez que atendia, parecia não ter ninguém... ou ninguém que se manifestasse. Conseguia ouvir ruídos ao fundo, como se as ligações viessem de cabine telefônica na rodovia com carros passando depressa.

Por fim, disse: "Ted... Ted, é você?". A ligação foi interrompida.

Quando Ted fez seu salto desesperado para a liberdade, o dia estava ensolarado e quente em Aspen. Mas o anoitecer trouxe queda de temperatura, algo comum em cidades montanhosas até mesmo no verão. Onde quer que Ted estivesse, sem dúvida, sentia frio. Tive sono inquieto, sonhei que *eu* fora acampar e descobrira que esqueci de levar cobertores ou saco de dormir.

Onde ele *estava*? Os cães rastreadores estacaram, confusos, ao chegar ao rio Roaring Fork. Deve ter planejado isso. Não conseguiram detectar o rastro depois da corrida pelos quatro primeiros quarteirões até as margens do rio.

Começou a chover em Aspen, no finzinho da tarde daquela segunda-feira de junho, e qualquer pessoa azarada o suficiente para não ter abrigo não demoraria a encharcar até os ossos. Ted vestia apenas camisa leve e calças. Era possível que sofresse com tornozelo torcido ou quebrado... mas ainda continuava livre.

Deve ter se sentido como o protagonista de *Papillon*, o livro que praticamente havia decorado durante os longos meses na prisão. Além da engenhosidade da fuga, *Papillon* lida com controle mental, a habilidade do homem de ter pensamentos que o afastasse do desespero, de controlar o entorno pela pura força de vontade. Será que Ted fazia isso agora?

Os homens que rastreavam Ted Bundy se pareciam com algo saído de um quadro de Charles Russell ou Frederik Remington — chapéus Stetson, coletes de pele de corsa, calça jeans, botas de caubói, e pistolas a tiracolo. Poderiam ser a cavalaria de um século atrás, à procura de Billy, the Kid, ou os irmãos James. Eu me perguntei se atirariam primeiro e perguntariam depois, quando — e se — encontrassem Ted.

Os habitantes de Aspen oscilavam entre o medo total e o humor ácido. Enquanto policiais e voluntários faziam uma busca de casa em casa na cidade de resorts, empreendedores não perderam tempo em capitalizar aquele novo herói popular que capturava a imaginação da cidade inteira, onde o tédio pode se assentar bem depressa. Ted Bundy passara a perna no sistema, derrotara os "tiras tapados", e quase ninguém parou para pensar no corpo alquebrado de Caryn Campbell encontrado no monte de neve no distante ano de 1975. Bundy era novidade e motivo de piadas.

Camisetas apareceram em moças esbeltas com as frases: "Ted Bundy é aventura de uma noite só", "Bundy está livre — pode Aspen-ditar nisso!", "Bundy vive chapado nas alturas das rochosas!" e "Bundy está no reservado". (Este último slogan se referia ao artigo de uma revista nacional que afirmava que se sentar no reservado dos restaurantes locais, é possível comprar cocaína.)

Um restaurante acrescentou "Bundy Burgers" ao cardápio: quando você levantava o pão, percebia que a carne tinha fugido. O "Coquetel Bundy" servido localmente era feito com tequila, rum e dois feijões mexicanos saltitantes.

Caroneiros, querendo sair de Aspen, tinham as placas: "Não sou Bundy".

A paranoia reinava com toda a farra. Um jovem repórter, depois de entrevistar três moças na cafeteria sobre as reações à fuga de Bundy, foi de pronto denunciado como suspeito. A identificação e cartão da imprensa tinham significado pouca coisa.

Em todos os lugares, dedos acusadores eram apontados. O delegado Keinast culpava o juiz Lohr por permitir que Ted se representasse e aparecesse no tribunal sem algemas para tornozelos e mãos. Tucker culpava todo mundo, e Keinast exausto confessou ao repórter que desejava nunca ter ouvido falar de Ted Bundy.

Na sexta-feira, 10 de junho, Ted já estava desaparecido havia três dias, e o FBI se juntou à caçada. Louise Bundy apareceu na televisão e implorou que Ted voltasse. Estava preocupada com o filho nas montanhas. "Acima de tudo, estou preocupada com as pessoas que o procuram, que podem não usar o bom senso e apertar o gatilho primeiro e perguntar depois. Essas pessoas vão pensar: 'Ah, deve ser culpado. É por isso que fugiu'. Mas acho que todas as frustrações simplesmente se acumularam, então viu a janela aberta e foi embora. Tenho certeza de que deve estar arrependido do que fez agora."

O número de rastreadores diminuíra de 150 para setenta quando a sexta-feira chegou. A impressão era que Ted tinha aberto caminho para fora da área de busca, e era possível que tivesse cúmplices. Sid Morley, de trinta anos, cumprindo pena de um ano por posse de propriedade roubada, tornara-se amigo de Ted na prisão do condado de Pitkin, e fora transferido com ele para a prisão do condado de Garfield. Morley não voltara do emprego que lhe permitiram ter fora da prisão, na sexta-feira antes de Ted pular para fora do fórum, e os rastreadores acreditavam que poderia estar à espera para ajudá-lo.

Morley, no entanto, foi levado sob custódia em 10 de junho, perto do túnel na Interestadual 70, oitenta quilômetros a oeste de Denver. Quando interrogado, insistiu não saber nada a respeito dos planos de fuga de Ted, e não parecia estar envolvido. A opinião do próprio Morley era que Ted ainda estava no condado de Pitkin, mas fora de Aspen.

Em todo o país, aquela foi uma grande semana para fugas. Enquanto Ted Bundy era rastreado no Colorado, James Earl Ray (acusado de matar Martin Luther King Jr.) e mais três outros detentos fugiram da Penitenciária Estadual de Brushy Mountain, no Tennessee, em 11 de junho. Durante um dia, a história dessa fuga teria precedência sobre a de Bundy nas manchetes ocidentais.

Ted Bundy ainda *estava* no condado de Pitkin. Cruzara a cidade em 7 de junho até o sopé da montanha Aspen, e então subira com facilidade o gramado. Tinha sido ano ruim para a neve, mas o inverno quente foi fortuito para Ted. Quando o sol se pôs na primeira noite, já havia subido e ultrapassado o alto da montanha Aspen, e caminhava ao longo do riacho Castle, para o sul. Ted tinha mapas da área montanhosa ao redor de Aspen consigo, mapas que foram usados pela promotoria para mostrar a localização do corpo de Caryn Campbell. Como seu próprio advogado de defesa, tinha direito de pesquisa e recebera acesso aos mapas.

Se pudesse continuar seguindo para o sul até chegar ao vilarejo de Crested Butte, teria conseguido carona para a liberdade. Mas os ventos e a chuva o forçaram a voltar ao chalé que passou no caminho, bem-abastecido e temporariamente desocupado na montanha.

Ted descansou lá depois de arrombá-lo. Havia um pouco de comida no chalé, algumas roupas quentes e um rifle. Na manhã de quinta-feira, 9 de junho, mais bem equipado e com a arma, voltou a seguir para o sul. Poderia chegar a Crested Butte, mas não continuou direto para o sul. Em vez disso, cortou para o oeste, atravessou outra crista que não estava tão obstruída pela neve, e se viu ao longo do riacho East Maroon.

Andava em círculos agora, e logo se viu de volta aos limites de Aspen. Novamente, avançou pelo riacho Castle até o chalé onde ficara dias antes, mas era tarde demais. Os rastreadores já haviam descoberto que estivera por lá. Na verdade, se espalhavam ao redor do abrigo de Ted enquanto ele observava escondido na vegetação, a alguns metros de distância.

Os membros da companhia encontraram restos de comida seca e perceberam que não havia arma ou munição no chalé. Também identificaram a impressão digital de Ted. Então descobriram que alguém arrombara um trailer Volkswagen na área de resort no lago Maroon — ao que parecia, na sexta-feira, 10 de junho — e levara comida e a jaqueta de esqui.

Apesar dos bocados de comida roubada, Ted perdera muito peso, o tornozelo machucado inchava cada vez mais e estava perto da exaustão. Voltou a se dirigir para o norte, na direção de Aspen. Na noite de sábado, 11 de junho, dormiu ao ar livre, e o domingo o encontrou margeando os limites da cidade. Ted já estava desaparecido havia quase uma semana — ainda livre, mas de volta ao ponto em que começara. Seria preciso um milagre para sair da cidade. Encolhido, exausto e trêmulo, entre os altos arbustos na beirada do Campo de Golfe de Aspen, viu um velho Cadillac estacionado ali perto. Verificou se as chaves estavam no carro. Ted, ao que parecia, teve seu milagre — sobre rodas.

Sentado bem encurvado no assento, dirigiu na direção da montanha Smuggler e da rota batizada propiciamente de Independence Pass, que seguia para o leste e se afasta de Aspen. Então mudou de ideia: iria para o oeste, em vez disso, na direção de Glenwood Springs, de volta na direção da prisão onde fora encarcerado, porém para mais longe, além dela, para o oeste, rumo à completa liberdade.

Eram agora duas horas da manhã de segunda-feira, 13 de junho.

Os policiais do condado de Pitkin, Gene Flatt e Maureen Higgins, patrulhavam as ruas de Aspen, em direção ao leste naquela madrugada, quando sua atenção foi atraída pelo Cadillac que avançava na direção deles. O motorista parecia bêbado, o carro ziguezagueava por toda a rua. Nem sequer pensavam em Ted Bundy naquele momento quando deram meia-volta e seguiram o Cadillac. Esperavam encontrar o motorista bêbado dentro do veículo. Na verdade, Ted estava completamente sóbrio, mas seus reflexos embotados devido à exaustão e não conseguia controlar o carro.

A viatura ficou ao lado do Cadillac que rabeava e sinalizou para encostar. Gene Flatt andou até o lado do motorista e olhou dentro. O homem no interior usava óculos e tinha um band-aid no nariz, mas Flatt o reconheceu. Era Ted Bundy, prestes a ser capturado a poucos quarteirões de onde fugira.

Deu de ombros e abriu sorriso fraco quando Flatt lhe disse: "Olá, Ted".

Os mapas das montanhas foram encontrados no carro roubado, indicando que a fuga de Ted do fórum não tinha sido impulso no calor do momento. Planejara a fuga malograda. Agora, estava mais encrencado do que antes. Ficou alojado temporariamente na prisão do condado de Pitkin até 16 de junho, quando foi acusado de fuga, arrombamento e roubo. O juiz Lohr emitiu a ordem: dali em diante, Ted usaria algemas nas mãos e nos tornozelos quando transportado de um lugar a outro. Contudo, ainda manteria a maior parte dos privilégios concedidos antes, para participar da própria defesa: acesso à biblioteca de direito, ligações de longa distância e todas as outras ferramentas investigativas.

Uma semana depois de Ted ser recapturado, meu telefone tocou pouco antes das 8h. Despertada de sono profundo, fiquei surpresa ao ouvir Ted.

"Onde você está?", balbuciei.

"Você pode vir me buscar?", perguntou e depois riu.

Não havia fugido outra vez, mas, por um instante, acreditei que tinha escapado novamente.

Ele me contou que estava bem, um pouco cansado, e sofria pela perda de aproximadamente dez quilos, mas bem.

"Por que você fez aquilo?", perguntei.

"Você acreditaria se dissesse que simplesmente olhei pela janela e vi toda aquela grama verde e adorável e o céu azul lá fora e não consegui resistir?"

Não, não acreditaria, mas não precisei responder, era pergunta retórica.

Foi uma conversa breve. Quando lhe escrevi, não consegui evitar começar com: "Tentei responder à sua última carta, mas você se mudou e não deixou o endereço novo".

Eu ainda não respondera à sua pergunta na carta escrita pouco antes da fuga. Ele queria saber minha opinião sobre sua culpa ou inocência. O que lhe disse foi que sentia o mesmo que sentira na tarde daquele sábado, em janeiro de 1976, em nosso último encontro antes que de ele ser levado para Utah, para o julgamento do caso de sequestro de DaRonch. Na época, não conseguia acreditar completamente em sua inocência. Não sei se se lembrava do que eu tinha dito ou não, mas minha referência àquela tarde no bar pareceu bastar. Também lembrei que não publicara uma linha que fosse sobre ele nas reportagens. Embora Ted fosse notícia importante, e estivesse cada vez mais importante, consegui manter a promessa. Isso pareceu deixá-lo satisfeito.

A primeira carta após a captura não foi tão amarga ou contundente quanto as anteriores. Talvez o gostinho de liberdade o tivesse amolecido um pouco.

Ted se recuperava dos efeitos da fuga malfadada, escreveu, e pensava muito pouco nos poucos dias em liberdade. Tentava se esquecer de como era ser livre, mas não se arrependia de ter arriscado. "Aprendi muita coisa sobre mim mesmo, minhas fraquezas, minha capacidade de sobrevivência e a relação da liberdade com a dor."

Tudo nessa carta soava abrandado. Tentou e fracassou, e foi como se diminuísse a intensidade de suas emoções. Depois de recapturado, Meg lhe contara que se envolvera com outro homem. Um ano antes, ele bateria no peito de agonia; agora, encarou a deserção final de Meg de maneira racional e sóbria. "Aceitar a sua perda nunca será fácil. Duvido que consiga algum dia dizer com honestidade que aceito o fato de ela amar outro homem, e viver com ele. Sempre a amarei, portanto nunca serei capaz de dizer que não sonho com a nossa vida juntos. Mas esse novo acontecimento e minha captura devem ser encarados com calma. Minha sobrevivência está em jogo."

Talvez esta fosse a palavra essencial: "sobrevivência". Caso se deixasse sofrer por Meg, não estaria em condições de encarar a batalha vindoura. Ted escreveu que podia apenas torcer para acreditar em vida no futuro. "Sonharei em amar Meg outra vez uma outra hora."

Em retrospecto, há evidências de que Carole Ann Boone (que removera o "Anderson" do nome) esteve em contato constante com Ted durante esse período, e que ele não ficou sem uma mulher ao lado. Ted não mencionou a existência de Carole Ann para mim naquela ocasião.

Se a sobrevivência era tudo, então Ted tinha de fortalecer o corpo. Acreditava ter perdido aproximadamente quinze quilos durante os dias nas montanhas, e já estava com dez quilos a menos, para começo de conversa. A comida da prisão não serviria. Todos os dias havia cozinheiro novo — detento contratado por bom comportamento "que pedia demissão dois dias depois", secretária da recepção, carcereiro e a esposa do carcereiro. Ted voltou a pedir a ajuda dos amigos. Estava se recuperando muito devagar e precisava de comida saudável. Minha tarefa era encontrar algum suplemento de proteína em pó. Ele me disse que provavelmente acharia em lojas de comida saudável, e que preferia a lata de um quilo com aproximadamente quinze gramas de proteína a cada cem gramas. "Talvez alguns figos secos... talvez algumas latas de frutas secas também, se puder arcar com a despesa."

Parecia, com base nessa carta, que Meg tinha saído da vida de Ted. Ainda assim, me perguntei por que ela havia falado para Ted que estava com outra pessoa. Conversara com ela ao telefone apenas alguns dias antes. Meg me disse que não havia ninguém, mas que, para a *sua* própria sobrevivência, precisava se afastar de Ted. Talvez tivesse inventado um homem fictício, sabendo que seria a única maneira de ser deixada em paz. Deve ser isso. Meg e eu tínhamos nos lamentado uma com a outra da aparente impossibilidade de encontrar um solteiro que atendesse a nossas exigências, e que também aceitasse mulher com um filho, ou — no meu caso — com quatro. Não, não acreditava que Meg conhecera alguém. Não ainda.

Senti pena de Ted, imaginei-o, afinal, sozinho, mas ele, em grande parte, foi o responsável pela própria situação. Mentira para Stephanie, Meg, Sharon e até mesmo para as parceiras românticas casuais. Não precisava me preocupar com ele. Carole Ann o visitava na prisão sempre que podia, e trabalhava como "detetive" para refutar as alegações contra Ted. Quando afinal emergiu como sua defensora feminina, fiquei perplexa. Quem era essa mulher dando incontáveis entrevistas anônimas em apoio a Ted? Nunca poderia ter adivinhado que aquela era a mesma mulher que o tinha provocado anos antes de ser o abominável "Ted".

Para satisfazer os pedidos de Ted, lhe enviei um pacote grande contendo aproximadamente quatro quilos e meio de suplementos de proteína, vitaminas, frutas e frutas secas. Quando o levei para o correio local, o atendente levantou um pouco as sobrancelhas quando viu o destinatário, mas não disse nada. Funcionários postais são como padres, médicos e advogados. Se sentem comprometidos eticamente a proteger informações privilegiadas e respeitam a privacidade dos clientes.

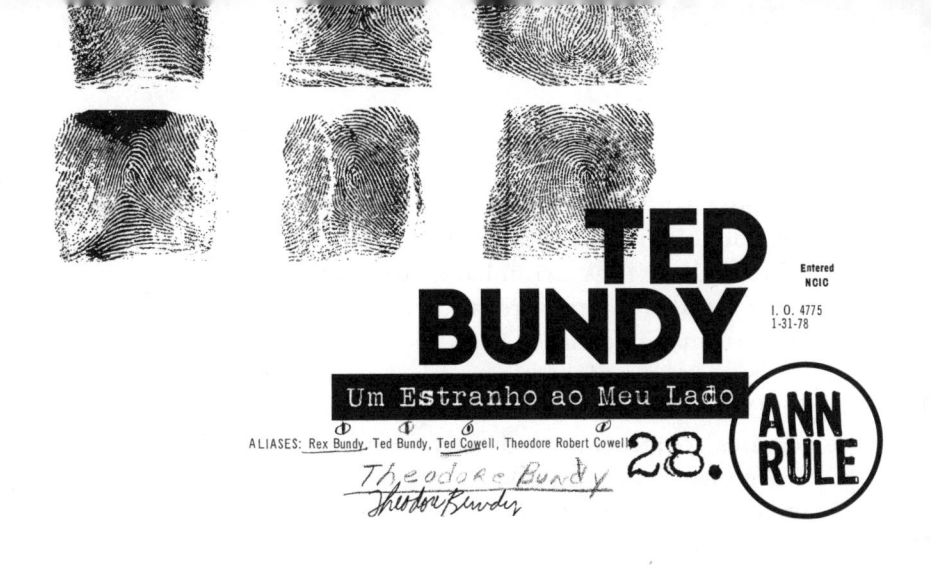

28.
O Houdini dos presidiários

Não tinha dúvidas de que Ted planejara a fuga, afinal, tinha feito alusões à ela tantas vezes. Embora não quisesse discutir isso comigo na primeira ligação e nas cartas, contou ao delegado Don Davis do condado de Pitkin de suas aventuras naquela semana nas montanhas. Sim, tinha pegado o rifle no chalé, mas o abandonara na floresta. Um homem com rifle em junho seria suspeito demais. Encontrara poucas pessoas naquela vastidão, e, quando chegou a se deparar com campistas, fingiu procurar a esposa e os filhos, apenas parte de acampamento familiar feliz.

Mais tarde, viria a me contar como se sentiu quando voltou ao chalé. "Estavam ali, tão perto que pude ouvi-los falar de mim. Nem sabiam que eu os observava atrás das árvores." De maneira geral, fora uma aventura para ele, ainda que aventura desesperada, e tinha apenas intensificado a vontade de estar livre. Ele era o presidiário em *Papillon*.

Não acho que a fuga necessariamente o marcava como culpado. Um inocente, ao se ver encurralado à vida atrás das grades, também estaria propenso a fugir. Fora enredado nas inexoráveis engrenagens esmagadoras da Justiça e, apesar das afirmações de que não sentia pressão, sentia, sim, pressão tremenda — não apenas do Colorado, mas também de Utah e Washington.

Agora estava metido em uma confusão dos diabos. O julgamento por homicídio no caso Campbell ainda assomava à frente. Também foi acusado de fuga, arrombamento, pequeno delito e assalto. As acusações ligadas à fuga carregavam consigo provavelmente mais noventa anos em condenações.

Os agentes da lei tinham opinião melhor sobre Chuck Leidner e Jim Dumas como advogados do que Ted. "São muito bons — quase excelentes", comentou um detetive. Dumas, que acabara de apresentar os argumentos contra a pena de morte quando Ted pulou do segundo andar para a liberdade, também tinha senso de humor. Quando descobriu que o cliente havia fugido, disse com sarcasmo: "Essa é a pior demonstração de fé na minha argumentação que já vi".

Ted não quisera os defensores públicos, contudo, e, com os eventos recentes, foi impossível que continuassem no caso. Leidner foi designado como potencial testemunha da promotoria nas acusações de fuga.

John Henry Browne, da Defensoria Pública de Seattle, apoiador e conselheiro de Ted de longa data, viajara para Aspen assim que Ted foi capturado. Browne, que não tinha representado Ted oficialmente, visto que não fora acusado em Washington, sempre se sentira ofendido com o tratamento do caso "Ted", e acreditava que Bundy estava condenado aos olhos do público a partir de suspeitas e insinuações. Custeou as próprias viagens para se reunir a Ted nos diversos estados onde foi mantido sob custódia.

Em meados de junho de 1977, a missão de Browne foi de arbitrar a disputa entre Bundy e Leidner e Dumas. Browne ficou satisfeito quando novo advogado foi designado para defender Ted: Stephen "Buzzy" Ware.

Em 16 de junho, o juiz Lohr nomeou Ware como novo advogado para a defesa. Ware parecia qualquer coisa, menos advogado de defesa vencedor, parado ao lado de Ted de calça jeans e blazer. O cabelo de Buzzy Ware era desgrenhado, usava óculos e bigode exuberante. Parecia mais um aficcionado de esqui dos barzinhos de Aspen do que com um potencial F. Lee Bailey (ex-advogado de defesa de O.J. Simpson). Mas Ware ganhara notoriedade, não perdera nenhum julgamento com júri em Aspen. Pilotava o próprio avião e andava de moto, e era alguém para se ter ao lado em casos de narcóticos. Depois de ser designado para o caso de Ted, Ware voou para o Texas para ser a defesa em importante caso federal contra o crime organizado.

Ware era vencedor, e Ted sentiu isso. Finalmente voltou a ter alguém que respeitava ao lado. Em telefonema para mim, Ted parecia entusiasmado quando falava de seu advogado. Quaisquer efeitos residuais da fuga malograda foram esquecidos quando agosto chegou e entrou com petição para novo julgamento no caso DaRonch em Utah (com base em grande parte no que acreditava ser sugestões feitas pelo detetive Jerry Thompson para que DaRonch escolhesse a foto de Ted).

A equipe da promotoria do Colorado buscava encorpar o caso contra Bundy ao trazer "ocorrências similares", e introduzir testemunhos da condenação de sequestro, os assassinatos e desaparecimentos de Melissa Smith, Laura Aime e Debby Kent em Utah, talvez até mesmo os oito casos de Washington. Considerados todos juntos, os crimes atribuídos a Ted Bundy apresentavam padrão familiar, associação. Considerados em separado, cada caso carecia de peso.

É possível apenas especular o que poderia ter acontecido se Ted continuasse com o apoio de Buzzy Ware, que injetara nova força à defesa. Na noite de 11 de agosto, Ware e a esposa se envolveram em desastre de moto. O acidente matou a sra. Ware na hora e deixou o jovem advogado brilhante em coma, com crânio e face fraturados, além de ferimentos internos e a perna quebrada. Havia especulação de paralisia permanentemente, mas nenhuma dúvida da incapacidade de continuar auxiliando Ted Bundy.

Ted ficou desolado, ele contava com Buzzy Ware para livrá-lo das dificuldades no Colorado e agora, mais uma vez, estava sozinho. Também sentia que envelhecia depressa, que as recentes fotos nos jornais o faziam parecer anos mais velho do que os verdadeiros trinta anos.

Escrevi para ele em meados de agosto, e lamentei a perda de Ware e lhe assegurei que as fotos nos jornais mostravam apenas os efeitos residuais da provação nas montanhas, e também o resultado de má iluminação.

A resposta foi a última carta que receberia do Colorado.

O destino tem maneiras de me pegar desprevenido, mas os últimos dois anos foram tão repletos de surpresas e acontecimentos chocantes que meus "períodos para baixo" vêm se tornando progressivamente mais curtos.
Estou me tornando à prova de choque? Não exatamente. Com certeza houve umidade em meus olhos quando as notícias do acidente de Buzzy chegaram. Todavia, foram lágrimas genuínas por ele, não por mim. Ele é uma pessoa tão linda. Quanto ao meu caso, minha confiança nele não poderia ser diminuída mesmo que todos os advogados de defesa deste país morressem.

Escreveu que sentia que era quase sacrilégio dar continuidade ao caso sem intervalo, que devia parar um tempo em respeito a Ware, mas que tinha de prosseguir. Parecia ver luz muito à frente, e seguia diretamente nessa direção.

> De muitas maneiras, a esquina mais distante e escura foi dobrada, sinto isso agora. O episódio da fuga foi o fim de um trecho e o movimento agora é na direção do retorno. Até mesmo a imprensa parece me humanizar um pouco. Mais importante, o caso DaRonch foi desbancado. Depois conto mais.
>
> Com amor,
> *ted*

Contudo, em setembro, gritava "injustiça" e "artifícios políticos": o promotor público do condado de El Paso, Bob Russell, tentou incluir os casos de Utah no julgamento do caso Campbell ao introduzir os fios de cabelo encontrados no Fusca de Ted — pelos que eram compatíveis com o pelo pubiano de Melissa Smith de Midvale, e fios de cabelos de Caryn Campbell e Carol DaRonch. Ted rebateu que sua interpretação depois de ler os relatórios das necropsias de Laura Aime e Melissa Smith foi de que as jovens vítimas de assassinato poderiam ter sido mantidas em cativeiro por até uma semana antes de morrer. Seu argumento foi que isso demonstrava falta clara de semelhanças, visto que era sabido que Caryn Campbell sucumbira no intervalo de poucas horas após o sequestro. Além do mais, as mulheres de Utah foram atingidas por instrumento rombudo, de acordo com os relatórios da necropsia, e Caryn Campbell com instrumento afiado. Ted argumentou que essas diferenças faziam com que os diversos casos fossem inelegíveis como "ocorrências similares".

Apesar da batalha vigorosa que se desenrolava na arena judicial, apesar de Carole Ann Boone, Ted não esqueceu Meg naquele mês de setembro. Ele me telefonou em 20 de setembro e pediu para enviar uma única rosa vermelha para Meg, para chegar no dia 26. "É o oitavo aniversário da noite em que a conheci. Quero apenas uma rosa, e que o cartão diga: 'Minhas válvulas cardíacas precisam de ajuste. Com amor, ted'."

Enviei essa última rosa vermelha para Meg, depois de discutir com o florista que insistiu que podia comprar quatro rosas vermelhas pelo valor mínimo de nove dólares. Ted tinha estipulado que fosse apenas uma. Nunca se ofereceu para pagar a rosa. Não sei qual foi a reação de Meg, pois não voltei a falar com ela.

Ted passou o outono de 1977 trabalhando freneticamente na defesa para o julgamento vindouro. Não escrevia mais, mas me ligava quando tinha algo sobre o que conversar. A segurança estava mais apertada agora. Não tinha permissão de discar os números de telefone por conta própria, e precisava esperar que o agente fizesse isso. Nas idas diárias à biblioteca de direito, usava algemas tanto nas mãos como nos tornozelos. Mas, novamente, começou a se familiarizar tanto com os vigias, a ser tão afável, que as algemas foram removidas. Não parecia ter nada em mente, a não ser vencer no tribunal. A fuga de tantos meses antes esmaecia na lembrança de todos.

Em 2 de novembro de 1977, a audiência de supressão de evidências foi realizada a portas fechadas no tribunal do juiz Lohr. Ted exultou quando Lohr se recusou a permitir que os casos de Debby Kent ou de Laura Aime fossem introduzidos no julgamento do caso Campbell.

Duas semanas depois, audiência parecida foi realizada, em que patologistas testemunharam contra e a favor das semelhanças dos ferimentos na cabeça sofridos por Melissa Smith e Caryn Campbell. Pela promotoria, o dr. Donald M. Clark disse que tais fraturas eram "incomuns — não pertenciam a área comum", e que as fraturas eram "notavelmente parecidas" tanto em relação à suposta arma usada como às fraturas em si.

Pela defesa, o médico-legista do condado de Arapahoe, dr. John Wood, testemunhou que a única semelhança nas duas fraturas cranianas era que ambas ocorreram no mesmo ponto do crânio. Wood primeiro disse que o ferimento de Melissa Smith fora causado por instrumento rombudo, enquanto que o de Caryn Campbell por objeto afiado. Ao ser interrogado pela promotoria, contudo, o dr. Wood admitiu que se o escalpo da srta. Campbell tivesse contundido assim como cortado (que era sido o caso), então a mesma arma poderia ter causado os ferimentos na cabeça de ambas as vítimas. Ao olhar para o pé de cabra encontrado no Fusca de Ted Bundy, por fim concordou que a ferramenta poderia causar os ferimentos sofridos por ambas as mulheres.

Lohr ponderou sobre os testemunhos dos patologistas, e afinal declarou que as informações do caso Smith seriam inadmissíveis no julgamento do caso Campbell. Ted obtivera vitória, e vitória importante, ao manter os três casos de Utah longe dos ouvidos dos jurados. Em contrapartida, perdera quando Lohr declarou que admitiria o testemunho de Carol DaRonch e o folheto mencionando as áreas para esquiar, com o Wildwood Inn circulado, encontrado no apartamento de Ted em Salt Lake City.

Também naquela semana de novembro, Ted descobriu que a suprema corte em Utah rejeitara a apelação no caso do sequestro de DaRonch.

Voltaria a tentar isso um dia. No momento, Ted queria mudança de local antes do julgamento em 9 de janeiro. Outrora aprovara a ideia de ser julgado em Aspen — mas isso foi antes da fuga, antes de se tornar nome conhecido e piada na abastada cidade de resorts de esqui. Era improvável que alguém em Aspen agora não soubesse exatamente quem Ted Bundy era e que não tivesse decorado os menores detalhes do crime de que era acusado. O julgamento em Aspen seria um circo, era impensável.

Circunstâncias surpreendentes me afastaram ainda mais do mundo de Ted no fim de novembro. Um dos meus artigos para revista tinha atraído o interesse de produtora de Hollywood e, depois de dois breves telefonemas, me vi no avião para Los Angeles. Após reunião de dia inteiro, concordamos que retornaria em dezembro pelo período de três semanas para escrever o "tratamento" da história. Estava empolgada, assustada e incapaz de acreditar no que tinha acontecido. Depois de seis anos ganhando a vida de maneira apertada, ainda que um tanto precária, pude vislumbrar a vida mais fácil à frente. Claro, era ingênua, tão inocente como qualquer Cinderela chegando ao baile de Hollywood.

Telefonei para Ted e lhe contei que estaria no Ambassador Hotel em Los Angeles durante grande parte de dezembro, e me desejou tudo de bom. Tentava levantar fundos para pagar pesquisa de opinião pública imparcial para determinar onde no Colorado — se é que havia algum lugar — poderia receber julgamento imparcial. Suspeitava que Denver seria um bom lugar, cidade grande o suficiente para que o nome "Ted Bundy" não soasse familiar.

Seu arqui-inimigo, o promotor Tucker, do condado de Pitkin, tinha sido derrubado, mas não por intermédio de maquinação do próprio Ted. Tucker fora indiciado por grande júri em treze acusações de uso ilícito de dinheiro público!

Uma das acusações contra Tucker alegava que marcara aborto para a namorada de dezessete anos e mandara a conta do procedimento para o condado de Garfield. Outras afirmavam que enviara faturas iguais para dois condados diferentes relativas a viagens a passeio que fizera com a jovem. O *Rocky Mountain News* citou a ex-esposa de Tucker, e disse que ela confrontara o acuado promotor com perguntas sobre o suposto aborto, e "ele confessou".

Sem dúvida, era possível contar com Aspen para criar manchetes. Havia os problemas de Tucker, Claudine Longet — tinha se engraçado com o advogado de defesa (depois de separá-lo da esposa muito habilmente) — e Ted.

Minha viagem a Hollywood empalideceu, em comparação. Passei os dias trabalhando com o diretor-roteirista Martin Davidson e as noites perambulando pelo saguão do Ambassador Hotel. Jantei diversas vezes com a jornalista e escritora Adela Rogers St. Johns, que morava no hotel, e ouvi as histórias sobre Clark Gable, Carole Lombard e William Randolph Hearst, e o choque ao ouvir que aquela era a primeira vez que deixava meus filhos por período maior do que apenas uma noite. Ela me considerou mãe superprotetora.

Agora conseguia me identificar com mais facilidade com alguns dos choques culturais que Ted vivenciou quando passou da vida de estudante de direito para a existência como presidiário. Estava com saudade de casa, esmorecida pelo calor de 32 graus, confusa pelos papais noéis rosados que saltitavam por entre palmeiras e flores-de-natal que subiam até os telhados, e tentava aprender forma completamente nova de escrita: roteiro cinematográfico. Todos em Hollywood pareciam ter menos de trinta anos, e nunca voltaria a ver os quarenta. Assim como Ted, ansiava pela visão e pelos sons da chuvosa Seattle.

Alguns dias antes do Natal, entreguei meu tratamento e os produtores gostaram. Assinei contrato para escrever o filme inteiro. Eles me disseram que isso levaria seis semanas. Será que poderia deixar meus filhos por tanto tempo assim? Era algo que teria de fazer. Tratava-se de oportunidade grande demais para recusar. Não tinha como saber que na verdade ficaria longe de casa por sete meses.

Meu Natal foi frenético. Dois dias para compras, um dia para celebrar e uma semana para encontrar babás e fazer as malas para voltar à Califórnia.

O Natal de Ted foi sombrio. Tinha descoberto em 23 de dezembro que a mudança de local que requisitara fora outorgada — só que não para Denver, mas para Colorado Springs, 96 quilômetros ao sul, a jurisdição do promotor Bob Russell no condado de El Paso, o homem escalado por Tucker para auxiliá-lo a processar Ted. Três dos seis detentos no corredor da morte tinham sido enviados para lá por júris em Colorado Springs. Não era região generosa para acusados de assassinato.

Ted encarou o juiz Lohr após saber a decisão, e disse, sem rodeios: "Está me condenando à morte".

Em 27 de dezembro, Ted recebeu notícias melhores. O juiz Lohr decretou a favor da moção de Bundy para eliminar a pena de morte como pena alternativa no julgamento. Lohr se tornou o primeiro juiz no Colorado a decretar que a pena de morte era inconstitucional. Claro, Ted disse que não esperava que o veredito final fosse culpado, mas acreditou se tratar de decisão histórica para todos os que se opunham à pena de morte.

No dia 30 de dezembro, recebi ligação de Ted, telefonou para me desejar feliz ano-novo. Conversamos por cerca de vinte minutos. Aparentemente, a única coisa incomum a respeito dessa ligação foi que parecia ser apenas cortesia. Seus telefonemas anteriores invariavelmente foram motivados por algo em mente ou precisar de um favor. Esse contato foi contido e amigável, como se um amigo ligasse do outro lado da cidade em vez de a diversos estados de distância.

Comentou que a prisão estava vazia e solitária. Todos os detentos de curto prazo foram liberados para passar as festas de fim de ano com as famílias, e ele era o único presidiário que sobrou na prisão do condado de Garfield. E reclamou, como sempre, da comida.

"O cozinheiro também deu no pé — deixou tudo para ser esquentado, e esquentam até a gelatina. As coisas que deveriam ser quentes estão frias e vice-versa."

Ri do lamento costumeiro da onipresente gelatina — gelatina quente — em sua vida. Muitas coisas não foram ditas. Estava a menos de duas semanas do julgamento por assassinato, mas havia poucas coisas que poderia dizer para aliviar o estresse ligado ao evento. Tudo já fora dito. Desejei-lhe sorte e falei que, embora estivesse em Los Angeles, manteria contato. Por dentro, tentei bloquear a imagem de como devia ser estar completamente sozinho na cela enquanto o restante do mundo celebra o ano-novo.

"Preciso do endereço... de onde você vai estar em Los Angeles", disse. Passei-lhe o endereço e esperei enquanto anotava.

Também me desejou sorte, em *minha* nova aventura, e então "Feliz Ano-Novo".

Ted dizia "adeus" para mim, mas não houve nada na conversa que indicasse isso. Desliguei pensando nas festas de fim de ano de seis anos antes. Tanta coisa acontecera desde então, e tão poucos dos eventos dos últimos seis anos foram felizes para nós. Refleti que é sorte os humanos não terem o poder da clarividência, que não saibamos o que o futuro nos reserva.

Ted fez diversos outros telefonemas naquele penúltimo dia de 1977: para John Henry Browne, para um repórter em Seattle, de quem gostava e ao mesmo tempo depreciava. Para o repórter, comentou de maneira inescrutável que pretendia assistir aos Washington Huskies no Rose Bowl, "Mas não da cela". Não sei se ligou para Meg, mas suspeito que tenha falado com Carole Ann Boone, que o visitara na cadeia — e de acordo com boatos, lhe deu bastante dinheiro, segurou-lhe a mão e olhou para ele com amor, assim como tantas outras mulheres antes dela.

E então Ted revisou o plano. Não estava mais preocupado com o julgamento vindouro, pois não pretendia estar lá.

Conhecia a prisão do condado de Garfield melhor do que qualquer carcereiro. Ted conhecia os hábitos e pecadilhos dos quatro carcereiros melhor do que eles próprios. Tornara-se hábil em registrar os movimentos. Seu ex-colega de cela, Sid Morley, lhe dera o leiaute da prisão meses antes, e Ted decorou cada canto e cubículo do edifício. Ted também tinha serra de mão, entregue a ele por alguém cujo nome nunca revelaria. Havia muito tempo adotara o código da prisão: ninguém "dedura" ninguém.

Havia uma placa de metal no teto da cela, placa onde o lustre devia ser instalado. Houve grande atraso no serviço elétrico, embora os eletricistas estivessem agendados para completá-lo em poucos dias. Com a serra, Ted passou sete ou oito tediosas semanas para cortar o quadrado de trinta centímetros por trinta no teto, e fez com tanta precisão que conseguia recolocá-lo quando quisesse... ninguém percebeu. Em algumas ocasiões, ficara fora da cela durante dois dias e ainda assim o "alçapão" não fora descoberto.

Trabalhava à noite, enquanto os outros detentos tomavam banho; o barulho da água tamborilava e os gritos abafavam o som do trabalho. O buraco fora limitado em diâmetro por hastes de aço reforçado no teto. Para que conseguisse rastejar através do buraco, fez dieta e chegou a mais ou menos 63 quilos. As reclamações da comida na prisão foram apenas um disfarce.

Durante as duas últimas semanas de dezembro, Ted com frequência se contorcera pelo buraco e rastejara pelo espaço empoeirado acima da cela, e se arrastava ao longo de todo o caminho entre o teto da prisão e o telhado acima. A cada vez que retornava ao cárcere havia aquele momento angustiante, quando pensava ter sido descoberto, com a certeza de que encontraria policiais embaixo dele "esperando para acabar comigo".

Por incrível que pareça, nunca encontrou policial algum, embora o detetive Mike Fisher tivesse alertado o delegado Hogue de que seus instintos diziam que Ted preparava fuga. O taciturno Fisher não era dado a "fazer drama", mas ninguém ouviu o alerta. Ted estava com as malas feitas, pronto para ir embora. Só precisava do lugar e hora certos. A rota pelo teto era o único caminho. A porta da cela era feita de aço sólido e havia mais duas portas trancadas entre ele e a liberdade. Os joelhos doíam de tanto rastejar pelos blocos de concreto acima da cela. Ted procurava a maneira mais fácil de descer, e então, em 30 de dezembro, a encontrou. Um único feixe de luz, repleto de grãos flutuantes de poeira, atravessou a escuridão de baixo. Havia um buraco na placa de gesso acima do armário no apartamento do carcereiro Bob Morrison.

O lugar era câmara de eco onde o cair de alfinete soaria como desmoronar de rocha, e Ted aguardava, posicionado acima do buraco. Morrison e a esposa jantavam e ele ouvira a conversa dos dois com clareza. Será que também podiam ouvi-lo?

"Vamos ver um filme hoje à noite", disse a sra. Morrison.

"Claro, por que não?", respondeu o carcereiro.

Ted estava paranoico. Suspeitava de que tudo aquilo era uma armadilha. Sabia que Morrison tinha espingarda de caça; poderia muito bem esperar e atirar nele no instante em que descesse pelo teto do armário. Ted ficou ali, sentado, quase sem respirar, por meia hora. Ouviu os Morrison vestirem os casacos, e então a porta da frente fechou.

Era perfeito. Só precisava se deixar cair para dentro do apartamento, trocar de roupa e também sair pela porta da frente.

Sabia que teria algumas horas de vantagem quando partisse. Durante as últimas semanas, modificou o comportamento, disse aos carcereiros que se sentia mal, e não conseguia nem pensar em tomar café da manhã. Trabalhara nos documentos do julgamento a noite toda e dormira até tarde, sempre deixando a bandeja com o café da manhã intocado no lado de fora da cela.

Ninguém jamais verificava a cela depois que o jantar era servido. E ninguém voltava a verificá-la até que o almoço do dia seguinte. Trancafiado na cela sem janelas, Ted não fazia ideia de como estava o tempo no lado de fora. Não tinha como saber que quinze centímetros de neve fresca caíram durante o dia, somando-se aos trinta centímetros que já havia no chão, e as temperaturas estavam muito abaixo de zero. Ainda que soubesse disso, no entanto, não faria diferença.

Com a decisão tomada, Ted voltou à cela, enfiou os documentos de que não precisaria mais embaixo do cobertor na cama e olhou ao redor da cela do condado de Garfield pela última vez.

Então subiu para o forro, recolocou o quadrado da placa do teto no lugar, e rastejou até a abertura acima do armário. Desceu, caiu da prateleira e se viu no quarto de Morrison. Trocou o uniforme de presidiário por calça jeans, suéter de gola alta cinza e tênis azuis. Colocou duas réplicas funcionais de armas antigas, um rifle e uma pistola de cano curto (ambas carregadas pelo cano), no sótão, caso o carcereiro voltasse antes de ele sair do apartamento.

E, em seguida, Ted Bundy passou pela porta da frente e saiu para "a linda noite nevada do Colorado".

Encontrou um MG Midget e viu que o carro tinha pneus radiais tachonados. Embora parecesse que não seria capaz de atravessar o cume do desfiladeiro, as chaves estavam no contato.

Ted Bundy dirigiu para longe de Glenwood Springs. O motor do carro fundiu no desfiladeiro, como imaginou, mas o homem que lhe deu carona o levou à estação rodoviária em Vail. Ted pegou o ônibus das 4h para Denver, e chegou às 8h30 ao seu destino.

Na prisão, o carcereiro bateu na porta da cela de Ted com a bandeja do café da manhã às 7h. Não houve resposta. Espiou pela janelinha da porta e viu o que supôs ser Ted adormecido na cama.

O carcereiro Bob Morrison, de folga, foi até o armário por volta das 8h15 e pegou algumas roupas. Não notou nada incomum. Em Denver, Ted pegou táxi até o aeroporto e embarcou no avião para Chicago. Ninguém sequer sabia que tinha sumido. Por volta das 11h, já estava no centro de Chicago.

A hora do almoço chegou na prisão do condado de Garfield. A bandeja do café da manhã de Ted, intocada como sempre, repousava no chão do lado de fora da cela. Dessa vez o carcereiro olhou para a protuberância na cama e chamou Ted. Novamente sem resposta. A cela foi destrancada e o carcereiro xingou quando afastou as cobertas da cama. Não havia nada embaixo, a não ser livros jurídicos de referência e alguns documentos de Ted. Eles o tinham levado à liberdade — mas não em sentido legal.

Houve tremenda confusão no escritório do delegado, com recriminações a torto e a direito. Acusações de que os vigias foram alertados e deixado aquele homem fugir — aquele homem acusado de quase vinte assassinatos.

O subdelegado Robert Hart comentou que duvidava que Ted se refugiasse nas montanhas dessa vez. "Não conseguiu suportar o frio nas colinas ao redor de Aspen em junho; duvido que tentasse a mesma coisa aqui em dezembro. Lidamos com alguém bastante inteligente. Deve ter planejado essa fuga nos mínimos detalhes. Bundy tinha uso ilimitado do telefone, cartão de crédito para ligações sempre que quisesse. E o tribunal ordenou que não ouvíssemos as chamadas. Diabos, poderia ter ligado para o presidente Jimmy Carter de férias na Europa se quisesse."

Barricadas foram instaladas, cães rastreadores voltaram a ser chamados, mas a energia da perseguição se esvaíra. Ted tinha vantagem de setenta horas em relação aos perseguidores.

Estava sentado no vagão-restaurante do trem de Chicago para Ann Arbor, e bebericava o drinque confortavelmente enquanto os homens bem atrás dele xingavam uns aos outros e zanzavam através de montes de neve. Como teria saboreado essa visão.

Em Aspen, Ted alcançou o status de Billy, the Kid, no mínimo. Por Deus, Bundy tinha conseguido. Fez com que a polícia se parecesse com os *Keystone Kops!* Um poeta apanhou a caneta e escreveu:

Então, ao grande Bundy saudemos
    Aqui na sexta, na segunda não sabemos
    Todos os seus caminhos se afastam desta cidade
É difícil impedir um homem de tanta capacidade.

A revista de humor da Faculdade Estadual de Pedagogia de Aspen, *The Clean Sweep*, não perdeu tempo em publicar diversos artigos sobre Bundy:

BUNDY SEGUE PARA BERKELEY

Aparentemente entediado pelo isolamento na Prisão do Condado de Garfield, Theodore Bundy decidiu partir em busca de estímulos intelectuais e de um pouco da alegria das festas na véspera do Ano-Novo. Seguiu para Berkeley, Califórnia, onde planeja participar da atmosfera universitária tanto lecionando como estudando. Chamado por alguns de Houdini dos presidiários, Bundy vai lecionar cursos de escapismo, disfarces, e também apresentará intrincado estudo sobre o que veio a se tornar conhecido como a Dieta Bundy de Pão e Água. O intelectual e multitalentoso Bundy planeja estudar enquanto frequenta a universidade em Berkeley. Vai concluir o curso de direito e também fará cursos de criminologia e de teatro para seguir com sucesso uma de muitas possibilidades de carreiras. Rumos futuros incluem se tornar delegado do condado de Garfield e assumir o papel principal na nova versão do seriado *O Fugitivo*. Boatos de Bundy como *sommelier* no Bacanal e proprietário de empresa de lustres em Utah se provaram falsos.

Sob a Coluna do Fórum de Conselhos Estudantis:

Caro Freddie—

Gostaria de abrir empresa de lustres na cidade. Como devo proceder?

Bundy

Caro Ted—

Espere até a recompensa aumentar... então me ligue.

E, abaixo da imagem de carro antigo, a questão da Pergunta Relâmpago do Mês:

Que celebridade dirigiu este carro para Aspen?

A. Marlon Brando
B. Jack Nicholson
C. Linda Ronstadt
D. John Denver
E. Theodore Bundy

Resposta: Theodore Bundy.

Tudo isso era hilário, mas frustrante para os agentes da lei. Agora não haveria julgamento em janeiro. Ted tinha tentado o impensável, e vencera.

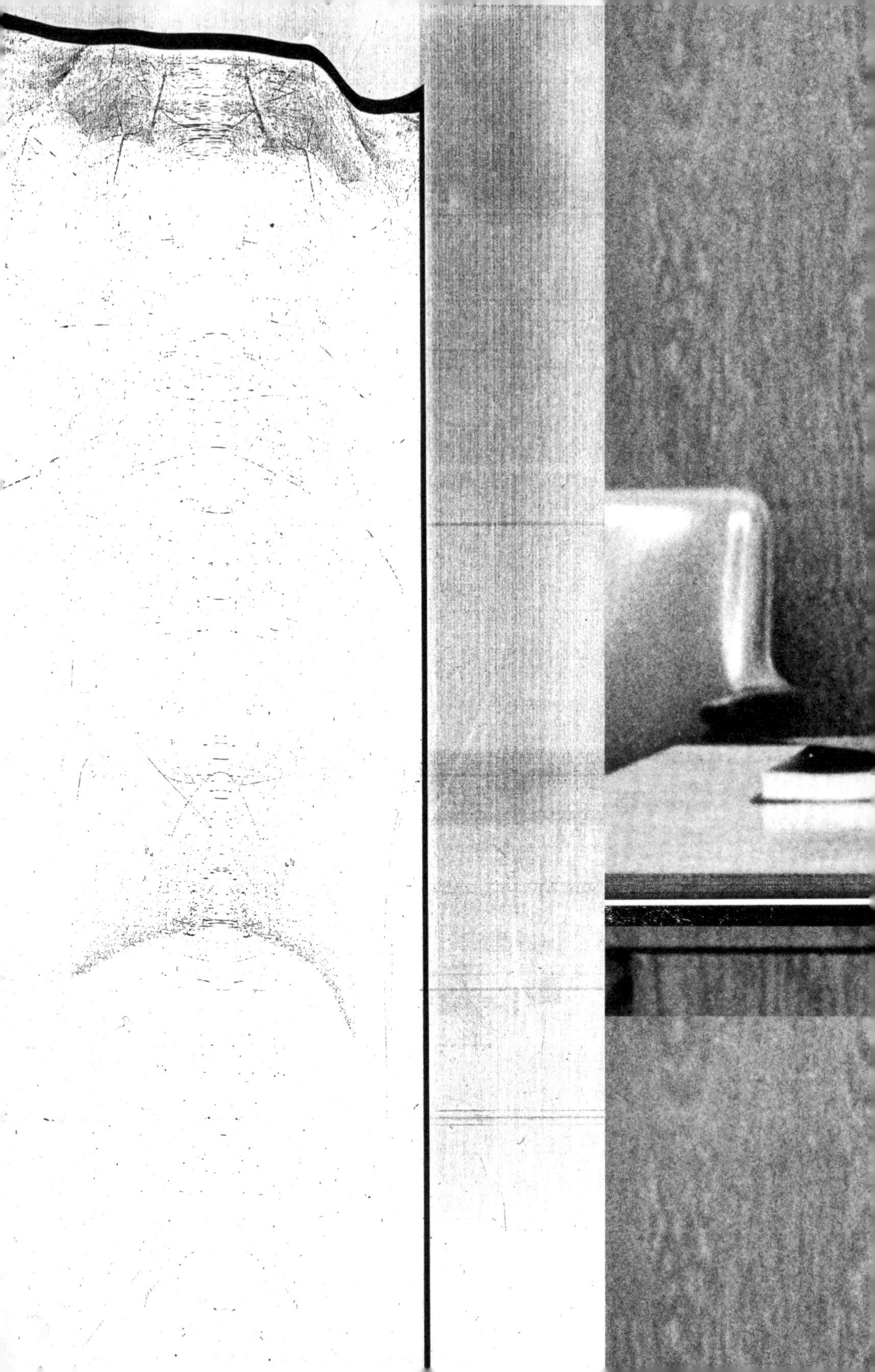

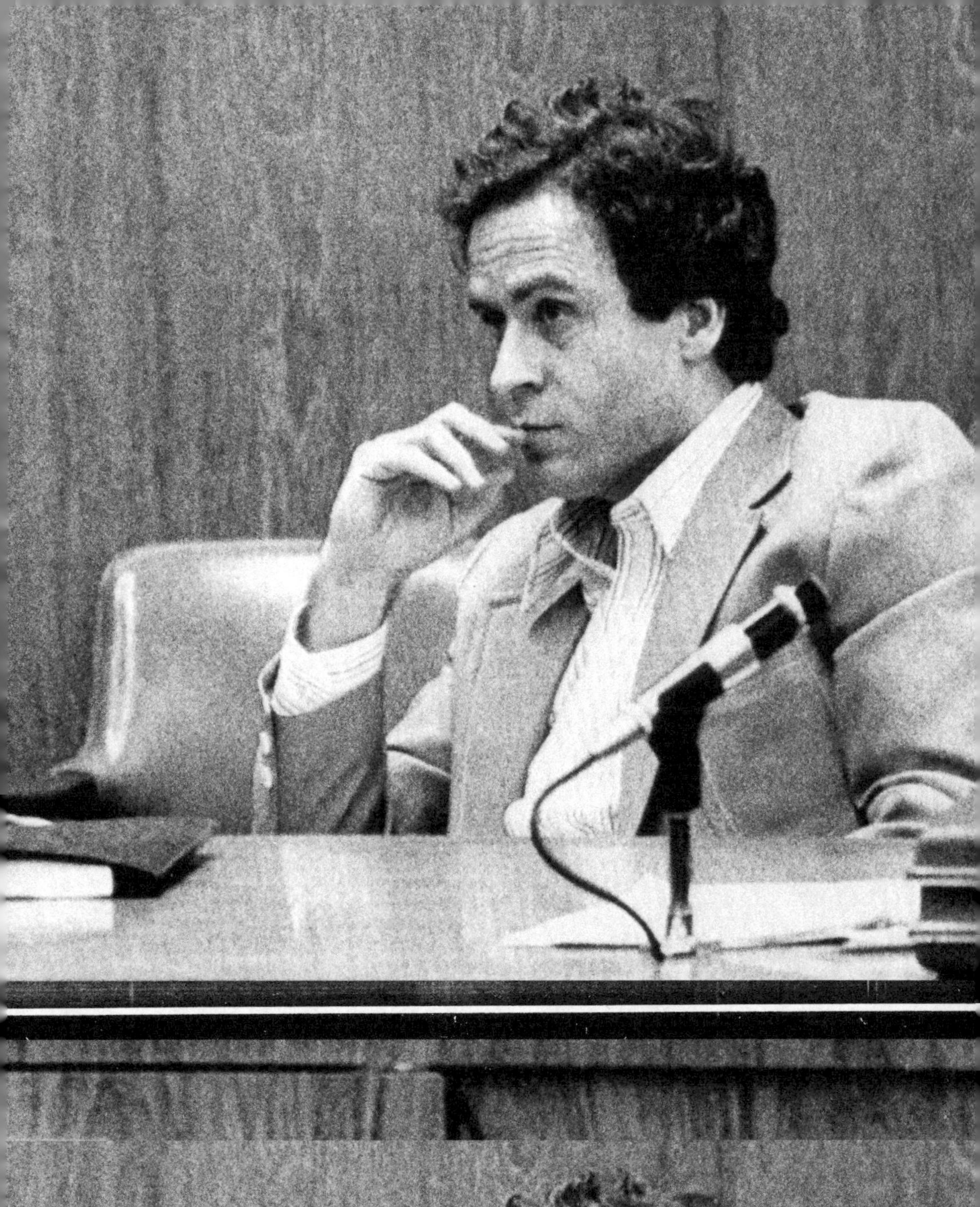

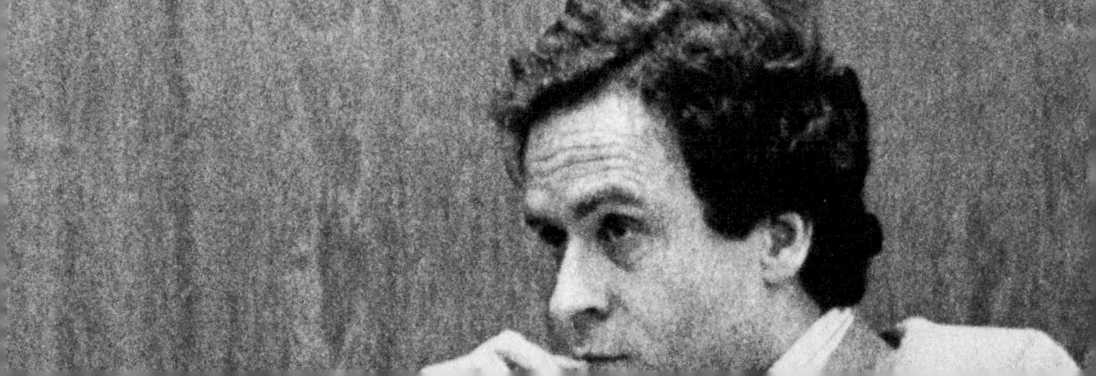

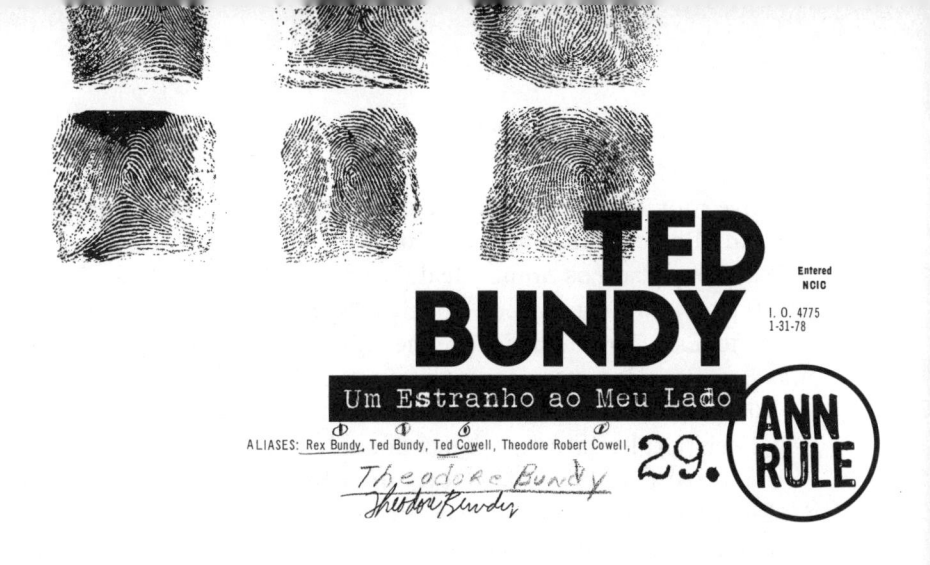

___Chi Omega, 661___

Em Seattle, li nos jornais os relatos da segunda fuga de Ted com incredulidade. Não detectei indício algum, em absoluto, de que planejava dar no pé quando conversamos anteriormente, em 30 de dezembro. Mas, claro, é provável que fosse a última pessoa para quem telegrafaria os pensamentos, afinal, era íntima demais da polícia. E, ainda assim, quis se despedir de mim.

Estudei o mapa dos Estados Unidos. No lugar de Ted, aonde *eu* iria? Para uma cidade grande, com certeza — e depois para onde? Será que se enterraria no mar de rostos na metrópole ou cruzaria as fronteiras nacionais? Pedira meu endereço em Los Angeles. Senti leve onda de inquietação. Los Angeles *era* uma cidade grande, e ficava a apenas 193 quilômetros da fronteira com o México.

O FBI chegou à mesma conclusão. Ray Mathis, encarregado das informações públicas do escritório do FBI em Seattle, além de velho amigo — quem outrora apresentara a Ted na festa de Natal —, me ligou e pediu meu endereço em Los Angeles e perguntou quando viajaria para a Califórnia.

Planejara partir em 4 de janeiro, mas meu carro fora atingido por trás por motorista bêbado. Quase destruiu o primeiro carro novo que tive na vida, e me deixou com grave contusão no pescoço. Por isso, adiei o voo para 6 de janeiro.

Ray me passou os nomes de dois agentes da Unidade de Fugitivos do escritório do FBI em Los Angeles. "Ligue para eles assim que sair do avião. Estarão à disposição e lhe vigiando. Não sabemos onde está, mas Bundy pode tentar contato com você lá."

Tudo isso era irreal. Apenas alguns anos antes, eu tinha sido, se é que existe tal criatura, a típica dona de casa e líder das escoteiras. Agora, ia para Hollywood escrever um filme, com o FBI à minha espera. Eu sentia como se pertencesse a um episódio da divertida novela *Mary Hartman, Mary Hartman.*

Os dois agentes do FBI se encontraram comigo assim que cheguei ao meu novo apartamento, em West Hollywood. Verificaram as fechaduras duplas na porta e as consideraram seguras, convencidos de que meu apartamento no terceiro andar não era acessível da rua. Qualquer intruso teria que escalar bambus espessos como juncos.

"Acha que vai ligar para você?"

"Não sei", respondi. "Ele tem meu endereço e telefone."

"Se ligar, não deixe ele vir para cá. Combine de se encontrarem em algum lugar público, um restaurante. Então, ligue para nós. Estaremos disfarçados em outra mesa."

Tive que sorrir, o fantasma de J. Edgar Hoover ainda prevalecia. Sempre achei que agentes do FBI se pareciam *exatamente* com agentes do FBI, e comentei essa impressão. Ficaram envergonhados, e me asseguraram que eram "mestres do disfarce". Ainda que duvidasse de sua perícia em disfarces, é claro, *agradeci* a preocupação.

Com frequência me senti agradecida por Ted não correr na minha direção. Fui poupada da cena que ficou apenas na imaginação. Todos os escritores pendem ao drama, mas não conseguia ver a Ann Rule da cidadezinha de Des Moines, Washington, envolvida na prisão de um dos dez criminosos mais procurados dos Estados Unidos — sendo tal criminoso um velho amigo.

Joyce Johnson, que viria a ser correspondente leal, mesmo que às vezes implicante, durante minha estada em Hollywood, escreveu:

Querida Ann,

Só para você saber, estou protegendo seus interesses aqui no departamento de polícia. Contei ao capitão Leitch que está escondendo Ted no apartamento, e ele ficou zangado! Disse que nunca mais escreverá outro artigo, mas gosta bastante do novo cara que escreve histórias investigativas, e o deixa ver todos os arquivos. Se você e Ted forem para o México, me mande cartão-postal.

Com amor,
Joyce

As semanas seguintes foram desconfortáveis, mas não assustadoras. Não estava com medo de Ted Bundy, mesmo que fosse o que diziam que era, assassino em massa, ainda não acreditava que me faria mal — mas também não podia ajudá-lo a fugir. Simplesmente não podia.

Toda noite, quando voltava ao condomínio, estacionava o carro alugado na escura garagem subterrânea, atravessava toda a extensão e emergia entre os verdejantes arbustos floridos que ameaçavam cobrir a piscina. Havia sombras por toda parte, e o último trecho de calçada antes de chegar ao prédio, nos fundos do condomínio, era escuro feito breu. As luzes tinham queimado. Eu corria até a porta, apertava o botão do elevador, me certificava de não haver ninguém dentro dos elevadores sem ascensoristas e corria dali para a porta do apartamento.

Na verdade, tinha mais receio de alguns dos peculiares residentes do prédio do que de me deparar com Ted. *Ele* era figura conhecida, *eles não*. Meu único temor em relação a Ted era ter que entregá-lo.

Não precisava ter me preocupado. Na noite em que cheguei ao aeroporto de Los Angeles, em 6 de janeiro, Ted se afastava de Ann Arbor, Michigan — a cidade onde passara a infância —, em carro roubado, para Tallahassee, Flórida. Quando Marty Davidson e eu começamos a trabalhar para valer no roteiro, Ted estava abrigado confortavelmente no The Oak, em Tallahassee, com o nome "Chris Hagen". Se alguma vez pensou em mim, foi apenas de passagem, pois eu fazia parte de outro mundo, o mundo que ficou para trás para sempre.

Em um quarto caindo aos pedaços, Ted estava mais feliz e contente do que estivera em anos. Só de abrir os olhos pela manhã e ver a velha porta de madeira, a tinta descascada e riscada, em vez da porta de aço sólido, devia ser glorioso. A princípio, apenas a liberdade em si era suficiente. Estava cercado de pessoas, fazia parte de um grupo universitário, grupo que sempre considerara saudável e empolgante.

Tentou seguir a lei à risca, se virar sem carro, até mesmo sem bicicleta. Pensou em arrumar emprego — construção civil, de preferência, ou talvez zelador; mas no momento não gozava de condições físicas tão boas como durante grande parte de sua vida. Apesar de andar de um lado para outro dentro da cela, fazer flexões e abdominais religiosamente, os meses na cadeia fizeram seus músculos rijos enfraquecerem. Além disso, estava drasticamente abaixo do peso. Precisou passar fome para conseguir se espremer pelo buraco no teto e demoraria um pouco até voltar à velha forma.

Ted examinara os registros dos formandos da Universidade Estadual da Flórida e decidira que o jovem Kenneth Misner, estrela do atletismo, seria o primeiro homem em quem se transformaria. Pesquisou a família de Misner e sua cidade natal, mandou fazer cartão de identificação, mas ainda não queria usá-lo. Precisava de carteira de motorista e de outra identificação antes. Assim que tivesse feito todas as verificações necessárias para provar que era Kenneth Misner, desenvolveria mais dois ou três conjuntos de documentos — primeiro norte-americano, e em seguida canadense. Mas não devia se apressar. Agora havia tempo, todo o tempo do mundo.

Seus dias eram simples: se levantava às 6h e tomava leve café da manhã na cantina do campus, pulava o almoço e comia hambúrguer no jantar. Ao anoitecer, caminhava até o mercado, comprava um litro de cerveja, levava de volta ao quarto e bebia devagar. Deus! A liberdade era tão doce, havia tanto prazer nas coisas mais simples.

Pensava bastante na prisão enquanto bebericava a cerveja, sorria consigo mesmo ao repassar a fuga repetidas vezes. *Nunca* tinham entendido do que era capaz. Foram tão severos e insistentes a respeito daquelas malditas algemas para tornozelos, presas no piso das viaturas. Diabo, estivera o tempo todo com a chave para aquelas algemas, que pedira ao colega de cela fazer. Poderia ter se libertado a qualquer momento — mas de que adiantaria? Por que pularia da viatura em movimento nas montanhas invernais quando poderia atravessar o teto a hora que quisesse e ter vantagem de quatorze a dezesseis horas em relação aos desgraçados?

Sabia que deveria se esforçar mais para conseguir dinheiro, mas nunca fora muito de sair por aí procurando emprego. Os dias se fundiam uns aos outros, e tudo corria bem.

Tinha consciência de que era materialista — que "coisas" significavam muito para ele. Decorara o apartamento em Salt Lake City exatamente da maneira que quis, e os malditos policiais arrancaram tudo dele. Agora queria algumas coisas para alegrar seu mundo outra vez. Tinha passado por aquela bicicleta diversas vezes no caminho para o mercado, era uma Raleigh. Sempre fora admirador das Raleighs, elas têm quadro bom e forte. No entanto, quem quer que fosse o dono daquela, parecia não dar a mínima. Os pneus estavam murchos e os aros enferrujados. Ele a pegou, consertou os pneus e poliu os aros. Montou a bicicleta para ir ao mercado comprar leite, e ninguém sequer olhava duas vezes para ele.

Também pegou outras coisas por aí, coisas que qualquer um precisaria se fosse viver como ser humano: toalhas, perfume, TV, raquetes e bola de raquetebol. Agora podia jogar nas quadras da UEF.

Durante a noite, ficava sobretudo no quarto assistindo televisão e bebendo cerveja. Tentava dormir por volta das 22h.

Roubar aquelas coisas que precisava parecia ok. Era como ir ao supermercado e enfiar uma lata de sardinhas no bolso para comer no jantar. Ele *tinha* que roubar se quisesse ter alguma coisa. Os sessenta dólares que sobraram depois de pagar o adiantamento desapareciam depressa, independentemente do quanto tentasse manter as refeições espartanas.

Amigos eram a única coisa que não podia se dar o luxo de ter. Havia uma banda de rock, cujos membros estavam desempregados, mais adiante no corredor, e conversava com eles vez ou outra, mas não podia se aproximar de verdade de ninguém no The Oak. Quanto a namorar, isso era impossível. Não tinha passado, poderia se apegar a alguém, e então ser obrigado a desaparecer. Como abordaria uma mulher quando ele — Chris Hagen, Ken Misner, sabe-se-lá-quem-mais — "nasceu" apenas uma semana antes?

A cada dia que passava, se censurava por não procurar ativamente emprego. Se não arrumasse logo trabalho, não haveria pagamentos. Como explicaria isso ao senhorio, no dia 8 de fevereiro, quando vencesse o aluguel de 320 dólares?

Ainda assim, não conseguia se obrigar a encontrar trabalho. Era incrível demais poder apenas jogar bola, andar de bicicleta, ir à biblioteca, assistir à TV e se sentir parte da raça humana outra vez.

O quarto ia se mobiliando. Era moleza afanar as coisas, e tão fácil tirar as carteiras de dentro das bolsas nos carrinhos de compras. Cartões de crédito, eles compram qualquer coisa. Só precisava se lembrar de trocá-los rapidamente antes que fossem considerados roubados.

O mundo devia muito a Ted Bundy. O mundo lhe tirara tudo, e agora estava apenas compensando aqueles anos roubados, aqueles anos de humilhação e privação.

Foi treinado a pegar atalhos. Talvez por isso não conseguia se obrigar a pegar o ônibus quando era mais fácil roubar um carro. Nunca ficava muito tempo com eles. Mais tarde, não seria sequer capaz de contar quantos carros roubou nas seis semanas que passou como homem livre na Flórida. Houve um veículo que roubara do estacionamento da igreja mórmon. Dirigira por apenas alguns quarteirões antes de se dar conta de que não tinha freios — iria morrer se tentasse dirigir aquilo. Então o abandonou em outro adro.

E, mesmo ladrão, tinha ética. Houve o Fusca roubado que, de imediato, se deu conta de que devia pertencer a alguma moça. Era velho e rodara uns 300 mil quilômetros, mas estava lavado e polido, e com o estofamento trocado. Com certeza era o xodó de alguém, e não conseguiu roubá-lo. Fez questão de nunca roubar de alguém que não pudesse arcar com o prejuízo. Se o carro fosse novo, e repleto de opcionais sofisticados, era outra história, mas não conseguiu roubar o Fusca. Ele o estacionou a alguns quarteirões de distância do local onde o roubara.

E assim os dias passavam em Tallahassee. Dias quentes, quase sonhadores, e noites frias em que ficava seguro no quarto, assistindo televisão e planejando o futuro que não conseguia fazer com que engrenasse facilmente.

Com a metamorfose na Flórida, a aparência mudou mais uma vez. Antes era macilento e magricelo. Agora ganhara alguns quilos com leite, cerveja e *junk food*. O rosto ficou arredondado, com papada. O corpo, encarcerado por tanto tempo nos confins de uma cela, ganhou músculos graças aos passeios de bicicleta e jogos de raquetebol. Manteve o cabelo curto e penteado para trás, para desencorajar ondas e cachos. Sempre tivera pronunciada pinta escura no lado esquerdo do pescoço — um dos motivos para quase sempre usar golas altas —, mas nenhum dos pôsteres de procurado a mencionava, talvez ninguém a tivesse notado. Agora, desenhou pinta falsa com lápis na bochecha e deixou o bigode de verdade crescer. Tirando isso, não fez nenhum esforço para se disfarçar. Sabia que suas feições pareciam mudar de maneira imperceptível sem nenhum esforço — sempre atraentes, mas de algum modo anônimas. Ele tiraria proveito disso.

A única coisa que o incomodava era não ter com quem conversar, ninguém em absoluto, além do ocasional "Como vai?", trocado com os sujeitos da banda no mesmo corredor, e algumas palavras insignificantes com a garota bonita que também morava no The Oak. No passado, embora nunca estivesse em condições de (ou realmente desejado) expor a alma, sempre havia alguém com quem conversar, mesmo que isso significasse a retórica do tribunal ou as piadas com os carcereiros. E sempre havia cartas para escrever. Agora, não havia ninguém. Tinha que desfrutar do que realizara dentro da própria cabeça, e a solidão arrancou grande parte da diversão. Theodore Robert Bundy tinha conquistado sua cota de fama no oeste. Na Flórida, não era ninguém. Não havia repórteres brigando por entrevistas, nenhuma câmera de TV nele. Estivera em destaque de maneira negativa, mas fora alguém que chamou a atenção.

Ted Bundy tinha chegado ao campus da Universidade Estadual da Flórida na manhã de domingo, 8 de janeiro, e se acomodou no quarto no The Oak. Sem ser anunciado nem reconhecido, perambulou pelo campus, até assistiu a algumas aulas, comeu na cantina e jogou raquetebol no complexo atlético ao sul do campus. Não conhecia ninguém, e ninguém o conhecia. Para o restante dos moradoress da sociedade universitária, era apenas figura obscura. Um ninguém.

A casa da república Chi Omega, extenso edifício de tijolos e madeira em formato de L, no número 661 da West Jefferson, a apenas alguns quarteirões de distância do The Oak, é um mundo à parte. Construída a alto custo, asseada e decorada com gosto impecável, era das principais repúblicas no campus, e lar de 39 alunas e uma supervisora. Fiz parte da Chi Omega — outra na série de coincidências que parece me vincular a Ted. Na verdade, isso foi lá nos anos 1950, na divisão Nu Delta, no campus da Universidade Willamette em Salem, no Oregon. Eu me lembro dos cravos brancos, do estimado broche com coruja e crânio, e, com os estranhos indexadores computadorizados do cérebro, me recordo até da senha secreta. Porém, aquela era a época em que o sentimentalismo reinava, quando nos reuníamos na varanda da casa, ofegantes, para ouvir serenatas dos garotos das fraternidades. A mesma coisa que as primeiras irmãs da Chi O fizeram ao fundar a república, mais ao sul. As garotas na casa Chi O em Tallahassee eram jovens o bastante para serem minhas filhas.

A casa da república Chi Omega, na West Jefferson, era lar universitário para as mais bonitas, mais inteligentes, mais populares e, como sempre, as "herdeiras", aceitas como irmãs porque as mães e avós tinham sido da Chi O antes. Enquanto precisávamos jurar por nossa honra que estaríamos de volta à segurança da casa às 20h, durante a semana, e à 1h, aos fins de semana, não havia toque de recolher em 1978. Cada morador decorava a combinação da fechadura da porta dos fundos, que se abria para a sala de recreação no primeiro andar. Podiam ir e vir à vontade e, na noite de sábado, 14 de janeiro de 1978, a maioria das garotas que moravam na república ficou fora até bem tarde, até as primeiras horas da manhã. Houve diversas festas do "barril" naquela noite no campus, eventos que chamávamos de "farra da cerveja", e muitas das irmãs da Chi O estavam um tanto embriagadas quando chegaram em casa. Talvez isso possa explicar em parte como o terror pôde acontecer a apenas algumas paredes finas de distância das garotas que foram poupadas, sem que ouvissem sequer um passo.

O andar inferior da casa Chi Omega continha a sala de recreação e, a oeste, a sala de estar formal raramente usada, exceto para a semana de seleção e receber a visita de ex-alunos. Em seguida, havia a sala de jantar e a cozinha. Havia duas escadarias nos "fundos", uma que levava aos dormitórios a partir da sala de recreação — a rota mais usada pelas garotas que voltavam tarde para casa — e outra que subia a partir da cozinha. A escadaria da frente levava ao vestíbulo logo depois das portas duplas frontais. O vestíbulo tinha papel de parede azul-metálico reluzente e era iluminado por candelabro com bastante intensidade, de acordo com o depoimento posterior das testemunhas.

Para os pais que enviavam as adoradas filhas para a faculdade, não parecia haver nenhum lugar mais seguro do que a república cheia de outras garotas, vigiadas por supervisora e portas sempre trancadas. O único homem com permissão para subir aos andares superiores era Ronnie Eng, empregado apelidado de "queridinho da república". Todas as irmãs da Chi O gostavam de Ronnie, jovem moreno, esguio e tímido.

Naquele sábado, a maioria das garotas da casa Chi Omega tinha planos para a noite. Margaret Bowman, de 21 anos, filha de família abastada e socialmente preeminente de St. Petersburg, Flórida, tinha encontro às cegas às 21h30, marcado pela amiga e irmã da república, Melanie Nelson. Lisa Levy, de 20 anos, também de St. Petersburg, trabalhou o dia todo no emprego de meio período e decidiu que gostaria de sair um pouco. Lisa e Melanie foram à discoteca popular do campus, a Sherrod's, bem ao lado da casa Chi Omega, às 22h.

Karen Chandler e Kathy Kleiner, colegas de quarto no número 8 da república, seguiram caminhos contrários naquela noite. Karen foi para casa preparar jantar para os pais, e voltou antes da meia-noite para trabalhar no projeto de costura em seu quarto. Kathy Kleiner foi a um casamento com o noivo, e então saiu para jantar com amigos. Ambas estavam na cama e dormiam profundamente antes da meia-noite. Nita Neary e Nancy Dowdy também tiveram encontros naquela noite e voltaram bem tarde. A "mãe" Crenshaw, a governanta, se recolheu por volta das 23h. Estava de plantão caso as garotas precisassem dela.

Lisa Levy estava cansada depois do dia de trabalho e ficou apenas meia hora, mais ou menos, na Sherrod's. Então foi embora, sozinha, e andou até a casa Chi O ao lado e deitou-se na cama do número 4. Sua colega de quarto fora passar o fim de semana com os pais.

Os muitos níveis da Sherrod's estavam lotados naquela noite, como sempre acontecia nos fins de semana. Melanie se sentou com outra irmã da república, Leslie Waddell, e com o namorado de Leslie, membro da Sigma Chi.

Mary Ann Piccano também estava na Sherrod's naquela noite, acompanhada da colega de quarto, Connie Hastings. Mary Ann teve encontro algo perturbador com um homem que nunca tinha visto antes. Esguio e de cabelos castanhos, o sujeito a encarou até ela se sentir desconfortável. Houve algo no modo como os olhos se focavam nela que lhe deu calafrios. Por fim, se dirigiu até sua mesa e levou-lhe uma bebida, e a convidou para dançar. Era bem bonito, e não havia motivo racional para que se sentisse tão receosa — nenhum motivo para recusar, na verdade. A Sherrod's era onde costumava-se dançar com estranhos. Porém, enquanto se levantava para se juntar a ele na pista de dança, sussurrou para Connie: "Acho que estou prestes a dançar com um ex-detento".

Durante a dança, ele não fez nem disse nada que justificasse o pressentimento, mas Mary Ann estremeceu. Não conseguia olhar para ele, e, quando a música acabou, ficou grata por voltar à mesa. Quando o procurou mais tarde, ele havia sumido.

Melanie, Leslie e a amiga foram embora da Sherrod's pouco depois das 2h, a hora em que a discoteca fechou, e caminharam até a casa ao lado. Quando chegaram à porta dos fundos, Melanie comentou com Leslie que a fechadura com segredo não abria. "Isso é esquisito", murmurou. "A porta não está trancada." Leslie apenas deu de ombros. Tiveram problemas para trancar a porta com firmeza naqueles últimos dias.

O trio atravessou a sala de recreação, àquela hora iluminada à meia-luz por abajures de mesa. Margaret Bowman já estava na casa e esperava ansiosa na sala para conversar com Melanie sobre o encontro. O namorado de Leslie não tinha carona de volta para casa e Margaret lhe emprestou as chaves do carro.

As duas foram até o quarto de Melanie e conversaram do encontro de Margaret enquanto Melanie vestia o pijama. Então seguiram para o quarto de Margaret, o número 9, e continuaram a conversar enquanto ela se despia.

Nancy Dowdy voltou do jantar alguns minutos depois de Melanie e Leslie retornarem. Também encontrou o mecanismo da porta quebrado, e tentou se certificar de que a porta fechasse. Ela parou por um instante no topo da escadaria da frente para dar boa-noite a Melanie e Margaret, e foi para a cama. Adormeceu por volta das 2h15.

Eram exatamente 2h35 no relógio de Margaret quando Melanie lhe desejou boa-noite. Margaret estava apenas de sutiã e calcinha àquela altura. Melanie fechou a porta do quarto de Margaret, ouviu o clique e então desceu o corredor até o banheiro, onde conversou brevemente com outra irmã da república, Terry Murphree, que acabara de voltar do trabalho na Sherrod's.

A sequência dos eventos viria a se tornar extremamente importante.

Melanie Nelson tinha relógio digital no quarto, e olhou para o aparelho de relance ao apagar a luz. Eram 2h45 e pegou no sono quase na mesma hora.

Por volta das 3h, Nita Neary chegou à Chi Omega acompanhada do namorado. Foram a uma das festas da cerveja no campus, mas Nita bebera pouco. Estava resfriada e não se sentia muito bem. Ao chegar à porta dos fundos, Nita a encontrou aberta. Isso não a deixou particularmente alarmada. Também estava ciente de que a porta não funcionava direito. Nita entrou e circulou pela sala de recreação, e apagou as luzes. De repente, ouviu um estrondo. O primeiro pensamento foi que seu namorado tropeçou e caiu no caminho até o carro. Correu até a janela, mas viu que estava bem, e que acabara de entrar no veículo. Um instante depois, ouviu passos apressados no corredor acima.

Nita avançou até o vão da porta que dava para o vestíbulo, escondida de qualquer um descendo a escadaria da frente e conseguia enxergar bem o vestíbulo. O lustre ainda estava aceso. As portas duplas brancas estavam a quase dois metros de distância.

Os passos soavam acelerados na escadaria.

E então viu o homem esguio de jaqueta escura, touca azul-marinho (ela chamava de "tobogã"), algo parecido com gorro, que cobria a metade superior do rosto. Ela o viu apenas de perfil, mas conseguiu notar nariz pronunciado.

O homem estava curvado, a mão esquerda na maçaneta. E, na mão direita, por incrível que pareça, segurava um porrete — que mais parecia galho. Percebeu que era irregular, como se coberto por casca de árvore. Na base do porrete, onde o homem o segurava, havia um pano.

Um segundo. Dois. Três... a porta se abriu e o homem foi embora.

Pensamentos relampejaram pela mente de Nita Neary. Não houve tempo para se assustar e pensou: "Fomos assaltadas... ou talvez alguém teve coragem de levar um homem escondido lá para cima".

O único homem que estava acostumada a ver ao redor da casa da república era Ronnie Eng, e por um instante se perguntou: "O que o Ronnie faz aqui?". Não tinha visto os olhos dele, apenas aquele vislumbre, agora congelado na mente consciente, da figura encurvada com o porrete. Subiu a escada correndo e acordou a colega de quarto, Nancy Dowdy. "Tem alguém na casa, Nancy! Acabei de vê-lo sair."

Nancy apanhou a primeira coisa ao alcance, seu guarda-chuva, e as duas garotas desceram a escada na ponta dos pés. Verificaram a porta da frente, e a encontraram trancada. Nita fechara e trancara a porta dos fundos depois de entrar. Debateram o que fazer. Chamar a polícia? Acordar Crenshaw? Nada parecia ter sumido. Nada parecia estar errado. Nita mostrou para Nancy a forma como o homem estivera encurvado, e descreveu o porrete. "A princípio, pensei que fosse o Ronnie, mas aquele sujeito era mais forte e mais alto do que Ronnie."

Novamente subiram a escada, ainda discutindo sobre o que fazer. Quando chegaram ao topo, viram Karen Chandler sair do 8 e disparar corredor afora cambaleante, as duas mãos na cabeça. Presumiram que Karen passava mal, e Nancy correu até ela.

Havia sangue por toda a cabeça de Karen, escorria pelo rosto; parecia delirante. Nancy a levou para o quarto e lhe entregou uma toalha para estancar o sangramento.

Nita correu para acordar a mãe Crenshaw e então entrou no número 8, o quarto que Karen dividia com Kathy Meiner. Kathy, sentada na cama, segurava a cabeça com as mãos, de onde também jorrava sangue, gemia sons ininteligíveis.

Nancy Dowdy discou para a emergência, ela própria quase histérica, e disse que precisavam de ajuda imediatamente na casa Chi Omega no 661 da West Jefferson. A primeira ligação foi interpretada de maneira equivocada. A operadora da emergência entendeu que "duas mulheres brigavam por causa de namorado".

Foi assim que o agente da polícia de Tallahassee, Oscar Brannon, recebeu o chamado. "Para minha tristeza", comentaria mais tarde, "encontrei algo bem diferente."

Brannon estava a dois ou três quilômetros da casa Chi O e chegou às 3h23. No intervalo de três minutos, recebeu reforços do colega da polícia de Tallahassee, Henry Newkirk, dos policiais da Universidade Estadual da Flórida, Ray Crew e Bill Taylor, e de paramédicos do Hospital Memorial Tallahassee.

Nem os policiais nem os paramédicos faziam ideia do que lhes aguardava.

No andar de baixo, Brannon e Taylor pegaram a descrição do homem que Nita tinha visto, e a transmitiram para todas as unidades que patrulhavam a área. Crew e Newkirk correram para o andar de cima. A sra. Crenshaw e nove ou dez das garotas perambulavam pelo corredor e apontaram para Karen e Kathy. Ambas pareciam gravemente feridas.

Os paramédicos Don Allen, Amelia Roberts, Lee Phinney e Garry Matthews foram mandados para o segundo andar, onde as vítimas gemiam de dor. Allen e Roberts cuidaram de Kathy Kleiner, que estava consciente, mas tinha lacerações e ferimentos por punção no rosto, mandíbula e dentes quebrados, e possíveis fraturas cranianas. Alguém lhe dera um recipiente para o sangue que jorrava da boca. Ela chamava o namorado e o pastor. Não fazia nenhuma ideia do que lhe acontecera. Dormia profundamente no momento do ataque.

O supervisor de Allen, Lee Phinney, avançou para cuidar de Karen Chandler. Karen tinha a mandíbula e os dentes quebrados, possíveis fraturas cranianas e diversos cortes. Os paramédicos se esforçaram para desobstruir as vias áreas das duas garotas feridas para evitar que morressem engasgadas no próprio sangue.

O quarto das garotas feridas, o 8, parecia um abatedouro, com sangue espirrado nas paredes claras. Pedaços de casca — de carvalho — cobriam os travesseiros e as roupas de cama.

Karen tampouco se lembrava de algo. Também dormia quando o homem golpeou sua cabeça.

O caos reinava. Enquanto outros policiais avançavam pelo corredor, verificando quarto por quarto, o policial Newkirk reuniu as garotas no 2. Ninguém era capaz de responder às perguntas. Ninguém tinha ouvido nada.

O policial Ray Crew chegou ao número 4, quarto de Lisa Levy, com a sra. Crenshaw logo atrás. Lisa fora para a cama por volta das 23h e ao que parecia não tinha acordado, apesar do caos no segundo andar. Crew abriu a porta do quarto de Lisa. Ele a viu deitada sobre o lado direito do corpo, as cobertas puxadas até os ombros. A supervisora da casa informou a Crew o nome da garota.

"Lisa?"

Não houve resposta.

"Lisa! Acorda!", chamou Crew.

A figura na cama não se mexeu nem um centímetro.

Crew estendeu a mão para sacudi-la pelo ombro com delicadeza e começou a virá-la de costas. Foi então que observou a pequena mancha de sangue no lençol embaixo dela. Ele se virou para a sra. Crenshaw e disse com firmeza: "Chame os paramédicos".

Don Allen apanhou o equipamento e correu até Lisa. O paramédico verificou a pulsação e não encontrou nada. Então, a puxou para o chão e começou a respiração boca a boca e massagem cardiopulmonar. A compleição de Lisa estava pálida, os lábios azuis, a pele já fria, e ainda assim os paramédicos não conseguiam ver o que exatamente havia de errado. Estava apenas de camisola e a calcinha jazia no chão, ao lado da cama.

Allen cortou a camisola, procurou ferimentos. Notou o inchaço pronunciado em volta da mandíbula, condição que pode ser causada por estrangulamento, e um ferimento no ombro direito, feio hematoma arroxeado. O mamilo direito quase fora arrancado a mordidas. Não havia tempo para remoer o horror do que ocorrera. Allen e Roberts inseriram um tubo pela traqueia da garota, e forçaram oxigênio para os pulmões. Ao observador leigo, parecia que ela respirava sozinha enquanto os seios subiam e desciam ritmicamente. Em seguida, inseriram a agulha cateter na veia, e administraram solução de dextrose a fim de manter a veia aberta para os medicamentos. Era sua obrigação seguir todos esses procedimentos em casos de pacientes próximos da morte, então ligaram para o médico de plantão no pronto-socorro, pediram orientação quanto aos remédios. Administraram medicamentos que poderiam fazer o coração de Lisa bater por dez a vinte minutos.

Era inútil, e sabiam disso, mas a garota que jazia imóvel no chão diante deles era tão jovem. Nunca conseguiram uma pulsação, tudo que tiveram foi o padrão fraco e irregular no monitor cardíaco. Foi apenas a dissociação eletromecânica, os impulsos elétricos do coração moribundo. O coração de Lisa Levy em si nunca voltou a bater. Lisa Levy já estava morta.

Mesmo assim, foi levada ao hospital com as sirenes gritando. Seria declarada morta ao chegar ao pronto-socorro.

Melanie Nelson ainda estava adormecida no quarto e acordou de repente quando viu um homem ao lado da cama, que a sacudiu e a chamou pelo nome. Ela o ouviu suspirar: "Meu Deus! Encontramos mais uma".

Ray Crew ficou aliviado ao ver que Melanie não estava morta, apenas adormecida. Ela se levantou e o seguiu até o corredor, apanhou o casaco para se proteger do frio da madrugada.

Melanie não sabia o que tinha acontecido. Viu as irmãs da república agrupadas em um quarto, viu policiais e paramédicos zanzarem pela casa e supôs que a república pegava fogo. "Todo mundo está em casa?", perguntou.

E a resposta veio. "Todo mundo, menos a Margaret."

Melanie balançou a cabeça. "Não. A Margaret está em casa. Nós até conversamos." Segurou o braço do policial Newkirk e disse: "Vem, vou te mostrar".

Os dois desceram o corredor até o quarto 9. A porta estava entreaberta agora, embora Melanie sem dúvida se lembrasse de fechar quando se despediu de Margaret, 45 minutos antes. Empurrou um pouco a porta e conseguiu ver a figura na cama. Havia luz suficiente do poste no lado de fora da janela para que pudesse reconhecer os longos cabelos escuros de Margaret no travesseiro branco.

"Viu", disse Melanie. "Eu disse que ela estava em casa."

Newkirk entrou no quarto e acendeu a luz. O que viu o fez empurrar Melanie para o corredor e fechar a porta com firmeza. Teve a sensação de andar por um pesadelo.

Margaret Bowman jazia de bruços, as cobertas enfiadas em volta do pescoço, mas viu o sangue no travesseiro. Aproximou-se mais, e enxergou o líquido vermelho que vertera do lado direito da cabeça e coagulara na orelha. Ah, Deus, na verdade, podia ver até o cérebro. O crânio dela fora despedaçado.

Newkirk afastou um pouco a colcha. Uma meia-calça de náilon fora cingida com tanta crueldade em volta do pescoço que parecia estar com o dobro do tamanho normal, e era provável que estivesse quebrado.

Quase sem pensar, tocou o ombro direito, e a levantou um pouco da cama. Mas sabia que estava morta, que mais nada podia ser feito por Margaret. Soltou o ombro e com delicadeza a devolveu à posição em que a encontrara.

Newkirk olhou em volta do quarto. Havia casca de árvore em toda parte — na cama, emaranhada no cabelo da garota, grudada ao rosto com sangue. E, ainda assim, não parecia ter havido luta. Margaret Bowman ainda vestia curta camisola amarela, e havia um colar de ouro preso à meia-calça em volta do pescoço. A calcinha, contudo, jazia no chão aos pés da cama.

O quarto foi isolado por Newkirk, depois que o paramédico Garry Matthews confirmou que Margaret estava morta havia algum tempo. O *livor mortis* que começa logo após o falecimento — as estrias vermelho-arroxeadas que marcam a parte inferior do corpo, o sangue acumulado que não é mais bombeado pelo coração pulsante — já estava aparente.

Newkirk notificou a sede da polícia de Tallahassee de que havia "Código 7" confirmado, cadáver na casa Chi Omega.

A terrível contagem agora totalizava duas mortas e duas gravemente feridas, mas o restante das garotas da república estava em segurança, todas reunidas no número 2, chocadas, aos prantos e incrédulas. Como conseguiram dormir durante tamanho caos? Como foi possível ao assassino entrar nos quartos com tanta facilidade sem que ninguém notasse?

Toda a ação deveria se desenrolar com tal rapidez que parecia inimaginável. Melanie Nelson vira Margaret Bowman com vida e feliz às 2h35, e Nita Neary flagrara o homem com o porrete ir embora às 3h. Melanie havia perambulado de um lado a outro do corredor até 2h45!

Uma das universitárias trêmulas no número 2 era Carol Johnston. Carol chegara por volta das 2h55, estacionara o carro atrás da casa Chi O e entrara pela porta dos fundos. Assim como Nita viria a fazer instantes depois, Carol encontrou a porta entreaberta. Atravessou o vestíbulo e subiu a escadaria da frente. Ao chegar ao corredor do segundo andar, ficou um tanto surpresa ao ver que todas as luzes estavam apagadas — algo muito incomum. A única iluminação vinha do abajur de mesa que a colega de quarto sempre deixava aceso quando Carol estava fora, e proporcionava apenas uma faixa de luz sob a porta.

Após trocar as roupas pelo pijama, Carol avançou pelo corredor escuro até o banheiro. A porta era de vaivém. Enquanto Carol estava lá dentro, escovando os dentes, a porta do banheiro rangeu, algo que invariavelmente fazia quando alguém passava pelo corredor do outro lado. Carol não dera importância alguma a isso, presumindo que tivesse sido uma das outras garotas. Um instante depois, saiu e voltou para o quarto, guiada pela estreita luz do abajur.

Carol Johnston tinha ido dormir, inconsciente de que por menos de fração de segundo não se deparou com o assassino.

O homem com a touca de lã escura pode ter entrado na casa Chi Omega mais cedo, naquela noite, e esperado até todas as garotas estarem em casa e adormecidas, ou pode ter entrado pela porta dos fundos, destrancada depois das 2h. Alguns investigadores acreditam que Lisa Levy foi atacada primeiro, e que o assassino esperou no quarto dela até que outras vítimas chegassem à república. É mais provável que Margaret Bowman tenha sido a primeira vítima, Lisa a segunda, e Kathy e Karen quase impulsos posteriores. Se isso for verdade, o homem, dominado por frenesi compulsivo e maníaco, atravessou o segundo andar da casa Chi Omega com o porrete de carvalho matando e espancando as vítimas — no intervalo de menos de quinze minutos! E tudo isso dentro do alcance da audição de quase três dúzias de testemunhas que nem sequer o ouviram.

Lisa Levy e Margaret Bowman jaziam agora no necrotério do Hospital Memorial Tallahassee, e aguardavam exames post mortem que aconteceriam logo cedo na manhã de domingo. A área em volta da casa Chi Omega — na verdade todo o campus —, estava movimentada, com viaturas e carros de detetives do Departamento de Polícia de Tallahassee, da delegacia do condado de Leon e do Departamento de Polícia da Universidade Estadual da Flórida — todos a procura do homem de jaqueta escura e calça clara. Não faziam ideia de como era a aparência — nada de cor de cabelo, nenhuma descrição facial além de que tinha um nariz grande e pronunciado. Era improvável que ainda carregasse o porrete de carvalho ensanguentado. Contudo, era provável que tivesse manchas de sangue nas roupas. O sujeito derramara muito sangue naqueles catastróficos quinze minutos, conforme arrasava as quatro garotas adormecidas.

Na casa Chi O propriamente dita, os quartos de número 4, 8 e 9 estavam atulhados pelos destroços deixados tanto pelo assassino como pelos paramédicos, as paredes espirradas com gotas escarlates e os pisos e as camas cobertos de sangue e pedaços de casca de árvore da arma do homicídio. O policial Oscar Brannon foi à sala de recreação e, apoiado nas mãos e joelhos, coletou oito pedaços da mesma casca de árvore na porta daquela sala. Ficou claro que a entrada tinha sido feita através da porta dos fundos, cuja fechadura estava defeituosa.

Encontrou a pilha de toras de carvalho no quintal dos fundos da república. Ao que parecia, o assassino apanhara a arma enquanto andava até a entrada.

Brannon e o sargento Howard Winkler espalharam pó para tirar impressões digitais latentes em todos os quartos. Verificaram as soleiras das portas, os pôsteres nas paredes e em volta da fechadura defeituosa, tiraram fotografias. No quarto de Margaret Bowman, Brannon notou o pacote de meias-calças Hanes "Alive" jogado atravessado na lixeira — vazio; apenas o papelão e o celofane sobraram. Um novo par de meia-calça jazia na cama da colega de quarto. Parecia que o assassino tinha levado os próprios garrotes consigo.

Um boletim BOLO (Be On the Look Out — Ficar em Alerta, em tradução livre) não demorou a chegar às mãos de todos os policiais dos condados de Tallahassee e Leon.

Ninguém fotografara o corpo de Lisa Levy no quarto. Fora levada às pressas ao hospital, na vã esperança de que alguma faísca de vida lhe restasse. Porém, o oficial de identificações de Tallahassee, Bruce Johnson, fotografara Margaret na cama, o rosto pressionado contra o travesseiro, o braço direito esticado ao lado do corpo, o braço esquerdo com a palma da mão para cima e dobrado sobre as costas, as pernas retas. Não, Margaret não lutara contra o assassino, em absoluto. O mesmo acontecera com Lisa. Ela fora encontrada com o braço direito sob o corpo.

O delegado Ken Katsaris, do condado de Leon, estava lá, com o capitão Jack Poitinger, chefe dos detetives, e o detetive Don Patchen, do Departamento de Polícia de Tallahassee. Na verdade, não havia sequer um agente da lei no condado de Leon que não estivesse ciente do que acontecera uma hora após o massacre na república. Ninguém ali jamais tivera que lidar com nada parecido com aquela selvageria.

Patrulheiros se espalharam ao redor da vizinhança, em investigação que passou de porta em porta. *Nada*. Uma van de vigilância estacionada na rua parava todo mundo que passava. *Nada*.

O suspeito simplesmente havia sumido.

Os paramédicos transportaram as vítimas, vivas ou mortas, para o hospital, e estavam de volta às ruas pouco depois das 4h.

O trabalho noturno deles estava longe do fim.

A antiga casa de madeira geminada no 431 da Dunwoody Street ficava a aproximadamente oito quarteirões da casa Chi Omega, mais perto em linha reta — 320 metros. Era o exemplo típico das muitas estruturas antigas dos anos 1920 ao redor do campus que foram transformadas em residências para locação. Nada requintado, mas adequado.

Havia dois apartamentos bastante estreitos, conhecidos como *shotgun*, no 431 da Dunwoody. Debbie Ciccarelli e Nancy Young moravam no A, e Cheryl Thomas vivia no B. Cada apartamento se abria para a varanda frontal comunal cercada por tela, com única porta, mas os apartamentos tinham entradas separadas, que davam para a sala de estar, quarto e, nos fundos, a cozinha. Compartilhavam a parede central, e, após o lugar ser reformado e transformado em duas unidades, ninguém havia se preocupado muito com isolamento acústico.

Isso não importava nem um pouco para as três garotas que moravam na Dunwoody Street, pois eram amigas íntimas. Cheryl e Nancy eram estudantes de dança e outrora colegas de quarto em dormitório no campus. O trio se visitava com bastante frequência e costumava sair junto.

Na noite de sábado, 14 de janeiro, as três garotas e o namorado de Cheryl — também aluno de dança — saíram para se divertir no Big Daddy's, outro local popular para os jovens em Tallahassee. O casal fora embora antes do horário de fechamento; como o carro era de Cheryl e seu namorado estava a pé, o levou até em casa, chegou lá por volta de uma da manhã. Ele lhe serviu chá e biscoitos, e os dois conversaram por aproximadamente meia hora. Então, dirigiu os pouco mais de três quilômetros até a casa geminada na Dunwoody, e estava no apartamento por volta das 2h. Cheryl ligou a TV, andou até a cozinha, preparou algo para comer e alimentou o novo gatinho.

No intervalo de poucos minutos depois de entrar, Nancy e Debbie também chegaram de carro. Gritaram para Cheryl, reclamaram de modo afável que a TV estava alta demais. Ela riu e abaixou o volume.

Cheryl Thomas é garota alta e ágil, com corpo de bailarina, olhos escuros, cabelos escuros e longos que descem até o meio das costas, com covinhas, bonita, um tanto tímida. Olhou em volta da cozinha asseada, com cortinas e toalha de mesa de estampa vermelha e branca, e apagou a luz do teto, deixando apenas a luz noturna acesa.

Esperou que o gatinho a seguisse, e então fechou a divisória sanfonada que separava a cozinha do quarto. Trocou de roupa, e vestiu calcinha e suéter — era noite fria —, e então afastou a colcha azul de madras na cama, encostada exatamente na parede que compartilhava com o quarto das amigas do apartamento ao lado. Adormeceu quase no mesmo instante em que a cabeça atingiu o travesseiro.

Algo a acordou pouco tempo depois — ruído, alguma coisa caindo? Ouviu com atenção por um instante, e então pensou que devia ser o gato. Os parapeitos das janelas eram cheios de plantas, e o gato gostava de brincar ali. Não houve mais barulho, virou para o lado e voltou a dormir.

Debbie e Nancy também se acomodaram para dormir. Até onde conseguem se lembrar, adormeceram por volta das 3h.

Perto das 4h, Debbie despertou de sono profundo. Se sentou e ouviu com atenção. Soava como se houvesse alguém com martelo embaixo da casa, e batia repetidas vezes. Debbie dormia em colchão no chão, e sentia as batidas enquanto toda a casa parecia reverberar com os baques surdos que vinham de algum lugar logo abaixo da cama ou da parede entre sua cama e a de Cheryl.

Debbie sacudiu Nancy até acordá-la. Os ruídos continuaram por uns dez segundos, e então tudo ficou em silêncio de novo. As duas garotas na Unidade A aguardaram, tentaram identificar o que Debbie escutara. Estavam com medo.

Então ouviram novos ruídos, vindos do apartamento de Cheryl: ela gemia, chorava, como se estivesse nas garras de sonho terrível.

Debbie se esgueirou até o telefone, ligou para o namorado e perguntou o que deviam fazer. Ele lhe disse para voltarem a dormir, que provavelmente estava tudo bem. Mas Debbie estava com mau pressentimento. *Alguma coisa estava terrivelmente errada.*

As três garotas tempos atrás estabeleceram uma verificação de segurança. Elas *sempre* deveriam atender os telefones, sem importar a hora do dia ou da noite. Nancy e Debbie se aconchegaram e discaram o número de Cheryl. Conseguiam ouvir o telefone tocar ao lado, uma... duas... três... quatro...

Cinco vezes...

Ninguém atendeu.

"Ok. Já chega", disse Nancy. "Chame a polícia... *agora!*"

Às 4h34, Debbie entrou em contato com o operador de emergências da polícia de Tallahassee e informou o endereço. Enquanto fazia isso, um estrondo terrível veio do apartamento de Cheryl, barulho que pareceu vir da cozinha, como se alguém corresse, se chocando contra a mesa e os armários. E então houve apenas silêncio.

No meio do quarto, Debbie e Nancy ficaram paradas, tremendo, e em seguida ouviram o barulho de carros estacionarem diante da casa. Se passaram apenas três ou quatro minutos desde o pedido de ajuda. Quando olharam pela porta da frente, ficaram atônitas ao ver não apenas uma viatura, mas uma dúzia!

As duas ficaram na soleira da porta, e apontaram para a de Cheryl. Informaram aos primeiros policiais — Wilton Dozier, Jerry Payne, Mitch Miller, Willis Solomon — o nome da amiga. Os patrulheiros bateram à porta de Cheryl Thomas, e chamaram-na pelo nome. Não houve resposta. Dozier mandou Miller e Solomon para os fundos da casa, para ficar de olho em alguém que pudesse sair por lá.

Dozier viu que a porta de Cheryl não abria. Solomon gritou de trás da casa geminada que a tela da janela da cozinha fora retirada, e que podia ser aberta. Dozier tentou entrar no apartamento de Cheryl Thomas por ali, rastejando. Contudo, Nancy se lembrou de que a chave reserva do apartamento de Cheryl costumava ficar logo acima da porta de tela da varanda. Ninguém sabia da chave, a não ser as três garotas que moravam na Dunwoody Street.

O policial Dozier inseriu a chave e a porta afinal cedeu. Quando os olhos se ajustaram à luz fraca do interior do apartamento, ele e Payne conseguiram ver a garota, caída na diagonal na cama no meio do cômodo, o sangue encharcando a cama e fazendo poça no chão.

Ao lado, Nancy e Debbie ouviram o grito — "Meu Deus! Ainda está viva!" — e choraram. Sabiam que algo terrível acontecera a Cheryl. O grito seguinte instruiu o policial Solomon a chamar os paramédicos, e logo outros policiais foram ao apartamento das garotas aos prantos e lhes disseram com delicadeza para entrar e fechar a porta.

Dozier e Payne tentaram ajudar a garota em cima da cama. Cheryl estava semiconsciente, chorava, e não demonstrava reação a nada que os policiais diziam. O rosto arroxeava pelos hematomas, inchava. Parecia ter sofrido graves ferimentos na cabeça. Ficou deitada, se contorceu de dor e gemeu. Cheryl usava apenas calcinha, os seios estavam expostos. O suéter que vestira antes de ir dormir fora arrancado.

Os paramédicos Charles Norvell e Garry Matthews, que tinham acabado de deixar o Hospital Memorial Tallahassee depois de transportar Karen Chandler e Kathy Kleiner para o pronto-socorro, receberam a chamada para retornar ao campus da Universidade da Flórida, e chegaram em poucos minutos para cuidar dessa última vítima. Cheryl Thomas foi carregada para fora do apartamento e levada às pressas para o hospital. Como as outras, fora espancada na cabeça e estava gravemente ferida.

Parecia quase incrível demais para acreditar, mas era como se o agressor da Chi Omega — a sede de sangue ainda por saciar, ainda refém de qualquer que fosse sua compulsão — tivesse corrido da casa da república até a pequena casa geminada na Dunwoody, como se soubesse exatamente onde ia, como se conhecesse quem morava lá... e, então, feito mais uma vítima.

Dozier isolou a cena do último ataque até a chegada dos detetives e técnicos de identificação: Mary Ann Kirkham, da delegacia do condado de Leon, e Bruce Johnson, do Departamento de Polícia de Tallahassee.

Johnson fotografou o quarto — da cama de solteiro erguida contra os revestimentos brancos das paredes, do amontoado de roupas de cama empurradas para o chão ao lado do móvel, do pedaço de sarrafo manchado de vermelho aos pés da cama, e da cortina arrancada do varão acima da janela da cozinha — enquanto a policial Kirkham meticulosamente ensacava e marcava as evidências.

Enquanto Kirkham se preparava para recolher as roupas de cama do chão, encontrou algo emaranhado nos lençóis. A princípio, pensou que fosse apenas um par de meias de náilon. Então olhou com mais atenção. Era o par de meia-calça que tinha se transformado em máscara com buracos para os olhos, e as pernas amarradas. Havia dois fios de cabelo castanho enroscados na máscara.

Não havia nenhuma chave no apartamento e o ferrolho da porta da cozinha ainda estava fechado, mesmo com a corrente retirada. Era provável que o suspeito tivesse entrado e saído pela janela da cozinha.

As roupas de cama da Chi Omega foram coletadas, dobradas com cuidado e colocadas em grandes sacos plásticos para que nada fosse perdido. O mesmo procedimento foi realizado com os lençóis, os cobertores e a fronha de Cheryl Thomas.

Novamente, todas as superfícies prováveis foram cobertas com pó para obter impressões digitais latentes, todos os cômodos foram aspirados e os resíduos recolhidos e retidos como evidências.

O pedaço de sarrafo, possivelmente de 20 cm de comprimento com menos de 2 cm de espessura, quase não parecia pesado o bastante para infligir o tipo de ferimento que Cheryl Thomas sofrera. Era mais o tipo de madeira usada para manter janelas abertas, e o líquido vermelho que manchava a ponta secara havia muito tempo. No fim das contas, era apenas tinta.

Dessa vez, os investigadores não encontraram casca de árvore. Qualquer que fosse a arma que o invasor usara, aparentemente a levara consigo na fuga.

Karen Chandler, Kathy Kleiner e Cheryl Thomas tiveram sorte — embora sempre fossem carregar as cicatrizes físicas e emocionais daquela longa noite. Quando apareceram no tribunal em Miami, dezoito meses depois, e encararam o homem acusado de feri-las — Ted Bundy —, apresentavam poucos sinais externos dos danos sofridos. Apenas Cheryl andava com hesitação, mancava de maneira distinta. Ela, é claro, outrora sonhara com a carreira de dançarina.

Os médicos do Hospital Tallahassee descobriram que Karen Chandler sofrera concussão, a mandíbula quebrada, alguns dentes se perderam, e tinha fraturas e cortes faciais, além de dedo esmagado. Os ferimentos de Kathy Kleiner eram parecidos: a mandíbula quebrada em três lugares, contusão no pescoço, lacerações profundas no ombro. Todos os dentes inferiores de Kathy estavam soltos, permanentemente, e foi necessário inserir pino na mandíbula.

Os ferimentos de Cheryl Thomas foram os piores — fraturas no crânio em cinco lugares, causando perda de audição permanente no ouvido esquerdo. A mandíbula fora quebrada e o ombro esquerdo deslocado. O oitavo nervo craniano foi danificado de tal maneira que, além de perder a audição, a jovem dançarina nunca voltaria a ter equilíbrio normal.

Karen e Kathy ficariam no hospital por uma semana. Cheryl viria a receber alta apenas um mês depois.

Nenhuma das três garotas tinha qualquer lembrança que fosse de ser atacada. Nenhuma foi capaz de descrever o homem que as espancara em tamanho frenesi.

Lisa Levy e Margaret Bowman, é claro, jamais viriam a ter seu dia no tribunal, nunca iriam encarar o homem acusado de seus assassinatos. Para elas, haveria o testemunho silencioso: as terríveis fotografias tiradas de seus corpos, a leitura quase inexpressiva dos relatórios das necropsias.

O dr. Thomas P. Wood, patologista do quadro de funcionários do Hospital Memorial Tallahassee, realizou os exames post mortem nas garotas falecidas no domingo, 15 de janeiro — exatamente uma semana após Ted Bundy descer do ônibus na estação Trailways, em Tallahassee.

Iniciou a necropsia no cadáver de Lisa às 10h. Lisa fora estrangulada, o que deixou as hemorragias petequiais características nos músculos infra-hióideos do pescoço, uma marca de ligadura na garganta. Tinha hematoma na testa e arranhões no rosto. Raios x mostraram que a clavícula fora quebrada por tremendo golpe. A opinião de Wood era que Lisa ficara inconsciente por conta dos golpes na cabeça. Se foi esse o caso, foi uma pequena bênção.

O mamilo direito estava preso por apenas um pedaço de tecido, mas essa mutilação não foi a pior. Havia marca de mordida dupla na nádega esquerda. Seu assassino literalmente atacara a nádega a dentadas, e deixou quatro fileiras de marcas nítidas onde aqueles dentes tinham afundado.

Lisa fora molestada sexualmente, mas não no sentido comum. Um objeto inflexível foi forçado para dentro do corpo, rasgou e feriu o orifício retal e a cavidade vaginal, causou hemorragia na parede do útero e em outros órgãos internos.

A arma que infligira esses danos foi encontrada mais tarde no quarto. Era o frasco de perfume para cabelos Clairol com bico de spray na ponta. O frasco estava manchado de sangue, matéria fecal e pelos.

O homem que atacou Lisa Levy enquanto jazia adormecida a espancara, estrangulara, a mordera feito um animal raivoso e em seguida a violara com o frasco. E então, ao que parecia, deixou-a coberta e deitada de lado em silêncio, os lençóis arrumados quase que com ternura em volta dos ombros.

A necropsia de Margaret Bowman começou às 13h do domingo cinzento. Os golpes desferidos no lado direito da cabeça da garota causaram fraturas cranianas profundas, impeliram pedaços quebrados do crânio para dentro do próprio cérebro. A área do trauma era "complicada", o que significa, para um leigo, que houve tantos estilhaços do crânio que era difícil determinar onde uma fratura terminava e a outra começava. Os ferimentos graves começavam acima do olho direito e se estendiam para trás da orelha direita, esmagavam e pulverizavam o delicado tecido cerebral embaixo. Uma fratura tinha 6,30 cm de diâmetro, e o dano atrás da orelha tinha 10 cm. Estranhamente, à primeira vista, parecia haver mais danos no lado esquerdo do cérebro do que do direito. Mas havia uma explicação: a força do golpe desferido contra a cabeça de Margaret Bowman foi tão extrema que o cérebro fora jogado contra o lado esquerdo do crânio quando foi atingida no lado direito pelo porrete de carvalho.

A ligadura de meia-calça foi retirada do pescoço de Margaret; estava enterrada tão profundamente que quase não era possível vê-la na carne. Era da marca Hanes "Alive" Support, tecido de grande força tensora. Uma das pernas fora cortada pelo assassino, mas depois ambas foram unidas por nó acima da parte do forro — assim como a máscara de meia-calça encontrada no apartamento de Cheryl Thomas. A delicada corrente de ouro que a falecida usava ainda estava emaranhada no garrote.

Na opinião do dr. Wood, Margaret, como Lisa, estivera inconsciente devido aos golpes na cabeça quando a ligadura foi apertada em volta do pescoço, matando-a por estrangulamento.

Ao contrário de Lisa, Margaret Bowman não apresentava evidências de ataque sexual, mas viam-se abrasões — "queimaduras de fricção" — na coxa esquerda, onde a calcinha fora arrancada com violência. Nenhuma das garotas tinha unhas quebradas, nenhum ferimento nas mãos que indicasse a possibilidade de que lutaram pela vida.

O patologista Wood exercia a profissão havia dezesseis anos. Nunca vira nada parecido com o que estava diante de si.

Raiva, ódio, mutilação animalesca. E por quê?

TED BUNDY
Um Estranho ao Meu Lado

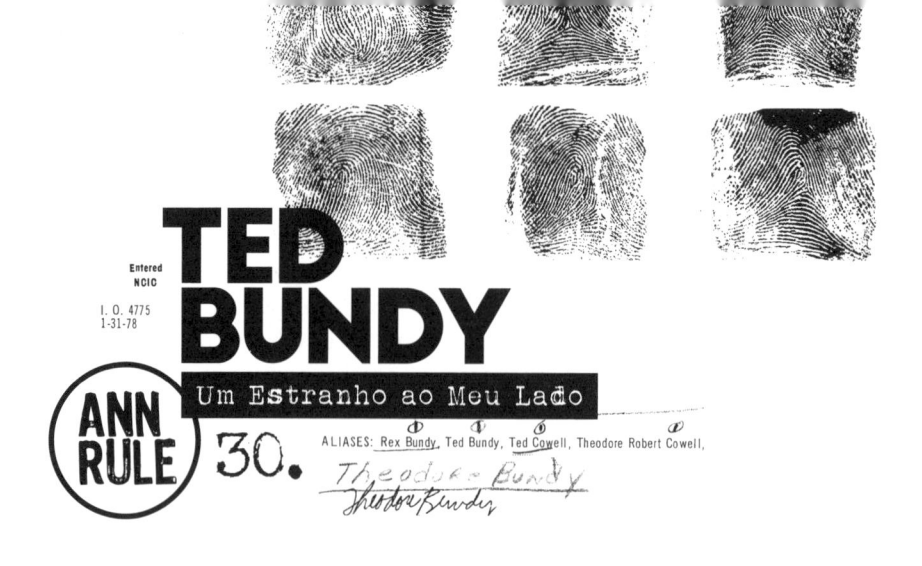

30.

___A marca dos dentes___

Quase qualquer pessoa nas cercanias do campus da Universidade Estadual da Flórida naquele terrível fim de semana ouviria as sirenes das ambulâncias dos paramédicos. A atividade policial era intensa e podia-se perceber que algo mais grave do que mero acidente ou investigação costumeira havia acontecido.

Henry Polumbo e Rusty Gage, dois dos músicos que moravam no The Oak, voltaram aos quartos às 4h45 do domingo, 15 de janeiro, no instante em que os paramédicos levavam Cheryl Thomas para a ambulância, a alguns quarteirões de distância. Ouviram as sirenes, mas não sabiam do que se tratava.

Enquanto Polumbo e Gage subiam até a varanda da frente, viram o homem que tinha se mudado para o 12 uma semana antes: Chris Hagen. Estava parado à porta da frente. Então, falaram com Chris, que respondeu "oi" e olhava na direção do campus. Os músicos não se lembraram exatamente o que ele vestia, mas Gage achava que era jaqueta, camisa, jeans, possivelmente — todas as roupas de tom escuro. Não repararam se parecia nervoso ou preocupado. Foram para as camas e presumiram que Hagen tivesse feito o mesmo.

Na manhã seguinte, enquanto as necropsias de Lisa Levy e Margaret Bowman começavam, as transmissões dos noticiários das rádios estavam repletas de informações do assassino na casa Chi Omega e o ataque na Dunwoody Street. Houve reunião de moradores chocados no quarto de Polumbo. Estavam horrorizados e discutiam que tipo de homem poderia fazer algo assim.

Enquanto conversavam, Chris Hagen entrou. Ele nunca tinha sido direto e falado o que fazia em Tallahassee, apenas contara que havia estudado direito na Universidade Stanford, Palo Alto. Eles pensaram que dava continuidade aos estudos na Universidade da Flórida, ainda que o próprio Chris não houvesse comentado nada. Tinha se gabado de conhecer muito bem as leis, e de ser muito mais inteligente do que qualquer policial: "Posso me safar de qualquer coisa porque sei como as coisas funcionam".

Polumbo e Gage consideravam tudo isso papo-furado.

Henry Polumbo comentou que pensava o assassino como lunático, e que no momento provavelmente estava na dele, conforme a investigação policial ganhava ímpeto.

Os outros concordaram, mas Hagen argumentou: "Não... isso foi serviço de profissional, o cara já fez isso antes. Já deve ter dado no pé há tempo."

Talvez tivesse razão. Afinal, Hagen afirmara entender dessas coisas, que conhecia a lei e que os policiais eram burros.

Enquanto os estudantes da Universidade da Flórida começavam suas rotinas regulares com certa hesitação, se movimentavam em certo silêncio temeroso (em especial, as garotas), a busca pelo assassino continuava. A delegacia do condado de Leon, o Departamento de Polícia de Tallahassee, o Departamento de Polícia do Estado da Flórida e a Agência Policial da Flórida trabalhavam lado a lado. As ruas no campus e ao redor eram vigiadas constantemente pelos policiais sentados em silêncio nas viaturas, patrulhando. Após anoitecer, as ruas ficavam quase desertas, e trancava-se todas as portas com fechaduras duplas, e depois as obstruíam. Se algo tão terrível podia acontecer na casa Chi O e na casa geminada na Dunwoody, poderia haver segurança para *alguma* mulher da região?

Uma série de evidências inquestionáveis foi coletada, com as pistas dos locais dos crimes cuidadosamente levadas para o laboratório da Agência Policial do Estado da Flórida. Cada fragmento de prova era acompanhado conforme testado, examinado e, então, trancado em segurança.

Havia muitas evidências. Tantas, que certo dia, foram necessárias oito horas para registrar tudo nos documentos do julgamento.

Ainda assim, havia muito pouco que ajudasse a levar os investigadores até quem procuravam.

Evidências incluíam amostras de sangue — não do assassino, mas das vítimas.

O dr. Wood extirpara a carne do glúteo de Lisa que apresentava marcas de dentes, refrigerando-a em solução salina comum para preservá-la. Ele em pessoa viu o sargento Howard Winkler, chefe da Unidade de Cena de Crime do Departamento de Polícia de Tallahassee, tomar posse da amostra.

Durante o julgamento, a defesa viria a argumentar que a amostra do tecido fora preservada de maneira imprópria e, por isso, encolheu. Fora retirada da solução salina e colocada em formol.

Mesmo assim, Winkler fotografou as marcas de mordida, em escala, com a régua de necropsia padrão ao lado. Independente do encolhimento, as fotos em escala nunca mudariam, e o odontologista forense seria capaz de combinar aquelas marcas de mordida com os dentes do suspeito com quase a mesma precisão que o especialista em impressões digitais conseguiria identificar os círculos e as espirais dos dedos.

Se é que um suspeito algum dia seria encontrado.

Havia o frasco de perfume para os cabelos Clairol, manchado com sangue tipo O negativo, tipo sanguíneo de Lisa.

Havia os dois fios de cabelo na máscara de meia-calça ao lado da cama de Cheryl Thomas.

Havia cartões e mais cartões com as impressões digitais latentes obtidas, todas sem valor. Ao que parecia, o assassino sabia de impressões digitais.

Havia, nos cabelos de Lisa, chumaço de chiclete que seria inadvertidamente destruído no laboratório e inutilizado para testes de secreção ou impressões dentárias.

Havia todos os lençóis, travesseiros, cobertores, camisolas e calcinhas.

Havia os fragmentos de casca de carvalho. Mas como um pedaço de casca poderia ser rastreado até determinada fonte, mesmo que a arma do homicídio fosse encontrada algum dia?

Havia as meias-calças; o garrote Hanes no pescoço de Margaret, completamente manchado com o sangue dela; a máscara feita de meia-calça da marca Sears do apartamento de Cheryl. Essa máscara seria considerada quase exatamente igual à máscara confiscada do carro de Ted Bundy, quando preso em Utah, em agosto de 1975.

Havia testes para a presença de sêmen em todos os lençóis e roupas de cama das vítimas. Quando a fosfatase ácida é aplicada ao material, a presença de sêmen produz mancha vermelha-arroxeada. Nenhum sêmen foi encontrado nos lençóis de Lisa, Margaret ou Karen.

Havia, no entanto, mancha de sêmen de mais ou menos 7,5 cm de diâmetro no lençol de baixo de Cheryl Thomas. Richard Stephens, especialista em sorologia do laboratório de criminalística da Agência Policial da Flórida, fez testes intensos nessa mancha.

Aproximadamente 85% de todos os seres humanos são "secretores". Enzimas são expelidas em fluidos corporais — saliva, muco, sêmen, transpiração, urina, fezes — e informam ao especialista em sorologia o seu tipo sanguíneo. Se a amostra do tecido contendo mancha de fluido corporal é colocada na amostra de controle com o mesmo tipo sanguíneo, tal amostra *não* vai se aglutinar (isto é, as células não vão se agrupar). Se é colocada em amostra de controle de outro tipo sanguíneo, haverá aglutinação.

Todos os testes de aglutinação para os tipos sanguíneos conhecidos feitos por Stephens mostraram agrupamento de células quando as lâminas das amostras do lençol de Thomas foram inseridas. O teste foi inconclusivo.

Em seguida, usou o processo conhecido como eletroforese. A amostra do lençol manchado de sêmen foi depositada em gel de amido de milho até assumir consistência gelatinosa. Então a colocaram na lâmina e a estimularam eletricamente, o que faz as proteínas se moverem, e um pequeno metabólito foi acrescentado para mostrar as taxas de movimento. Não houve qualquer atividade detectável da enzima fosfoglicerato mutase.

Aparentemente, o homem que ejaculara era "não secretor". Mesmo assim, para Stephens, os resultados não trouxeram qualquer conclusão eficiente. Havia muitas variáveis que podiam afetar os testes: idade da mancha, condição, o material onde estava, fatores ambientais (como umidade e calor). Além disso, a taxa de secreção em indivíduos varia, dependendo da condição do seu sistema em dado momento.

Ted Bundy tinha sangue tipo O positivo e era secretor.

Era um enigma. No julgamento, a defesa viria a alegar que os testes de enzimas e os testes de aglutinação tinham provado que Ted não poderia ter deixado o sêmen na cama de Cheryl. Talvez. A promotoria viria a enfatizar que Cheryl Thomas não conseguia se lembrar de trocar os lençóis naquele sábado, 14 de janeiro. Nenhum dos lados avançaria um passo sequer; ninguém perguntaria a Cheryl se tivera relações sexuais com *outro* homem naquela cama, naquela semana. A pergunta permaneceria no ar. Se Cheryl não havia trocado os lençóis, a inferência não aludida pela promotoria era que a mancha de sêmen, onde o tipo sanguíneo não pôde ser determinado, fora deixada ali por outra pessoa *antes* do ataque. Essa mancha de ejaculação era a evidência física à qual os apoiadores de Ted viriam a se referir repetidas vezes como prova definitiva de sua inocência.

Para o júri leigo, isso parecia ser questão irrelevante. O testemunho científico entraria por um ouvido e sairia por outro facilmente.

O caso viria a se resumir à identificação da testemunha ocular, Nita Neary, do homem do gorro "tobogã" — que vira saindo da casa Chi Omega com o porrete ensanguentado —, as marcas de mordida na carne de Lisa Levy e os fios de cabelo na máscara de meia-calça. O resto era circunstancial.

Entretanto, em 15 de janeiro, tudo isso era teórico. Os agentes da lei nem sequer tinham suspeito, e nenhum deles ouvira falar de Theodore Robert Bundy, foragido agora havia dezesseis dias da prisão, no Colorado.

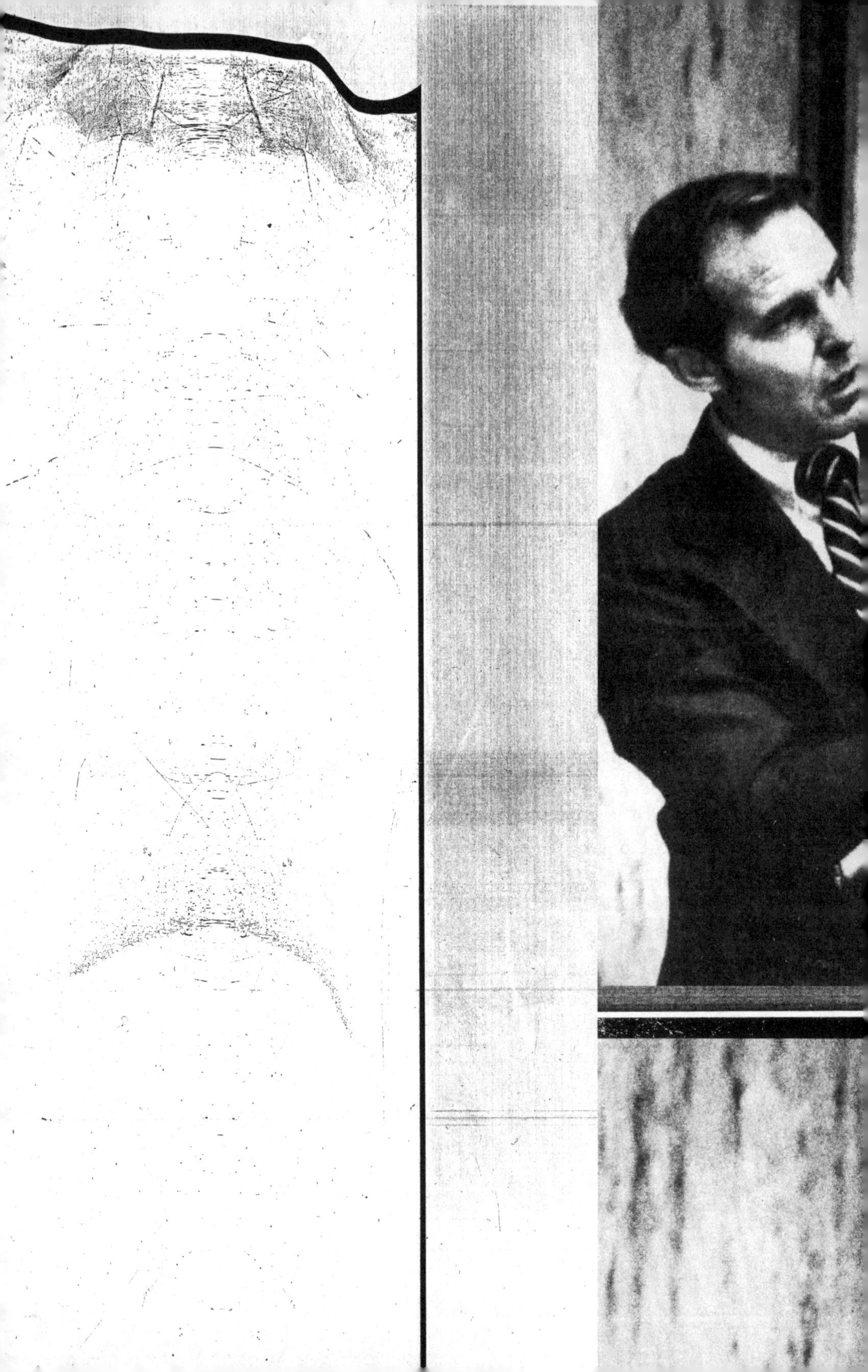

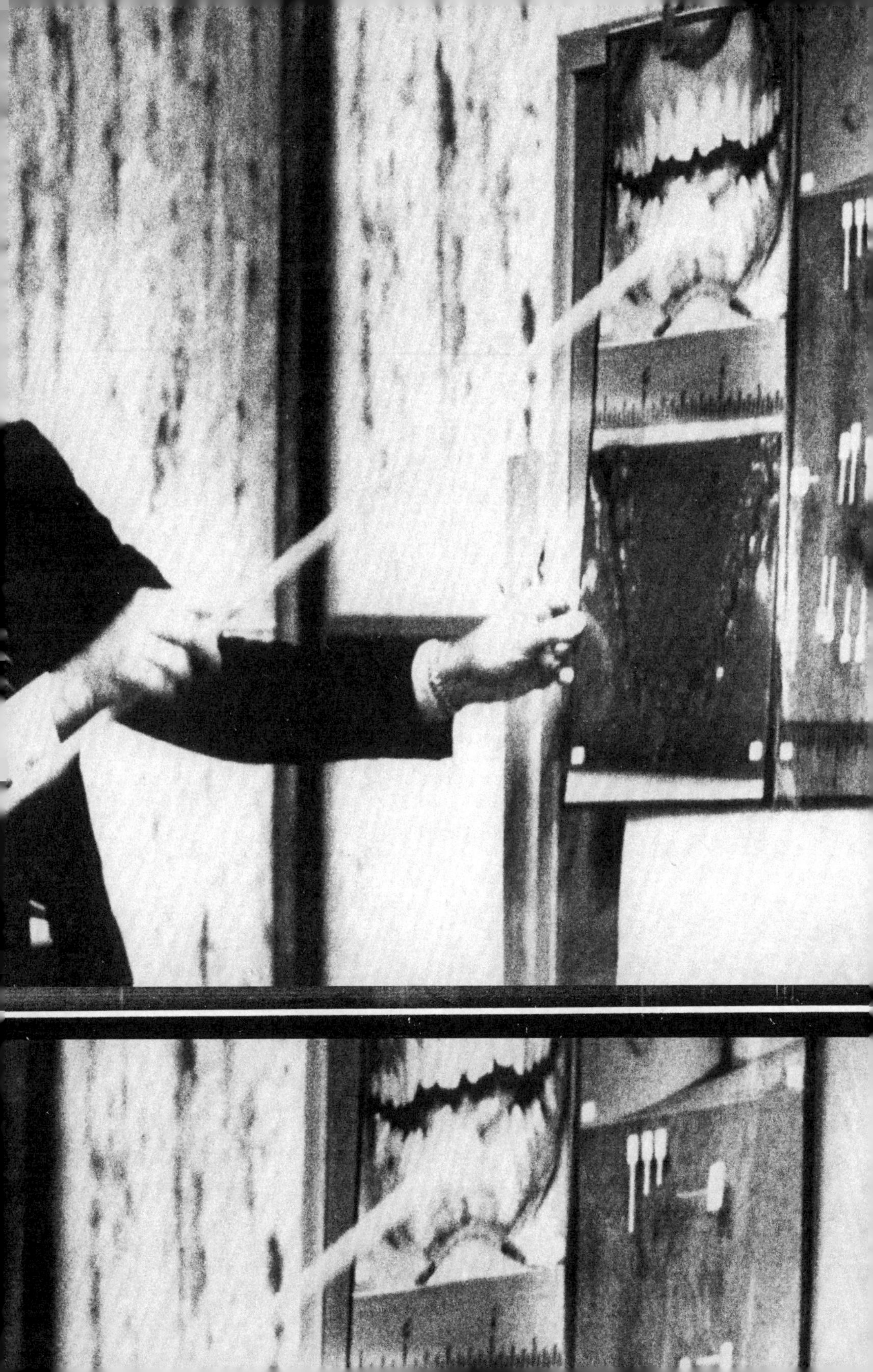

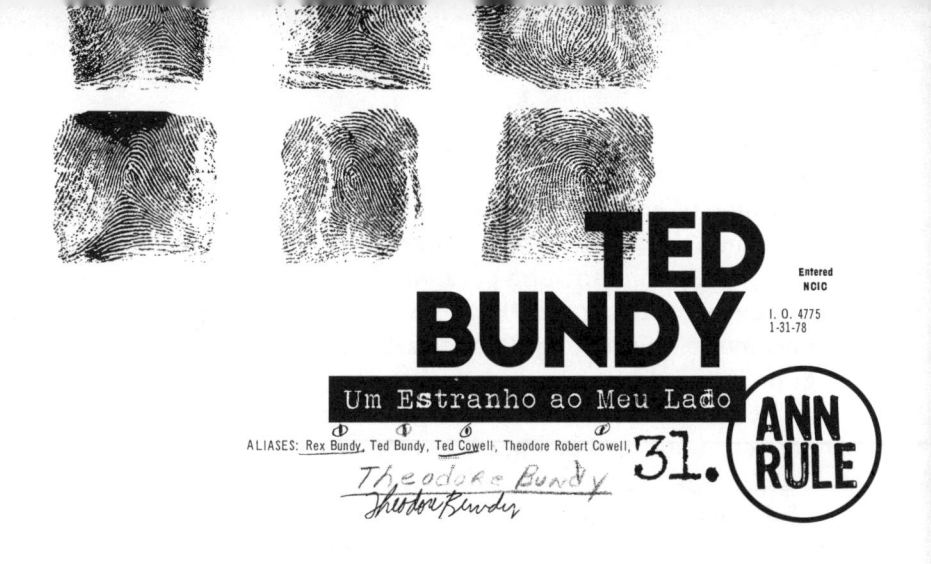

As notícias chegam a Los Angeles

Ted ainda morava no The Oak, e elevara os golpes a outro nível. Com os cartões de crédito roubados, podia comer e beber luxuosamente em restaurantes caros em Tallahassee e comprar o que precisava. No entanto, não conseguia encontrar forma de conseguir os 320 dólares para o aluguel prestes a vencer.

Estava em Los Angeles, ainda meio que esperando ele sair das sombras no condomínio em West Hollywood, esperando seu sorriso amigável.

Alguém tentou roubar meu maltratado carro e arrancou a ignição inteira do veículo que os produtores alugaram para mim na Rent-a--Wreck. Quando o policial da subdelegacia do condado de Los Angeles, que ficava a um quarteirão de distância, chegou para tomar meu depoimento, deu boa olhada no apartamento e me perguntou se eu mesma o escolhera ou se outra pessoa o alugara para mim. Eu lhe disse que meus produtores haviam providenciado o espaço.

Sorriu. "Sabia que você tem o único apartamento neste andar que não é antro de prostituição?"

Não, não sabia. Mas isso explicava por que batiam tanto na minha porta de madrugada.

Como os agentes do FBI haviam feito anteriormente, verificou as fechaduras duas vezes e avisou para tomar cuidado. Podia ser perdoada por estar um tantinho paranoica.

Peguei outro carro na Rent-a-Wreck, e a vida seguiu. A Flórida estava muito, muito longe. Nunca estivera lá e não tinha planos de algum dia fazer essa viagem.

Recebi carta da minha mãe, no Oregon. Ela incluiu o recorte de pequena nota que comentava os escassos detalhes dos homicídios na Chi Omega. Ela escreveu: "São bem parecidos com os assassinatos de 'Ted'. Eu me pergunto...".

Não, não achava isso. *Se* Ted fosse mesmo culpado dos crimes de que o acusavam em Washington, em Utah e no Colorado (e eu sempre tive muita dificuldade em acreditar nisso), fugiria sem deixar absolutamente nenhum rastro. Estava livre, por que arriscaria sua prezada liberdade? Os ataques na Chi Omega tinham sido diferentes, obra de assassino quase desajeitado e descontrolado.

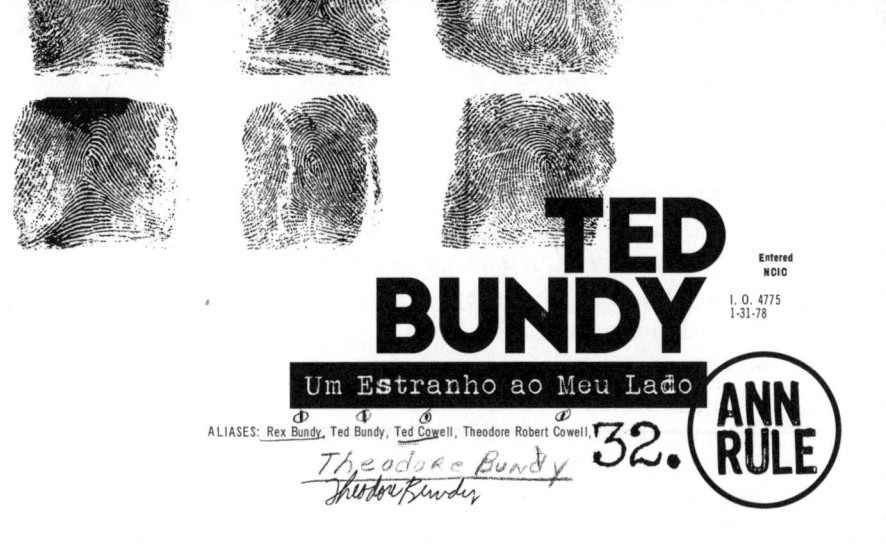

—13-D-11300—

Um jovem chamado Randall Ragan morava logo atrás da casa geminada da Dunwoody Street. Se estivesse na porta dos fundos de sua residência, conseguiria ver diretamente a porta dos fundos de Cheryl Thomas. Em 13 de janeiro, percebeu que a placa da sua perua Volkswagen sumira. Não poderia ter simplesmente caído, estava firmemente presa com porcas e parafusos.

O número da placa era 13-D-11300.

Ragan informou à polícia da placa perdida e então recebeu uma nova.

Morava muito perto do apartamento de Cheryl — da casa Chi Omega, para ser mais precisa — e muito perto do The Oak.

Em 5 de fevereiro, Freddie McGee, do Departamento de Audiovisual da Universidade da Flórida, denunciou o roubo de van Dodge branca do departamento, que fora levada por alguém depois que a estacionara no campus. A placa do veículo era da Flórida e trazia o número 7378 impresso em fundo amarelo brilhante. Além disso, tinha o número da Universidade Estadual da Flórida, 343, na traseira.

"Treze" é classificação estadual e significa que o veículo foi licenciado no condado de Leon; o "D" é para veículos pequenos, e a perua de Ragan se encaixou nessa categoria. Se alguém tentasse colocar a placa de Ragan em veículo maior, essa pessoa eventualmente seria vista por patrulheiro e obrigada a encostar o veículo. Mas ninguém viu a Dodge roubada do Departamento de Audiovisual — ninguém em Tallahassee ou nas redondezas, pelo menos.

Tallahassee fica na região noroeste da Flórida. Jacksonville fica 321 quilômetros a nordeste, ao longo do rio St. Johns, que desemboca no oceano Atlântico.

Na quarta-feira, 8 de fevereiro de 1978, Leslie Ann Parmenter, 14 anos, deixou a Escola Secundária Jeb Stuart na Wesconnett Boulevard, Jacksonville, um pouco antes das 14h. O pai de Leslie é o veterano James Peter Parmenter, chefe dos detetives do Departamento de Polícia de Jacksonville, na época com dezoito anos de serviço na força policial. Esperava que seu irmão Danny, 21 anos, fosse buscá-la. Atravessou a rua diante da escola e entrou no estacionamento do K-Mart para aguardar o irmão.

Filhos de policiais tendem a ser um pouco mais cuidadosos do que os filhos de outras pessoas, e são alertados dos perigos da cidade com mais frequência. Isso não salvara Melissa Smith em Midvale, Utah, quase quatro anos antes, mas salvaria Leslie.

Chovia em Jacksonville, e Leslie Parmenter abaixou a cabeça para se proteger da garoa que ganhava força. Ficou surpresa quando a van branca avançou em sua direção e parou de repente.

Um homem com barba por fazer, óculos de armação escura, cabelos escuros ondulados, calça xadrez e jaqueta estilo militar escura pulou para fora da van, andou até Leslie, e obstruiu seu caminho.

A adolescente viu que tinha um distintivo de plástico preso à jaqueta. Dizia "Richard Burton" e "Corpo de Bombeiros".

"Sou do Corpo de Bombeiros, meu nome é Richard Burton", começou. "Você estuda naquela escola ali? Alguém me disse que sim. Você está indo para o K-Mart?"

Ela o encarou, perplexa, e um pouco assustada. O que lhe importava *quem* ela era? O homem estava nervoso, parecia escolher o que diria em seguida. Leslie não respondeu, olhou em volta à procura da picape do irmão, que trazia o nome da firma de construção em que trabalhava.

O homem não parecia ser bombeiro: estava desgrenhado demais e tinha expressão estranha nos olhos, olhar que a fez estremecer. Leslie tentou passar por ele, mas o sujeito continuou a bloquear o caminho.

Nesse instante, Danny Parmenter entrou no estacionamento. Interrompera o trabalho mais cedo devido à chuva, outro fator que provavelmente salvou Leslie. Notou a van Dodge branca, viu a porta do veículo aberta e percebeu que o motorista estava parado ao lado do carro e conversava com sua irmã e não gostou nada daquilo.

Danny Parmenter encostou ao lado do estranho e perguntou o que ele queria.

"Nada", resmungou o homem. Pareceu agitado com a chegada de Danny.

"Entre na picape", disse Danny em voz baixa para Leslie, e então andou em direção ao homem de calça xadrez, que recuou e entrou às pressas na van. Mais uma vez, Parmenter lhe perguntou o que queria.

"Nada... nada... só pensei que fosse outra pessoa, só perguntei quem ela era."

E então a janela da van fechou depressa e se afastou do estacionamento. Parmenter percebeu que ele ficara tão nervoso que tremia, e a voz falhava.

Danny Parmenter seguiu a van e então a perdeu no trânsito, mas não sem antes anotar o número da placa: 13-D-11300.

Se Leslie não fosse filha de detetive, o incidente poderia ser esquecido, mas James Peter Parmenter teve sensação ruim quando Danny e Leslie lhe contaram o que tinha acontecido naquela tarde. A coisa toda cheirava mal, e ficou grato pela filha estar em segurança. Mas não parou por aí — a missão era proteger as filhas de todo mundo.

Sabia que o "13" indicava o condado de Leon, do outro lado do estado, então verificaria a placa com os detetives de Tallahassee. Ocupado com os próprios deveres, Parmenter só viria a ter tempo de ligar para a capital ao entardecer do dia seguinte, 9 de fevereiro.

Lake City, Flórida, fica mais ou menos a meio caminho entre Jacksonville e Tallahassee. Kimberly Diane Leach, doze anos, garota bonita de cabelos escuros, morava em Lake City. Era pequena, 1,52 m e 45 kg. Em 9 de fevereiro, estava muito feliz, porque fora a segunda colocada para Rainha do Dia dos Namorados na escola.

A quinta-feira, 9 de fevereiro, foi um dia chuvoso e tempestuoso em Lake City, mas Kim chegou à escola na hora. Estava presente quando a professora fez a chamada. Talvez por se sentir tão empolgada em fazer parte da corte do Baile do Dia dos Namorados [Valentine's Day, comemorado nos EUA em 14 de fevereiro], esqueceu a bolsa quando saiu da sala de chamadas e foi para a primeira aula, educação física. Quando *afinal* a menina percebeu que deixara a bolsa para trás, o professor deu permissão para que fosse buscá-la. Isso significava correr na chuva até o outro edifício, mas Kim e a amiga Priscilla Blakney não se importaram. Correram pela porta dos fundos, que se abria para a West St. Johns Street. Chegaram à sala de chamadas sem incidentes, e Priscilla seguiu Kim de volta ao pátio castigado pela chuva, até se lembrar de que também precisava pegar uma coisa. Ao sair atrás de Kim, ficou alarmada: viu um estranho acenar para que a amiga o seguisse na direção de um carro branco. Mais tarde, suas lembranças se mostrariam um tanto confusas — talvez devido ao choque diante do destino de Kim. Será que a vira *dentro* do veículo? Ou será que fora apenas imaginação? Mas ela *tinha* visto o homem.

E Kim havia desaparecido.

Clinch Edenfield, idoso guarda de trânsito, trabalhava naquela manhã no frio de 1°C, castigado por ventos de até 40 km/h. Notara o homem na van branca, que bloqueava o tráfego. Edenfield notou que o motorista fitava o pátio da escola, mas logo esqueceu daquela van. Era irritante — só isso.

Clarence Lee "Andy" Anderson, tenente e paramédico do Corpo de Bombeiros de Lake City, passou de carro diante da escola minutos depois. Anderson trabalhou em turno dobrado, e alguns problemas distraíam seus pensamentos, e também irritou-se com a van branca obstruindo o tráfego, e parou atrás dela.

À esquerda, Anderson notou a adolescente de longos cabelos escuros. A mocinha parecia estar à beira das lágrimas e era levada na direção da van por um homem que aparentava estar na casa dos trinta anos, fartos cabelos castanhos ondulados e cara fechada. Anderson teve a impressão de ser apenas um pai bravo ao pegar a filha que a escola mandou para casa com advertência. Imaginou que alguém levaria uma tremenda bronca mais tarde. Enquanto Anderson divagava, o homem empurrou a menina para o banco do passageiro da van e correu para o motorista. Deu a partida e saiu em disparada.

Anderson não contou nada a ninguém, afinal, o incidente não lhe parecera assim tão incomum. Era de se esperar que alguém forçado a sair do trabalho porque a filha se encrencou na escola estivesse irritado e seguiu para o trabalho, o Corpo de Bombeiros que ficava no mesmo prédio do Departamento de Polícia de Lake City.

Jackie Moore, esposa de cirurgião de Lake City, dirigia para o leste na Rodovia 90 naquela manhã, depois de pegar a empregada. Ela viu a van branca suja se aproximar e ofegou quando o veículo de repente guinou para sua faixa. Oscilou e então deu nova guinada na direção do seu carro, e quase a empurrou para fora da estrada. Ela vislumbrou o motorista: homem de cabelos castanhos que parecia enfurecido, nem olhava a estrada. Olhava para o carona, e a boca estava aberta, como se gritasse.

E então a van desapareceu rumo ao oeste, e deixou a sra. Moore e a empregada trêmulas por chegarem tão perto de uma colisão frontal.

Os pais de Kim, Thomas Leach, paisagista, e Freda Leach, cabeleireira, seguiram as jornadas de trabalho sem saber que sua garotinha desapareceu. Era fim de tarde quando a secretária da escola fez ligação de rotina para Freda para perguntar se Kim estava doente, já que não estava na escola.

"Mas a Kim *está* na escola", respondeu. "Eu mesma a levei de carro de manhã."

"Não", respondeu. "Ela foi embora durante a primeira aula."

Os Leach ficaram mortificados, do jeito que apenas pai e mãe sabem como. Tentaram se apegar à esperança de que Kim tivesse variado algo na rotina, que voltaria para casa depois das aulas com uma boa explicação. Como isso não aconteceu, o casal correu para a escola e vasculhou a área. Os professores achavam que Kim havia fugido, mas os pais não acreditavam nisso. Estava empolgada demais com o baile de Dia dos Namorados, para começo de conversa, e, mais importante: simplesmente não fugiria.

Kim não chegou em casa para o jantar. As ruas escureciam e o vento açoitava a chuva contra as janelas. Onde ela *estava*?

Os pais telefonaram para a melhor amiga, e para todos os colegas. Ninguém tinha visto Kim. Apenas Priscilla a vira caminhar na direção do desconhecido.

Os Leach chamaram a polícia de Lake City e o delegado Paul Philpot tentou tranquilizá-los. Mesmo os jovens mais confiáveis às vezes fogem.

Enquanto tentava acreditar no que dissera aos pais inquietos, enviou chamado via rádio para que todos os patrulheiros atentassem ao paradeiro de Kim. Era aluna que só tirava notas A — novamente, como todas as outras, superior em todos os aspectos. Não teria por que fugir.

O pedido de alerta para Kimberly Leach listava as roupas que vestia quando vista pela última vez: jeans, camisa de futebol americano com o número 83 nas costas e no peito, e longo casaco marrom com colarinho de pele sintética. Tinha cabelos e olhos castanhos, e era bonita. Aparentava ser mais velha do que era, mas não passava de uma criança.

Kimberly Leach tinha a mesma idade que a filha de Meg Anders quando Ted Bundy foi preso pela primeira vez, em Utah — a filha de Meg, que o via como pai substituto. A mesma idade que a garotinha cuja mãe não tinha permitido que saísse para comer hambúrgueres com Ted, algo que tanto o insultara. "O que achou que eu faria?", perguntara indignado. "Atacaria a filha dela?"

Naquela tarde, o detetive James Lester Parmenter, em Jacksonville, não sabia que Kim Leach havia desaparecido em Lake City, mas ainda estava bastante preocupado com o homem na van branca que abordara sua filha e telefonou para o detetive Steve Bodiford, na delegacia do condado de Leon.

"Preciso de uma ajudinha. Estou tentando verificar quem é o dono da van Dodge branca com placa 13-D-11300. O sistema a tem registrada no nome de Randall Ragan, em Tallahassee. Gostaria que ele fosse averiguado, pois alguém com a placa dele assustou minha filha ontem. Acho que tentava seduzi-la, ela só tem 14 anos."

Parmenter contou a Bodiford do incidente no estacionamento do K-Mart, e Bodiford concordou que valia a pena investigar.

Não fazia ideia de como aquela pista era valiosa e teria extensas ramificações.

Na sexta-feira, 10 de fevereiro, Bodiford rastreou Randall Ragan na casa de madeira atrás da Dunwoody Street. Claro, confirmou Ragan, a placa fora perdida por volta de 12 de janeiro. "Não declarei o roubo, só pedi uma placa nova."

Bodiford notou a proximidade da cena do crime na Dunwoody, e da van Dodge branca no campus, em 5 de fevereiro — e somou dois e dois. Então, leu o boletim que chegou de Lake City e sentiu o sangue gelar. Se houvesse ligação entre os casos em Tallahassee e o desaparecimento de Kimberly Leach, de 12 anos, não queria pensar no destino da criança. As garotas em Tallahassee não tiveram nenhuma chance, mesmo cercadas de outras pessoas, e Leach estava sozinha.

Parmenter ouviu como todas as coincidências se conectavam, e também sentiu calafrios. Afinal, sua filha chegara tão perto. Se Danny não aparecesse exatamente naquela hora...

Sabia que os filhos podiam ser a chave para o estranho da van branca, e fez os arranjos para que os dois fossem hipnotizados por colega policial, o tenente Bryant Mickler. Talvez encontrassem alguma coisa em seu subconsciente que podiam ter bloqueado.

Foi uma experiência horrorosa para Leslie Parmenter, que se provou bastante suscetível à hipnose. Ela não apenas se lembrou do homem que a abordara, como também reviveu a experiência toda — e ficou histérica. Havia algo a respeito do rosto do homem, aquele tal de "Richard Burton, Corpo de Bombeiros", que a aterrorizara — como se pressentisse a maldade e o perigo.

Parmenter explicou: "Quando Bryant a guiou ao momento em que viu o rosto do homem da van branca, Leslie se descontrolou. Teve de parar no mesmo instante e trazê-la de volta, ela resistiu porque não queria rever o rosto do sujeito. E o que aconteceu para deixá-la tão temerosa, eu não sei".

Meia hora depois da sessão, Leslie, trêmula e amedrontada, ainda assim cooperou. Ela e o irmão conversaram com Donald Bryan, artista da polícia, para fazer o retrato falado do homem. Separados, um de cada vez, descreveram características quase idênticas.

Mais tarde, alguns dias depois da prisão de Bundy em Pensacola, Flórida, no dia 15 de fevereiro, Parmenter viria a olhar as fotos do fichamento de Ted. "Pensei... Bem, diacho... Se colocar um par de óculos nele, você vai ter uma cópia."

E alguns dias após a prisão de Bundy, o investigador de Tallahassee, W.D. "Dee" Phillips, mostrou aos jovens Parmenter a série de fotos de detentos, e incluiu a de Ted Bundy. Danny Parmenter escolheu duas — a de Bundy em segundo lugar.

Leslie Parmenter, no entanto, não hesitou nem um segundo e escolheu a foto do fichamento de Bundy de imediato.

"Tem certeza?", perguntou Phillips.

"Absoluta", respondeu.

Mas Kimberly Leach estava desaparecida. Ninguém viria a encontrar nenhum rastro da criança durante oito semanas, apesar da vasta busca que cobriria quatro condados e quase 5.200 quilômetros quadrados. Desaparecida, como tantas outras antes dela — jovens das quais ela nem sequer ouvira falar, jovens a quase um continente de distância.

33. Placas___ ___à vista

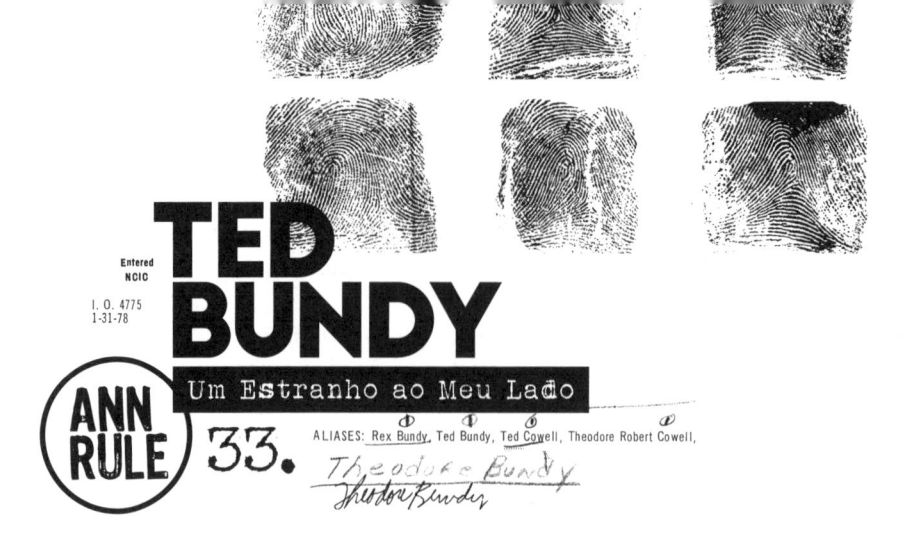

Era 10 de fevereiro de 1978, e as coisas estavam ficando feias para Ted. Mesmo assim, *ninguém sabia* que era Ted Bundy, mas os "tiras burros" que detestava e insultava começavam a captar seu rastro. Ele enrolou o senhorio, e disse que conseguiria o dinheiro para os dois meses de aluguel em um dia ou dois, e isso apaziguou as coisas por um tempo, mas, na verdade, planejava ir embora de Tallahassee. Não conseguiria o dinheiro, nem via forma de obtê-lo.

Agentes de tocaia do Departamento de Polícia de Tallahassee e da delegacia do condado de Leon ainda fortaleceram a vigilância no campus da Universidade Estadual da Flórida. Alguns dos carros eram marcados, outros não.

O veterano Roy Dickey, com seis anos e meio de serviço à força policial de Tallahassee, estava na viatura perto da interseção da Dunwoody Street com a St. Augustine, às 22h45 do dia 10. Já estava ali havia duas ou três horas, e o tédio se aproximava. Tocaias são cansativas, dão câimbras e são improdutivas. De vez em quando, conversava por walkie-talkie com o policial Don Ford, que observava e aguardava na esquina da Pensacola com a Woodward.

E então Dickey viu, caminhar na direção do cruzamento, homem que viera da região do estádio da Universidade da Flórida e do campo de golfe. Estava sem nenhuma pressa e se dirigiu para o leste pela St. Augustine e em seguida cortou para o norte pela Dunwoody, antes de desaparecer entre o apartamento de Cheryl Thomas e a casa ao lado.

O sujeito usava jeans, colete acolchoado vermelho e tênis de corrida. Quando passou sob a luz do poste na esquina, olhou para a viatura — brevemente — e Dickey viu o rosto com clareza.

Mais tarde, ao ver a foto de Ted Bundy, Dickey o reconheceu como o homem da rua.

Keith Daws, policial do condado de Leon, estava de tocaia no turno seguinte, da meia-noite às 4h, no Chevy Chevelle sem identificação. Já era a madrugada do dia 11 de fevereiro — 1h47, exatamente.

Daws virou na West Jefferson, perto da casa Chi Omega, e viu "homem branco mexer na porta de um veículo" logo à frente. Daws guiou o carro bem devagar na direção do homem curvado na porta do Toyota. Ao ver o carro policial no meio da rua, se endireitou e olhou em volta.

"O que você está fazendo?", perguntou Daws após se identificar.

"Desci para pegar um livro."

Daws viu que o homem tinha a chave na mão… mas nenhum livro.

"Talvez eu seja burro ou algo do tipo", disse o policial de voz arrastada. "Você diz que veio pegar um livro, mas não tem nenhum livro."

"Está no painel do outro lado do carro", respondeu o homem com desenvoltura.

Daws o estudou. Parecia estar perto dos trinta anos, usava calça jeans que parecia novinha e colete acolchoado vermelho. Quando se curvou com a chave, o policial pôde ver que não havia carteira no bolso de trás do jeans. O homem de cabelos castanhos também parecia "acabado… completamente exausto".

Havia um livro no painel do lado do passageiro, mas o sujeito disse que não estava com os documentos, pois acabara de descer do quarto. Não havia estacionado na West College Avenue, onde morava, porque todas as vagas estavam ocupadas.

Isso fazia sentido, estacionar no campus era mesmo difícil. Quem chegava primeiro ficava com a vaga.

Daws iluminou o interior do Toyota com a lanterna e viu que o banco e o piso estavam cobertos de papéis. Viu a pontinha da placa veicular embaixo dos papéis no chão.

"De quem é essa placa?"

"Que placa?"

O homem remexia os papéis e a mão bateu na placa.

"Essa placa onde está a sua mão."

O homem de colete entregou a placa para Daws, e explicou que a encontrara em algum lugar, e não pensou que alguém fosse dar pela falta dela.

A identificação da placa era 13-D-11300. Daws não reconheceu o número, mas, como era rotina, andou até o rádio do carro para verificar com o departamento de veículos procurados por roubo. Deixou o homem em pé ao lado do Toyota. Daws estava com uma mão no microfone e segurava a placa com a outra.

E então o homem disparou de repente, atravessou a rua correndo, passou entre dois prédios e pulou por cima do muro de contenção.

Daws foi pego de surpresa, pois ele parecera tão cooperativo. Mais tarde, viria a descrever com pesar a cena ao júri em Miami. "A última vez em que o vi, poderia tê-lo acertado com uma bola de beisebol. Estamos falando da extensão deste tribunal."

O fugitivo pulou o muro de contenção diretamente para o quintal dos fundos do The Oak... e desapareceu.

A placa, claro, estava registrada no nome de Randall Ragan, mas, quando Daws foi à casa de Ragan, obviamente não era o mesmo sujeito que fugira. O homem que dera no pé foi mais tarde selecionado por Daws na série de fotos e era Ted Bundy.

Daws, cuja frustração por deixar o suspeito lhe escapar por entre os dedos ainda estava evidente quando testemunhou no tribunal, ficou ainda mais desgostoso quando leu na manhã seguinte da busca por van Dodge. Havia uma van Dodge branca com pneu furado, estacionada ilegalmente, bem atrás do Toyota que o suspeito destrancava. Quando os detetives voltaram para fazer a busca, o veículo tinha sumido.

34.

___Parado pela polícia
mais uma vez___

O homem mais tarde identificado como Ted Bundy pulou o muro de contenção nos fundos do The Oak nas primeiras horas da manhã de 11 de fevereiro. Seu senhorio, que o conhecia como Chris Hagen, o viu no dia 11 e percebeu que parecia "cansado, como se tivesse passado por maus bocados".

A estadia de Ted no The Oak, e em Tallahassee, estava chegando ao fim, mas antes se deu o luxo de curtir a última refeição no restaurante Chez Pierre, no Adams Street Mall, na noite de 11 de fevereiro. A refeição, cuja conta pela culinária e pelos vinhos franceses ficou em 18,50 dólares, foi paga com um dos cartões de crédito roubados, cobrindo também gorjeta de dois dólares.

As garçonetes do Chez Pierre se lembram de Ted porque tinha "certo ar de frieza, ficava na dele. Não dava para engatar conversa. Pedia bons vinhos. Certa noite bebeu uma garrafa inteira, e em outra ocasião pediu uma garrafa de espumante branco e bebeu metade dela".

Ted sempre gostara de bons vinhos.

Em 12 de fevereiro, juntou as posses que acumulara: tinha quantidade consideravelmente maior de parafernália para carregar consigo do que quando chegara a Tallahassee, em 8 de janeiro — televisão, bicicleta, equipamento de raquetebol. Deu uma caixa de cookies para a garota que morava no mesmo andar que ele e foi embora.

Tinha limpado o quarto de cima a baixo. Mais tarde, os detetives não encontrariam *nenhuma* impressão digital que fosse, nenhum sinal de que alguém tinha passado um mês no quarto número 12 do The Oak.

A van Dodge branca, roubada do Departamento de Audiovisual, não era mais útil. Ted a abandonou na frente do 806 da West Georgia Street, em Tallahassee. No dia 13 de fevereiro, o veículo viria a ser encontrado e reconhecido por Chris Cochranne, funcionário do Departamento de Audiovisual, e confiscado pela polícia para ser processado de maneira meticulosa. A van estava coberta por camada grossa de poeira e terra — exceto pelas áreas ao redor das maçanetas e da porta do passageiro. Nelas, os técnicos encontraram "marcas de fricção", como se alguém tivesse tentado deliberadamente remover impressões digitais.

Doug Barrow, especialista em impressões digitais do Departamento de Direito Penal da Flórida, também encontrou marcas de fricção em algumas das janelas, nos descansos de braço e em outros pontos no interior da van imunda. Em outras partes, conseguiu obter 57 impressões latentes, deixadas pelos funcionários do departamento.

Havia tanta terra, tantas folhas e partículas de restos vegetais na traseira da van que era como se tivessem sido colocadas ali para ocultar o que quer que houvesse sob o carpete. E, no meio dessa pilha de terra e folhas, ficou o rastro de algo pesado arrastado para fora da van.

Stephens, o especialista em sorologia, encontrou duas manchas grandes de sangue seco grudadas no incomum carpete sintético, feito de fibras verdes, azuis, turquesas e pretas. As manchas eram de alguém com sangue tipo B. Mary Lynn Hinson, especialista em fibras sintéticas do laboratório de criminalística, foi capaz de isolar grande quantidade de fios presos e emaranhados no carpete da van. Também fotografou algumas pegadas distintas na pilha de terra, deixadas por par de tênis de corrida e mocassins.

Os criminalistas tinham semanas de trabalho pela frente — e grande parte dele teria de esperar até terem algum sapato, sangue ou fibras para comparar. A polícia não conhecia o homem que procurava e não tinha o cadáver de Kim Leach, e as roupas que vestia desapareceram. Tampouco poderiam compreender a importância das duas pequenas etiquetas de cor laranja presas sob o banco da frente da van. Uma marcava 24 dólares, e a outra, 26 dólares. O nome da loja era Green Acres Sporting Goods, empresa de equipamentos esportivos com 75 lojas no Alabama, na Geórgia e na Flórida. O detetive J.D. Sewell foi designado para descobrir qual loja usava aquele tipo de etiqueta, aquele marcador de texto, e qual item poderia ter sido vendido por 24 ou 26 dólares.

Ted sempre preferira Fuscas. Naquele último dia em Tallahassee, avistou um Fusca laranja que pertencia ao jovem Ricky Garzaniti, que trabalhava na empresa de construção civil Sun Trail Construction. Garzaniti viria a relatar à polícia que alguém roubara o carro no número 529 da East Georgia Street, no dia 12 de fevereiro.

As chaves estavam no contato, dando sopa para Ted, tinha a placa roubada, retirada de outro Fusca em Tallahassee: 13-D-0743. Guardou a bicicleta Raleigh e a televisão na parte de trás, e deixou a capital da Flórida pelo que esperava, de verdade, ser a última vez.

Seguiu para o oeste. Às 9h da manhã seguinte, Betty Jean Barnhill, a recepcionista do Holiday Inn em Crestview, 240 km a oeste de Tallahassee, discutiu com o homem que chegara no Fusca laranja. Quando terminou o café da manhã, tentou pagar pela refeição com cartão de crédito Gulf de uma mulher. Quando começou a assinar o nome da mulher no comprovante de pagamento, ela lhe informou que não podia fazer isso. Ficou tão irritado que jogou o cartão na cara dela e saiu apressado. Mais tarde, enquanto lia artigos da prisão de Ted Bundy, o reconheceu como o homem furioso.

Nenhum avistamento de Ted Bundy e do carro laranja foi relatado entre 9h do dia 13 de fevereiro e 1h30 da manhã do dia 15 de fevereiro.

David Lee, patrulheiro da cidade de Pensacola, cidade tão a oeste que fica quase no Alabama, estava no "terceiro turno" do dia 14 para o dia 15 de fevereiro — das 20h às 4h — em West Pensacola. Ele conhecia bem a área e os horários de fechamento da maioria dos estabelecimentos no setor.

A atenção de Lee foi atraída para o Fusca laranja no beco próximo a um restaurante chamado Oscar Warner. Naquela noite de terça-feira, Lee sabia que o restaurante fechava às 22h e conhecia os veículos de todos os funcionários. Havia acesso para carros em todo o entorno do prédio, com o beco levando à porta dos fundos do restaurante. Quando o policial viu o Fusca pela primeira vez, pensou que pudesse ser do cozinheiro — mas então viu que não era.

Lee pegou o retorno. O Fusca avançava lentamente quando a viatura encostou atrás. Não houvera nenhuma violação, àquela altura,

Lee estava curioso para ver quem dirigia, visto que o beco atrás do restaurante não era um atalho.

Pelo rádio, pediu verificação de veículo roubado pelo número da placa. Em seguida, acionou as luzes azuis, e sinalizou para que o Fusca encostasse.

O resultado da placa chegou: roubada.

Enquanto o feixe de luz azul girava lentamente no teto da viatura de Lee, o carro laranja mais adiante acelerou. A perseguição seguiu por quase 2 km, atravessou os limites do condado de Escambia, à velocidade de 95 quilômetros por hora. Pouco depois do cruzamento das ruas Cross e West Douglas, o fusca encostou.

Lee sacou o revólver e andou até o motorista. Suspeitava que havia mais alguém no banco da frente e desconfiava que os reforços ainda demorariam a chegar.

A vida de Ted Bundy tem a tendência de correr em círculos. Em ocasião anterior, enquanto dirigia Fusca, havia fugido da polícia e também, por fim, se vira forçado a encostar. Isso aconteceu em agosto de 1975, no distante estado de Utah. Ali era Pensacola, Flórida, e o policial que ordenou que saísse do carro tinha sotaque sulista arrastado. Com exceção desse detalhe, foi igual. Só que dessa vez Ted estava no limite — dessa vez, ia lutar.

David Lee era um ano mais novo, e aproximadamente dez quilos mais pesado do que Ted, com atenção dividida entre o homem ao volante e a possibilidade de haver outra pessoa escondida. Sabia que era assim que a maioria dos policiais morria.

Mandou Ted sair do carro e se deitar de bruços no chão, mas ele se recusou. Lee não conseguia ver suas mãos. Por fim, obedeceu e deitou, mas enquanto o policial algemava o pulso esquerdo, Ted rolou para o lado, lhe deu a rasteira, e o golpeou em seguida. Agora, Ted estava por cima do emaranhado de braços e pernas.

Lee ainda estava com o revólver na mão. Disparou uma vez para o alto a fim de tirar o suspeito de cima dele.

Ted correu para o sul, pela West Douglas Street. Lee estava logo atrás dele, gritando: "Pare! Pare, senão atiro!".

Ted chegou ao cruzamento e dobrou à esquerda na Cross Street. Ao olhar de relance para a silhueta do fugitivo, Lee viu algo na mão esquerda. No calor do momento, se esqueceu da algema, o que o fez pensar que o homem tinha uma arma. Lee disparou outra vez, dessa vez diretamente contra o suspeito.

Ted caiu no chão e Lee achou que o havia atingido. Correu para ver a gravidade do ferimento, mas ele se levantou e lutou outra vez. Não fora alvejado, e tentava tomar a arma do policial. A luta durou bastante tempo — ao menos para Lee.

Alguém gritou "Socorro!" repetidas vezes. Lee ficou surpreso ao se dar conta de que era o suspeito.

Enquanto relembrava o incidente mais tarde, no tribunal, comentou: "Torcia para que a ajuda chegasse para *mim*. Alguém saiu de casa e me perguntou o que *eu* estava fazendo com aquele homem caído no chão, e isso porque eu estava de uniforme".

Por fim, a força de Lee prevaleceu e subjugou o suspeito e algemou suas mãos atrás das costas.

Não fazia a menor ideia de que tinha acabado de prender um da lista dos dez mais procurados do FBI.

Lee conduziu o homem até a viatura, leu os seus direitos e dirigiu para a delegacia. O suspeito, com toda a resistência esgotada, parecia estranhamente deprimido. Repetia: "Gostaria que você tivesse me matado".

Enquanto se aproximavam da cadeia, se dirigiu a Lee e perguntou: "Se fugir de você na cadeia, aí você me mata?".

Lee ficou confuso. O homem não estava bêbado e tinha sido preso apenas por conta de veículo roubado, não conseguia entender o humor sombrio e suicida que de repente dominara o prisioneiro.

O detetive Norman M. Chapman Jr. estava de plantão naquela noite. Chapman tem voz doce feito mel. Se pesasse vinte quilos a mais, o detetive de cabelos escuros e bigode se pareceria com Oliver Hardy, da dupla *O Gordo e o Magro*. Se pesasse vinte quilos a menos, poderia passar por Burt Reynolds. Quando entrou na sede da polícia, em Pensacola, às 3h de 15 de fevereiro, viu o suspeito adormecido no chão. Acordou-o e o levou para a sala de interrogatórios no andar superior, onde voltou a ler seus direitos a partir de um cartão.

O suspeito assentiu e informou seu nome: Kenneth Raymond Misner.

"Misner" tinha três conjuntos completos de documentos de identificação (todos com nomes de estudantes), 21 cartões de crédito roubados, uma televisão roubada, um carro roubado, placas roubadas e uma bicicleta. Informou seu endereço, West College Avenue, 509, Tallahassee. "Ken Misner" concordou que a declaração fosse gravada. Parecia bastante acabado, tinha arranhões e hematomas nos lábios e rosto, e sangue nas costas da camisa. Assinou a renúncia de seus direitos e confessou o roubo dos cartões de crédito de várias mulheres, e também o carro e as placas. Roubara as identidades em bares. Por que atacou o policial Lee? Por um motivo bastante simples: queria fugir.

Às 6h30 da manhã de 15 de fevereiro, o interrogatório foi interrompido quando "Misner" solicitou um médico. Foi levado ao hospital para tratar os ferimentos, que eram basicamente cortes e hematomas. Quando voltou, dormiu o resto da manhã.

Em Tallahassee, a 320 km de distância, o *verdadeiro* Ken Misner ficou aturdido ao descobrir de sua "prisão". A estrela do atletismo da UEF não fazia ideia, é claro, de que alguém havia se apropriado de seu nome e sua vida.

O detetive Don Patchen, de Tallahassee, e o detetive Steve Bodiford, do condado de Leon, dirigiram para Pensacola na tarde do dia 15. Sabiam que o prisioneiro não era Misner, mas não faziam ideia de quem ele era. Apenas que tinha algumas conexões em suas jurisdições. Conversaram brevemente com o suspeito, e viram que estava em boas condições, mas exausto. "Sabemos que não é Ken Misner", disseram-lhe. "Gostaríamos de saber quem você é."

O homem se recusou a contar, mas disse que conversaria com eles na manhã seguinte. Às 7h15 de 16 de fevereiro, Ted ouviu novamente a leitura de seus direitos e assinou a renúncia como "Kenneth Misner". Estava bastante disposto a falar dos roubos: confessou ter roubado os cartões de crédito Master Charge, Exxon, Sunoco, Gulf, Bankamericard, Shell, Phillips 66 — muitas cópias de cada um com nomes diferentes. Não conseguia se lembrar com exatidão de onde os roubara, mas a maioria tinha saído de bolsas e carteiras em shoppings e bares em Tallahassee. Alguns dos nomes eram conhecidos, outros não. Havia muitos.

O interrogatório terminou quando Bodiford disse: "Declare seu nome".

O suspeito riu. "Quem, *eu*? Kenneth R. Misner. João R. Ninguém."

Ele pediu permissão para fazer alguns telefonemas. Gostaria de ligar para o advogado em Atlanta em busca de conselhos de quando e como revelar a verdadeira identidade, e o que deveria pleitear.

Era Millard O. Farmer, famoso advogado de defesa criminal cujo campo particular de especialização é a defesa de indiciados em casos de homicídio com possibilidade de pena de morte. Farmer supostamente disse a Ted que um sócio viajaria para Pensacola no dia seguinte e que então poderia declarar o nome, mas que não devia confessar nada.

Até a revelação, Ted solicitou permissão para telefonar a amigos, e pediu que nenhuma notícia da prisão ou identidade fosse revelada até a manhã seguinte, 17.

Ted ligou em algum momento depois das 16h30 de 16 de fevereiro para John Henry Browne, antigo amigo advogado de Seattle. Browne descobriu que ele estava em Pensacola, preso, e que ninguém sabia ainda quem ele era. Browne considerou aquela situação preocupante e teve dificuldades em fazer com que Ted relatasse os fatos. Demorou três ou quatro minutos para explicar por que estava sob custódia, e não queria falar muito disso. Preferia conversar dos velhos tempos em Seattle e descobrir o que estava acontecendo em sua cidade natal.

Browne lhe pediu uma dúzia de vezes para não conversar com ninguém sem a presença de advogado. Dado o estado mental digressivo do amigo, teve a sensação de que Ted se prejudicaria se falasse sozinho com os detetives. Ele sempre ouvia os conselhos de Browne, mas isso mudou em 16 de fevereiro. Não parecia mais prestar atenção.

Terry Turrell, defensor público de Pensacola, foi à cela de Ted às 17h e ficou até 21h45. Ele pôde ver que o homem estava desmoronando. Com a cabeça curvada, chorava e fumava um cigarro após o outro.

Durante o tempo que Turrell passou com ele, Ted fez diversos telefonemas de longa distância — para quem, não quis contar.

E, o que era estranho para o ex-protestante e o mórmon malsucedido, Ted pediu para ver um padre católico. O padre Michael Moody ficou enclausurado com ele por algum tempo, e então foi embora, levando consigo quaisquer informações privilegiadas que Ted possa ou não ter lhe passado.

Os detetives de Pensacola afirmaram ter dividido hambúrgueres e batatas fritas com ele naquela noite. Eu não sei.

Sei apenas que a fachada construída com tanto cuidado rachou, se desfez em fragmentos de desespero. Sei disso porque conversei com Ted Bundy muitas horas depois. Pela primeira vez, ele queria tirar dos ombros um fardo terrível.

TED BUNDY
Um Estranho ao Meu Lado

35. "Aceita falar com Theodore Bundy?"

Na noite daquela quinta-feira, 16 de fevereiro de 1978, estava no apartamento de Los Angeles. De alguma maneira, as novidades da prisão de Ted alcançaram as fontes de notícias no noroeste, mesmo antes de os detetives de Pensacola e Tallahassee saberem quem tinham nas mãos. Ted era interrogado em Pensacola quando meu pai me telefonou de Salem, Oregon, por volta das 23h (horário da Costa Oeste): "Pegaram Ted Bundy em Pensacola, Flórida. Está no noticiário por aqui".

Fiquei chocada, aliviada, incrédula — e então me lembrei do único recorte de jornal que tinha visto dos homicídios na Chi Omega, Flórida. Olhei para a minha mãe, que tinha acabado de chegar naquele dia para ir a uma estreia comigo na noite seguinte, e disse: "Pegaram Ted... ele *estava* na Flórida".

Essas eram todas as informações que tinha. Os detalhes — todos os detalhes dos casos na Flórida — viriam ao longo dos dezoito meses seguintes, mas tinha o terrível pressentimento de que Ted Bundy estava inextricavelmente ligado àqueles homicídios no campus da universidade. Até aquele ponto, sempre nutrira pequena esperança de que a polícia, a imprensa e o público pudessem estar errados nas suposições sobre Ted ser o assassino. Agora, ao saber que ele estava na Flórida, essa esperança desmoronou. Adormeci e sonhei — não sonhos gentis, mas pesadelos perturbadores.

Fui despertada pelo toque estridente do telefone ao lado do sofá onde dormia no apartamento de um cômodo. Tateei no escuro à procura do aparelho.

Uma voz profunda, distintamente sulista, perguntou se era Ann Rule. Respondi que sim. Era o detetive Norman Chapman, do Departamento de Polícia de Pensacola.

"Aceita falar com Theodore Bundy?"

"Claro..." Olhei para o relógio. Eram 3h15.

A voz de Ted surgiu na linha. Soava cansado, perturbado e confuso.

"Ann... não sei o que fazer. Eles falaram comigo, conversamos bastante. Estou tentando decidir o que fazer."

"Você está bem? Estão te tratando bem?"

"Ah, sim... temos café, cigarros... são legais. Só não sei o que fazer."

Talvez porque fui acordada do sono profundo, ou porque não tive tempo para pensar, mas respondi com a honestidade que sempre vem com a surpresa. Decidi que chegara a hora de encarar quaisquer que fossem os fatos que tinham de ser encarados.

"Ted", comecei. "Já faz muito tempo, e acho que talvez seja a hora de você desembuchar. Talvez deva falar com alguém disso... disso tudo... com alguém que compreenda você, alguém que seja seu amigo. Quer fazer isso?"

"Sim... sim... você pode vir? Preciso de ajuda..."

De certo modo, esse era o telefonema que esperava há anos, desde que descobri que Ted ligara para mim à meia-noite em novembro de 1974, obviamente preocupado com alguma coisa. Naquela época, Debby Kent estava desaparecida em Utah e pensava que se Ted entendesse que eu sabia, poderia me contar todas as coisas terríveis reprimidas na sua mente e que eu conseguiria suportar. Será que aquela era a ligação?

Eu lhe respondi que talvez pudesse ir, mas que não tinha dinheiro suficiente para a passagem de avião, nem mesmo sabia quando haveria o voo de Los Angeles para a Flórida. "Posso arranjar o dinheiro em algum lugar, chego aí assim que puder."

"Acho que eles podem pagar a passagem de avião", contou. "Provavelmente, também querem que você venha."

"Ok. Preciso tomar um café e clarear a cabeça. Vou verificar as companhias aéreas e ligo de volta em alguns minutos. Passe o número de onde está."

Ele me deu o número do escritório do capitão do Departamento de Polícia de Pensacola, e desligou. Liguei para as companhias aéreas de imediato, e descobri que poderia estar em voo bem cedinho e chegaria a Pensacola, passando por Atlanta, na tarde seguinte. Tinha a impressão de que o detetive Chapman me queria por lá. Qual outro motivo teria para me ligar? Mais tarde descobri que contatara a babá na minha casa, em Seattle, por telefone, e tivera que colocar o capitão na linha antes que minha babá lhe informasse o número. Foi um bocado de trabalho para me encontrar.

Ainda assim, quando tentei retornar a ligação para a sala de interrogatório, poucos minutos depois, fui informada pelo sargento de plantão que não permitiam nenhuma ligação. Expliquei que acabara de falar com Norm Chapman e Ted Bundy, e que esperavam meu telefonema, mas a resposta ainda foi negativa.

Fiquei completamente desconcertada até Ron Johnson, procurador-assistente da Flórida, telefonar trinta horas depois. "Quero que você venha, acho que deveria vir, mas os detetives aqui querem três dias para arrancar a confissão de Ted Bundy. Então, se não conseguirem, chamarão você."

Nunca chegaram a isso. Eu os veria apenas no julgamento de Ted em Miami, em julho de 1979. E só então descobriria o que acontecera durante aquela longa, longa noite de 16 para 17 de fevereiro de 1978, e nos dias seguintes. Alguns trechos do interrogatório foram gravados, e a fita de uma hora reproduzida em alto e bom som na audiência preliminar em Miami. Algumas partes apareceram nas audiências preliminares, testemunhadas pelos próprios detetives, aqueles homens que passaram tantas horas enclausurados com Ted: Norm Chapman, Steve Bodiford, Don Patchen e o capitão Jack Poitinger.

Se tivesse recebido permissão para conversar com Ted durante aqueles primeiros dias após a prisão em Pensacola, será que as coisas seriam diferentes? Será que agora haveria mais respostas? Ou será que viajaria para a Flórida apenas para me deparar com as mesmas declarações evasivas e vagas que Ted deu aos detetives?

Nunca saberei.

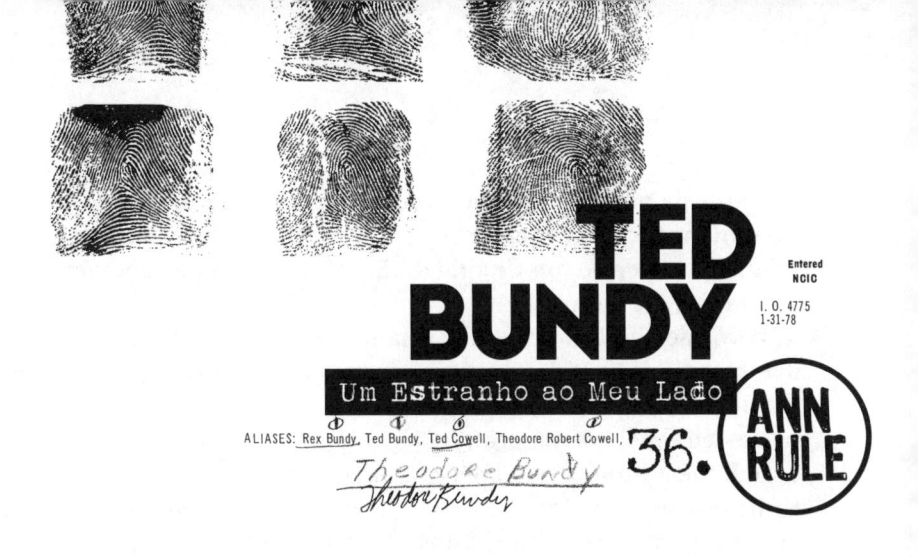

Acrescente um dígito e você terá o número certo_____

O detetive Norm Chapman, do Departamento de Polícia de Pensacola, é pessoa bastante agradável e há muitas evidências de que mesmo Ted gostava dele. Seria difícil não gostar. Acho que é sincero, sua característica objetiva de "mocinho" é genuína, e queria desesperadamente descobrir o que tinha acontecido com Kimberly Leach, pelo bem dos pais dela, bem como esclarecer os homicídios e espancamentos em Tallahassee. Creio que também era motivado pelo engrandecimento próprio, assim como todos nós. Para um policial com seis anos de experiência em departamento isolado na Língua de Terra da Flórida (região de 16 condados mais no oeste da Flórida), arrancar a confissão de um dos fugitivos mais desprezíveis dos Estados Unidos seria algo a ser lembrado. A decisão dos detetives de bloquear meu telefonema e minha presença na Flórida pode ter sido acertada. E também ter sido tragicamente equivocada.

Em julho de 1979, Norm Chapman se sentou no banco das testemunhas no tribunal do juiz Edward Cowart, no condado de Dade, os ombros e a barriga esticando o blazer, as meias brancas visíveis por baixo das calças. Não era presunçoso, era o que parecia ser — sorridente e loquaz, e carregava a fita que chocaria o tribunal.

Tarde da noite de 16 de fevereiro, Ted mandara recado para Norm Chapman: queria conversar sem a presença de advogados. A fita dessa longa conversa com Chapman, Bodiford e Patchen começa à 1h29 do dia 17 de fevereiro.

A voz de Ted está forte e confiante. "Ok, vamos ver. Foi um longo dia, mas tive boa noite de sono ontem à noite e estou coerente. Vi o médico, liguei para o advogado."

Se Ted esperava um grande "Viva!" quando revelou que era Theodore Robert Bundy, ficou decepcionado. Nenhum dos três detetives tinha ouvido falar dele e foi anticlimático. Do que adiantava ser um dos fugitivos mais caçados dos Estados Unidos se a reação era tão inexpressiva quanto essa no momento em que anuncia a identidade? Foi apenas quando o policial Lee entrou com a cópia do folheto dos dez mais procurados do FBI (para pedir que Ted o autografasse) que acreditaram nele.

Chapman propôs: "Vamos ouvir o que quiser nos contar..."

Ted riu. "Isso é um pouco formal."

"Quando ficar cansado de nossos rostos velhos, é só dizer", disse Chapman.

"Eu sou responsável pelo entretenimento...", começou Ted.

"Você tem cigarros suficientes?"

"É... Foi muito importante não revelar meu nome."

"Acho que todos nós entendemos, visto que nos contou e entendemos sua relutância. Devo admitir que manteve a calma, parado diante do juiz sem revelar seu nome. Foi mais do que eu seria capaz de fazer."

"Você conhece meu histórico?"

"Só o que me contou. Prefiro lidar com as coisas cara a cara. Vamos escutar."

"O lance do nome é bom para começar. Conhecia o tipo de publicidade que teria se fosse preso em Omaha, Nebraska... sabia que era inevitável descobrirem a foto da identidade. Eu me esforcei muito, e fiz muita coisa para me libertar naquela primeira vez. Pareceu um tremendo desperdício desistir com tanta facilidade."

Chapman disse que estava interessado em ouvir das fugas de Ted, e ele estava ansioso para falar disso. *Foi tão inteligente, tão bem-planejado, e de repente não podia contar para ninguém.*

Foi uma ironia que contasse justamente para os policiais, "os tiras burros" que menosprezara por tanto tempo.

Houve risos frequentes na fita. Começou do princípio — do pulo do tribunal do condado de Pitkin para a liberdade —, e continuou até chegar a Tallahassee. A voz ficou baixa, e respirava fundo enquanto se censurava por não ter encontrado emprego. Mencionou o quanto gostava de raquetebol, e se ofereceu para assinar a permissão para a revista do carro roubado. Então, sua voz falhou.

"Você chora em certas partes, como quando falou de raquetebol", comentou Chapman.

"Era tão bom estar rodeado de pessoas, fazer parte de um grupo. Tenho hábito de adquirir coisas — pequenas coisas. Tive um belo apartamento na faculdade de direito, e tudo foi tirado de mim e disse a mim mesmo que conseguiria viver sem carros e bicicletas e coisas assim. Estar livre era o suficiente. Mas queria os bens materiais."

Ted descreveu os roubos cada vez mais frequentes e se castigou mais uma vez por ser tão burro. "Nunca arrumei emprego, fui muito estúpido. Gosto de trabalhar, mas sou um pouco relutante em arrumar o que fazer. Foi uma época terrível para não arrumar um trabalho."

Chapman perguntou a Ted se alguma vez estivera na Sherrod's, em Tallahassee.

"Nunca tinha ido lá até uma semana e meia atrás. A música é insuportável, é uma discoteca."

"Você alguma vez entrou de penetra em festas de repúblicas ou fraternidades para comer e beber cerveja de graça?"

"Não, tive experiência ruim com uma coisa dessa muito tempo atrás. Entrei com um amigo e tinha um bêbado violento. Consegui correr rápido o bastante."

"Você se lembra da semana de seleção e as festas de cerveja nos gramados em janeiro?"

"É, ouvia o barulho de algumas fraternidades perto de onde moro."

"O que você fazia à noite? Andava por aí?"

"Eu ia à biblioteca e fazia questão de dormir cedo. Quando arrumei a televisão, ficava no quarto porque tinha alguma coisa para fazer."

Quando lhe foi pedido que descrevesse suas noites de sábado, Ted desconversou. Não se lembrava de roubar a placa veicular por volta dos dias 12 ou 13 de janeiro, mas se lembrava de pegar uma placa seis dias depois de chegar a Tallahassee. Pertencia a uma van branca e laranja.

Quando questionado se alguma vez removera as impressões digitais dos carros roubados, respondeu com surpresa: "Bom... usava luvas, só luvas de couro". Lágrimas transbordaram dos olhos e embotaram as palavras.

"Há mais alguma coisa em relação a Tallahassee que você possa esclarecer?"

A voz embargou enquanto descrevia o roubo da bicicleta Raleigh negligenciada, que parecia quase ser uma companheira viva.

"Eu perguntei de uma van branca, roubada do campus..."

"Realmente não posso falar disso."

"Por quê?"

"Apenas não posso falar." Ted chorava.

"Porque você não a roubou ou por..."

A voz de Ted soava abafada pelos soluços. "Simplesmente não posso... é um caso..."

Chapman foi rápido em trocar de marcha, mudou o assunto para a prisão de Ted em Utah. Ele explicou que fora sentenciado, de um a quinze anos de prisão, por acusação de sequestro.

"Homem ou mulher?"

"Ah, bom... é tudo tão complicado. Pensei que vocês tivessem todo o histórico a essa altura. Fiquei na prisão em Utah de março até o fim de outubro de 1976, quando a acusação de homicídio chegou do Colorado."

Os detetives tiraram uma foto e alguém perguntou: "Qual é o seu melhor perfil? Diabo, você chegou ao topo das paradas semana passada..."

"Todos vão levar o crédito pela minha prisão."

"Você não gosta do FBI?"

"Eles são uns desgraçados superestimados."

Chapman perguntou a Ted o que aconteceu no Colorado.

"Comprovantes comuns de compra de gasolina... Não entendi direito como isso aconteceu. Ah, é... abasteci em Glenwood Springs no mesmo dia que Caryn Campbell desapareceu em Aspen, a 80 km de distância. Se os sinos tinham soado antes, agora *badalavam*, principalmente desde a situação em Washington. Tinha muitas conexões em Washington, o gabinete do governador etc. A pressão estava a mil."

"Que tipo de homicídio foi esse?"

"Bom, sei porque me contaram. Eram mulheres jovens e o capitão da Unidade de Homicídios do Condado de King estava sob pressão, mas nunca me interrogaram. Não tinham evidências."

"Que tipo de assassinato ocorreu por lá?"

"Ninguém sabe porque as partes estão espalhadas."

"E no Colorado?"

"Eu vi as fotos da necropsia. Lesão aguda e estrangulamento..."

"Como?"

"Não sei."

Chapman voltou a trocar de marcha e perguntou a Ted se alguma vez entrou em repúblicas para roubar carteiras.

"Não... seria muito arriscado, muita segurança. Suponho que tenham fechaduras, mecanismos de tranca, sistemas de alarme sonoro..."

A essa altura, Ted pediu para desligar o gravador e que só anotassem.

De acordo com o testemunho do detetive Chapman no tribunal, uma escuta foi ativada na sala de interrogatório, mas falhou na hora de gravar.

No estado de Washington, tais gravações sub-reptícias de interrogatório teriam maculado o interrogatório inteiro, mas eram permitidas na Flórida.

O interrogatório avançou noite adentro, e Bodiford, Patchen e Chapman disseram que Ted deu declarações muito mais condenatórias do que as das fitas. O juiz Cowart logo viria a decretar que *nenhuma* das declarações de Ted Bundy na noite de 16 para 17 de fevereiro de 1978 fosse aceita no julgamento em Miami, mas a conversa que supostamente aconteceu *depois* de desligar o gravador é a mais assustadora.

Os três investigadores disseram que Ted lhes contou ser notívago, "um vampiro", e que fora "voyeur, espreitador". Disse que nunca tinha "feito nada", mas que o voyeurismo tinha relação com suas fantasias.

Ted, ao que parece, descreveu uma garota que descera uma rua de Seattle anos antes, quando frequentava a faculdade de direito em Tacoma. "Senti que precisava possuí-la a qualquer custo, mas não fiz nada."

Supostamente falou do "problema" surgido depois que bebi e dirigi por aí — problema relacionado a suas fantasias.

"Ouçam", teria dito, depois que o gravador foi desligado. "Quero falar para vocês, mas criei bloqueios tão fortes que acho que não sou capaz de contar o que quero. Falem comigo."

"Você quer falar dos homicídios na Chi Omega?"

"As evidências estão aí, não parem de cavar até achar."

"Você matou aquelas garotas?"

"Não quero mentir para vocês, mas, se insistirem, minha resposta será 'não'."

"Você alguma vez colocou suas fantasias em prática?"

"Elas estavam tomando conta da minha vida..."

"Você alguma vez colocou as fantasias em prática?", Bodiford insistiu.

"O ato em si foi uma decepção..."
"Você alguma vez entrou na casa Chi Omega? Você matou as garotas?"
"Não quero mentir para vocês..."

Havia mais declarações supostamente feitas por Ted naquela noite e na seguinte. Era preciso decidir entre acreditar nos investigadores da polícia ou em Ted Bundy quanto à sua autenticidade.

De acordo com as informações do FBI e diversos repórteres que encheram os detetives de Pensacola de telefonemas, eles detiveram um suspeito de 36 homicídios, número difícil de acreditar.

Quando Chapman lhe perguntou sobre isso na conversa após a gravação, Ted supostamente respondeu: "Acrescente um dígito e você terá o número certo".

O que ele quis dizer? Será que estava sendo sarcástico? Quis dizer 37 homicídios ou... Não, não é possível... Será que quis dizer cem ou mais homicídios?

A estimativa do FBI contabilizava diversos casos não resolvidos que surgiram de maneira inesperada, incluindo alguns no sul da Califórnia. Segundo investigadores que seguiam sua trilha de maneira obstinada, dificilmente tais casos teriam ligações sólidas com Ted. Em caráter extraoficial, contudo, Ted pode ter insinuado aos detetives da Flórida que havia seis estados que ficariam muito interessados nele. Seis? Os policiais afirmaram que comentou sobre um acordo — dar informações em troca da vida, pois acreditava que havia coisas na sua cabeça inestimáveis para pesquisas psiquiátricas. Nenhuma das declarações foi gravada e, ao mesmo tempo que Ted parecia abordar fatos específicos, os investigadores disseram que recuava, provocando-os, oferecendo o doce apenas para puxá-lo de volta.

Quando a declaração "Acrescente um dígito e você terá o número certo" chegou aos ouvidos dos detetives de Washington, de imediato se lembraram de dois casos de longa data sem solução.

Em agosto de 1961, quando Ted tinha quinze anos, Ann Marie Burr, de nove, desapareceu para sempre de casa, em Tacoma, a apenas dez quarteirões da residência dos Bundy. Ann Marie acordara no meio da noite e contara aos pais que a irmãzinha estava doente. Em seguida, a menina loira e sardenta tinha presumidamente voltado para a cama. Mas, pela manhã, Ann Marie havia sumido, e a janela que dava para a rua fora encontrada escancarada. Vestia apenas camisola quando desapareceu.

Apesar da gigantesca investigação, chefiada pelo detetive Tony Zatkovitch da polícia de Tacoma, nenhum rastro de Anne Marie foi encontrado. O ex-detetive de Tacoma lembra que a rua diante da casa da menina fora escavada para recapeamento na noite em que desapareceu, e se pergunta se o corpinho foi enterrado às pressas nas profundas valas, e coberto por toneladas de terra e asfalto nos dias que se seguiram. Agora aposentado, Zatkovitch diz que o nome de Ted Bundy nunca foi incluído nas intermináveis listas de suspeitos.

Em 23 de junho de 1966, os detetives de homicídios de Seattle tiveram um caso que se assemelhava muito, muito mesmo, ao modus operandi dos casos nos quais Ted é suspeito. Lisa Wick e Lonnie Trumbull, ambas de vinte anos, moravam em apartamento no porão da casa na Queen Anne Hill com outra garota. Eram todas comissárias de bordo da United Airlines, e extremamente atraentes. A terceira garota não estava em casa na quarta-feira, 23, porque passou a noite com outra comissária. Lonnie Trumbull namorava o subdelegado do condado de King, que a viu ao entardecer e lhe telefonou às 22h daquela noite. A garota morena, filha do tenente do Corpo de Bombeiros de Portland, Oregon, disse ao namorado que estava tudo certo, e que ela e Lisa estavam prestes a se recolher.

Quando a colega de quarto de Lonnie e Lisa voltou, às 9h30 da manhã seguinte, encontrou a porta destrancada — circunstância incomum — e luz acesa. Ao entrar no quarto das amigas, encontrou as duas ainda deitadas na cama. Contudo, não responderam ao seu cumprimento. Intrigada, ligou o interruptor.

"Olhei para Lonnie e não acreditei no que vi. Tentei acordar a Lisa... e estava no mesmo estado", contou a garota aos detetives John Leitch, Dick Reed e Wayne Dorman.

Lonnie Trumbull jazia morta, a cabeça e o rosto cobertos de sangue, o crânio fraturado com instrumento rombudo. Já Lisa Wick estava em coma e também fora golpeada na cabeça, mas os médicos do Hospital Harborview especularam que sobrevivera porque os bobes no cabelo absorveram um pouco da força dos golpes. Nenhuma das garotas fora molestada sexualmente ou estrangulada; foram atacadas enquanto dormiam e não havia sinais de entrada forçada e nada fora roubado.

Joyce Johnson ficou no hospital com Lisa Wick durante dias, e se sentou perto do leito para ouvir o que quer que a garota gravemente ferida dissesse quando, ou se, saísse do coma. Lisa se recuperou, mas não se lembrou de nada. Tinha ido para a cama e acordado dias depois no hospital.

Os detetives de Seattle encontraram a arma do homicídio em terreno baldio ao sul do prédio — pedaço de madeira de 45 cm de comprimento e 20 de diâmetro, coberto de sangue e cabelo. O caso permanece aberto até hoje no arquivo do Departamento de Polícia de Seattle.

Ted Bundy estava com vinte anos naquele verão e, em algum momento no verão de 1966, se mudara para Seattle para frequentar as aulas na Universidade de Washington. Um ano depois, trabalhou na loja Safeway, na Queen Anne Hill.

Não havia mais nenhuma semelhança — nada além da proximidade e do modus operandi —, mas os casos Burr e Wick-Trumbull vieram à memória dos investigadores quando ouviram o comentário casual de Ted Bundy no dia 17 de fevereiro de 1978.

O chefe dos detetives do condado de Leon, Jack Poitinger, se lembrou que Ted lhes revelou um dia depois o desejo de ferir mulheres, como disse ao depor à defesa. Poitinger lhe perguntara por que tamanha inclinação para roubar Fuscas, e respondeu que eles faziam muitos quilômetros por litro.

"Ora, vamos, Ted. O que mais tem a respeito deles?"

"Bom, dá para tirar o banco da frente."

Houve hesitação por parte de Ted, e Poitinger disse: "Deve ser mais fácil transportar alguém dentro do carro desse jeito".

"Não gosto de usar essa terminologia."

Os detetives e o suspeito procuraram a palavra mais apropriada, e concordaram com "carga".

"É mais fácil transportar carga desse jeito."

"Por que é mais fácil?"

"É melhor para controlá-la..."

De acordo com o depoimento de Poitinger, Ted insinuara que preferia acabar em algum tipo de instituição no estado de Washington, onde poderia ser "estudado".

"Estudado para quê?"

Poitinger, mais tarde, ao responder a pergunta feita pelo advogado de defesa de Bundy, Mike Minerva, disse: "Acho que a essência da conversa foi de que o problema era o desejo que tinha de causar grandes danos corporais em mulheres".

Chapman, que parecia ser o preferido de Ted, perguntou: "Se me contar onde o corpo [de Kimberly Leach] está, vou até lá recuperá-lo e deixar que os pais saibam que a filha deles está morta".

"Não posso fazer isso porque o local [visão?]¹ é terrível demais para contemplar."

Quando Ted foi subsequentemente transferido para a prisão do condado de Leon, em Tallahassee, em caravana de veículos sob forte vigilância, o detetive Don Patchen voltou a lhe perguntar: "A garotinha está morta?".

"Bem, vocês, cavalheiros, sabiam que estavam se envolvendo com criatura bastante estranha, e sabem disso já há alguns dias."

"Precisamos da sua ajuda para encontrar o corpo de Kim, para que os pais dela possam pelo menos enterrá-la e seguir com a vida."

De acordo com Patchen, Ted se levantou da cadeira, amassou o maço de cigarros e o jogou no chão: "Mas sou o filho da puta mais desalmado que vocês já conheceram".

Se todos os comentários feitos por Ted Bundy em caráter extraoficial puderem ser levados a sério, existe, de fato, um lado dele nunca revelado para ninguém a não ser as vítimas — que não podem mais falar.

Norm Chapman afirma que Ted fez esses comentários e que, quando o acompanhou ao banheiro, em 17 de fevereiro, Ted insinuara que não queria mais conversar com seus defensores públicos, Terry Turrell e Elizabeth Nicholas.

"Disse: 'Norman, você precisa me levar para longe daqueles filhos da mãe. Estão tentando me persuadir a não falar de coisas que eu *quero* falar'. Ted disse que queria falar de si mesmo e sua personalidade, seu 'problema', porque as fantasias estavam tomando conta de sua vida. Trabalhou com pessoas com problemas emocionais, mas não conseguia discutir os *dele* com ninguém. Disse ainda que, para sustentar suas fantasias, precisava cometer atos contra a sociedade. Nós presumimos que o 'problema' estava relacionado à morte. Disse também que, quando assumisse a 'personalidade de advogado', falaria com os defensores públicos, e que deveríamos perceber como aquela era grande concessão de sua parte. Insistia em não querer mentir para nós, mas, se o obrigássemos, teria que faltar com a verdade. Disse isso muitas vezes. Expliquei que não poderia botar os defensores públicos para correr, ele mesmo teria que fazer isso."

Era 6h15 (horário da Flórida) quando Ted me telefonou na manhã de 17 de fevereiro para dizer que queria desabafar tudo, conversar. Os defensores públicos aguardaram do lado de fora da sala de inter-

---

1 No original: "I cannot do that because the site [sight?] is too horrible to look at". *Site* (local) e *sight* (visão) são pronunciados da mesma maneira e existe a dúvida dos envolvidos no caso sobre o que ele realmente quis dizer. [NT]

rogatórios, e afirmaram que só tinham permissão para vê-lo depois das 10h. Quando enfim o encontraram, Ted chorava, angustiado e digressivo enquanto falava.

Naquela noite, a defensora pública Elizabeth Nicholas foi até a prisão do condado de Escambia e voltou a exigir permissão para ver Ted. Disse ao carcereiro que tinha receita de soníferos para ele. O carcereiro bloqueou o caminho e Elizabeth ligou para o juiz. O carcereiro ficou furioso e disse que tinha o direito de revistá-la.

"Espero que haja uma mulher para fazer isso", disse.

"Minha senhora, há homens pelados ali", enrolou o carcereiro.

"Então, não vou olhar", retrucou.

Recebeu permissão para entrar na área das celas e viu que Ted dormia profundamente. Na audiência preliminar, dezoito meses depois, Ted Bundy testemunhou que tinha apenas vaga lembrança dessa manhã, e que com toda certeza teria conversado com os advogados se soubesse que estavam do lado de fora da sala de interrogatório.

Houvera um cabo de guerra pelo prisioneiro entre detetives e defensores públicos. Com qual grupo Ted queria conversar, se é que queria conversar com algum deles, é outra área que permanece obscura.

37.

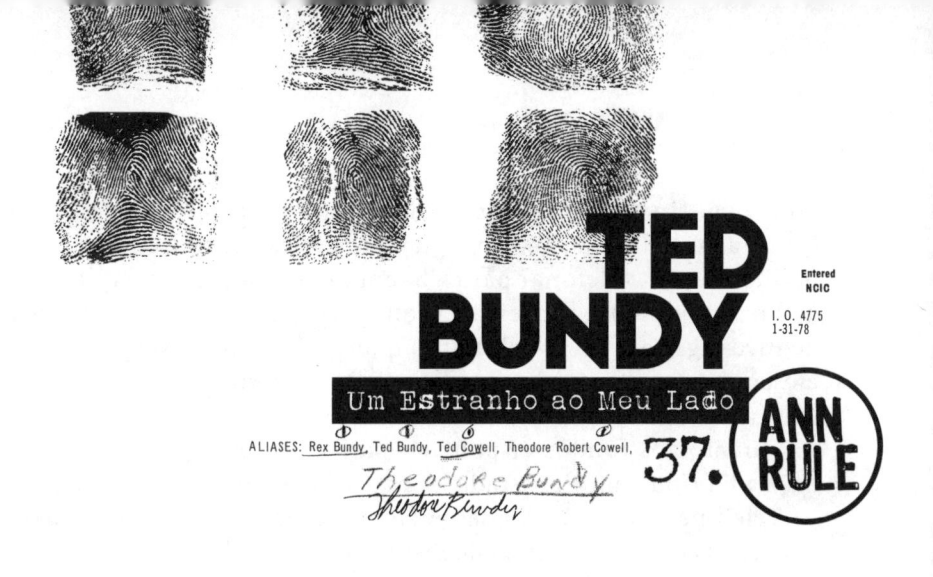

Quem quer que esteja___
___com o corpo

Durante grande parte daquela sexta-feira, 17 de fevereiro de 1978, tentei falar com Ted e, é claro, me deparei com uma barreira gigante em Pensacola, Flórida. A noite daquela sexta-feira deveria ser empolgante para mim, afinal, era minha estreia em Hollywood. Era convidada do diretor do filme, meu colaborador em novo roteiro cinematográfico, e havia muitas estrelas do cinema. Isso teria rendido bastante assunto para cartas aos meus amigos iludidos em Seattle, que visualizavam minha vida em Los Angeles como algo mais exótico do que realmente era. Em vez disso, tudo foi arruinado. Ouvia a voz aterrorizada de Ted, um pedido de socorro a quase 5 mil quilômetros de distância.

Sabia o que ele queria, embora não tivesse dito nada abertamente. Ted queria voltar para casa. Estava pronto, àquela altura, para confessar tudo, se pudesse voltar a Washington e confinado em hospital psiquiátrico. Ele me ligou porque não tinha mais o que fazer, a fuga chegara ao fim. Não havia mais nenhum canto na mente onde ir para esquecer tudo aquilo, e ele estava assustado.

Tentei, literalmente, salvar sua vida. Telefonei para as agências do estado de Washington para tentar arranjo que lhe permitisse confessar para mim e, por acordo judicial, ser transferido para Washington e confinado em hospital psiquiátrico. Durante todo o sábado, fiquei ao telefone. Primeiro, liguei para Nick Mackie e perguntei se podia intervir, telefonar para Chapman ou Poitinger e explicar que Ted provavelmente conversaria comigo, e era isso que o contingente de investigadores de Washington queria. Mackie disse que entraria em contato com o assistente sênior da promotoria, Phil Killien, e voltaria com a resposta.

Quanto aos fundos disponíveis para custear as passagens aéreas para a Flórida e minha estada lá, não sabia de nada.

Telefonei para a Unidade de Homicídios da Polícia de Seattle e conversei com o tenente Ernie Bisset, comandante-assistente da unidade. Achava que deveria ir a Pensacola se houvesse como. A polícia de Seattle tinha verba disponível para investigações, contou Ernie, e tentaria providenciar a passagem aérea para mim.

Bisset me telefonou de volta meia hora depois. Conseguira aprovação para minha viagem à Flórida, mas cabia a mim verificar se as autoridades de lá permitiriam que conversasse com Ted. A polícia de Seattle não tinha qualquer influência nos detetives da Flórida.

Pouco tempo depois, Phil Killien me ligou. Expliquei-lhe que Ted parecia propenso a conversar comigo, mas que tinha sido incapaz de entrar em contato com ele via telefone desde a noite de quinta-feira.

"Phil", perguntei, "quem tem jurisdição sobre Ted? Seria Washington porque os primeiros crimes aconteceram em Seattle, ou seria a Flórida?"

"Quem quer que esteja com o corpo", respondeu.

Por um instante, fiquei confusa. *Qual* corpo? Washington tinha meia dúzia de corpos, e Utah e Colorado tinham sua cota, mas a Flórida também tinha dois, com Kim Leach ainda desaparecida. "Qual corpo?", perguntei a Phil Killien.

"O *corpo* dele, o corpo de Ted Bundy. Estão com ele, e isso lhes proporciona jurisdição primária. Podem fazer o que bem entenderem."

E podiam mesmo. Se a Flórida não quisesse que eu conversasse com Ted, então não conversaria com ele. Era óbvio que os detetives de lá não me queriam, e o que o acusado queria não interessava nem um pouco a eles.

O corpo___
___no galpão

Embora Ted fosse o principal suspeito dos assassinatos na Chi Omega, ao ataque em Dunwoody Street e ao sequestro de Kimberly Leach era, por ora, acusado apenas de múltiplos roubos e arrombamentos de veículos, furtos de cartões de crédito, falsificação e "espoliação" (termo um tanto arcaico que significa declarar ou afirmar que nota, dinheiro ou documento é genuíno ou válido quando na verdade é falso). A condenação para este conjunto de acusações — assim como após a primeira fuga no Colorado — podia lhe render mais do que uma vida na prisão: 75 anos. Mas o estado da Flórida estava à procura de mais, e não pretendia correr o risco de ver o "Houdini das prisões" escapar novamente.

Sempre que saía da cela, Ted usava algemas, correntes e volumosa órtese ortopédica do pé esquerdo à coxa, que lhe fazia mancar de modo pronunciado. Quando um repórter em audiência lhe perguntou o porquê da órtese, Ted sorriu: "Tenho um problema na perna — corro rápido demais". Para a imprensa, pelo menos, conseguia exibir a velha bravata.

Enquanto o processamento do Fusca laranja e da van Dodge branca prosseguiam, o mesmo acontecia com a busca por Kimberly. Todos pensavam procurar por nada além do que um cadáver em decomposição. Os detetives também corriam atrás dos comprovantes de cobrança dos cartões de crédito roubados de Ted.

Em dia 18 de fevereiro, enquanto tentava, ingenuamente, obter um acordo judicial para ele, Ted fora retirado da cela em Pensacola e levado de volta a Tallahassee, a cidade que planejara nunca mais visitar. Ao longo das dificuldades judiciais, sempre houve algum agente da lei ou promotor que deixava Bundy irritado: Nick Mackie, Bob Keppel, Pete Hayward, Jerry Thompson e Frank Tucker. Estava prestes a se deparar com outra nêmese: delegado Ken Katsaris, da delegacia do condado de Leon.

Katsaris era moreno e bonito, 35 anos e, em uma reunião política, brincou que "Ted Bundy é meu prisioneiro favorito". Ted desprezaria Katsaris, e confiaria cada vez mais em Millard Farmer, advogado de Atlanta e um dos fundadores do Team Defense, que auxilia judicialmente indigentes que enfrentam a pena de morte. Ted conversou com Farmer via telefone desde o Colorado, e agora o queria ao seu lado. Isso não agradou as autoridades judiciárias da Flórida, que consideravam Farmer força desordeira no tribunal, dado a estratagemas espalhafatosos.

Farmer deu entrevista ao *Tallahassee Democrat* após a prisão de Ted, em que o caracterizou como "pessoa muito perturbada mentalmente, Ted Bundy é emocionalmente perturbado. Ter atenção direcionada [a ele] é o seu interesse. Gosta desse jogo, parece gostar de observar os agentes da lei chafurdarem na ignorância".

Mas Farmer disse que sua equipe se ofereceria para defender Bundy se fosse acusado dos homicídios na Flórida.

Durante a primeira semana de março de 1978, Ted apareceu duas vezes no tribunal do juiz Rudd: uma para ouvir as acusações contra si até então, e outra para lutar contra o pedido da promotoria que o obrigava a fornecer amostras de cabelo, sangue e saliva. Restaurara, ao que parecia, a persona confiante e brincalhona, apesar da órtese volumosa na perna e de ainda usar o imundo suéter para esquiar e calça amarrotada.

Levando em consideração o seu histórico, as 34 acusações de falsificação e de espoliação contra ele (compras no valor de 290,82 dólares com cartão de crédito roubado da esposa de um estudante de criminologia da UEF) não eram nada. Pareceu mais irritado com o prazer de Ken Katsaris diante dos holofotes do que com as insinuações.

Escrevi para Ted assim que descobri que não teria permissão de conversar com ele por telefone nem de viajar para a Flórida, mas só tive notícias em 9 de março. A carta, enviada para Los Angeles, é datada como 9 de fevereiro de 1978. Mais uma vez, perdera a noção do tempo. Não foi nenhuma surpresa, a carta foi um dos comunicados mais deprimentes que recebi dele e, creio, inclui palavras-chaves do que aconteceu.

Ted começa dizendo que o telefonema para mim em fevereiro parecia ser de muitos meses antes, embora ainda conseguisse se lembrar da conversa com bastante clareza. Admitiu que estava "em péssimas condições" na época, mas que conseguiu se recompor após um ou dois dias. Ted agradeceu minha preocupação e disposição em ir para a Flórida para conversar. Contudo, disse também que lamentáveis mudanças nas circunstâncias fizeram com que essa viagem se tornasse "impossível e desnecessária".

Escreveu que cada nova fase da existência parecia ser mais insuportável do que a anterior, e que achava cada vez mais difícil expressar emoções e opiniões por escrito. Muitas coisas aconteceram desde a fuga da prisão do condado de Garfield, em dezembro. Contou estar tão amargamente decepcionado por aquela oportunidade ter terminado em fracasso, que se sentia incapaz e relutante em discutir os eventos dos dois meses anteriores. "Dois meses, parece que muito mais tempo se passou..."

A caligrafia oscilava ao longo da página, e foi difícil de ler. Sua escrita sempre variou de acordo com a intensidade das emoções no momento.

> Tento não pensar no futuro. Tento não pensar nos poucos dias preciosos que tive como pessoa livre. Tento viver no presente como fiz em ocasiões passadas em que estive encarcerado. Essa abordagem deu certo anteriormente, mas não está dando muito certo agora. Estou cansado e desapontado comigo. Durante dois anos, sonhei com a liberdade. Eu a tive, e a perdi por conta da combinação de compulsão e burrice. É um fracasso que considero impossível de descartar com facilidade.
>
> Com amor,
> *ted*
>
> P.S.: Obrigado pelos 10 dólares.

Quantas vezes acrescentara aquele mesmo P.S.? Quantos cheques de 10 dólares enviara ao longo daqueles anos? Trinta... quarenta, talvez. E agora ele estava de volta, encarcerado, bem distante dos restaurantes franceses, dos espumantes, até mesmo das garrafas de cerveja e de leite que bebia no quarto no The Oak, com 10 dólares para comprar cigarros.

Ted colocava a culpa do fracasso e da captura na "compulsão", e falava dos "poucos dias preciosos de liberdade". Será que 44 dias e meio podiam ser chamados de "poucos"? Ou estava falando dos dias entre a fuga e os primeiros assassinatos? Será que tentara, com todas as forças, superar a compulsão apenas para descobrir que não consegue controlá-la?

Desde aquela noite de terror na casa Chi Omega — de 14 para 15 de janeiro —, será que Ted, em essência, nunca esteve livre, em absoluto, mas, em vez disso, se enredou em um tipo de prisão mental em que não conseguia escapar? Seu fracasso em encontrar trabalho honesto pode até ser interpretado como burrice por ele, mas acredito que 'compulsão' seja a palavra-chave em seu texto.

Depois dessa carta, demoraria quatro meses para voltar a receber notícias dele, ainda que lhe tivesse escrito diversas vezes. Estava muito ocupado, repetindo e repetindo padrões de comportamento como se fosse uma cobaia na esteira.

Em 1º de abril, Ted pediu ordem judicial para defender a si mesmo das acusações de roubo de cartões de crédito e veículos. Assim como fizera no Colorado, queria ser solto da cela três dias por semana para visitar a biblioteca de direito, ter iluminação melhor no cárcere, máquina de escrever, papel, suprimentos, e queria que os funcionários da prisão recebessem ordem para não interferir ou censurar as correspondências judiciais que chegavam e saíam, além de redução da fiança. A audiência foi marcada para o dia 13 de abril.

Em 7 de abril, os rastreadores afinal encontraram o que restava da garotinha de doze anos, Kimberly Leach. Quando a van Dodge foi analisada, os criminalistas retiraram amostras de terra, folhas e cascas de árvore encontradas no interior e presas ao chassi. Botânicos e especialistas em solo identificaram a terra como originária de algum lugar perto de rio ao norte da Flórida. Não era pista que apontasse com exatidão o local onde o corpo de Kim poderia ser encontrado, mas foi um começo.

O condado de Columbia é limitado pelo rio Suwannee, a noroeste, e pelo Santa Fé, ao sul. O condado adjacente de Suwannee é limitado pelo rio Suwannee em três de suas quatro fronteiras. O rio Withlacoochee se une ao Suwannee do outro lado do Parque Estadual do Rio Suwannee. As margens desses rios pareciam ser as áreas mais prováveis onde concentrar a busca, embora já tivessem sido vasculhadas.

No final de fevereiro, os rastreadores encontraram um tênis adulto, outros detritos e fios de cabelo humano ao longo do rio Suwannee perto de Branford, a 40 km de Lake City. Reuniram as possíveis evidências e as testaram, mas, por fim, não revelaram muita coisa.

Circularam boatos de que houvera "descoberta extraordinária" perto da entrada do parque estadual em março, mas nada específico chegara ao público, e nada oficial fora anunciado. A tal descoberta era uma pilha de bitucas de cigarro descartadas da marca Winston, a mesma encontrada no cinzeiro do Fusca que Ted dirigia quando foi preso. O Parque Estadual do Rio Suwannee tinha os tipos certos de solo e de vegetação encontrados no interior da van roubada. No dia 7 de abril, o patrulheiro da Polícia Rodoviária da Flórida, Kenneth Robinson, trabalhou com equipe de busca de quarenta membros perto do parque, bem na saída da Interestadual 10.

O dia era escaldante para abril, as temperaturas avançavam aos 30°C, e os rastreadores enfrentavam nuvens de mosquitos conforme atravessavam o matagal e exploravam o interior de dolinas rasas com varas, e as mais fundas com equipamento de mergulho.

O trabalho matinal não rendeu nada, e a equipe parou para rápido almoço à sombra. Se a missão não fosse tão grotesca, poderiam desfrutar de cornisos e olaias em flor. Mas havia a imagem sempre presente na mente, a imagem do corpo escondido da garotinha falecida há tanto tempo.

Depois do almoço, o grupo de Robinson organizou linhas de busca que irradiavam a partir da dolina. Rastreadores a cavalo fizeram a varredura antes, mas a região ainda não fora examinada a pé. Robinson, sozinho, caminhou pela vegetação rasteira por talvez quinze minutos. À frente, viu o pequeno galpão abandonado, de metal laminado, usado para a criação de leitoas e as ninhadas. Uma cerca de arame rodeava a estrutura.

Robinson, magricelo, se agachou e espiou pelo buraco na lateral aberta do galpão. Enquanto os olhos se ajustavam à escuridão do interior, encontrou primeiro o tênis... e depois o que parecia ser a camiseta de malha, com o número 83.

Não havia nenhuma perna ou pé no tênis — apenas o osso descarnado e ele ficou enjoado. Claro, todos ali sabiam o que poderiam encontrar, mas a ignomínia do local — o pensamento de que Kim Leach tinha sido largada no chiqueiro daquela área desolada — o fez ter ânsia de vômito.

Robinson se levantou e recuou. Chamou os homens e de imediato passaram fitas de isolamento ao redor do chiqueiro transformado em tumba. Era 12h35.

Logo o dr. Peter Lipkovic, médico-legista de Jacksonville, chegou ao local e o telhado do galpão, que havia cedido, foi erguido com cuidado. Havia pouca dúvida de que se tratava de Kim. O corpo estava nu, exceto pelos tênis e a camisa de gola alta branca — mas o casaco com gola de pele sintética, a calça jeans, a malha, as roupas íntimas e a bolsa estavam todos ali, em incongruente pilha asseada ao lado do cadáver.

Em pouco tempo, registros dentários confirmariam com certeza se tratar de Kim Leach.

O dr. Lipkovic realizou a necropsia no corpo e encontrou "praticamente o que se poderia esperar depois de oito semanas". Visto que os meses de fevereiro, março e abril foram incomumente quentes e secos para a época, grande parte do corpo virtualmente se mumificou em vez de decompor. Os órgãos internos estavam ali, mas ressecados, não havia fluidos corporais. Testes para descobrir o tipo sanguíneo tiveram de ser feitos a partir de amostras de tecido.

A causa da morte permaneceu questionável, como sempre acontece quando corpos jazem por muito tempo sem ser achados. Oficialmente, Lipkovic apenas diria: "Sucumbiu devido à violência homicida na região do pescoço. Houve quantidade considerável de força aplicada ao pescoço que rasgou a pele, mas não faço ideia se foi feita com instrumento rombudo ou afiado".

Não sabia se a menina fora estrangulada, mas não excluiu a possibilidade. Não havia ossos quebrados; porém, com certeza, alguma coisa penetrara o pescoço. O ferimento perfurante costuma ser de faca ou arma de fogo. Não havia nenhum sinal, em absoluto, de fragmentos de bala ou detritos do cano de arma de fogo.

Ao contrário das garotas em Tallahassee, Kim não tinha fraturas cranianas, nenhum golpe de instrumento pesado. Havia evidências de ataque sexual, embora isso também fosse impossível de confirmar com necropsia ou testes. O dr. Lipkovic disse, de modo um tanto inescrutável, que as áreas feridas do cadáver se decompõem com mais rapidez do que aquelas que não sofreram traumas. Quis dizer

2/9/78

Dear Ann,

I try not to look forward; I try not to think back to the precious few days I had or or full freedom. I try to live in the present as I have on past occasions when I have been locked up. This approached worked in Colo. first but is not working well now. I am tired and disappointed in myself. Two years I dreamed of freedom. I had it and lost it through a combination of compulsion and stupidity. It is a failure I find impossible to dismiss easily.

love,
Ted

P.S. Thanks for the $10.

MUITAS PESSOAS ESCREVERAM PARA PEDIR AMOSTRA DA CALIGRAFIA DE BUNDY, E POR ISSO INCLUO UMA CARTA QUE ME ENVIOU DA FLÓRIDA EM MARÇO DE 1978 (EMBORA A TENHA DATADO ERRONEAMENTE COMO FEVEREIRO). ESTA É A CARTA ONDE COLOCA A CULPA DA CAPTURA EM SUA "COMPULSÃO E BURRICE".

que não havia tecido vaginal suficiente para examinar e buscar sinais de ataque sexual.

No parque estadual, os rastreadores continuaram as buscas por evidências. Encontraram jaqueta masculina cáqui estilo militar, manchada de sangue, a mais ou menos 30 metros do chiqueiro.

Muito provavelmente Kim já estava morta quando o corpo foi levado ao Parque Estadual do Rio Suwannee. Havia pouquíssimo sangue no local, e as fundas depressões na terra — as marcas de deslocamento — dentro da van Dodge eram consistentes com um corpo puxado com grande esforço para fora do veículo.

Com pesar, mas pouca surpresa, os pais de Kim aceitaram a notícia de que ela, afinal, tinha sido encontrada. Sabiam que nunca fugiria deles. Agora tinham apenas um filho mais novo. "As coisas não estão muito melhores agora", disse Freda Leach, com amargura. "As coisas nunca mais serão boas."

Quando Ted foi informado de que a polícia encontrou o corpo de Kim, não demonstrou nenhuma emoção.

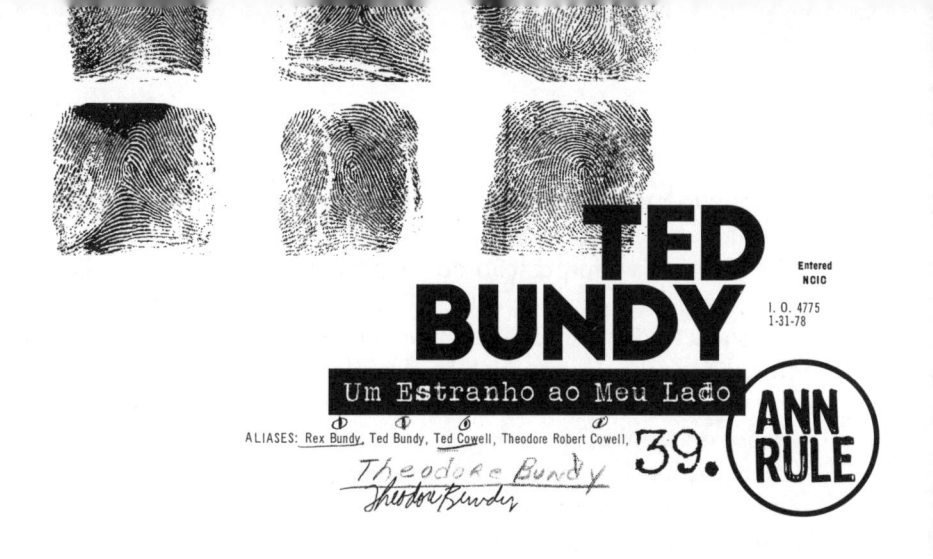

_Extremamente provável, mas não absoluto___

A van Dodge já havia cumprido seu papel com as evidências físicas. As amostras de terra e folhas levaram os rastreadores às margens do rio Suwannee. O hodômetro mostrava que o veículo fora conduzido ao longo de 1.270 km entre o instante do roubo, 5 de fevereiro, e o quando foi abandonado, em 12 de fevereiro. Agora, Mary Lynn Hinson e Richard Stephens tinham algumas amostras para comparar com as evidências guardadas, que até aquele momento tinham sido inúteis, apenas metade de intrigante quebra-cabeça.

O tipo sanguíneo de Kimberly Leach era B, o mesmo tipo do sangue coagulado na traseira da van. O estado dessecado do cadáver, no entanto, fez com que fosse impossível dividir os fatores sanguíneos em características enzimáticas. Evidências físicas possíveis, mas não prováveis ou absolutas. Manchas de sêmen nas roupas íntimas encontradas ao lado do corpo da criança foram deixadas por homem com tipo sanguíneo O, secretor — o tipo de Ted Bundy. Outra vez, a evidência possível, mas não absoluta.

A srta. Hinson tinha um par de mocassins e um par de tênis de corrida — ambos estavam com Ted quando foi parado pelo policial Lee. Ela comparou as solas dos pares e constatou que eram idênticas às pegadas deixadas na terra no interior da van Dodge.

Outra evidência física mais do que possível, mais do que provável, mas não absoluta.

A complexa composição do carpete da van com quatro cores — verde, azul, turquesa e preto — viria a se tornar muito importante nos testes das centenas de fibras de tecidos encontradas na van. Muitas das fibras estavam entrelaçadas. Fiapos de fibra azul (tecedura incomum de poliéster com 31 fibras por fio) viera da malha de futebol de Kimberly.

Fibras idênticas foram encontradas ainda grudadas ao blazer azul-marinho que Ted vestia ao ser preso. Fibras do paletó esporte azul foram identificadas microscopicamente com aquelas grudadas nas meias brancas de Kimberly. De novo e de novo, Hinson encontrou testemunhos silenciosos de que as roupas de Kim tinham entrado em contato com o carpete da van (ou com carpete microscopicamente idêntico) e com as roupas usadas por Ted (ou com roupas microscopicamente idênticas). A conclusão da especialista em microanálise foi que era muito provável, "na verdade extremamente provável", que as roupas de Kim tivessem entrado em contato com o carpete da van e com o blazer azul de Ted Bundy.

Extremamente provável. Não absoluto.

Hinson não tentou encontrar compatibilidades com nenhuma fibra aspirada da van, exceto aquelas que pareciam corresponder com o carpete ou com as roupas usadas por Ted ou Kim. Patricia Lasko, especialista em microanálise do laboratório da Agência de Criminalística da Flórida, não encontrou nenhuma compatibilidade com os cabelos de Kim ou de Ted entre as centenas de amostras de cabelos encontradas.

Não havia impressão digital de Ted. Era impossível dizer se as impressões de Kim estiveram lá. Crianças de doze anos raramente têm impressões digitais arquivadas, e o corpo de Kim estava decomposto demais para obter digitais completas das pontas dos dedos.

Devido ao emaranhado de fibras das roupas de cada indivíduo e a posição que o corpo de Kim fora encontrado, o legista Lipkovic conjecturou que a criança tinha sido assassinada durante o ataque sexual. Ao que parecia, o corpo fora deixado naquela posição enquanto o processo de *rigor mortis* começava, e transportado para o barracão de porcos, onde foi encontrado.

As etiquetas de preço da loja Green Acres Sporting Goods encontradas na van foram rastreadas até Jacksonville. O dono da loja, John Farhat, se lembrava de vender a faca de caça grande em algum dia no início de fevereiro. "Eu tinha acabado de subir o preço de 24 para 26 dólares." Vendera o produto à vista para um homem de cabelos castanhos, na casa dos trinta anos. Mas Farhat escolhera a fotografia de outro homem na ficha — não era Ted. Mais tarde, ao ver a foto de Ted no jornal, telefonou para o investigador estadual e contou que agora tinha certeza de que o homem que havia comprado a faca de 25 centímetros era Ted Bundy.

No Fusca laranja que Ted dirigia quando foi preso em Pensacola havia um par de óculos de armação escura — óculos com lentes transparentes e sem grau. E também uma calça xadrez. Será que essas roupas e os óculos eram de "Richard Burton, Corpo de Bombeiros"?

Como sempre, as compras com cartão de crédito feitas por Ted lhe trariam dor de cabeça, principalmente por conta dos cartões usados para abastecer o carro. Entre os 21 cartões encontrados com ele ao ser detido pelo policial Lee, havia alguns roubados de Kathleen Laura Evans (Gulf), Thomas N. Evans III (Master Charge) e William R. Evans (Master Charge), cartões que estiveram na bolsa da sra. Evans em Tallahassee antes de sumirem.

Ao longo dos anos, os detetives descobriram que Ted parecia ter uma espécie de fobia de ficar sem combustível, e abastecia com frequência o carro em pequenas quantidades, muitas vezes no mesmo dia. Nos dias 7 e 8 de fevereiro, os cartões Gulf e Master Charge foram usados para abastecer o carro em Jacksonville. Uma de 9,67 dólares, a outra de 4,56 dólares. A placa do carro: 13-D-11300.

Randy Jones, recepcionista do Holiday Inn em Lake City, se recordava de registrar um homem de aparência "pouco andrajosa, com barba de uns três dias", na noite de 8 de fevereiro. Jones notara que os olhos do homem pareciam "vidrados", e outro recepcionista pensara que podia estar sob influência de álcool ou drogas. Assinara "Evans" ao usar um dos cartões roubados em Tallahassee. Pagou a refeição e diversos drinques no saguão.

Na manhã seguinte, "Evans" fez check-out, mas não de maneira oficial. Não lhe custaria nada pagar pelo quarto do hotel, visto que tinha roubado o cartão de crédito, para começo de conversa, mas simplesmente saiu do quarto às 8h.

Menos de uma hora mais tarde, Kimberly Leach foi vista ser levada para dentro da van Dodge branca por um "pai irritado". O bombeiro Andy Anderson seguiu para casa, para trocar de roupa, e não disse nada do incidente. Estava, diria depois, "com um pouco de medo de começar tumulto... de ver policiais enviados para missão inútil". Realmente não pensou que a garota que vira com o "pai" tinha qualquer ligação com a adolescente desaparecida. Quando afinal foi à polícia, seis meses depois, Anderson de bom grado se deixou ser hipnotizado para trazer de volta em detalhes a cena que testemunhara na manhã de 9 de fevereiro. Foi capaz de descrever as roupas de Kimberly e o homem que a levara embora.

"O homem estava barbeado... 29-30-31 anos, bem-apessoado, 73-74 quilos."

Jackie Moore, a esposa do cirurgião, *havia* procurado a polícia, mas não conseguira identificar Ted com certeza até vê-lo explodir de raiva no tribunal em Orlando, dois anos mais tarde, enquanto assistia à transmissão televisiva do julgamento. Apenas então, quando teve um vislumbre do perfil enraivecido do réu, pôde sobrepô-lo ao rosto que ainda estava vívido na memória.

Clinch Edenfield, o guarda de trânsito da área escolar, outra testemunha ocular, viria a ser ineficaz. Dois anos mais tarde, se lembraria que 9 de fevereiro de 1978 tinha sido o "típico dia quente de verão". Na verdade, fora um dia tempestuoso, com temperaturas próximas de zero e encharcado com pancadas de chuva gélida.

O Show de____
____Ted e Ken

Haveria poucos períodos nos dezoito meses seguintes em que os jornais da Flórida não publicariam pelo menos uma reportagem sobre Ted Bundy, mas ele não receberia permissão para "coletivas de imprensa" que *ele* queria fazer na prisão. Uma vez que seu anonimato tinha desaparecido, Ted quis contar à imprensa como percebia a cobertura cada vez mais incisiva que o identificava como suspeito número um nos casos de Tallahassee e de Lake City. Conseguiu enviar em segredo algumas cartas para jornalistas no Colorado e Washington, denunciando as abrangentes acusações feitas contra ele pela imprensa da Flórida.

O estado da Flórida estava mais interessado nas amostras de seu cabelo e sangue, por fim, fornecidas. Ted se recusou a colaborar com amostras da caligrafia. O juiz Charles Miner disse que, se continuasse com a recusa, lhe negaria o direito de receber informações dos casos de falsificação.

Em 10 de abril de 1978, Ted foi acusado de mais dois casos de falsificação. Uma das acusações alegava o roubo de um cartão Gulf Oil em Lake City para abastecer o carro no dia 9 de fevereiro. A segunda foi pelo uso de cartão Master Charge roubado na mesma cidade. Lake City agora tinha o direito legal de retê-lo. Mas Lake City enfrentaria longa espera. Ainda havia 62 acusações no condado de Leon. E, é claro, ele era procurado no Colorado por homicídio e fuga.

Os problemas judiciais continuavam a se acumular. Em 27 de abril, o mandado enviado para Ted no cárcere do condado de Leon decretava que seria levado ao consultório dentário para fazer as impressões de seus dentes, que seriam comparadas às marcas de mordida no corpo de Lisa Levy.

"Não é impossível que alguém venha a ser acusado pelos assassinatos na Chi Omega em futuro próximo", teria dito o delegado Katsaris. Na mesma época, o juiz Minor cancelou o julgamento por roubo e arrombamento de veículos marcado para o 9 de maio, e disse que não o remarcaria até que o suspeito concordar em fornecer amostras de sua caligrafia. A súbita ida ao consultório do dentista parecia deliberadamente planejada para surpreender Ted. Os boatos diziam que as autoridades não queriam lhe dar a chance de "desgastar os dentes" antes de obter as impressões odontológicas.

Havia muitas especulações de que acusações de homicídios poderiam ser feitas em breve, mas Katsaris desmentiu os boatos: "Provavelmente acontecerão dentro dos próximos dois meses... ou em momento nenhum".

Com os meses se arrastando, e nenhuma acusação de homicídio, parecia que os assassinatos da Flórida terminariam como os casos em Washington e Utah. Talvez não houvesse evidências físicas suficientes para arriscar o julgamento.

Entrementes, Ted, ao que parecia, tinha mais uma vez se acostumado à prisão. O edifício da prisão do condado de Leon é de tijolos brancos de quatro andares — não é novo, mas também não é um buraco de rato sufocante como as prisões sulistas são retratadas na ficção.

Ele era mantido em isolamento na cela de segurança reforçada com capacidade para quatro homens no centro da prisão no segundo andar. Não tinha contato com nenhum dos outros 250 detentos, e os únicos visitantes eram os defensores públicos locais. Parecia gostar dos carcereiros, em especial de Art Golden, bem-apessoado, vigoroso e de passos arrastados, encarregado da prisão. Entretanto, Ted nunca tivera muitas críticas em relação aos seus carcereiros. Detetives e promotores eram os alvos habituais de suas observações mais mordazes.

A cela era limpa e tinha ar-condicionado, e havia permissão para ouvir rádio e ler jornais. Ele sabia que o grande júri parecia pender para o indiciamento por conta das acusações de homicídio.

Cientes das fugas anteriores de Ted, seus vigias estavam cautelosos. A luminária no teto da cela ficava muito no alto para que a alcançasse, a porta externa fora reforçada com duas fechaduras extras, e apenas um carcereiro carregava a chave que abria as duas. Como sempre, Ted reclamava da falta de exercício, da comida e da iluminação. Não conseguia ver o mundo exterior, não havia janelas na cela, nem uma com grades.

Millard Farmer, que ainda não era o advogado oficial de defesa, insinuou que faria acusações federais porque as condições da prisão violavam os direitos de Ted. Era cantilena bastante conhecida.

Embora tivesse escrito para ele diversas vezes durante a primavera de 1978, só voltei a receber notícias de Ted em julho. Àquela altura, afinal tinha me libertado da *minha* cela sufocante, a sala de dois metros e quarenta por três metros onde escrevi um roteiro por sete meses. Aquela sala também não tinha janelas nem ar-condicionado. Apenas a pior poluição de Los Angeles em vinte anos tinha sido capaz de se esgueirar pelas frestas da porta, e a temperatura na nossa "sala dos roteiristas" alcançava os quarenta graus.

A carta de Ted de 6 de julho foi um exemplo do humor sardônico de que era capaz, e bastante diferente da carta desesperada que me enviara logo após a prisão. Essa foi datilografada, pois com o que os carcereiros chamavam de "papelaria" de suprimentos judiciais, recebera máquina de escrever para preparar a defesa.

Ted se desculpou por não conseguir responder à minha última carta enviada da Califórnia em 21 de maio e, de novo, me agradeceu pelo cheque que anexara. O dinheiro estava durando bastante, porque tinha parado de fumar. Ted ficara surpreso ao descobrir que eu ainda trabalhava no roteiro em Hollywood no fim da primavera de 1978, e sugeriu que talvez tivesse sido ingênua ao assinar o contrato, e deveria pedir pagamento adicional pelos quatro meses a mais de trabalho.

> Pelo menos poderiam te dar o "dinheiro do ladrão", para os trombadinhas não terem de ir embora de mãos vazias. Você disse que morou em um "trick pad"?[1] Desculpe, não consigo interpretar o dialeto de L.A. ou seja lá o que for. Ah, aqui está a palavra: coloquialismo. Isso quer dizer que mágicos ficam por aí, sabe, tirando coelhos de cartolas e tal. Ou você quer dizer... está sugerindo... um...hummm...

---

1 *Trick* significa literalmente *truque*, por isso a referência aos mágicos mais adiante. *Pad* é uma gíria para moradia. *Trick pad* é uma expressão que se refere a casa ou apartamento onde a prostituta mora e atende os clientes. [NT]

que pessoas passam a se conhecer carnalmente por preço negociado? Se for o caso, e se lhe pagar mais do que a escrita — com toda certeza deve pagar — você poderia pensar em assumir a administração do lugar... Poderia pedir empréstimo para microempresas, para começar.

Em relação à própria vida, Ted escreveu que não estava acontecendo nada com ele que a reencarnação não pudesse melhorar, não pensava nisso. Enxergava o seu mundo da posição de "espectador, uma audiência cativa".

Naquela tarde, estava marcado o julgamento dele em quatorze acusações de uso de cartões de crédito. Apesar disso, como me dissera anos antes, não esquentava a cabeça com coisas insignificantes, e que era propenso a "não encucar com as coisas". Chamou os cartões de crédito de "malditas coisinhas desagradáveis", o que não foi nenhuma surpresa.

"Momento perfeito para alegar insanidade", refletiu. "Eu vi isso na televisão e, honestamente, não consegui evitar."

Ted estava bastante ciente do que acontecia com outros suspeitos famosos, e acompanhara o caso do Filho de Sam. Concluíra que se David Berkowitz fosse declarado são, isso significaria que nenhum réu em caso de homicídio no país poderia ser declarado legalmente insano.

> Então sigo uma linha de defesa para me declarar inocente já que, para constar — e para o benefício dos censores que leram esta carta —, sou inocente dessas acusações por questão de lei e de fato. CYA,[2] minha cara. Bon chance, bon voyage, bon appetite, te vejo depois, não converse com estranhos a não ser que eles conversem com você antes, entorne um pouco de Chablis por mim, querida, e assim por adiante... ted.

Tudo tinha se transformado em piada soturna irremediável. Sorri um pouco com o gracejo de Ted sobre sua "defesa". Ele havia *roubado* a TV que dizia ser responsável pela lavagem cerebral de fazê-lo roubar cartões de crédito. Sua vida era um ciclo vicioso e sua última recomendação para mim, "não converse com estranhos", foi, nessas circunstâncias, uma piada amarga.

Respondi na mesma linha. "Claro, você pode parar de fumar... *você* não está sob pressão do mesmo jeito que *eu*."

---

2 Acrônimo de Cover Your Ass, em tradução livre, "cubra sua bunda". O sentido da expressão é ação para proteger-se de possíveis críticas futuras, penalidades legais ou outras repercussões, geralmente usada em contexto burocrático ou trabalhista. [NT]

Eu escreveria para ele algumas outras vezes, mas essa foi a última carta que recebi de Ted Bundy. Haveria telefonemas, ligações a cobrar de horas, mas nunca mais receberia outra carta.

O cerco fechou para Ted em 27 de julho, no que foi chamado de "circo" e "zoológico". O mais recente episódio, que Bundy se referiu como "O Show de Ted e Ken", aconteceu nessa noite úmida e quente em Tallahassee.

O delegado Ken Katsaris estava com o indiciamento selado e convocou os repórteres para a coletiva de imprensa às 21h30 naquela noite. Ted estivera em Pensacola o dia todo em audiência, e ainda estava lá quando o grande júri entregou o indiciamento às 15h.

Ted voltara para a cela fazia uma hora quando foi levado para o andar inferior, onde Katsaris aguardava. O delegado estava impecável, de terno preto, camisa branca e gravata com listras diagonais. Ted vestia o macacão verde folgado da prisão quando emergiu do elevador sob forte vigilância. As luzes estroboscópicas das câmeras o cegavam enquanto caminhava corredor adentro e se dava conta, no mesmo instante, do que estava acontecendo. Recuou depressa para dentro do elevador, murmurou que não seria "exibido" para favorecer Katsaris.

A compleição de Ted era o branco doentio da palidez da cadeia, o rosto macilento, emprestava-lhe aparência ascética. Ao perceber que não havia lugar para se esconder, saiu do elevador quase saltitando.

Katsaris abriu o indiciamento e leu. "Em nome de, e pela autoridade do estado da Flórida..."

Ficou óbvio que Ted odiava aquele homem.

O detento se aproximou do captor e perguntou de maneira sarcástica: "O que temos aqui, Ken? Vejamos. Uma acusação formal. Certo. Por que não a lê para mim? Está concorrendo à eleição, não é? Foi assim que conseguiu?".

Ted então deu as costas para Katsaris, levantou o braço direito para se apoiar na parede e olhou diretamente para a frente, com expressão determinada, a cabeça erguida. Era o perseguido, e agiria como tal. Pareceu se elevar acima do macacão e dos chinelos simples da prisão. Seus olhos ardiam diante das câmeras.

Ted falou por cima da voz de Katsaris para a imprensa: "Ele disse que ia me pegar, certo?". E para o delegado: "Você me indiciou. Isso é tudo que vai conseguir. Vamos, leia".

Katsaris o ignorou e começou com a cantilena jurídica que queria dizer que Ted Bundy era acusado de homicídio. "Theodore Robert Bundy, você é acusado e indiciado em dois casos de roubo, dois casos de homicídio qualificado, e três casos de tentativa de homicídio qualificado. Em nome do, e pela autoridade do Estado da Flórida, os jurados do Estado da Flórida e o júri que jurou investigar e representar a verdade. Assim, o Condado de Leon, sob seu juramento, declara que Theodore Robert Bundy, no dia 15 de janeiro de 1978, no Condado de Leon, Flórida, matou ilegalmente um ser humano, Margaret Bowman, estrangulando ou espancando, e que esse homicídio foi realizado por Theodore Robert Bundy de forma premeditada ou com a intenção de matar Margaret Bowman [...]"

"Muito bom", disse Ted lendo por cima do ombro de Katsaris, que prosseguiu com a leitura mencionando ainda o nome de Lisa Levy e Cheryl Thomas.

Pareceu demorar horas, em vez de minutos.

Estava se recompondo e abriu largo sorriso. Continuou a interromper Katsaris. "Minha chance de falar com a imprensa." Ted zombou de tudo aquilo. Levantou a mão em determinado momento e disse: "Vou me declarar inocente agora mesmo. Posso falar com a imprensa quando você acabar?".

Katsaris seguiu a leitura, muitas das palavras abafadas pelos gracejos de Ted.

"Já exibiu o prisioneiro, agora é a minha vez", disse Ted depois de receber sua cópia do documento lido. "Fui mantido isolado por seis meses, longe da imprensa, enterrado por vocês. Vocês vêm falando há seis meses, acho que agora é a minha vez."

"Temos uma ordem judicial proibindo entrevistas", informou Katsaris.

"Claro, é você quem dá as entrevistas. Eu sou silenciado, você não. Vocês vão me escutar", rebateu Ted.

Ele foi levado de volta ao elevador. Ergueu os papéis para as câmeras e os rasgou ao meio com gestos metódicos.

Pela primeira vez, Ted Bundy seria julgado em batalha pela própria vida. Não viria a deixar transparecer nenhuma das emoções que o atingiram quando se deu conta disso.

As coisas ficaram mais lúgubres no dia seguinte, quando o juiz Charles McClure não permitiu que Millard Farmer defendesse Bundy. Já tinham visto o suficiente de "carnaval", o estado disse, sem que aceitassem que alguém com a suposta reputação de Farmer para o teatro no tribunal fizesse parte do caso. Farmer não tinha licença para advogar na Flórida e era prerrogativa do estado recusar tais privilégios.

Farmer argumentou com veemência que Ted estava sendo privado do direito de receber aconselhamento judicial eficaz, mas ele não disse nada em absoluto. Recusou-se a responder quaisquer comentários do juiz dirigidos a ele, e McClure disse, de maneira implacável: "Que conste nos registros que o réu se recusa a responder".

Ficou claro que isso foi um protesto de Ted, por perder Farmer. É muito provável que esperasse os indiciamentos por homicídio, é provável também que tenha sido inesperado não poder contar com Farmer ao seu lado, uma decepção arrasadora. Como Buzzy Ware, Millard Farmer era o tipo de advogado que o próprio Ted podia respeitar. Seria de grande valia para a autoestima. Ser réu *importante* com advogado famoso — com isso podia lidar. Ficar empacado com defensores públicos foi mais um golpe contra o ego do que ameaça à sua vida.

O cerco foi se fechando cada vez mais. Em 31 de julho, o indiciamento selado que fora entregue no condado de Columbia (Lake City) jazia à espera no tribunal do juiz Wallace Jopling, em Lake City, no instante em que Ted alegava inocência em Tallahassee. Mais uma vez, o juiz Rudd rejeitou Millard Farmer como advogado de defesa. Ted dispensou os defensores públicos, como no passado, ia seguir sozinho.

Assim que esses procedimentos chegaram ao fim, o juiz Jopling abriu o indiciamento selado diante de si. Ted Bundy agora era acusado de homicídio qualificado e sequestro no caso de Kimberly Leach.

Os casos de Tallahassee foram agendados para ir a julgamento no dia 3 de outubro de 1978, e boatos circulavam de que era provável que Ted viesse a enfrentar um julgamento atrás do outro. Ted não recuou, em vez disso, atacou.

Em 4 de agosto de 1978, Millard Farmer apresentou queixa contra Ken Katsaris, delegado do condado de Leon, e outras oito pessoas (diversos comissários do condado, bem como Art Golden e o capitão Jack Poitinger), e acusou-os de privar Ted dos mínimos direitos como detento. Ted requereu 300 mil dólares por danos.

Ted pediu permissão para ter ao menos uma hora por dia de exercícios ao ar livre — sem correntes; iluminação adequada na cela; ser removido do isolamento; e que Katsaris e os outros acusados parassem de "atormentá-lo". Também solicitou honorários razoáveis de advogado. O audacioso Ted Bundy estava de volta.

O estado respondeu, e voltou a impedir que Farmer defendesse Ted. Farmer insinuou que o juiz Rudd estava "no meio da turba de linchamento", e chamou o estado da Flórida de "Fivela do Cinto da Morte" para presidiários. Havia, na época, algo entre setenta a oitenta detentos no corredor da morte na Flórida, condenados por homicídio qualificado.

Ao considerar um lugar para onde fugir, em dezembro de 1977, Ted poderia ter se dado melhor se tivesse ponderado outros fatores além do clima.

As manchetes continuaram a aparecer. Ted contou a um repórter da ABC que fora inocentado da suspeita dos casos de 1974 em Seattle por um "juiz de inquérito". Isso não era verdade, juízes de inquéritos não tomam tais decisões no estado de Washington, e ainda era o principal suspeito nos oito casos no noroeste.

Ted solicitou que o juiz Rudd se desqualificasse do caso depois que recusou a petição para que Farmer o defendesse, chamou sua postura no tribunal de "desordeira". Rudd reagiu sucintamente à moção para que se afastasse do caso: "Moção lida, considerada e negada. Arquive-a".

Em 14 de agosto, Ted se apresentou no tribunal do juiz Jopling, em Lake City, e alegou ser inocente das acusações envolvendo Kimberly Leach. "Porque sou inocente."

A Justiça da Flórida não avançava com rapidez. Simplesmente havia assassinatos demais, acusações demais. O julgamento do caso Chi Omega fora adiado para novembro, e havia indícios de que o do caso Leach também seria.

Os indícios estavam certos. Pelos casos de Tallahassee e de Lake City, Ted seria julgado apenas em meados de 1979. Enquanto isso, mofava no isolamento da prisão do condado de Leon, ainda supervisionado por seu arqui-inimigo, o delegado Ken Katsaris.

Recebi ligação de Ted em 26 de setembro de 1978. Foi a cobrar, mas a aceitei de pronto. Não tinha nenhuma notícia dele, mas acompanhava os eventos na Flórida pela imprensa desde julho. A ligação tinha chiados, não tenho certeza se estávamos sozinhos na linha.

Explicou que uma nova ordem tinha sido entregue, e lhe permitia fazer exercícios ao ar livre. "Pela primeira vez em sete meses, me levaram para fora para outra coisa que não fosse ir e voltar de audiências. Dois guardas armados e com walkie-talkies me levaram para o telhado e me deixaram andar em círculos. Lá embaixo, tinha três viaturas e três cães de ataque."

Dei a entender que nem mesmo ele seria capaz de pular os quatro andares.

"Quem você acha que sou?" Riu. "O Homem Biônico?"

Descreveu a cela: "Não tem nenhuma luz natural, É uma cela de ferro entre outras paredes. Há uma lâmpada de 150 watts embutida no teto com proteção de plástico e grade de metal — quase não tem luz. É um sexagésimo do que deveria ser para propósitos humanos. Tenho catre, combinação de pia e privada, e rádio portátil que sintoniza duas estações. Eu me senti muito bem hoje lá fora ao ar livre, sem os grilhões, mesmo com o latido dos cachorros. Não ouvia um cachorro latir há muito tempo."

Ted estava determinado a não permitir que "eles" o quebrassem. "Todas as avaliações psicológicas que fizeram aqui [...] na última, contaram ao delegado que se lesse o indiciamento para mim do que jeito que fez, isso ia acabar comigo, e eu falaria. Logo depois de me levarem de volta para a cela, dois detetives entraram e disseram: 'Agora está vendo o que temos contra você? Não há mais para onde ir, então poderia muito bem facilitar as coisas para você mesmo e abrir o bico'. Mas não me dobraram."

Pela primeira vez, Ted mencionou Carole Ann Boone para mim, disse que tinha ficado "muito, muito íntimo" dela, e que prestava atenção aos seus conselhos de como lidar com assuntos de seu interesse.

Falou de sua decepção em perder Millard Farmer. "O homem tem uns 37 anos, mas parece ter cinquenta, e lida com aproximadamente vinte casos de pena de morte por ano, se mata de trabalhar. Mas agora estou preparado para me defender nos dois casos."

Estava zangado por ser "posto em exibição" tanto em Tallahassee como em Lake City, onde ia três vezes por semana para audiências do caso Leach. Ainda assim, havia uma ponta de orgulho por estar outra vez diante do público, e por que permaneceria assim por longo tempo. "O caso Chi Omega é muito bizarro. Não vou entrar em detalhes — mas a combinação de Ted Bundy em um caso como esse! Vou ficar sob os holofotes por longo tempo. Todas as evidências foram fabricadas. As pessoas aqui estão determinadas a obter condenações mesmo sabendo que serão anuladas mais tarde. Tudo que querem é me algemar e colocar diante do júri. E em um julgamento atrás do outro, ainda por cima."

Tinha dito que estava se referindo à sala de fichamentos da prisão, mas, ao que parece, já deixara as opiniões a respeito dos agentes da lei da Flórida bastante claras para que não tivesse nenhum receio de irritá-los ainda mais.

Era 26 de setembro, o aniversário de Ted e Meg. Um ano antes, havia me pedido para enviar aquela única rosa. Agora, disse que Meg o deixara, afinal. "Acho que conversou com alguns repórteres... Não sei. Não recebo notícias há muito tempo. Ela me disse que simplesmente não conseguia mais aguentar tudo isso, que não queria saber de mais nada. Faz quanto tempo que você a viu?"

Bastante tempo, contei. Mais de um ano. Tenho certeza de que percebeu que dia foi. Talvez por isso tenha me telefonado, para falar de Meg. Ele tinha Carole Ann Boone agora, mas não havia se esquecido de Meg.

Eu lhe perguntei que horas eram na Flórida, e hesitou. "Não sei, as horas não significam mais nada."

A voz de Ted sumiu, e achei que a ligação tinha caído.

"Ted? Ted..."

Voltou a falar, e soava vago, desorientado. Então se desculpou.

"Às vezes, no meio da conversa, esqueço o que disse antes... tenho dificuldades para me lembrar."

Essa foi a primeira vez em que o ouvi soar tão inseguro, quase se distanciando do que estava acontecendo no aqui e agora. Contudo, a voz voltou a ficar forte, ansiava pelo julgamento, pronto para encarar o desafio.

"Você parece bem", comentei. "Parece mais com você mesmo agora."

A resposta foi um pouco estranha. "Costumo ser assim..."

Ted tinha apenas um pedido: queria que lhe enviasse a seção de classificados do *Seattle Sunday Times*, não explicou o porquê. Nostalgia, quem sabe. Talvez ler os anúncios no jornal da cidade natal o ajudasse a afastar a visão das paredes de ferro sem janelas.

Eu lhe enviei o jornal, mas não sei se o recebeu. Só viria a conversar com ele ou ter notícias suas pouco antes do julgamento em Miami, em junho de 1979.

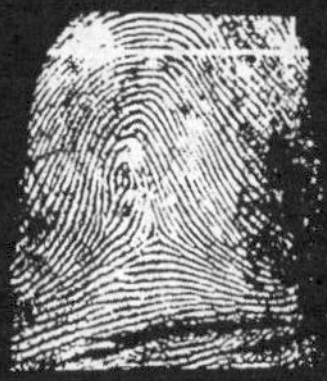

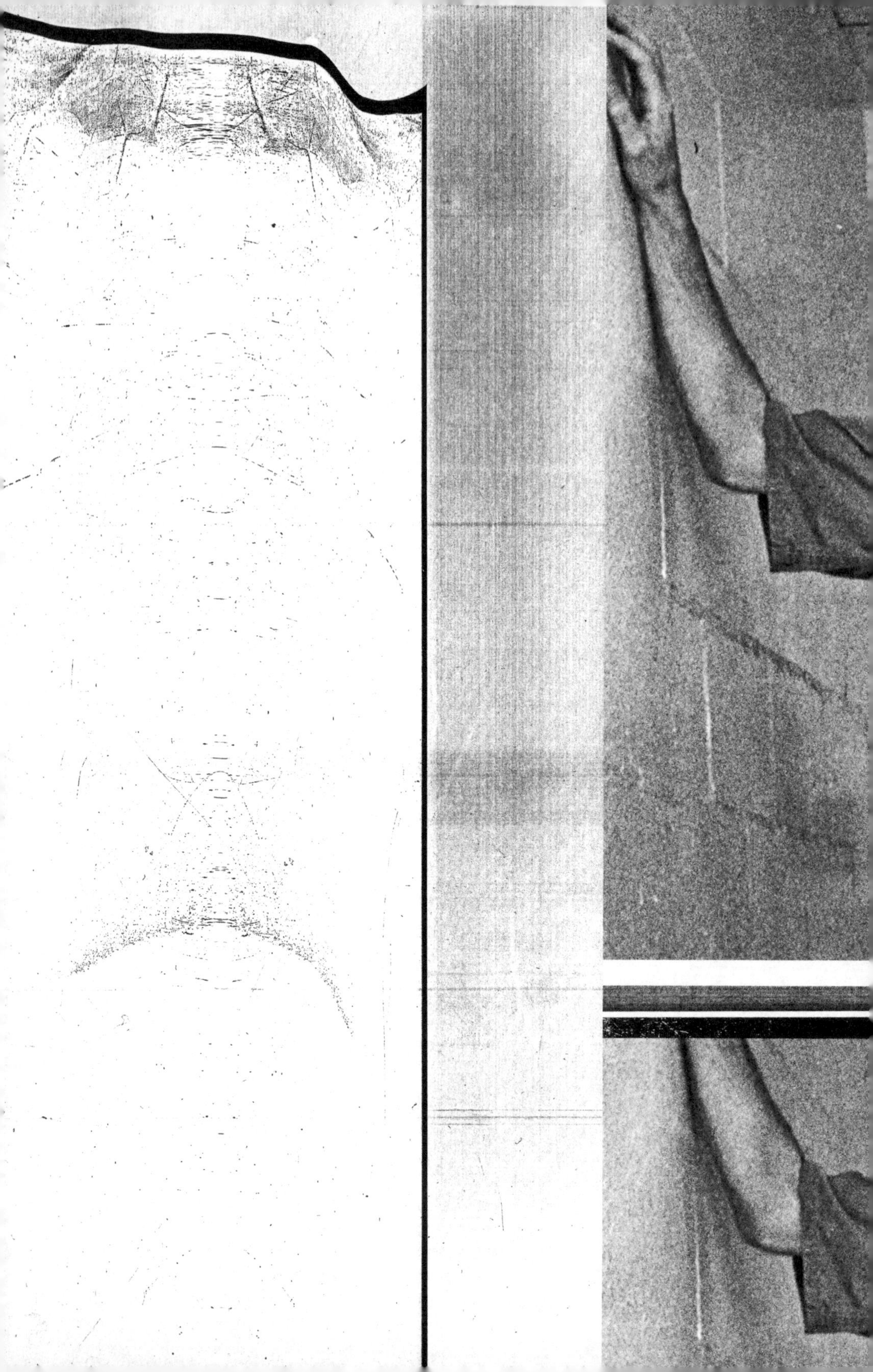

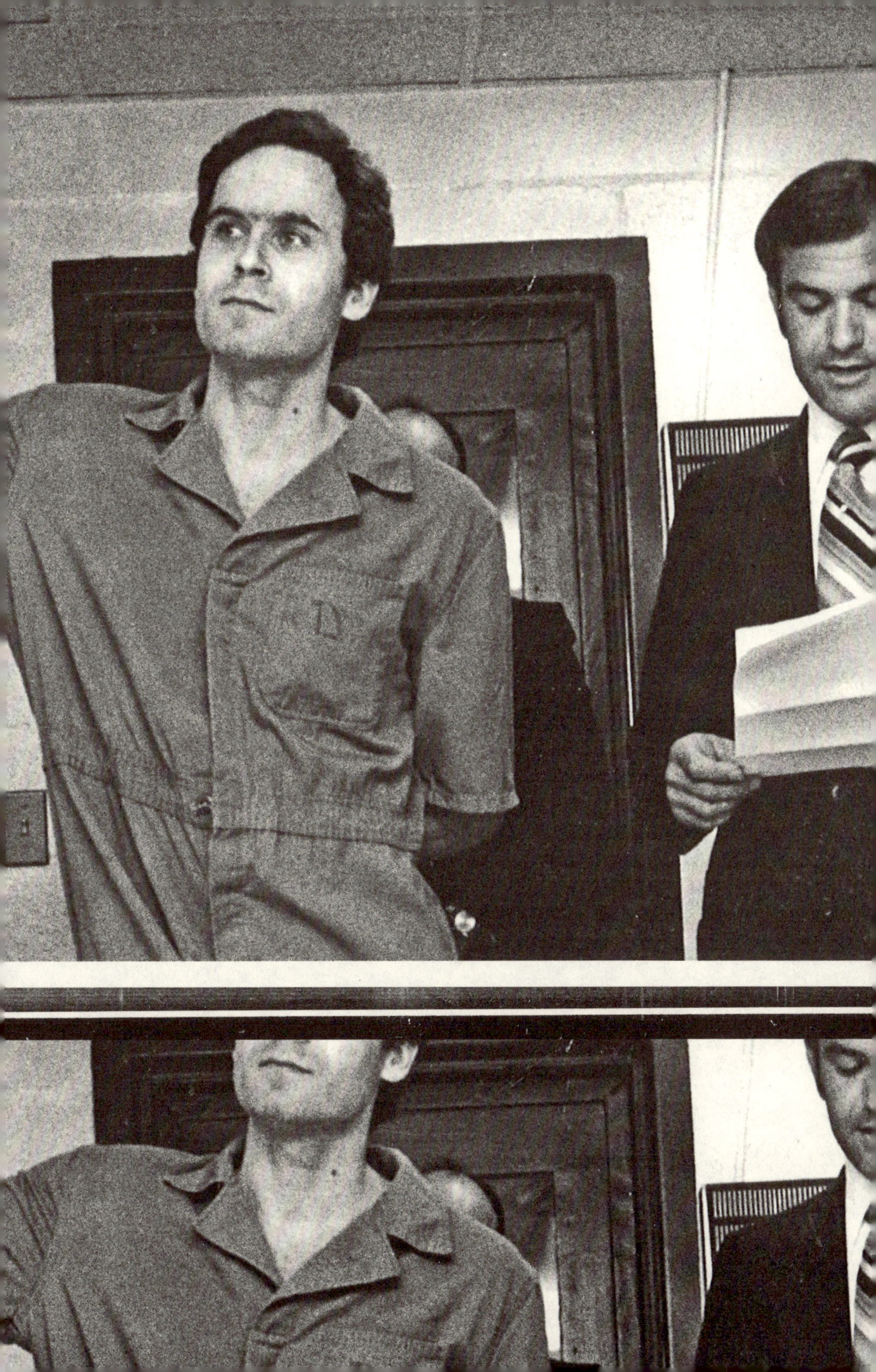

41. O júri se forma

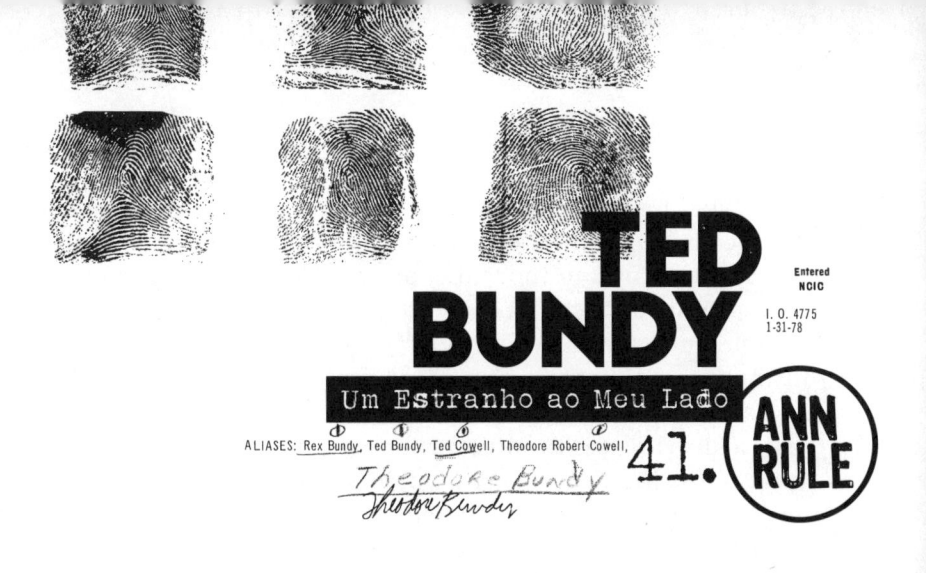

Era bastante improvável que Ted Bundy pudesse ter um julgamento imparcial na Flórida. Estava se tornando mais conhecido do que a Disneylândia, que os pântanos Everglades, e mais até do que o maior animador da imprensa de todos os tempos, Murph, the Surf.[1] Ted cortejava e desprezava a publicidade ao mesmo tempo, e sua própria atitude fazia com que fosse perfeito para as manchetes.

Em 29 de outubro de 1978, o dr. Richard Souviron, odontologista forense especialista em comparação de impressões dentárias em marcas de mordidas, apresentou breve seminário. Foi algo prematuro, na melhor das hipóteses. Souviron, de Coral Gables, apresentou slides como evidência de que os dentes "deste suspeito" eram compatíveis com as marcas de mordida na nádega da vítima. Naturalmente, essa informação foi disseminada pela imprensa da Flórida, e todos sabiam que Ted Bundy era o suspeito a quem havia se referido.

Como esperado, Ted gritou: "Sacanagem!".

O dr. Ronald Wright, legista-chefe do condado de Dade, foi ambíguo quando tentou explicar como tamanha gafe pode ter aconte-

---

[1] Jack Roland Murphy é campeão de surfe, artista e assassino condenado, envolvido no maior roubo de joias da história dos Estados Unidos. Ordenou-se pastor e hoje em dia trabalha no sistema penitenciário. [NT]

cido. "Você tem que equilibrar os possíveis problemas quando se fala de caso em litígio entre ensinar o melhor método possível para identificar assassinos ou inocentar pessoas de maneira responsável em acusações de homicídio", comentou.

A pergunta óbvia, é claro, era por que isso não pôde ser feito sem insinuar amplamente a identidade das partes envolvidas. Além disso, havia outros casos que poderiam ser apresentados como exemplos onde a identificação acontecera por meio dos registros dentários. Um assassino de Brattleboro, Vermont, fora condenado pelo estupro seguido de assassinato de Ruth Kastenbaum, 62 anos, em 1976. As 25 marcas de mordidas no cadáver dela eram compatíveis com os dentes dele.

O próprio Souviron teve outro caso com marcas de mordidas: encontrou compatibilidade entre os dentes do homem de 23 anos de Columbia, Carolina do Sul, e o corpo de Margaret Haizlip, 77 anos, que morava na área rural ao sul de Miami.

Mas Ted era mais notável do que um operário itinerante da Carolina do Sul, e os dentes dele ganharam destaque. A divulgação das descobertas de Souviron pareceu ir além da publicidade normal antes do julgamento. Pareceu, por um tempo, que as acusações de homicídio contra Ted poderiam muito bem ser descartadas graças às afirmações de Souviron.

Não foram, contudo, e o estado seguiu adiante com os preparativos para os dois julgamentos. A publicidade antes do julgamento é faca de dois gumes. Pode influenciar jurados em potencial contra homem inocente, e impossibilita o julgamento justo, e pode, de vez em quando, resultar na liberdade do homem culpado quando as acusações *são* descartadas. Em ambos os casos, a divulgação prévia pode ser trágica.

Dois dos antagonistas mais odiados de Ted Bundy tinham saído completamente de cena ao final de 1978, um deles devido a desgraça pessoal, e o outro quando a saúde entrou em colapso. Não sei se Ted sabia dos dois ou mesmo se se importava com isso.

Frank Tucker, o promotor público do condado de Pitkin, Colorado, foi condenado em junho de 1978 por *duas* acusações de apropriação indébita, e absolvido de outras duas. Em dezembro de 1978, foi condenado por furto e duas acusações por pequenos delitos. Tucker clamou — assim como Ted em seu próprio caso — que todas as acusações e condenações tiveram "motivações políticas". Excluído da ordem dos advogados, pegou cinco anos de liberdade condicional, noventa dias na cadeia (a serem adiados) e multa de mil dólares.

De acordo com o advogado, Tucker planejava iniciar nova carreira: cursaria tanatopraxia em San Francisco.

O agora major Nick Mackie da Unidade de Crimes Hediondos da Polícia do Condado de King teve infarto quase fatal na primavera de 1978, e os paramédicos chegaram a declará-lo clinicamente morto duas vezes. Mackie sobreviveu, mas foi forçado a pedir demissão do emprego de grande pressão com o qual tinha lidado tão bem por tanto tempo. A perda de Mackie seria um golpe para o departamento.

O próprio Ted não estava se saindo muito bem em 1978. À medida que as festividades de fim de ano se aproximavam, estava outra vez na cadeia, olhando para a porta de aço sólido, assim como um ano antes. Porém, naquele ano, não havia planos para fugir. Não havia *como* fugir. Mais uma vez, estava diante de *dois* julgamentos por homicídio.

Bundy entrara com a moção para afastar o juiz John Rudd alegando preconceito, e pouco antes do Natal a Suprema Corte do Estado da Flórida aquiesceu. Houvera alegações feitas pela defesa de que Rudd se comunicara de maneira imprópria com a promotoria do estado, e que demonstrou hostilidade contra a equipe de defesa. Rudd renunciou e um novo juiz seria nomeado no ano seguinte. Larry Simpson, assistente da promotoria, seria o promotor principal no caso Chi Omega, e anunciou que estava pronto para ir a julgamento a qualquer momento, mas antes de fevereiro parecia improvável.

Ted aceitara com certo rancor a ajuda da Defensoria Pública, e a equipe de defesa era chefiada por Mike Minerva. Ao que parecia, Ted enfim se dera conta da tolice de tentar se defender em dois julgamentos por homicídio.

Em janeiro, o novo juiz foi designado: Edward D. Cowart, do tribunal de circuito da Flórida. O juiz Cowart, 54 anos, é grande feito um cão são-bernardo, com papadas por cima da toga, e voz sulista tranquilizante. Cowart fora contramestre da Marinha e policial antes de se formar na Faculdade de Direito da Universidade Stetson, em St. Petersburg. O controle de seu tribunal, em Miami, é exercido com autoridade — geralmente com toques de perspicácia afiada, e homilias. Costuma dizer "Deus o abençoe" tanto para advogados quanto para réus. Na falta de clareza em argumentos, diz: "Vamos por partes, e me explique isso devagar". É, ao mesmo tempo, benigno e beligerante, depende da circunstância, e conhece a lei de trás para a frente. No tribunal, Cowart com frequência parece passar instruções sobre direito aos advogados que se postam diante dele.

Ted não ia a gostar muito dele.

Em 22 de fevereiro, Cowart anunciou que Ted iria a julgamento pelos homicídios na casa Chi Omega e ataques em Tallahassee no dia 21 de maio e também negou o pedido de Bundy para ter Millard Farmer ao seu lado. O juiz disse que decidiria em abril se poderia convocar um júri não influenciado na capital. Concordou com a defesa que era improvável que um julgamento após o outro poderiam acontecer sem prejuízo para o réu.

Ted ainda era, oficialmente, seu principal advogado de defesa. Na perspectiva de Ted, Minerva estava ali apenas para aconselhá-lo.

Em 11 de abril, o réu pediu que os jornalistas fossem proibidos de fotografá-lo algemado e com a órtese na perna ao ser levado ao tribunal, bem como de acompanharem os procedimentos antes do julgamento. Ele próprio, Ted, interrogaria as testemunhas, disse, e não queria a imprensa lá para ouvir.

O juiz Cowart negou esse pedido: "Se excluir a imprensa, você exclui o público".

Um mês depois, Ted já estava cansado de Cowart, e apresentou moção para fazer com que renunciasse, do mesmo modo que Rudd, alegando que o preconceito de um contaminara o outro. O juiz Cowart negou a moção, que afirmou ser "legalmente insuficiente". Qualquer pessoa que observou o juiz Cowart algum tempo duvidaria de que pudesse *alguma vez* ser persuadido ou influenciado por opiniões de terceiros. Ele é alguém que pacientemente pensa por si só.

As audiências de Bundy eram fotografadas e filmadas por câmera de televisão, de acordo com decisão em recente édito da Suprema Corte da Flórida. Cowart continuou a negar o pedido de Ted para proibir as câmeras. "Estamos resolvendo questões públicas, senhores, e vamos resolvê-las abertamente, como dissemos, na Flórida."

Cowart raramente demonstrava qualquer animosidade em relação ao réu que reclamava dele, embora, conforme os meses avançavam, às vezes viesse a repreender os ataques de estrelismo de Bundy como faria com uma criancinha, mas não parecia ter qualquer ressentimento particular em relação a ele. Mesmo quando Ted solicitou o afastamento do juiz, Cowart comentou do terno e gravata de Ted: "Está elegante hoje".

E Ted respondeu: "Estou disfarçado de advogado".

As audiências preliminares começaram em maio, em Tallahassee. A defesa queria que o testemunho sobre a marca de mordida fosse retirado, pois alegava que houvera causa provável insuficiente para o mandado de busca que levou Ted ao dentista para tirar as impressões do dentes. Argumentaram também que Ted não era o suspeito oficial dos assassinatos na Chi Omega à época. Cowart adiou a decisão.

O julgamento de Ted Bundy por homicídio estava marcado para começar em 11 de junho. Porém, no último dia de maio, uma onda de boatos desenfreados dizia que ele mudaria o pleito, assinaria acordo judicial por uma acusação mais branda, em vez de homicídio qualificado e, assim, se salvaria do espectro da cadeira elétrica.

A cadeira elétrica da Flórida era ameaça terrivelmente real. Apenas cinco dias antes, o estado provara que ia *de fato* levar a cabo as sentenças de morte. Em 25 de maio, John Spenkelink, condenado pelo assassinato do colega ex-detento no quarto de um hotel em Tallahassee, fora executado. Foi a primeira execução nos Estados Unidos desde que Gary Gilmore se postara diante do pelotão de fuzilamento no dia 19 de janeiro de 1977, de acordo com seu próprio pedido.

A execução de Spenkelink foi a primeira ocasião nos Estados Unidos, desde 1967, em que o condenado foi levado à câmara de execução contra a vontade.

Ted Bundy estivera geograficamente perto dos dois homens, bastante ciente de suas execuções, e sabia que o mesmo destino de Spenkelink poderia ser o dele em futuro não muito distante.

Louise Bundy viajou para Tallahassee, assim como John Henry Browne. Carole Ann Boone se juntou a Browne e à mãe de Ted para encorajá-lo a se declarar culpado de acusações menos graves. Houvera um bocado de negociações de lado a outro entre Tallahassee, o condado de Leon, Lake City, a promotoria e a defesa. Circulavam boatos de que, se Ted se declarasse culpado de homicídio culposo em ambos os casos da Chi Omega e do assassinato de Kimberly Leach, poderia evitar a cadeira. O estado concordaria que, em vez disso, cumprisse três penas consecutivas de 25 anos.

Em 31 de maio, houve sessão privada no gabinete do juiz Cowart com a presença de Ted e seus advogados. Bundy entrou com moção confidencial — admissão de homicídio culposo, acreditava-se. Isso significaria que poderia nunca mais ficar em liberdade, mas não morreria na cadeira elétrica.

De acordo com o procurador público da Flórida, Jerry Blair (que esperava seu dia no tribunal com Ted no caso Leach), admitiu ser culpado de tudo pelo que fora acusado, em ambos os casos. Blair alegou que Ted realmente levava consigo a confissão por escrito. Todos os advogados, incluindo Millard Farmer e Mike Minerva, o incitaram a aceitar o salva-vidas que lhe era estendido, mas o acordo judicial foi por água abaixo. Ted rasgou os papéis e disse a Cowart: "Gostaria de retirar a moção".

Ted entrou com a moção para forçar o defensor público, Minerva, a ser afastado do caso, pois alegou que ele coagiu o réu a admitir culpa. Os promotores públicos não podiam entrar com acordo judicial em casos assim. Como Ted sugeriu que seu próprio advogado o pressionara a confessar, qualquer acordo seria automaticamente anulado pelo tribunal de apelação. Blair prometeu que "se [Ted] quer julgamento, ele terá".

Nenhum detalhe da "quase" declaração de culpa de Ted chegou à imprensa, mas eram fortes os boatos. E essa tinha sido sua última chance, porque o governador Bob Graham havia previsto que "assinaria mais sentenças de morte", e o nome de Ted já parecia estar ali, escrito em tinta invisível.

Minerva queria sair, Ted o queria fora, e chamava o defensor público de "incompetente". Tudo indicava que o julgamento seria adiado outra vez. O próprio Ted queria adiamento de noventa dias, e a equipe de defesa, exame psiquiátrico para ver se ele era são no sentido legal — ou seja, competência mental e psicológica suficientes para participar da própria defesa. Esse último pedido o irritou mais do que qualquer outra coisa o irritara até então. Ted pode ter feito piada da alegação de insanidade na carta para mim, mas não trilharia esse caminho seriamente, muito menos agora que estava confiante e seguro de si.

O juiz Cowart não toleraria adiar interminavelmente o julgamento. Concordou com os exames psiquiátricos, e ordenou sua realização prontamente. Tinha 132 jurados em potencial à espera. Dezoito meses já haviam se passado desde que um estranho se esgueirara para dentro da mansão Chi Omega, desde que alguém espancara Cheryl Thomas na Dunwoody Street, e Cowart acreditava que já era hora do julgamento.

Dois psiquiatras examinaram Ted naquela primeira semana de junho de 1979: o dr. Hervey Cleckley, de Augusta, Geórgia, e o dr. Emanuel Tanay, professor da Universidade Estadual Wayne, Michigan. Concordaram com Ted que não era incompetente, mas disseram que apresentava certos comportamentos antissociais. Tanay disse ainda que o transtorno de personalidade de Ted era tal que poderia afetar o relacionamento com os advogados, e, assim, atrapalhar a habilidade de se defender.

"Ele tem extenso histórico de comportamento autodestrutivo, inadaptável e antissocial", explicou Tanay.

Em 11 de junho, o juiz Cowart decretou que Ted Bundy era competente para ser julgado, e disse que adiaria a decisão de outorgar mudança de local até ver algumas respostas de potenciais jurados na área do condado de Leon. Negou o pedido da defesa de prorrogação, e se recusou a permitir que Ted dispensasse os advogados. Temporariamente, Bundy teve novo advogado de defesa, Brian T. Hayes, respeitado defensor do norte da Flórida, mas também alguém que chegou com referências inquietantes na época: fora o advogado de John Spenkelink.

Escrevi a Ted para lhe contar que iria ao julgamento, tentaria visitá-lo e para alertá-lo de que, provavelmente, estivesse com crachá de imprensa. Essa era a única maneira de garantir a entrada no tribunal. A galeria estaria abarrotada, e haveria longas filas de curiosos que frequentam tribunais. Com o ódio crescente de Ted por repórteres, não queria ser vista no meio do mar de jornalistas e fazer ele pensar que tinha desertado completamente para o quarto poder.

Reservei um quarto em Tallahassee, mas nunca veria a cidade, porque o juiz Cowart outorgou a mudança de local em 12 de junho: quatro dos cinco primeiros jurados em potencial afirmaram saber tantas coisas a respeito dos homicídios na Chi Omega que não poderiam ser membros do júri e imparciais.

Cowart decretou que o julgamento seria em Miami, e que a seleção do júri começaria em 25 de junho. Mike Minerva não seria da defesa, pois o relacionamento com Bundy tinha se tornado tão abrasivo que provavelmente não conseguiriam esconder o antagonismo do júri. Minerva também temia nutrir ressentimento inconsciente em relação a Ted, depois do cliente lançar tantas dúvidas sobre sua competência.

A equipe de defesa seria de defensores públicos assistentes do condado de Leon — Lynn Thompson, Ed Harvey e Margaret Good. Todos jovens, determinados a fazer o seu melhor, e lamentavelmente inexperientes.

Robert Haggard, advogado de Miami, não muito mais velho do que o resto da equipe, se ofereceu para ajudar. Para mim, Haggard era o menos apto deles. Demonstrava despreparo e modos — até o corte de cabelo — que pareciam tirar o juiz Cowart do sério. Margaret Good, quase trinta anos, impressionou o júri apenas por ser uma mulher ao lado do acusado de ataques brutais contra outras mulheres. Esbelta, loira e de óculos, sempre escolhia roupas largas, quase folgadas. A voz permanecia estável e séria, apenas quando cansada, resvalava para a dicção arrastada da garota caipira sulista. Cowart gostava dela, e Good viria a receber muitos "Deus a abençoe".

Ted também ficou satisfeito com ela. Empolgado no telefone comigo, na noite de 28 de junho, da prisão do condado de Dade, Miami. Ele soava confiante e exultante de novo, mas admitiu exaustão. "Eles me trouxeram para cá em monomotor, me levaram às pressas para a cadeia, e começamos a seleção do júri na manhã seguinte. Perdi um pouco do meu ímpeto. Cowart está nos apressando, trabalhamos até 22h30 em noites alternadas, e vamos ter sessões aos sábados."

O desjejum na prisão do condado de Dade era, e só Deus sabe o porquê, às 4h30, e Ted estava cansado, mas animado com a equipe de defesa e o orçamento.

"O céu é o limite. O estado nos deu 100 mil dólares para a defesa e estou contente por não ter mais que lidar com Mike Minerva. Gosto da equipe de defesa, principalmente do fato de ter uma mulher comigo. O especialista em seleção de júri me ajuda a escolher os jurados, ele consegue saber o que pensam apenas observando os olhos, as expressões faciais e a linguagem corporal. Por exemplo, um potencial jurado hoje levou a mão ao coração, e isso quer dizer alguma coisa para esse especialista."

Mesmo em Miami, no entanto, muitos daqueles na seleção de jurados ouviram falar de Ted Bundy. Uma das juradas selecionadas, Estela Suarez, nunca ouvira nada dele. "Ela só lê jornais em espanhol", contou Ted com entusiasmo. "Sorriu para mim... nem percebeu que era o réu!"

Teve a moça com quem Ted se sentira desconfortável, alguém que descreveu como "a perfeita candidata para repúblicas [...] garota simpática, rosto jovem, bochechas rosadas, e bonita. Fiquei com medo de que se identificasse com as vítimas".

Exaltou a lealdade de Carole Ann Boone. "Juntou suas forças às minhas, se mudou para cá, abriu mão do emprego. Tem todos os arquivos, e lhe dei permissão para conversar com a imprensa. Para sobreviver, sugeri que cobrasse cem dólares por dia mais hospedagem como pagamento pelas entrevistas. Ela passou por muita coisa comigo."

Ted estava ansioso para me ver quando chegasse a Miami. Aconselhou-me a contatar o sargento Marty Kratz, carcereiro de seu andar, para marcar a visita. "É um sujeito muito bom."

Pareceu entender que eu estaria na seção da imprensa no tribunal, e me assegurou que faria de tudo em seu poder para eu estar no julgamento. "Se tiver algum problema, me procure. Sou o 'Garoto de Ouro'. Vou me certificar de que entre."

Ted estava confiante de que poderia conversar durante os recessos e antes das sessões noturnas. Insistiu que tentasse visitá-lo na cadeia assim que chegasse. Estava certa de que conseguiria vê-lo, mas as coisas não iam se desenrolar dessa maneira.

Ted acreditava que teria julgamento justo. Até chegou a falar bem do juiz Cowart: "Não vou ter que apelar com base na inadequação da equipe de defesa, porque eles são bons".

"Você está conseguindo dormir?", perguntei.

"Durmo feito um bebê."

A única questão que irritava Ted de verdade àquela altura, era o testemunho do dr. Tanay. "Só concordei em conversar com ele porque foi de meu entendimento que a sessão seria gravada para o benefício da defesa. O advogado de Spenkelink, Brian Hayes, me disse para fazer isso. Fiquei horrorizado e chocado quando Tanay se levantou no tribunal aberto e disse que eu era perigo para mim mesmo e para outros, sociopata, personalidade antissocial, que não deveria ter permissão de andar livre. Foi quando me dei conta, e foi apenas nesse instante, de que foi o tribunal que solicitara o exame, não a defesa."

"Você ainda está sem fumar?", perguntei.

"Estava, mas comprei um maço pouco antes daquele voo noturno para cá no monomotor. Terminei o maço agora, e durou alguns dias, então não é tão ruim."

Comentou que a maioria dos jurados já selecionados era composta de operários ou negros, e que isso parecia bom. Perguntei se não achava que um jurado em potencial muito inteligente — alguém capaz de pesar todos os lados da questão — poderia não ser também o leitor de jornais assíduo.

"Não, isso não é necessariamente verdade. Muitos dos profissionais são tão dedicados às próprias carreiras que não leem mais nada a não ser periódicos da profissão. Muitos deles não parecem ter ouvido falar de mim."

"Você não teme nem um pouco pela segurança pessoal?"

"Nem um pouco. Sou famoso demais — causa célebre. Não vão deixar que nada aconteça comigo, me querem no tribunal em segurança."

Ele soava completamente sob controle. Não havia sinal da falta de clareza e desatenção que notara no telefonema de nove meses atrás.

Ted explicou como o julgamento se desenrolaria, e o período preliminar em que todas as 150 testemunhas apresentariam breves alegações para verificação se poderiam entrar no julgamento propriamente dito ou se seriam descartados. Falou das fases do julgamento e da leitura da sentença, e disse que a promotoria permitiu que jurados contrários à pena de morte permanecessem sentados. Ted era claramente o capitão no comando do próprio navio.

"O que tem na TV aí em Seattle?", perguntou. "Muitas matérias sobre mim por aí?"

"Bastante. Vi você em Tallahassee quando se apresentou aos potenciais jurados de lá. Parecia muito confiante."

Ele ficou satisfeito.

Não tenho como saber se Ted realmente sentia a confiança que projetava, mas, quando se apresentou no julgamento, em Miami, parecia acreditar que podia e ia vencer. Ele me disse que nosso papo era monitorado pelos carcereiros do condado de Dade, e, após uma hora de conversa, desligamos e prometemos nos encontrar de novo, dessa vez em Miami.

Para os jornalistas, Ted se recusou a prever o resultado do julgamento. "Se eu fosse técnico de futebol, diria que no primeiro jogo da temporada, você não pensa no Super Bowl."

O dr. Emil Spillman, hipnotizador de Atlanta e o especialista em júri de Ted, contou à imprensa que ele realmente escolhera o próprio júri. Tiveram que analisar 77 jurados em potencial antes de chegar à seleção final, em 30 de junho. Spillman acreditava que Bundy descartou dezessete ou dezoito escolhas "emocionalmente perfeitas".

Ele dissera a Ted: "A vida é sua — não minha". Spillman deu de ombros enquanto explicava aos repórteres: "Descartou alguns jurados absolutamente perfeitos".

Os doze jurados finais eram em grande parte de meia-idade, e na maioria negros. Ted, e apenas ele, os escolhera. A vida *era* dele.

Estes eram os jurados:

- Alan Smith, estilista, contrário à pena de morte;
- Estela Suarez, contadora. A srta. Suarez causou risos no tribunal durante a seleção do júri ao não ser capaz de reconhecer Ted como réu;
- Vernon Swindle, funcionário da sala de correspondências do *Miami Herald*. Disse não ter tempo de ler os jornais que ajudava a distribuir;

- Rudolph Treml, engenheiro sênior de projetos da Texaco, bastante culto, a mente orientada para a ciência que seria o porta-voz dos jurados, e disse ler apenas periódicos técnicos;
- Bernest Donald, professor do ensino médio, e diácono na igreja;
- Floy Mitchell, dona de casa, devota, assistia a novelas mais do que lia manchetes diárias;
- Ruth Hamilton, empregada doméstica, também frequentava a igreja. O sobrinho era policial em Tallahassee;
- Robert Corbett, entusiasta de esportes que raramente lia o jornal além da seção esportiva. Sabia que Ted era acusado de "assassinar alguém";
- Mazie Edge, diretora do ensino fundamental recém-aposentada. Uma virose dela viria a atrasar o julgamento;
- Dave Brown, engenheiro de manutenção de hotel em Miami;
- Mary Russo, funcionária de supermercado, parecia admirada por ser convocada para fazer parte do júri, e não era a favor da pena de morte;
- James Bennett, motorista de caminhão, pai de cinco filhos. Nunca havia ponderado da culpa de Ted, "nem de uma maneira nem de outra".

Esses, então, com três substitutos, seriam o júri de semelhantes de Ted Bundy, os cidadãos do condado de Dade, Flórida, que decidiriam se o rapaz de Tacoma, Washington, iria viver ou morrer.

42. A fase preliminar do julgamento

Peguei o avião no Aeroporto Sea-Tac, em Seattle, para Miami, à uma da manhã em 3 de julho. Prometeram-me credenciais de imprensa quando chegasse ao meu destino: o Centro Metropolitano de Justiça do Condado de Dade. Soube que já havia trezentos repórteres lá, prontos para digerir e disseminar todos os bocados de informações sobre Ted Bundy via telefone e transmiti-las para o restante dos Estados Unidos.

Mais uma vez, tive a sensação de irrealidade com tudo aquilo, ainda mais quando descobri que o filme disponível no voo era *Amor à Primeira Mordida*. O restante dos passageiros voava milhares de quilômetros acima do país adormecido, ria alto com a atuação exagerada de George Hamilton como Drácula enquanto cravava os dentes em lindas donzelas. Naquelas circunstâncias, não achei graça.

Voltaria a dormir apenas 42 horas depois. Cruzamos a Divisória Continental da América do Norte. À esquerda do avião, podia ver o dia raiar, mas à direita ainda estava uma escuridão só. Logo, vi os rios históricos lá embaixo serpenteando até o mar, cidades adormecidas ao longe. Aterrissamos em Atlanta às 6h, esperamos mais ou menos uma hora, e então voamos para o sul em avião menor. O vasto isolamento dos pântanos Everglades parecia interminável, mas então, logo à frente, estava Miami. Tão plana, tão extensa — a exata antítese de Seattle, construída na sucessão de colinas.

O calor de julho no sul da Flórida se ergueu e pareceu me golpear assim que saí do aeroporto. Durante as semanas que fiquei lá, nunca consegui me adaptar àquele calor palpável, era constante. Mesmo as súbitas tempestades ao entardecer derramavam apenas enormes gotas de água quente e deixavam o ar tão sufocante quanto antes. Tampouco a noite trazia alívio como fazia no noroeste. Ver as palmeiras me fez ter saudades de casa e daqueles longos meses em Los Angeles, também me fez perceber que provavelmente Ted nunca mais voltaria para casa.

Larguei as malas no hotel e peguei um táxi para o Centro Metropolitano de Justiça do Condado de Dade, o novo complexo exuberante que repousa nas sombras do estádio Orange Bowl. Quando entrei na recepção da subestação do Departamento de Segurança Pública do Condado de Dade que abriga a cadeia — ligada por plataforma ao edifício metropolitano da Secretaria da Justiça, onde o julgamento de Ted acontecia no quarto andar —, logo me dei conta da intensa segurança. Ninguém sequer tinha permissão de usar os elevadores para os andares superiores sem antes ser autorizado e receber crachá.

Peguei o meu crachá de autorização antes de subir para os Escritórios de Relações Públicas para obter *outro* crachá de autorização para assistir ao julgamento. Não queriam correr nenhum risco de Ted fugir em Miami. Dali em diante, seria "Imprensa, nº 15".

Primeiro, fui ao nono andar do edifício metropolitano da Secretaria da Justiça e descobri que todo o último andar do enorme prédio fora reservado para a imprensa. Nunca vira nada como aquilo, a atividade ali era frenética. Havia dúzias de televisões de circuito fechado berrando tudo o que era dito no julgamento cinco andares abaixo, âncoras de ambos os sexos, técnicos e repórteres — dezenas deles — assistiam, transmitiam, editavam e emendavam cabos. A cacofonia não parecia incomodar ninguém. As salas estavam densas de fumaça de cigarro e entulhadas de xícaras de café, o carpete era uma rede emaranhada de fios e cabos.

Cabos da única câmera de TV no tribunal foram puxados para fora no quarto andar, presos ao exterior do prédio e alimentados àquela sala de controle central. Ali uma série de amplificadores de distribuição dividia o sinal para alimentar as três emissoras ao mesmo tempo. Os segmentos escolhidos pelas emissoras eram repassados para o oitavo andar, onde a companhia telefônica Southern Bell instalara a "antena de micro-ondas" para transmitir os sinais para o centro de Miami, e de lá para o sistema especial de TV da Flórida. Os mesmos sinais seguiam por linhas de transmissão para Atlanta, onde a ABC os transmitia para Nova York por meio do satélite Telstar I, e pelo Telstar II para a Califórnia e a Costa Oeste. A CBS fornecera a única câmera no tribunal, que era manejada alternadamente por cinegrafistas de todas as emissoras.

Ted tinha me dito ser o Garoto de Ouro, e para a imprensa definitivamente parecia isso.

Olhei em volta da sala. Emissoras do Colorado, Utah, Washington e Flórida fixaram placas escritas à mão enquanto estabeleciam "territórios". O nono andar do edifício metropolitano da Secretaria da Justiça funcionaria dia e noite ao longo do julgamento. Eu, que sempre reclamei da solidão de escrever — presa, toda solitária, no escritório do porão de casa — não me sentiria sozinha *ali*. Fiquei impressionada com a disciplina dos colegas repórteres, que pareciam capazes de entregar versões finais naquela panela de pressão barulhenta e movimentada.

Guardei o gravador lá em cima, pois não seria permitido no tribunal. Mais tarde, aprendi o truque de ligá-lo ao lado da TV de circuito fechado, na sala dos fundos, e em seguida correr para o julgamento. Desse modo, teria tanto minhas anotações dos acontecimentos "ao vivo" quanto o julgamento completo em fita.

Saí dos elevadores no quarto andar e segui em direção ao tribunal. Para ser sincera, estava aterrorizada, afinal, me aventurava em território completamente desconhecido, e estava prestes a testemunhar o clímax de quatro anos de ambivalência e preocupações.

Se o juiz Edward Cowart é o são-bernardo, então o meirinho, Dave Watson, é o buldogue briguento — protetor, de maneira impetuosa — de Cowart. Todos viríamos a temer e a respeitar a autoridade de Watson quando berrava "Por favor, sentem-se! Ordem no tribunal!" e "Permaneçam sentados até o juiz sair do tribunal!". E ai de quem precisasse ir ao banheiro durante as sessões. Watson não permitia idas e vindas sem propósito.

Mas naquele momento, que Deus o abençoe, se aproximou enquanto hesitava no lado de fora do tribunal. Na casa dos setenta anos e de cabelos brancos, usava o "uniforme": camisa branca brilhante e calça escura. Não conhecia o bastante para perceber que aquele era o temível meirinho Watson. Sorriu, colocou as mãos em meus ombros e disse: "Pode entrar, querida…".

O tribunal de Cowart é sala octogonal ampla; as paredes com painéis de madeira tropical e retângulos de latão atrás do banco de mármore. Falso? Possivelmente. Lustres branco, azul-piscina, vermelho e vinho pendiam do teto.

Os 33 assentos para a imprensa ficavam à esquerda da entrada do salão. Os do lado oposto eram reservados para agentes da lei. Além deles havia cem ou mais lugares na galeria. Não havia janelas, mas tinham aparelhos de ar-condicionado pelo recinto.

Sempre considerei o julgamento algo como um microcosmo temporário da vida. O juiz é o pai, bondoso, autoritário, e guia a todos, e Edward Cowart se encaixava muito bem no papel. O restante de nós — júri, defesa, promotoria, galeria, imprensa — é lançado na intensa experiência comunal compartilhada. Quando chega ao fim, é triste de certa maneira, porque jamais voltaremos a ser íntimos dessa maneira. A maioria de nós jamais voltará a se encontrar.

Aquele julgamento seria, para mim, semelhante a todos os personagens de um livro longo, muito longo, finalmente ganharem vida. Sabia o nome de quase todos os envolvidos, e tinha ouvido falar deles durante anos, embora Ted fosse o único que eu houvesse visto pessoalmente antes.

Encontrei um assento na seção da imprensa, entre estranhos que viriam a se tornar amigos: Gene Miller, duas vezes vencedor do prêmio Pulitzer, *Miami Herald*; Tony Polk, *Rock Mountain News,* em Denver; Linda Kleindienst e George McEvoy, *Fort Lauderdale News* e *Sun-Sentinel*; George Thurston, *Washington Post*; Pat McMahon, *St. Petersburg Times*; Rick Barry, *Tampa Tribune*; Bill Knowles, chefe de departamento da ABC News no sul — todos rabiscavam notas à sua maneira.

Ted olhou ao redor, me reconheceu, sorriu e piscou. Sequer parecia envelhecido desde a última vez em que o tinha visto, mas estava muito bem-vestido, terno e gravata, e com corte de cabelo novo. Foi estranho, foi como se o tempo tivesse parado para ele. Dorian Gray passou pela minha cabeça, eu era avó de dois netos agora, e Ted ainda parecia o mesmo de 1971 — talvez até mais bonito.

Olhei em volta do tribunal. Vi rostos que pareciam exatamente como aqueles que já vira em dezenas de julgamentos, de pessoas cujas vidas giram em torno de idas ao tribunal. Esse é seu único hobby, interesse e passatempo: idosos bem-vestidos, a senhora de maquiagem espalhafatosa, o cabelo escondido por touca feita de meia-calça, enorme chapéu à Gainsborough em cima de tudo. Donas de casa, alunos matando aula, padre. Fileiras de impassíveis agentes da lei uniformizados.

A fileira da frente, logo atrás de Ted e da equipe de defesa, estava tomada por moças bonitas, como estaria em todos os dias. Será que *sabiam* como eram parecidas com as supostas vítimas do réu? Seus olhos nunca se afastavam dele, e coravam e riam de deleite quando Ted se virava para lhes lançar o sorriso deslumbrante — o que fazia com frequência. Do lado de fora do tribunal, algumas confessavam aos repórteres que Ted as assustava, mas mesmo assim não conseguiam ficar longe. É síndrome comum, essa fascinação que o suposto assassino em massa exerce em algumas mulheres, como se fosse a imagem do macho definitivo.

Na primeira fila estavam as irmãs da Chi Omega, que testemunharam sobre a noite de 14 para 15 de janeiro de 1978, as vítimas sobreviventes e até mesmo as investigadoras, policiais e repórteres.

O júri não esteve presente nos primeiros dias. Estávamos na fase preliminar, e Cowart ainda precisava determinar o que o tribunal permitiria ser incluído. O júri permaneceu isolado em resort luxuoso na baía Biscayne.

Um observador desinformado teria dificuldade para distinguir Ted de qualquer um dos jovens advogados no tribunal, Lynn Thompson, Ed Harvey, Bob Haggard; ou dos promotores do estado, Larry Simpson e Danny McKeever.

A defesa queria que muitas das testemunhas sugeridas pelo estado fossem afastadas: Connie Hastings e Mary Ann Piccano, as garotas que viram o homem na discoteca Sherrod's na noite do ataque a Chi Omega; Nita Neary, a jovem que vira o homem com o porrete na escada; o dr. Souviron, com o testemunho sobre as marcas de mordida; o sargento Bob Hayward, da prisão em Utah; Carol DaRonch, de Salt Lake City; o detetive Norm Chapman e Don Patchen, e seus testemunhos das conversas durante o interrogatório em meados de fevereiro, em Pensacola.

Nita Neary estava no banco das testemunhas quando entrei no tribunal. Fora atormentada pela defesa e estava quase aos prantos, mas resoluta. Ao ser questionada se reconheceria ali no tribunal o homem que vira naquela noite, respondeu: "Sim, acredito que sim".

Mas Nita queria visão de perfil. Cowart ordenou que todos os homens no recinto ficassem em pé e virassem de lado.

Nita observou, mas pareceu relutante em olhar diretamente para Ted. Então levantou o braço, de modo um tanto mecânico, e, ainda os olhos para baixo, apontou o réu.

Ted ajudou o repórter do tribunal e disse (sobre si mesmo): "É sr. Bundy..."

A defesa interrogou Nita e a mãe. Sim, a mãe lhe mostrara jornais com fotos de Ted Bundy após a prisão. Porém, mais tarde, Nita também o selecionou na série de fotos de detentos. Tinha certeza.

O juiz Cowart viria a decidir em seguida a favor da identificação da testemunha ocular, possivelmente o pior golpe desferido contra a defesa.

Ronnie Eng, o "queridinho da república" Chi Omega, homem que Nita Neary a princípio pensou reconhecer, fora inocentado em teste de polígrafo, mas também apareceu na fase preliminar. Ao se postar ao lado de Bundy, notou-se pouca semelhança. Ronnie é de tez escura, mais baixo e tem cabelos pretos. Se mostrou uma testemunha tímida e sorridente.

Carole Ann Boone, a aliada mais leal de Ted, estava no tribunal, seus olhos encontravam os dele com frequência. Tinha aproximadamente 32 anos. Usava óculos de lentes espessas, cabelos curtos e escuros — *não* eram repartidos ao meio. Raramente sorria e carregava maços de relatórios. A conexão com o réu parecia ser o único interesse.

Quando o julgamento entrou em recesso naquele primeiro dia, me aproximei de Carole Boone e me apresentei. Olhou para mim: "Sim, ouvi falar de você". Então girou nos calcanhares e se afastou. Um tanto perplexa, a observei ir embora. Desgostava tanto assim de mim porque eu tinha crachá da imprensa ou porque era uma velha amiga de Ted? Nunca descobri, porque nunca mais falou comigo.

A sessão seguinte do julgamento começou com pedidos de Ted por mais exercício, privilégios na biblioteca de direito e máquina de escrever.

Tanto a biblioteca quanto a academia ficavam no sétimo andar do prédio da prisão. Ted e o supervisor prisional se envolveram em conversa cheia de gracejos.

"Você acha que tem seguranças suficientes para mim?"

"É melhor que tenhamos."

"Quantos? Um? Dois? Três?"

"Não nos preocupamos em ser específicos, temos o suficiente."

Cowart lhe perguntou: "Consegue ler enquanto se exercita, sr. Bundy?".

Ted vestia naquele dia a camiseta do time de beisebol Seattle Mariners, riu fracamente. Queria uma hora por dia na biblioteca de direito, mais uma hora por dia de exercícios e visitas ilimitadas de Carole Ann Boone, que "repassava minhas mensagens para os advogados no oeste". Cowart não concordou com isso, tampouco teria máquina de escrever.

Uma nova figura surgiu, outro nome saído do livro na minha cabeça: o sargento Bob Hayward, da Polícia Rodoviária de Utah, estava em Miami para descrever a prisão de Ted em agosto de 1975. Quando Hayward se referiu à "máscara de meia-calça", o juiz Cowart aceitou o protesto do "advogado" Bundy: "Você perdeu essa, meu amigo, mas vamos pegá-lo juntos".

E então começou uma das sequências mais bizarras que já vi em tribunal. Ted Bundy seria, ao mesmo tempo, réu, advogado de defesa e, em seguida, testemunha.

Ted se levantou para interrogar Hayward. Questionou a testemunha detalhadamente sobre a prisão em Utah, o equipamento no carro e o que foi dito, e tentou destacar que em nenhum momento dera permissão para a revista do Fusca. Hayward, um pouco incomodado por ser questionado pelo réu, respondeu de má vontade: "Você me disse para ir em frente".

E, em seguida, Ted interrogou o policial Darryl Ondrak, da delegacia do condado de Salt Lake, e questionou se os itens encontrados no carro *eram* ferramentas de invasão domiciliar, e destacou que, embora fosse acusado disso, não fora julgado ainda.

Cowart o interrompeu: "Pode discutir isso com as colinas de Utah: *se* eram ferramentas de invasão domiciliar. Isso não é relevante aqui. Desista enquanto ainda está ganhando... mas não disse ganhando de quanto".

O próprio Ted então se transformou em testemunha e foi até o banco. Testemunhou que as primeiras palavras de Hayward foram: "Por que você não saiu do carro e correu? Poderia ter arrancado sua cabeça fora".

Explicou que fora intimidado pela quantidade de policiais presentes e que, em sua opinião, a revista fora ilegal. Se deixou ser interrogado por Danny McKeever e admitiu que havia mentido sobre ter ido ao drive-in antes de ser parado.

Ted queria que a prisão em Utah fosse suprimida, insistia que as evidências foram confiscadas por revista ilegal. O juiz Cowart *iria* suprimi-la, mas não por esse motivo: considerou a prisão muito "longínqua" para aquele julgamento.

"Pode se afastar do banco, sr. Bundy, mas não está dispensado."

Essas transações resultariam em golpe contra a promotoria. O júri não teria permissão para ouvir as comparações da máscara de meia-calça de Utah com a máscara de meia-calça da Dunwoody Street.

O placar estava um a um.

O juiz Cowart raramente deixava transparecer as próprias opiniões durante o julgamento, mas deixou uma escapar quando viu o retrato falado desenhado pelo artista da polícia com base na descrição de Nita Neary. Retrato que Margaret Good argumentou ser insignificante.

"Posso ser cego", começou Cowart, "mas, olhando para essa última imagem, vejo semelhança impressionante com... hã... com quem quer que seja."

Após ouvir as fitas gravadas em Pensacola e o testemunho dos detetives Norm Chapman e Don Patchen das declarações supostamente feitas por Ted depois de desligar o gravador, o juiz Cowart decretou que também fossem suprimidos, ordem que fez os promotores Simpson e McKeever afundarem nas cadeiras. O júri não teria permissão de ouvir ou saber de nada daquilo. Nada da fuga, dos roubos de cartões de crédito, nem das declarações de "vampirismo", "voyeurismo" e "fantasias". Cowart acreditava que muitas partes das supostas conversas faltavam, que não foram gravadas e não permitiria que as partes gravadas fossem usadas. Os roubos dos cartões de crédito não faziam parte das acusações de homicídio, pelo ponto de vista de Cowart.

A fita sobre fantasias também ficou de fora.

O estado ficou com a identificação de testemunha ocular feita por Nita Neary, e com o dr. Richard Souviron. O resto, em grande parte, seria circunstancial. Houve burburinhos na seção da imprensa de que "Bundy *pode* estar de volta ao jogo".

43.

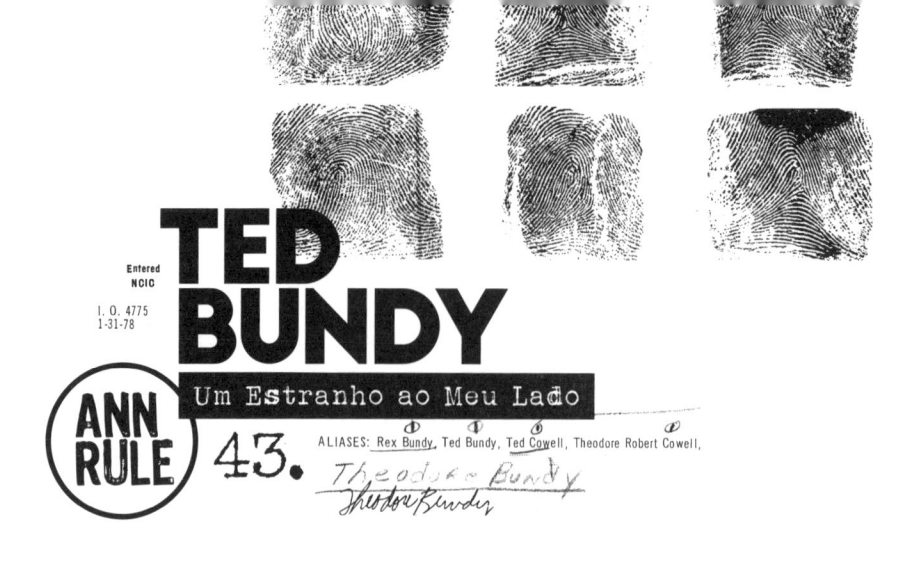

O máximo de detalhes possível

O juiz Cowart estava pronto para o julgamento propriamente dito. A defesa, não.

Em 7 de julho, Ted e seus advogados alegaram não ter tido tempo hábil para preparar o discurso de abertura. "Precisamos de tempo entre os decretos e nosso discurso de abertura", explicou Margaret Good. "Estamos exaustos, tivemos apenas cinco horas de sono nas últimas noites. O senhor está transformando isto em um julgamento por resistência."

"Vocês têm quatro advogados em Miami, um investigador e dois estudantes de Direito ajudando. No que diz respeito ao tribunal, me preocupo com o sistema inteiro. Fico bastante satisfeito se não houver motivo para adiar ainda mais. Neste circuito, não é incomum irmos até a meia-noite. Variamos a melodia, mas é sempre o mesmo rabequista, a mesma música. Durante todos os minutos em que estiveram aqui, eu também estive, e estou cheio de energia."

Ted experimentou outra abordagem. "Estou preocupado com Vossa Excelência, como o senhor fará isso lá pela 1h da manhã."

"Apenas observe. Agradeço a preocupação."

Então Ted ficou bravo. Era meio-dia de sábado, queria começar na segunda-feira. Cowart disse não.

"Meus advogados não estão prontos!"
"Nós vamos começar, sr. Bundy."
"Então vão começar sem *mim*, Vossa Excelência!", irrompeu Ted.
"Como quiser", respondeu Cowart, imperturbável; Ted resmungou — "Não me interessa *quem* ele é" —, mas estava à mesa da defesa quando o júri foi trazido pela primeira vez.

Larry Simpson fez o discurso de abertura pela promotoria, mas só depois de os repórteres terem mandado o jovem promotor público sair do tribunal para pentear o cabelo e voltar a entrar, para benefício das câmeras.

Fez bom trabalho, apresentou no quadro de giz o diagrama dos quatro casos da Chi Omega e do caso da Dunwoody Street, listou os nomes das vítimas e as acusações: Invasão domiciliar (na casa Chi Omega); homicídio qualificado, Lisa Levy; homicídio qualificado, Margaret Bowman; tentativa de homicídio qualificado, Kathy Kleiner; tentativa de homicídio qualificado, Karen Chandler; tentativa de homicídio qualificado e invasão domiciliar, Cheryl Thomas. Simpson foi competente e demonstrou pouca emoção, mas foi claro e conciso.

Ted escolhera Robert Haggard, advogado de 34 anos de Miami que estava no caso havia apenas duas semanas, para o discurso de abertura pela defesa. O juiz Cowart encorajara a defesa a esperar até a sua "metade" do julgamento para a declaração de abertura, opção que tinham, mas preferiram seguir em frente.

Haggard falou por 26 minutos, divagou, e a promotoria protestou 29 vezes, número quase nunca visto antes. Cowart *aceitou* 23 objeções.

Por fim, Cowart jogou as mãos para cima e disse para Haggard: "Finalmente, um *argumento*. Deus o abençoe, bem-vindo *a bordo*".

Achei que o próprio Ted faria o trabalho melhor.

Ted decidiu que interrogaria o policial Ray Crew, um dos primeiros a chegar na casa Chi Omega na madrugada dos homicídios, como estava a cena do crime. Não faço ideia do que passava pela cabeça dos jurados enquanto Ted extraía informações das condições dos quartos onde as mortes ocorreram e do estado do corpo de Lisa Levy, mas me pareceu um tanto grotesco. Se aquele jovem advogado calmo e desinibido esteve ali para ver o corpo de Lisa, se causou aqueles ferimentos terríveis nela, agiu de maneira completamente desapaixonada enquanto questionava o policial.

"Descreva as condições do quarto de Lisa Levy."

"Roupas espalhadas, escrivaninha, livros... uma pequena desordem."

"Algum sangue na área do quarto além daquelas que você testemunhou mais cedo?"

"Não, senhor."

"Você encostou na Srta. Bowman?"

"Não encostei no corpo dela, só levantei o lençol para observar melhor."

"E pode descrever o que viu quando tirou o lençol? Com o máximo de detalhes que lembrar. Se precisar do relatório, pode consultá-lo."

"Estava deitada, quase de bruços. Havia bastante sangue perto da cabeça e o que parecia ser uma meia-calça enrolada no pescoço. A cabeça estava inchada, pálida. Uma das pálpebras estava levantada e os olhos, vazios."

Ted tentava mostrar que o policial deixara as próprias impressões digitais no quarto, que não procedeu com cuidado. Em vez disso, conseguiu apenas gravar essa imagem horrível na mente dos jurados.

E então as mulheres — vítimas e testemunhas — fizeram desfile contínuo pelas portas do tribunal. Melanie Nelson, Nancy Dowdy, Karen Chandler, Kathy Kleiner, Debbie Ciccarelli, Nancy Young e Cheryl Thomas. Vestidas com roupas de algodão de cores brilhantes, todas tinham ar de inocência, de vulnerabilidade.

Não havia sinal externo de que Karen e Kathy sofreram ferimentos. Os pinos na mandíbula, concussões e hematomas ficaram bem para trás. Apenas quando contaram o que lhes acontecera é que fomos capazes de imaginar o horror.

Em nenhum momento olharam para Ted Bundy.

Cheryl Thomas teve mais dificuldade. Mancou enquanto avançava até o banco das testemunhas e se sentou com o ouvido direito virado para o promotor, para ouvi-lo, pois estava completamente surda do outro.

Não testemunhou da luta que tivera para recuperar a saúde, corridas e sequências de abdominais. A princípio, quanto voltara a andar, tendia a oscilar para um lado, mas aprendera a compensar com os outros sentidos, a visão e o tato. Desenvolveu senso de equilíbrio com a mente. Também não mencionou como caíra repetidas vezes ao retomar as aulas de balé, que recomeçou do zero. Testemunhou com voz bem baixa e sorria timidamente com frequência.

A defesa tomou a sábia decisão de não interrogar as vítimas.

O dr. Thomas Wood testemunhou sobre as necropsias que fez, e então, passou por cima de objeções de Margaret Good, e apresentou fotografias coloridas de 28 por 35 centímetros dos cadáveres, apontando os ferimentos para o júri.

É normal os advogados de defesa protestarem contra fotos de necropsias, que dizem ser "provocativas e sem valor probatório", e também é normal as fotos serem aceitas.

Observei o rosto dos jurados enquanto aquelas fotos terríveis passavam em silêncio ao longo das fileiras de assentos. As mulheres pareciam lidar melhor com aquilo do que os homens, que empalideceram e retorceram o rosto.

Houve diversas fotos das nádegas de Lisa Levy com marcas de dentes claramente visíveis, havia um close-up de Margaret Bowman, chamada de foto "buraco-na-cabeça" pelo juiz Cowart, por falta de termo melhor, havia a fotografia do seio direito de Lisa Levy, o mamilo quase arrancado a mordidas.

Não tinha visto nem conversado com Ted em particular. Não lhe permitiram a liberdade que esperava para conversar com os presentes no tribunal. Em cada recesso, era algemado e levado para a salinha do outro lado do corredor. Quando o tribunal entrou em recesso ao fim do dia, após a sessão em que os relatórios de necropsia e as imagens das vítimas foram apresentados como provas, fiquei no corredor no lado de fora por um instante. Ted carregava a costumeira pilha de documentos nas mãos algemadas, saiu e passou a poucos metros de onde estava. Se virou, sorriu para mim, deu de ombros e desapareceu.

Na Flórida, os repórteres têm permissão de ver todas as provas aceitas. Nosso grupo esperou Shirley Lewis, a secretária judicial, empurrar o carrinho enorme cheio de evidências físicas até o escritório dela, onde tudo foi espalhado na mesa. Um miasma, real ou imaginário, pareceu se erguer daquela confusão, trouxe risadas e humor mordaz comumente silenciados entre os membros da imprensa.

"Não estamos rindo agora, estamos?", disse Tony Polk, de Denver, em voz baixa. Não estávamos.

Todas as máscaras de meias-calças estavam ali (inclusive aquela que o sargento Bob Hayward trouxera de Utah) notavelmente parecidas umas com as outras. O garrote do pescoço de Margaret Bowman, ainda com sangue seco, estava lá. E todas as fotos...

Eu já tinha conseguido criar certo grau de distanciamento para lidar com fotografias de homicídio e não me perturbavam tanto como antes, embora eu faça questão de não me demorar nelas. No dia em que estive no escritório de Shirley Lewis, já tinha visto milhares de fotos de cadáveres.

Eu já tinha visto fotos de Kathy Devine e Brenda Baker no condado de Thurston, mas isso foi meses antes de saber que havia "Ted". É claro, não havia corpos para fotografar nos outros casos em Washington, e não tivera acesso às fotos do Colorado e de Utah. Agora, eu via enormes fotografias coloridas de ferimentos causados a garotas jovens o bastante para serem minhas filhas — fotos de ferimentos que supostamente eram obra do homem que pensava conhecer. Aquele homem que apenas poucos minutos antes me oferecera o mesmo velho sorriso e dera de ombros, como se dissesse: "Não tenho nada a ver com isso".

Aquilo me atingiu como terrível onda de náusea. Corri para o banheiro feminino e vomitei.

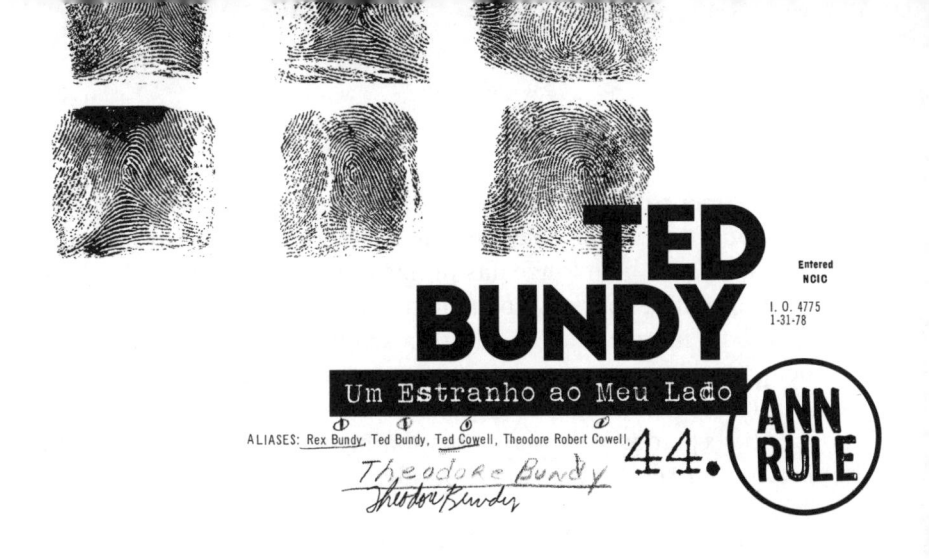

___Encaixe perfeito___

Os dias quentes e pegajosos de julho em Miami tinham um padrão. Primeiro, o êxodo em massa do Centro Cívico Holiday Inn pela maioria dos envolvidos — exceto o réu — até a Secretaria da Justiça, a três quarteirões de distância. Virtualmente, toda a equipe de defesa, a equipe da promotoria, os jornalistas de fora da cidade, Carole Ann Boone e o filho adolescente, bem como cinegrafistas e técnicos de televisão se aquartelaram no hotel Holiday Inn, e algumas das melhores citações que os repórteres obtiveram foram à noite, quando o barzinho no primeiro andar lotava de participantes com cerveja gelada e gim tônica. Ali, as linhas de demarcação não eram tão pronunciadas quanto no tribunal.

A imprensa saía correndo para chegar à Secretaria da Justiça. "Entre lá antes que Watson feche a porta!" A jornada não era desprovida de perigos: tinha de atravessar seis faixas do tráfego da hora do rush e se equilibrar no canteiro central enquanto os trabalhadores de Miami zuniam a poucos centímetros, a caminho do trabalho. "Não andem embaixo do viaduto! Um repórter de Utah foi assaltado na outra noite por alguém de bicicleta com faca de quinze centímetros."

Por outro lado, o hotel em si não era lá muito seguro. Ruth Walsh, a âncora da ABC de Seattle, perdera dinheiro, joias e até mesmo a aliança de casamento para o gatuno que se esgueirara para dentro do quarto depois de escalar a varanda no sexto andar enquanto ela dormia.

Estávamos bem longe das praias onde os turistas se divertiam.

Enquanto bebericava o primeiro café do dia no centro de comunicações no nono andar, a balbúrdia acontecia. Os telefones já estavam ocupados, repórteres colocavam os copidesques que aguardavam as atualizações diárias na espera.

Ali, as piadas assumiam tons sombrios. Dois repórteres de TV imitaram a entrevista com a sra. Bundy, um deles no papel da mãe do réu com falsete estridente.

"E como o Ted era quando criança, sra. Bundy?"

"Ah, um bom garoto, garoto bom, normal, tipicamente norte-americano."

"De que tipo de brinquedos gostava, sra. Bundy?"

"As coisas de sempre: armas, facas, meias-calças, como qualquer outro garoto."

"Ele trabalhava?"

"Ah, não. Teddy sempre teve seus cartões de crédito."

Uma explosão de gargalhadas ecoou pela sala.

Enquanto esperavam que os procedimentos relampejassem na TV de circuito fechado diante deles, os autores de versos rabiscavam.

> Teddy a Tallahassee chegou,
> Um belo rabo de saia procurou.
> Pela escuridão, furtivo, foi se esgueirando,
> Até o alvo encontrar sempre espreitando.
> Lembre-se, querida, e lembre-se bem...
> A mordida é pior que o latido também.

Para alguns dos jornalistas, o julgamento de Bundy era apenas uma matéria, e a grande oportunidade, acima de tudo. Outros pareciam preocupados e conscientes demais do desperdício das vidas envolvidas — não apenas das vítimas, mas também do réu. Assistíamos a uma tragédia enorme se desenrolar diante dos olhos, e isso significava muito mais do que manchetes.

Lá embaixo, no quarto andar, o ânimo do público era raivoso e vingativo. Enquanto esperava na fila para passar pelo detector de metal e me submeter à revista da bolsa e documentos — algo que acontecia todas as vezes que entrava no tribunal —, ouvi dois homens conversarem atrás de mim.

"Aquele Bundy... nunca vai sair vivo da Flórida... vai receber o que merece."

"Deveriam levá-lo para fora, pregar as bolas dele na parede e deixá-lo ali para morrer. E isso ainda seria bom demais para ele."

Eu me virei um pouco para espiá-los: dois homens simpáticos com aparência de avôs. Ecoavam a opinião do público da Flórida.

Conforme o julgamento avançava, as multidões ficavam mais densas e hostis. Será que o júri conseguia sentir? Será que eles próprios tinham um pouco de raiva reprimida? Não era possível perceber de vista, os rostos estavam impassíveis, atentos. Um ou dois deles cochilavam nas longas sessões vespertinas. Lá em cima, na sala da imprensa, os repórteres percebiam isso e gritavam para a televisão: "Acorda! Acorda! Ei, Bernest! Acorda! Floy! Acorda!".

Ted ainda olhava para a área da imprensa, para ver se eu estava lá, e ainda dava o sorriso fraco, mas parecia encolher. Os olhos ficavam um pouco mais fundos a cada dia, como se alguma coisa dentro dele secasse, e deixasse apenas a casca exausta sentada à mesa da defesa.

Apesar da interminável procissão de policiais e mulheres que, de algum modo, começaram a se mesclar uns aos outros, os boatos diziam que Bundy podia vencer. Havia muita coisa sobre ele que foi escondida do júri.

Danny McKeever, com aparência extenuada, deu curtas entrevistas preocupado, algo que promotores raramente admitem. A imprensa começou a apostar que "aquele filho da puta pode conseguir".

Tínhamos perdido um dia no tribunal porque Mazie Edge pegou uma virose. Perderíamos outro quando o próprio Ted foi acometido de febre alta e tosse carregada. Nesses dias, com nada mais para fazer, entrevistávamos uns aos outros, e artigos secundários de vago interesse humano eram enviados aos jornais das cidades natais, reportagens que descreviam como repórteres de outras áreas se sentiam, um tipo de jornalismo congênito.

Ted então voltou, parecia ainda mais pálido e cansado.

Robert Fulford, gerente do The Oak, testemunhou de seu primeiro contato com "Chris Hagen", sobre alugar um quarto com beliche, mesa, cômoda e escrivaninha. "Não estava com o dinheiro do aluguel quando o prazo venceu. Disse que poderia fazer um interurbano para a mãe em Wisconsin e ela enviaria o dinheiro. Eu o vi fazer um telefonema e pareceu mesmo que falava com alguém, mas nunca voltou para quitar o aluguel. Quando verifiquei o quarto, alguns dias depois, havia partido."

O júri sabia que Bundy fora a Tallahassee e ido embora de lá, mas não viriam a saber de onde nem por quê.

David Lee testemunhou sobre a prisão de Bundy que fez em Pensacola no amanhecer de 15 de fevereiro, e descreveu como o prisioneiro tinha desejado morrer.

No dia seguinte, 17 de julho, Ted não foi ao tribunal. Às 9h, não estava em seu lugar à mesa da defesa. A galeria murmurou, e a área da imprensa ficou surpresa. Bundy *sempre* estava na cadeira, sem algemas, quando o julgamento começava. Agora, não estava. Havia alguma coisa errada.

O júri foi mantido isolado enquanto o carcereiro Marty Kratz vinha ao encontro de Cowart. Kratz explicou ao juiz que houve um problema com Ted na prisão.

Por volta de uma da manhã, Ted arremessara uma laranja por entre as grades da cela 406 e conseguira arrebentar uma das luzes instaladas no lado de fora para lhe proporcionar melhor iluminação no cárcere. Imediatamente os carcereiros o transferiram para a cela 405 e revistaram a primeira cela. Encontraram cacos de vidro da lâmpada estilhaçada.

Para quê? Suicídio? Fuga?

"Quando fomos buscá-lo para o tribunal hoje de manhã", continuou Kratz, "não conseguimos inserir a chave na fechadura, porque ele tinha enfiado papel higiênico dentro."

Lembrado de que deveria se apresentar ao tribunal, Bundy respondera: "Estarei lá quando tiver vontade".

Cowart não digeriu muito bem a informação e mandou que os advogados de Ted conversassem com o cliente para que viesse ao tribunal o quanto antes. Também considerou que Ted desacatou o tribunal com as táticas de adiamento.

Às 9h30, ele apareceu. O juiz pediu que ele se aproximasse da bancada, e disse: "A sessão deveria ter começado às 9h. Vou lhe dizer uma coisa, meu jovem, e vou falar clara e pausadamente para você entender. Este tribunal não seguirá os seus horários. Este tribunal definirá o horário em que nos reuniremos e em que não nos reuniremos. O tribunal já considerou seu atraso uma revelia. Esteja ciente de que não toleraremos isso de novo. Tem alguma dúvida?".

Um Ted bravo reclamou que o tratamento por parte do condado de Dade não era satisfatório. Voltou a se queixar da falta de exercícios, da retenção de arquivos e de ser impedido de acessar a biblioteca de direito. "É uma tentativa do sistema, creio eu, de me coagir, de me desgastar. [...] Este trem está em movimento, Meritíssimo. Mas se eu quiser pular, eu vou pular. Se precisar, para demonstrar ao tribunal, que há coisas acontecendo fora da corte que estão me influenciando e afetando... Chega um ponto que só preciso dizer: "opa!"..."

"Opa", interrompeu Cowart. "Se você disser 'Opa', vou usar esporas para controlar você."

Ted cometeu erro tático. Começou a listar as ofensas que sofria, brandiu o dedo em riste para o juiz Cowart. Ele ficou ofendido. "Não aponte o dedo para mim, meu jovem... não aponte o dedo para mim!"

Bundy inclinou um pouco o dedo na direção da mesa da defesa.

"Assim está melhor", disse Cowart. "Pode apontar seu dedo para o sr. Haggard."

"Ele provavelmente merece mais do que o senhor. Nas três semanas em que estive aqui, fui levado à biblioteca de direito três vezes."

"Sim, e nestas três ocasiões, só ficou sentado lá e conversou com o sargento Kratz. Nunca usou a biblioteca em si."

"Isso não é verdade. [A biblioteca] é uma piada. Mas é um lugar melhor para ler do que a sala de interrogatório. Não há justificativa para o tratamento que recebo. Sou submetido a revista íntima depois de ver o advogado, é inconcebível."

Cowart falou como se se dirigisse a uma criança mimada. "Este tribunal vai prosseguir como programado sem as suas interrupções voluntárias, não vamos mais aturar isso. Agora, quero que discuta isso com seus advogados, quero que saiba seus direitos, mas também que, por mais tolerante que este tribunal possa ser, pode ser bastante rígido."

"Estou disposto a aceitar as consequências de meus atos, Meritíssimo, e, qualquer coisa que eu faça, estou ciente do que o tribunal vai fazer."

"Então, estamos de acordo. Deus o abençoe, espero que fique conosco. Caso contrário, sentiremos sua falta."

Bundy encerrou o assunto com humor azedo. "E todas essas pessoas não pagarão para vir me ver."

Os ânimos permaneceram alterados durante grande parte do dia. Quando a especialista em microanálise, Patricia Lasko, testemunhou que os dois fios de cabelo na máscara de meia-calça na Dunwoody Street eram "do sr. Bundy ou de alguém cujos cabelos são *exatamente* como os dele", Haggard a interrogou sem misericórdia.

A discussão da microanálise capilar se tornou tão esotérica que o júri pareceu perdido no meio da terminologia científica. Haggard atormentou a srta. Lasko até o juiz o advertir.

Haggard pediu para examinar as anotações da srta. Lasko, que, no entanto, as manteve consigo teimosamente. Ele as arrancou da testemunha, e Larry Simpson foi até Haggard e deu início a um cabo de guerra com o advogado de defesa pelo caderno.

O juiz Cowart repreendeu os advogados e pediu que o júri se retirasse. Então conversou com o normalmente bem-comportado Simpson. "Essa foi a primeira vez que o vi perder a cabeça."

Era verdade. Teve pouquíssimas faíscas nos interrogatórios de *ambos* os lados.

O caso do estado estava chegando ao fim. Nita Neary voltou a levantar o braço, dessa vez diante do júri, e apontou para Ted Bundy como o homem que vira sair da casa Chi Omega pouco depois dos assassinatos. A maior arma de todas, o dr. Richard Souviron, o odontologista forense, estava prestes a ser usada.

Souviron, bonito e garboso com dom para a teatralidade, pareceu desfrutar de seu momento diante do júri. Apontou para os dentes na enorme foto colorida da boca de Ted Bundy, a fotografia tirada depois que o mandado de busca foi entregue na prisão do condado de Leon mais de um ano antes.

O júri parecia fascinado. Ficaram confusos antes, é óbvio, pelo testemunho da sorologia do sêmen e dos cabelos, mas acompanharam o testemunho dentário com atenção.

O tecido da nádega de Lisa Levy fora destruído para o propósito de comparação por preservação imprópria. Apenas a marca de mordida, fotografada em escala, sobrou. Seria suficiente?

"Estes são os incisivos laterais... pré-molares... incisivos..."

Souviron explicou que os dentes de cada indivíduo têm características particulares: alinhamento, irregularidades, lascas, tamanho e afiação — e essas características os tornam únicos. Souviron considerava os dentes de Ted *particularmente* únicos.

Com gestos dramáticos, prendeu a imagem aumentada das nádegas de Lisa Levy, apresentando as fileiras arroxeadas de marcas de mordida, no quadro de demonstração diante do júri. E então colocou a folha transparente sobre a imagem, folha com a imagem aumentada dos dentes do réu.

"E se encaixam perfeitamente!"

Para explicar a "mordida dupla", Souviron prosseguiu: "O indivíduo mordeu uma vez, depois se virou de lado e mordeu a segunda vez. Os dentes superiores permaneceram quase na mesma posição, mas os dentes inferiores — morderam com mais força — deixaram dois 'anéis'." A segunda mordida fez com que fosse ainda mais fácil comparar os dentes com as marcas porque tinha duas vezes o que analisar.

"Doutor", começou o promotor Simpson. "Com base na análise e comparação da marca de mordida em especial, consegue nos dizer com razoável grau de certeza de especialista se os dentes representados nesta fotografia são ou não aqueles de Theodore Robert Bundy, e que os dentes representados pelos modelos apresentados como as provas do estado números 85 e 86 fazem das marcas de mordida, expressas na sua demonstração, pronunciadas e reconhecidas como evidências?"

"Sim, senhor."

"E qual é essa opinião?"

"Eles fizeram as marcas."

Essa foi a primeira vez, a primeiríssima vez em todos os anos desde 1974, que uma evidência física fora conectada sem dúvidas entre uma vítima e Ted Bundy... e o tribunal entrou em erupção.

A defesa, é claro, queria mostrar que "certeza dentária" e odontologia forense eram ciência primitiva e amplamente não aceita.

Ed Harvey se levantou para realizar o interrogatório pela defesa. "Analisar marcas de mordida é em parte arte e em parte ciência, não é?", começou.

"Acredito que essa seja uma afirmação justa."

"E isso depende na verdade da experiência e educação do examinador?"

"Sim."

"E as conclusões são realmente questão de opinião. Isso está correto?"

"Isso está correto."

"O senhor tem determinado conjunto de dentes, ou modelos, e determinada área de pele, coxa ou panturrilha. Existe alguma maneira de testar se esses dentes deixarão as mesmas marcas repetidas vezes?"

Souviron sorriu. "Sim, porque fiz um experimento como esse. Peguei alguns modelos, fui ao necrotério e pressionei os modelos na área das nádegas de diferentes indivíduos e as fotografei. Sim, podem ser padronizadas; e, sim, são compatíveis."

Harvey fingiu incredulidade. "Você disse *cadáveres*? Isso está correto?"

"Não consegui encontrar nenhum voluntário vivo."

Harvey tentou encontrar alguma área de inconsistência, mas a linha de questionamento falhou.

Souviron ofereceu mais explicações, e o júri se inclinou para a frente para ouvir. "Se existe área de inconsistência, ela logo aparece. Se existe um incisivo central em V que não deixaria esse padrão, você diria: 'Bom, teremos que excluir essa pessoa, pois apesar de o tamanho do arco ser o mesmo, os caninos estão enfiados atrás dos incisivos laterais, e esse tipo de coisa. Os incisivos centrais não se alinham direito'. [Mas] as chances de encontrar isso seria como encontrar uma agulha no palheiro — um conjunto *idêntico*, como o do sr. Bundy, com o desgaste nos incisivos centrais e tudo o mais, o incisivo lateral lascado... tudo é similar. Você teria de ser capaz de combinar isso com três marcas dos incisivos centrais superiores, e as chances de algo assim acontecer são astronômicas."

O estado encerrava o caso com grande vantagem no placar. Chamaram o dr. Lowell J. Levine, o principal consultor de odontologia forense do Instituto Médico-Legal da Cidade de Nova York. Testemunhou que Lisa Levy — ou a pessoa cuja pele aparecia na fotografia que analisou — estivera "passiva" quando as marcas de mordida foram deixadas no corpo. "Há pouquíssimas evidências de movimento ou de giro que normalmente se obteria conforme o tecido se move em diversas direções e enquanto os dentes se movem na pele. Quase se parece mais com um animal que mordeu e meio que se agarrou. Essas coisas foram feitas devagar, e a pessoa não estava se movendo. Elas [sic] estavam passivas quando as marcas foram feitas."

"Pode nos dar sua opinião sobre a unicidade dos dentes?"

"Os dentes de todos são únicos para aquela pessoa em particular, por vários motivos. Um, os formatos dos dentes são únicos; além da justaposição ou a relação de um dente com o outro ser única, a sinuosidade, ou ponta, ou curvatura também soma a essa unicidade. Dentes presentes e perdidos... e essas são basicamente características gerais. Também temos outros tipos de características individuais que são acidentais, como quebras."

Mike Minerva, deixado para trás em Tallahassee quando Ted se desiludira com ele, estava no tribunal (perdoado, ao que parecia) para interrogar o dr. Levine.

"Quando diz 'grau razoável de certeza dentária', o senhor está falando de algum tipo de probabilidade. Isso está certo?"

"Um grau muito alto de probabilidade, sim, senhor."

Minerva tentava lançar suspeitas sobre a "nova ciência", para fazer com que fosse apenas "provável" e não "absoluta", mas Levine não se daria por vencido.

"[...] na minha cabeça é uma impossibilidade prática criar algo com todas as características idênticas."

"O senhor concorda que é justo dizer que a odontologia é ciência forense relativamente nova, recém-reconhecida?"

"Não. Não acredito que isso seja justo, em absoluto. Historicamente, temos o caso de Paul Revere[1] fazendo identificações. Temos testemunhos reconhecidos diante da ordem dos advogados em Massachusetts, no final dos anos 1800, sobre identificações e é possível encontrar citações de casos de marcas de mordida até mesmo no sistema judiciário que remontam a 25 anos. Então o que é novo?"

A promotoria encerrou o seu caso. Ted Bundy pediu que o dr. Souviron fosse desconsiderado pelo tribunal por ter se manifestado no seminário em Orlando antes do julgamento de seu caso, e Cowart negou o pedido. No tribunal vazio, Ted estudou as provas dentárias de seus dentes e as fotos das marcas de mordida em Lisa Levy.

Não faço ideia do que pensava.

---

[1] Paul Revere (1735-1818), considerado patriota da Guerra da Independência norte-americana, além de artesão e ourives, também foi dentista. Por meio de arcadas dentárias, Revere identificou diversos corpos sepultados em campos de batalha durante a Revolução Americana. [NT]

45. O trem em movimento

As coisas não iam bem para o lado da defesa. Robert Haggard se demitira, e insinuou que a insistência do réu em questionar Ray Crew, o policial nos quartos dos homicídios na noite de 14 para 15 de janeiro, tinha sido um erro. Os defensores públicos não permitiriam que Ted interrogasse mais nenhuma testemunha.

Em 20 de julho, primeiro dia da defesa, Ted se levantou para se dirigir ao juiz Cowart. Alegou que seus advogados eram inadequados, os mesmos advogados que tanto havia elogiado para mim no telefone antes do julgamento. Culpava Mike Minerva por largar o caso sem aviso prévio, o homem que agora dizia ser "a pessoa naquele caso com mais experiência em tribunais". Ted não mencionou que ele mesmo pedira para Minerva sair.

"Não tive escolha na seleção de Bob Haggard para me representar aqui em Miami. No geral, não me foi perguntado em momento algum a *minha* opinião sobre quem da defensoria pública deveria me representar."

Na verdade, Ted não gostava de toda a equipe de defesa. "Acredito que também seja importante notar que há certos problemas de comunicação com os advogados que reduziram minha capacidade de defesa — a defesa que já não é minha defesa, não foi sancionada por mim, tampouco uma que posso dizer que concordo."

Ted reclamou que os advogados ignoravam sua contribuição para o caso, não o deixavam decidir e negavam teimosamente o seu direito de interrogar as testemunhas diante do júri.

Cowart ficou perplexo. "Não conheço nenhum caso que tenha visto ou vivido em que um indigente tenha recebido a qualidade e a quantidade de advogados que você recebeu. Cinco advogados diferentes o representaram, algo inédito. Quem cuida das coisas para defensor público, não posso lhe dizer. E o que está acontecendo com todos aqueles outros indigentes que representam, também não posso lhe dizer. Este tribunal vem observando com bastante atenção que, antes que as testemunhas sejam interrogadas, se você é questionado, e os registros mostrarão centenas de 'só um minuto, por favor' em que eles [os advogados de Ted] se aproximam e confabulam com você. Nunca vi nada assim na história de nenhum caso que já tenha julgado. Tampouco durante 27 anos na ordem dos advogados testemunhei algo como o que vem acontecendo na defesa deste caso."

Mas Ted foi inflexível. Mais uma vez, queria assumir a própria defesa.

Cowart disse que concordaria, mas alertou Ted de que o advogado que representa a si mesmo tem o tolo como cliente.

Ted respondeu: "Sempre comparei esse axioma em particular com alguém que trabalha no próprio carro e tem o tolo como mecânico. Tudo depende do quanto você quer fazer por conta própria".

Era uma história velha e cansativa. Cowart sugeriu que a questão de Ted era de "submissão de advogado".

"Imposição", contrapôs Ted.

"Não, é submissão, e este tribunal já abordou a questão. Se não fazem cada uma das coisinhas que você quer que façam, são incompetentes. E, Deus o abençoe, se eles *fizerem... eu* vou despedi-los."

É provável que Ted quisesse se certificar de que os registros mostrassem que não tivera o advogado de sua escolha. O nome de Millard Farmer não foi mencionado, mas a insinuação ficou clara.

Ted estava no controle outra vez, e os advogados eram apenas "conselheiros". Ainda assim, por ora, Ed Harvey questionaria as testemunhas da defesa. Harvey disse — longe dos ouvidos do júri, que não parecia se dar conta de que a equipe de defesa se desfazia — que também queria sair.

A tática da defesa era não apresentar álibis para Ted Bundy, mas negar as evidências do estado. O dr. Duane DeVore, professor de cirurgia odontológica na Universidade de Maryland e conselheiro em odontologia forense do legista-chefe do estado de Maryland, testemunhou que marcas de mordida *não* eram únicas — embora os dentes em si fossem.

"[...] O material da pele é flexível, elástico, e, a depender das estruturas sanguíneas embaixo dele e a quantidade de sangue, [o dente] pode não deixar marca única."

DeVore apresentou quatro modelos de dentes de jovens de Maryland que disse poderem ter causado as marcas de mordida na vítima, mas admitiu para Larry Simpson que os dentes de Ted Bundy também poderiam ter feito as mesmas marcas.

A defesa apresentou a fita gravada do transe hipnótico de Nita Neary, no qual disse que o empregado da casa, Ronnie Eng, era parecido com o intruso. Eng foi levado ao tribunal mais uma vez e se postou ao lado de Ted. O júri olhou e, claro, não disse nada.

O especialista em sorologia, Michael J. Grubb, do Instituto de Ciência Forense de Oakland, testemunhou que o sêmen encontrado nos lençóis de Cheryl Thomas não poderia ser de Bundy, também em longo discurso altamente técnico que pareceu confundir o júri.

Ed Harvey, tentando novamente salvar o cliente, solicitou outra audiência de competência. "A vida do homem está em jogo. Não deveria ser forçado a aceitar os serviços de advogados públicos nos quais não confia. Sua conduta revelou os efeitos debilitantes do distúrbio mental ao refletir total falta de discernimento em relação ao distúrbio e aos efeitos sobre ele, e ao ter habilidade totalmente inadequada em se consultar com advogados a respeito do caso."

Danny McKeever se opôs à moção de competência. "É difícil trabalhar com este homem. O modo como às vezes trabalha contra os advogados é quase astucioso... mas ele é competente."

Ted sorriu. Qualquer coisa era melhor do que ser considerado incompetente.

Cowart também acreditava que Ted era competente, e o acordo foi estabelecido conforme o julgamento se aproximava do fim. Harvey permaneceria, Lynn Thompson também, e Margaret Good faria o discurso de encerramento. Bundy viria a comentar mais tarde: "Eu me sinto muito, muito bem...".

Não tive a oportunidade de encontrar Ted sozinho desde que cheguei a Miami, embora tenha deixado mensagens com o meu telefone na prisão. Não sei se as recebeu ou, se caso as recebeu, podia telefonar, talvez não tivesse mais nada para me dizer. Não posso julgar se era competente ou não, é irrelevante se o ataque deliberado contra a plataforma já instável da equipe de defesa foi jogada de sua parte para ganhar ainda mais atenção ou um indício de que Ted já não estava mais raciocinando. Um homem nas garras de algum tipo de egomania que obliterava a questão da própria sobrevivência. Só podia observá-lo no tribunal, e parecia determinado a se destruir.

Ted continuou a aviltar os advogados, ainda irritado por não concordarem em lhe dar mais controle. "Tentei ser simpático. Estamos falando mais do problema que advogados têm em abrir mão do poder. Talvez estejamos lidando com problema de psicologia profissional, em que advogados são tão ciumentos do poder que exercem no tribunal que têm medo de compartilhá-lo com o réu. São tão inseguros em relação às próprias habilidades e experiência, que temem que qualquer outra pessoa possa saber tanto quanto eles ou que possa pelo menos participar do processo de planejamento."

Cowart comentou com moderação que os advogados de Ted passaram nos testes para a ordem, e se formado em direito adequadamente. "Não posso conceber a ideia de me submeter, ou tenho certeza de que não me submeteria, à cirurgia cerebral com alguém que estivesse há apenas um ano e meio na faculdade de medicina."

Na verdade, é claro, os advogados de defesa de Ted não eram tão experientes assim. Cowart os ajudara a montar as perguntas, e grande parte dos interrogatórios era tediosa, sem inspiração e avançava para lugar nenhum. Se bem que Simpson e McKeever, pelo estado, não se equiparavam a Melvin Belli ou F. Lee Bailey.

O julgamento de Bundy tinha sido marcado pela mediocridade ao longo de toda a trajetória. Apenas o próprio juiz era de alta classe. Se Ted tivesse trabalhado com os advogados em vez de tentar acabar com eles, certamente teria conseguido a defesa adequada. Eles foram bem-sucedidos em barrar a "fita das fantasias", a máscara de meia-calça de Utah, o antigo histórico e a fuga. Apesar de algumas indecisões, poderiam tê-lo salvado *se* Ted permitisse.

Nos discursos finais, a imprensa ainda estava dividida nas apostas do veredito.

E, ainda assim, parecia haver algo acontecendo, que não podia ser parado. Ted falara que "este trem está em movimento", e isso tocou algo enterrado na minha mente. O resultado do julgamento não seria necessariamente o veredito errado, o veredito era algo que nenhum de nós poderia controlar. A verdade se perdera em algum lugar entre joguetes, rituais, moções, discussões insignificantes e discussões racionais, citações para a imprensa e anotações para registro.

Em todas as empreitadas humanas que lidam com o impensável, com o que é terrível demais para se lidar diretamente, nos voltamos para o conhecido e consolidado: funerais, velórios e até mesmo guerras. Agora, naquele julgamento, tínhamos ido além da empatia pela dor das vítimas e de nossa percepção mesquinha de que o réu era uma personalidade fragmentada. Ele conhecia as regras e tinha bastante conhecimento da lei, mas não parecia estar ciente do que estava prestes a lhe acontecer, parecia se considerar irrefreável.

Eu não podia lutar contra isso. Tinha de acontecer, mas não fazia sentido que nenhum de nós entendesse que seu ego, nossos egos e os rituais do próprio tribunal, as piadas e as risadas nervosas ocultavam reações instintivas que todos nós deveríamos enfrentar.

Estávamos todos naquele trem em movimento...

Olhei para o júri e logo *soube*. Esqueça as probabilidades. Meu Deus, eles vão matar Ted.

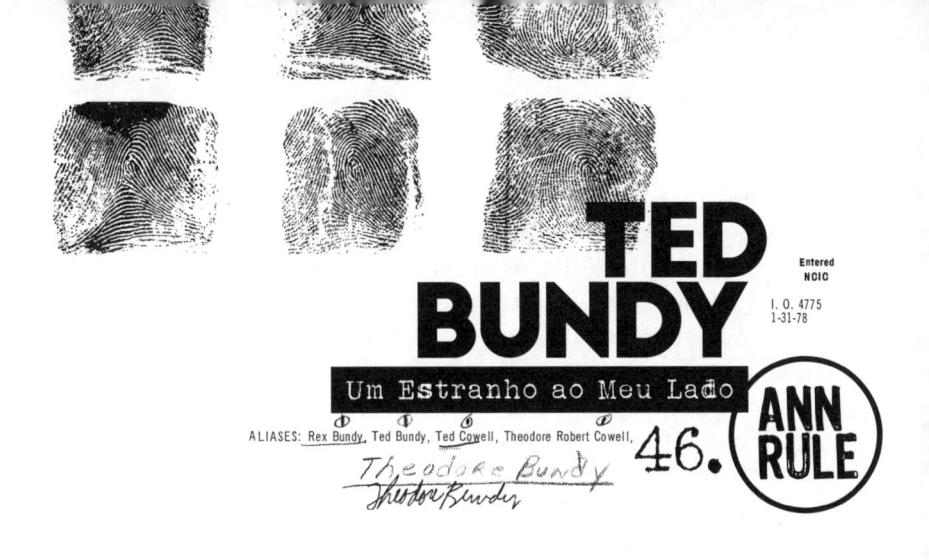

_O júri chega a
____uma decisão

O próprio Ted teve um último "Viva!" antes das considerações finais. Estudara com atenção as ampliações de seus dentes e ouvira, impassível, enquanto o dr. Souviron testemunhava que não havia dúvida na sua mente de que tinha sido Ted Bundy — *e apenas Ted Bundy* — que cravara os dentes na nádega de Lisa Levy. No tribunal quase vazio, Ted tinha até mesmo se exibido para as câmeras, segurado o modelo de seus dentes contra a foto da pele ferida da garota morta. E havia se dado conta do quão condenatórias as evidências da odontologia forense eram para o caso.

Na ausência do júri, Bundy convocou o investigador, Joe Aloi, para o banco das testemunhas. Aloi era cordial e robusto, dado a usar chamativas camisas de temas tropicais fora do tribunal, investigador respeitado que brincava com a imprensa e os advogados no saguão do hotel. Agora Ted tentava, por meio dele, apresentar evidências físicas que contestassem a exatidão do testemunho de Souviron: seu dente frontal não estava lascado na época dos homicídios na Chi Omega, de acordo com Ted.

Aloi identificou fotografias enviadas por Chuck Dowd, o editor-executivo do *Tacoma News Tribune*, o jornal da cidade natal de Ted.

As fotos representavam a sequência cronológica desde sua primeira prisão em Utah.

"Qual é o propósito de ampliar determinadas partes das fotografias que você tentava obter em ordem cronológica?", perguntou Ted.

"Eu havia recebido informações do sr. Gene Miller, do *Miami Herald*, a respeito do seminário que o dr. Souviron apresentara. Fiquei bastante preocupado quando essa característica ocorreu."

"E que característica seria essa?"

"Essa em relação aos dois dentes frontais — não conheço todos os nomes — e fiquei preocupado com a lasca na lateral do dente, se estava aí ou não, e se havia alguns períodos específicos nos quais poderíamos documentar algumas das fotografias em evidência para provar que esse dente em particular estava em perfeitas condições em determinadas épocas. E, é claro, em outras épocas em que o dr. Souviron tirara amostras suas, se o dente estava em condições diferentes."

Ted perguntou o que as ampliações das fotos revelavam. Uma objeção foi mantida e o juiz Cowart instruiu o réu advogado de defesa: "Você pode perguntar se conseguiu [descobrir se os dentes estavam em condições diferentes]. Tente dessa maneira e veja se faço objeção".

"O tribunal sempre tem razão."

"Não", objetou Cowart. "Nem sempre."

"Você conseguiu o que tinha se proposto a fazer?"

"Não, senhor, não consegui."

"E por que não?"

Aloi respondeu: "A imprensa, por motivos legais e talvez por outros motivos, não foi muito cooperativa".

O investigador explicou que diversos jornais não quiseram lhe entregar os negativos de fotografias de Ted Bundy exibindo o largo sorriso habitual. Aloi não conseguira as fotografias de Ted tiradas antes da prisão, em Pensacola, que indicariam positivamente que não havia nenhuma lasca no seu dente da frente naquela época.

Ted voltou a trocar de lugar e, de novo, se tornou a testemunha e foi interrogado por Margaret Good. Testemunhou que seu dente lascara em meados de março de 1978, dois meses depois dos homicídios em Tallahassee.

"Eu me lembro de jantar na cela, na prisão do condado de Leon, e morder com força, do jeito que você morde pedra ou seixo. Quando vi, era apenas um pedaço branco de dente, lasca de um dos incisivos centrais."

Danny McKeever se levantou para interrogá-lo. "Você não sabe como são os registros dentários de Utah, certo?"

"Nunca vi os registros dentários em si."

"Ficaria surpreso se soubesse que aqueles dentes parecem estar lascados nos registros dentários de Utah?" (O que, de fato, estavam.)

"Sim, ficaria."

Agora, pela primeira vez, Ted convocou sua amiga, Carole Ann Boone, para o banco das testemunhas. Carole Ann respondeu todas as perguntas de Bundy sobre suas visitas a ele na prisão do condado de Garfield no final de 1977.

"Você me visitou lá? Quantas vezes?"

"Não estou com meus registros aqui, mas acredito que visitei você seis ou sete dias consecutivos, tanto pela manhã quanto pela tarde. Em algumas tardes, nós nos encontramos na biblioteca de direito do fórum e então voltamos juntos para a prisão, a mais ou menos meio quarteirão."

A srta. Boone testemunhou que, até onde se lembrava, Ted não tivera nenhuma lasca no dente da frente na época.

Ted foi veemente na solicitação de adiamento, por conta de intimações que forçariam todos os jornais a lhe entregar os negativos. "Acho que vocês compreendem onde quero chegar. Se aquela lasca só aconteceu em março de 1978, um mês ou dois depois dos crimes na Chi Omega, e se os odontologistas do estado dizem que o espaço entre as duas abrasões lineares só pode ter sido deixado por um dente lascado ou por espaço entre os dois incisivos centrais, então é óbvio que existe alguma coisa errada com as observações feitas pelos odontologistas em questão. Nossa alegação nesse tempo todo, Meritíssimo, é que pegaram os meus dentes e os torceram de todas as maneiras possíveis para que se encaixassem."

Foi apelo inútil. Cowart decretou que não haveria nenhuma corrida para encontrar novas evidências para os dentes de Ted, nenhuma intimação. Quando tentou retomar o assunto, Cowart o cortou: "Sr. Bundy, pode pular para cima e para baixo, se pendurar no lustre, fazer o que quiser, mas o tribunal decretou, e a questão está encerrada".

Ted resmungou algo depreciativo.

"Você não me impressiona, senhor", replicou o juiz.

"Bom, suponho que o sentimento seja mútuo, Meritíssimo."

"Tenho certeza que sim, Deus o abençoe."

Larry Simpson se levantou para apresentar as declarações finais pela promotoria, e falou com o costumeiro modo contido. Levou quarenta minutos. "Homicídio qualificado pode ser cometido no estado da Flórida de duas maneiras diferentes. Pode ser cometido por uma pessoa que premedita e pensa a respeito do que vai fazer, e então sai e o faz. Isso é exatamente o que as evidências mostraram neste caso em particular: homicídio premeditado e brutal de duas moças dormindo na cama. A segunda maneira é durante invasão domiciliar. O estado comprovou uma invasão domiciliar neste caso também.

"Eu perguntei a Nita Neary quando estava no banco das testemunhas: 'Lembra-se do homem que viu à porta da casa da república Chi Omega, na manhã do dia 15 de janeiro de 1978?'. Suas palavras exatas foram: 'Sim, senhor, eu lembro'. Então lhe perguntei: 'Nita, aquele homem está aqui no tribunal hoje?'. Ela respondeu: 'Sim, senhor. Está'. E ela o apontou com a mão. Isso por si só é prova da culpa desse réu, e é suficiente para apoiar a condenação neste caso.

"Na Sherrod's, Mary Ann Piccano também viu o homem. Ele a assustou tanto que a jovem nem consegue se lembrar de sua aparência. Se aproximou dela e a convidou para dançar. Quais foram as palavras que Mary Ann Piccano disse para a amiga quando foi dançar com tal homem? Disse: 'Acho que estou prestes a dançar com um ex-detento'. Senhoras e senhores, esse homem esteve no prédio ao lado da casa da república Chi Omega na manhã dos homicídios... *e havia algo errado com ele!*"

Simpson continuou enumerando as evidências circunstanciais, os testemunhos de Rusty Gage e Henry Polumbo, do The Oak, de que viram "Chris" parado diante da porta da frente da pensão, pouco depois dos ataques, olhando na direção do campus. "Eles contaram a vocês que o réu neste caso lhes dissera que aquele era trabalho de profissional — *trabalho de profissional* —, de alguém que fizera aquilo antes, e era provável que já tivesse dado no pé.

"Senhoras e senhores, esse homem admitiu na manhã daqueles homicídios que fora trabalho de profissional, que nenhuma pista tinha sido deixada. Achou que havia escapado incólume."

Simpson enfatizou as ligações entre a placa roubada da van de Randall Ragan, o roubo do Fusca, a fuga para Pensacola, o quarto abandonado após limpar todas as impressões digitais e retirar os bens.

"Carregara e empacotara tudo o que tinha e ia embora de Dodge. Tudo se resume a isso. As coisas estavam esquentando, e ele foi embora."

Simpson falou da prisão de Bundy pelo policial David Lee, em Pensacola. "'Gostaria que você tivesse me matado. Se fugir de você na cadeia, aí você me mata?', perguntou-lhe Theodore Robert Bundy. Por que dizer essas coisas ao policial Lee? Aqui temos alguém que cometeu os homicídios mais horríveis e brutais conhecidos na área de Tallahassee, foi por isso. Ele não consegue mais viver consigo mesmo e queria que o policial Lee o matasse ali mesmo."

Simpson avançou para o grande final. Lidara com as testemunhas oculares, as provas circunstanciais e então introduzira o testemunho de Patricia Lasko, conectando os dois fios de cabelos castanhos ondulados na máscara de meia-calça ao lado da cama de Cheryl Thomas à fonte: a cabeça de Ted Bundy. "A máscara de meia-calça veio diretamente do homem que cometeu aqueles crimes. Os fios de cabelos da máscara de meia-calça também vieram daquele homem."

O testemunho de Souviron foi o argumento decisivo.

"Qual foi a conclusão dele? Com grau razoável de certeza odontológica, Theodore Robert Bundy deixou aquela marca de mordida no corpo de Lisa Levy. Questionado no interrogatório da possibilidade de outra pessoa no mundo ter dentes que poderiam deixar as mesmas marcas, o que ele disse? Que seria como encontrar uma agulha no palheiro. *Uma agulha no palheiro.*

"Quando o dr. Levine foi questionado da possibilidade de outra pessoa deixar aquela marca de mordida, ou de outra pessoa ter dentes que deixariam aquela marca de mordida, ele lhes contou que era uma impossibilidade prática. *Uma impossibilidade prática.*"

Simpson encerrou, denunciando o desespero da defesa.

"Durante o interrogatório da defesa, o dr. DeVore, o especialista da defesa, teve que dizer a vocês, e assim o fez, que o réu, Theodore Robert Bundy, pode ter deixado aquela marca de mordida. Senhoras e senhores, a defesa estava em situação realmente problemática. Todas as vezes que tiveram de colocar uma testemunha [que teria que dizer] que aquele homem *poderia* ter cometido esse crime, arrumaram problemas muito sérios. E foi uma jogada desesperada — desesperada à beça — que poderia ter sido bem-sucedida, mas não foi."

Declarações finais, de maneira ideal, são repletas do tipo de retórica que deixa os ouvintes na ponta das cadeiras. Os filmes e seriados de televisão são feitos com essa estratégia. Mas o julgamento de Bundy em Miami não teve nada dessa energia, nada que cativasse ou agarrasse a audiência vindo dos advogados — nada nem perto disso. Apenas o réu e o juiz fizeram seus papéis como se selecionados pela central de elenco.

Dois jurados cochilaram, por incrível que pareça — *cochilaram* nas cadeiras enquanto a vida de Ted Bundy estava por um fio.

Margaret Good, a última barreira entre Ted e a cadeira elétrica, se levantou então para falar pela defesa. A srta. Good tinha pouco trabalho a fazer — nenhum álibi, nenhuma testemunha-surpresa para se levantar na galeria e gritar que *havia* um álibi. Pôde apenas tentar derrubar o caso da promotoria e beliscar a consciência do júri, precisava superar os depoimentos de 49 testemunhas da promotoria e cem provas apresentadas por eles. Por fim, só pôde recorrer ao discurso da "dúvida razoável".

"A defesa não nega que houve tragédia enorme e horrível em Tallahassee, no dia 15 de janeiro. Verdade, aquelas quatro mulheres desafortunadas foram espancadas enquanto dormiam em suas camas, feridas... assassinadas. Mas peço que vocês não agravem essa tragédia ao condenar o homem errado quando as evidências do estado são insuficientes para provar, além da dúvida razoável, que o sr. Bundy, e mais ninguém, é a pessoa por trás desses crimes. Como seria trágico se a vida de um homem fosse tirada porque doze pessoas pensaram que *provavelmente* era culpado, mas não tinham certeza. Vocês devem garantir a si mesmos que não vão acordar e duvidar da decisão, e perguntarem-se duas semanas depois da morte do réu se por acaso condenaram a pessoa certa."

A srta. Good depreciou a investigação policial. "Há basicamente duas maneiras de a polícia investigar um crime. Ir à cena do crime, procurar pistas e segui-las até a conclusão lógica e, por fim, encontrar o suspeito. Ou encontrar um suspeito, decidir que as evidências servem para ele e então trabalhar para que sirvam *apenas* para ele." Good listou as áreas que considerava fracas, reprovou a introdução dos montes de lençóis ensanguentados, das fotografias sanguinolentas, a falta de impressões digitais que fossem compatíveis, as evidências maltratadas — até mesmo a identificação da testemunha ocular.

Considerou falha a identificação de Nita Neary. "Quer ajudar no que puder, e não pode se permitir acreditar que o autor desses crimes ainda está nas ruas."

Good tentou debilmente fazer com que a fuga de Ted de Tallahassee parecesse razoável. "Há muitas razões para que alguém fuja dos policiais. Uma delas é temer que armem para cima de você, e ser acusado de algo que não fez. Está claro que o sr. Bundy saiu da cidade porque não tinha dinheiro e fugia da dívida do aluguel."

Margaret Good era como o garotinho com o dedo no buraco da represa, mas havia muitos buracos novos surgindo para que fosse possível contê-los. Ao lidar com os testemunhos dos drs. Souviron e Levine, insinuou que os investigadores encontraram Ted Bundy e combinaram seus dentes com a mordida, em vez de procurar a pessoa que mordera. "Se querem condenar com base na aposta, um jogo de confiança, talvez aceitem o que Souviron e Levine têm a dizer. Será um dia triste para nosso sistema judiciário se alguém puder ser condenado em nossos tribunais com base na qualidade das evidências do estado; e se vocês puderem colocar a vida de um homem em risco porque dizem que tem dentes tortos, sem nenhuma prova de que esses dentes são únicos, sem quaisquer fatos científicos ou banco de dados para apoiar essa conclusão."

Simpson voltou com o contra-argumento. Estava no fim.

"Senhoras e senhores, o homem que cometeu esse crime foi esperto, esse homem premeditou o assassinato. Sabia de antemão o que fazer — planejou e se preparou. Se há alguma dúvida em suas mentes, é só olhar para a máscara de meia-calça. Esta é a arma preparada pelo perpetrador do crime. Agora, senhoras e senhores, alguém levou tempo para fazer esta arma bem aqui, este instrumento que poderia ser usado para ambas as coisas — máscara para esconder a identidade... ou também estrangular.

"Quem quer que tenha dedicado tempo para fazer isso não deixaria impressões digitais na cena do crime. E não havia uma *única* impressão digital no quarto 12 da pensão. O quarto foi limpo de cima a baixo!

"Senhoras e senhores, esse homem *é* profissional, assim como comentou com Rusty Gage, em janeiro de 1978. Ele é o tipo inteligente o bastante para se postar no tribunal e avançar até o fim do corrimão para interrogar as testemunhas deste caso porque acredita ser suficientemente inteligente para se safar de qualquer crime, assim como disse a Rusty Gage."

O próprio Ted não disse nada. Permaneceu sentado em silêncio à mesa da defesa, algumas vezes encarava as mãos, que não pareciam particularmente fortes — mãos pequenas com dedos que se afunilavam para as pontas, com saliências nas juntas, como se estivessem nos estágios iniciais da artrite.

Era 14h57 do dia 23 de julho quando os jurados se recolheram para debater sobre culpa ou inocência. Dave Watson, o velho meirinho, vigiava a porta. Uma hora depois, Ted foi levado de volta para a cela na prisão do condado de Dade, onde esperaria o veredito.

Toda a vida parecia ser sugada para fora do tribunal no quarto andar. Foi, por um instante, como palco sombrio desprovido dos atores.

O nono andar, no entanto, era uma colmeia bastante agitada, ocupada por repórteres, advogados, qualquer pessoa relacionada ao caso — exceto vítimas e testemunhas. As apostas ainda estavam equilibradas, meio a meio. Absolvição ou condenação. Com certeza seria uma noite muito, muito longa — talvez se passassem dias até o veredito ser decidido. O júri poderia até mesmo chegar a um impasse. Louise Bundy estava em Miami, aguardava com Carole Ann Boone e o filho — aguardava para ver se seu Ted viveria ou morreria. Embora a fase da sentença viesse depois, ninguém duvidava de que a pena de morte seria pedida, caso Ted fosse condenado. Spenkelink matara outro ex-presidiário e recebera a pena. O caso de Bundy envolvia a morte de moças inocentes.

Ted deu entrevista por telefone enquanto aguardava o veredito.

"Foi caso de estar no lugar errado na hora errada?", perguntou o repórter.

A voz chegou forte, soava quase surpresa por se encontrar naquele apuro. "Foi caso de ser Ted Bundy em qualquer lugar, acho... Começou em Utah, e foi como se o conjunto de circunstâncias passasse a alavancar o conjunto seguinte, a alimentar um ao outro, e uma vez que as pessoas começam a pensar por essas linhas... Policiais, eles querem solucionar os crimes e às vezes não pensam direito nas coisas. Estão dispostos a pegar a alternativa conveniente. E a alternativa conveniente era eu."

Era 15h50. Os jurados pediram blocos de anotação e lápis.

16h12. Watson anunciou: "Vou até o chefe. Segure-os se baterem à porta".

17h12. Watson informou que os envolvidos estavam espalhados por Miami, e demoraria ainda meia hora para trazê-los de volta quando o júri chegasse ao veredito.

18h31. O juiz Cowart voltou ao tribunal, pois o júri tinha uma questão. E seria a única. Queriam saber se os fios de cabelo foram encontrados *na* máscara de meia-calça e a resposta foi que tinham sido retirados da máscara.

Os jurados interromperam as deliberações para comer os sanduíches enviados. A sensação era de que deliberariam durante um pouco mais de tempo e se recolheriam para descansar. Havia quantidade enorme de testemunhos e evidências para examinar.

E então, a notícia chegou, arrebatadora. Era 21h20 e o júri chegara ao veredito. Enquanto entravam no tribunal em fila, apenas o porta-voz dos jurados, Rudolph Treml, olhou para Ted. Entregou em silêncio sete papéis para o juiz Cowart, que os repassou à secretária do tribunal.

Ela os leu em voz alta: "Na Vara da Segunda Comarca Judicial do condado de Leon, Flórida, caso número 78670, estado da Flórida vs. Theodore Robert Bundy, veredito: nós, o júri do condado de Dade em Miami, Flórida, no dia 24 de julho de 1979, consideramos o réu, Theodore Robert Bundy, culpado pelo homicídio qualificado de Margaret Bowman, culpado pelo homicídio qualificado de Lisa Levy, culpado...".

Culpado, culpado, culpado, culpado, culpado, culpado... *culpado*.

Ted não demonstrou reação alguma. Apenas ergueu discretamente as sobrancelhas, e, com a mão esquerda no queixo, o esfregou com delicadeza. Quando tudo chegou ao fim, suspirou.

Mais uma vez, foi sua mãe quem chorou.

O júri havia deliberado sobre o destino de Ted Bundy durante menos de sete horas. Todas aquelas amáveis mulheres de meia-idade, os devotos frequentadores de igrejas, as pessoas que não liam jornais — aquele júri escolhido a dedo pelo próprio Ted. Pareceram ansiosos para debater a questão da culpa, quase tanto quanto estavam para declarar que ele, na verdade, era culpado.

Para, mim, Ted estava perdido. Desde que vi as fotos das garotas mortas e percebi que sabia — *sabia o que nunca quisera acreditar*. Não havia necessidade de permanecer para a fase da sentença.

O que quer que estivesse por vir, já estava previsto na minha cabeça.

Vão matá-lo... e ele sabia disso o tempo todo.

47. Morte por_____
     _todos os lados

Voei para casa, e deixei Miami para trás nas garras de um aguaceiro. Tive de trocar de avião em St. Louis, e lá também a cidade estava entrecortada por tempestades violentas. Ficamos parados em terra durante duas horas, esperando uma trégua no temporal. Por fim, fomos o último avião a receber permissão para decolar enquanto raios pareciam rasgar o ar a apenas poucos metros das pontas das asas. A aeronave sacolejou como se o piloto não tivesse nenhum controle. Estávamos perdendo altitude, parecia uma queda, até que estabilizamos. Fiquei aterrorizada, vi como a vida pode ser bastante tênue.

Quando afinal deixamos as tempestades do Centro-Oeste para trás, me virei para o homem ao lado, engenheiro da Boeing, e lhe perguntei se sentira medo.

"Não. Já estive lá antes."

Foi uma resposta estranha. O engenheiro me explicou que estivera clinicamente morto quando jovem, esmagado sob um carro depois que ele e alguns amigos se chocaram no poste.

"Assisti a tudo de algum lugar no alto, e vi os policiais tirarem o carro de cima de alguém. Depois vi que era eu deitado ali. Não fiquei com medo nem senti dor — não até acordar no hospital, três dias depois. Desde então, sei que a alma não morre, apenas o corpo, e nunca senti medo."

Não tinha visto nada além de morte em Miami, não tinha ouvido nada além de morte — e a morte parecia estar no futuro de Ted. Ouvir as palavras daquele desconhecido foi um tanto reconfortante. Ted tinha escrito na última carta: "Não há nada errado com a minha vida que a reencarnação não possa melhorar".

Essa parecia ser a opção que lhe restava.

Acreditava que o veredito fora correto, mas me perguntei se pelos motivos corretos. Tão rápido, tão vingativo. A justiça ainda era justiça quando se manifestava daquele modo em menos de sete horas de deliberação do júri? Será que era a forma de recuperar o atraso da justiça pelas mulheres mortas? Talvez não houvesse como fazer de modo mais limpo e conciso, como se fosse caso de exemplo na apostila.

O povo falou. Ted era culpado.

_____Extremamente perverso, surpreendentemente maligno e vil_

No Colorado, Ted Bundy era a espécie de vigarista amável, com muitos dos habitantes de Aspen se deleitando de suas excentricidades. O juiz George Lohr eliminara as deliberações de pena de morte no Colorado para o julgamento de Ted por homicídio. Se não tivesse fugido da cela no condado de Garfield naquele dia antes da véspera do Ano-Novo de 1977, Ted talvez ganhasse a liberdade (exceto pela sentença ainda não completa em Utah), e com certeza não teria a pena de morte no seu futuro. Durante o verão de 1979, poderia ter ficado em uma ou outra prisão do oeste e jamais veria sequer a sombra da cadeira elétrica.

Flórida — a "Fivela do Cinto da Morte" — era possivelmente o pior estado para onde poderia ter fugido. Ninguém na Flórida vira com bons olhos sua superioridade jocosa ou joguetes. Não a polícia, nem os juízes e, com certeza, nem o público.

Na Flórida, os próprios "assassinos" eram mortos, e com a maior rapidez possível. Um detetive do Oregon, voltando de seminário em Louisville, Kentucky, em 1978, me contou que conversara com alguns dos agentes da lei da Flórida que lidaram com Ted. "Eles me disseram que o teriam matado", recordou o detetive. "Sofreria um 'acidente' enquanto ainda estivesse na prisão, mas preferiram não se arriscar por causa da sua forte presença na mídia."

"Os mocinhos" (tanto policiais quanto leigos) não toleravam assassinos de mulheres, exploradores e estupradores. Eles eram os homens de que Ted zombou em seu telefonema da prisão do condado de Leon. Elas eram as pessoas que agora controlariam todos os seus passos.

Ele deliberadamente caminhara para dentro das mandíbulas da morte. Por quê? Os promotores Simpson e McKeever pediriam a pena de morte, embora, de maneira irônica, tivessem enfatizado que não iriam atrás do "exagero". Já havia o bastante sem afogar o júri em todo o histórico daquele homem condenado.

No julgamento bifurcado, a segunda fase (a fase da sentença) estava agendada para começar às 10h do sábado, 28 de julho, apesar do apelo da equipe de defesa para o adiamento de uma semana. O júri foi levado de volta ao luxuoso hotel Sonesta Beach para relaxar durante o intervalo.

Ted apresentou novas moções. Novamente, queria Millard Farmer. Argumentou que Farmer tinha extensa experiência em casos de pena de morte, perguntou ao juiz Cowart se — agora que fora declarado culpado — poderia ter o advogado de Atlanta ao seu lado.

"Já anunciei minha decisão sobre isso", disse Cowart, conciso. "Considero a apresentação dessa moção pela segunda vez uma afronta ao tribunal."

Ted queria levar um detento da prisão da Flórida para testemunhar sobre o sistema lamentável e inadequado da biblioteca de direito da prisão na tentativa de destacar o bem que Ted poderia fazer em atualizar a biblioteca se pudesse trabalhar lá como secretário judicial.

A moção foi negada, mas Cowart comentou que Ted poderia ter sido bom advogado se não tivesse escolhido outro caminho.

A moção de Ted para o adiamento também foi malsucedida.

"Isso entra por um ouvido e sai pelo outro." Cowart não cederia.

Ted, em seguida, apresentou moção para acordo judicial, e citou que julgamentos com júri não são justos porque o veredito de culpado invariavelmente resulta em pena de morte.

Era tarde demais. Ted recebera a oferta de acordo judicial em maio e recusara.

O juiz Cowart ficou irritado quando Margaret Good disse que a fase da sentença privaria Ted do "devido processo". Como juiz da Flórida, se ressentia do fato de o estado ser chamado de "notório" pelos advogados de defesa dos Estados Unidos. (Na verdade, muitos estados agora têm julgamentos bifurcados, incluindo Washington, e há argumentos igualmente convincentes que mostram que tendem a salvar o réu da pena de morte.)

Quando a segunda fase do julgamento começou, na manhã de sábado, o estado notoriamente parecia contido. Carol DaRonch, agora mãe, foi chamada para o banco das testemunhas. Os jurados observaram a mulher alta se dirigir ao banco das testemunhas em silêncio. Usava calça de cetim branco e camisa branca e era, provavelmente, a mais impressionante de todas as mulheres que viram no tribunal durante o julgamento de um mês, com seus grandes olhos mansos e longas madeixas escuras.

Mas Carol DaRonch não chegou a falar uma palavra. Após rápida reunião entre os advogados oponentes e palavras sussurradas para o juiz, ela desceu do banco. A defesa concordaria com a condenação de Ted em fevereiro de 1976 pelo sequestro dela em novembro de 1974 em Utah.

Jerry Thompson, o detetive do condado de Salt Lake que encontrara Ted pela primeira vez, se dirigiu ao banco das testemunhas no lugar de Carol, falou daquele caso, e apresentou a cópia autenticada da condenação de Ted em Utah.

Michael Fisher, o investigador de Aspen que dera continuidade à perseguição no estado, foi tão sucinto quanto, e mais inescrutável. Falou de levar Ted da prisão em Point of the Mountain para a prisão do condado de Pitkin. Também leu declaração estipulada: "No dia 15 de janeiro de 1978, você [Bundy] cumpria sentença de encarceramento pelo estado de Utah e não recebeu liberdade condicional, tampouco nenhum outro tipo de liberação dessa sentença".

A fuga nunca foi mencionada. Foi deixado para o júri deduzir que o homem que nunca "recebeu liberdade condicional, tampouco foi libertado" da sentença tivesse saído da prisão por vontade própria.

Havia muita coisa que o júri em Miami não soube. Eles não sabiam nada a respeito de todas as garotas mortas e desaparecidas em Washington, nada a respeito das três garotas mortas em Utah, nada a respeito das cinco garotas mortas ou desaparecidas no Colorado, e nada a respeito das fitas de dar vida às fantasias em Pensacola. Presumidamente, não sabiam que o homem diante deles era considerado por muitos o mais prolífico assassino em massa dos Estados Unidos.

A promotoria tinha evitado qualquer acusação excessiva.

E, ainda assim, a sombra da cadeira elétrica pairava naquele tribunal: Ted esperava, seus advogados esperavam, e o público exigia isso.

Ted recebeu comentário compadecido de Kathy Kleiner, uma das três mulheres espancadas até perderem a consciência na noite de 14 para 15 de janeiro: "Sinto pena. É alguém que precisa de ajuda". E acrescentou: "Mas o que fez... não há forma de compensar".

Karen Chandler tinha opinião diferente. "Duas pessoas que me eram queridas estão mortas por causa dele, e realmente acho que também deveria estar."

A diminuta Louise Bundy, trêmula de ansiedade, subiria ao banco das testemunhas para suplicar pela vida do filho. Aquele era seu filho querido, aquele era o bebê que carregara cheia de vergonha, o garotinho que lutara para manter junto de si, o jovem de quem havia se orgulhado tanto. Ele deveria ter sido sua recompensa por tudo, deveria ter sido perfeito.

Ela era digna de pena no banco das testemunhas, lutava como todas as mães lutam para salvar os filhos. Cowart foi gentil: "Acalme-se, mãe. Não perdemos a mãe há muito tempo, então não fique nervosa".

Louise Bundy contou ao júri de Ted e os outros quatro filhos. "Nós tentamos ser pais muito conscientes, fazíamos atividades com eles, dávamos o melhor que podíamos com a renda de classe média. Mas, sobretudo, queríamos lhes dar muito amor."

A sra. Bundy detalhou a educação de Ted, os empregos de garoto, os estudos, as atividades políticas e empregos no Comitê de Prevenção de Crimes de Seattle e na campanha do governador Evans. Se parecia mais com uma mãe orgulhosa no evento social da igreja, se gabando do seu garoto, do que com a mãe sentada diante do júri para implorar pela vida do rebento.

"Eu sempre tive relação muito especial com todos os meus filhos. Tentávamos tratar todos de maneira igual, mas Ted, por ser o mais velho, pode-se dizer que era o meu xodó. Nossa relação sempre foi muito especial. Conversávamos bastante, e os irmãos o achavam a pessoa mais importante na vida deles, assim como todos nós."

"A senhora considerou a possibilidade de Ted ser executado?", perguntou Margaret Good em voz baixa.

"Sim, considerei. Tive de fazer isso — por causa da existência de algo assim neste estado. Considero a pena de morte em si a coisa mais primitiva e bárbara que um ser humano pode impor ao outro. E sempre tive essa opinião, não tem nada a ver com o que está acontecendo aqui. Minha criação cristã me diz que tirar a vida de outra pessoa, sob qualquer circunstância, é errado. Não creio que o estado da Flórida esteja acima das leis de Deus. Ted pode ser muito útil, de muitas formas, a muitas pessoas, vivo. Se ele se for, será como tirar uma parte de todos nós e jogá-la fora."

"E se Ted for encarcerado, considerou a probabilidade de ele passar o resto da vida na prisão?"

"Oh", respondeu sua mãe. "É claro... sim."

Pela primeira vez durante o longo julgamento, Ted Bundy chorou.

Há pouca dúvida de que os jurados sentiram compaixão pela mãe de Ted, ainda que não viessem a ser convencidos, no entanto, a mudar de opinião sobre o próprio réu. Larry Simpson expressou os pensamentos não ditos no tribunal enquanto encerrava os argumentos a favor da pena de morte.

"Todas as quatro ou cinco semanas que estivemos aqui neste tribunal foram por uma razão. E isso aconteceu porque Theodore Robert Bundy tomou para si a responsabilidade de atuar como juiz, jurado e todos os outros envolvidos neste caso, e tirou as vidas de Lisa Levy e Margaret Bowman e este caso tratou de tudo isso. Eles podem se postar diante de vocês e pedir misericórdia, e como teria sido bom se as mães de Lisa Levy e Margaret Bowman pudessem ter estado lá naquela madrugada de 15 de janeiro de 1978 e pedido misericórdia para as filhas."

Margaret Good argumentou que matar Ted seria admitir que não podia ser curado. Seu argumento de que não foi crime hediondo foi claramente capcioso. "Um dos fatores da definição [de crimes hediondos] é se a vítima sofreu ou não, se houve tortura ou crueldade desnecessária com as vítimas. Creio que vocês se lembram do testemunho do dr. Wood: afirmou de maneira explícita que as duas mulheres estavam inconscientes pelo golpe na cabeça. Estavam dormindo, não sentiram nenhuma dor. Nem ao menos sabiam o que estava acontecendo. Não foi hediondo, atroz ou cruel porque não estavam cientes da morte iminente, não sofreram, e não houve nenhum elemento de tortura em absoluto envolvido no modo como as vítimas morreram."

Ninguém, é claro, saberia — ou *poderia* saber — se Lisa ou Margaret tinha sofrido, ou qual o grau do sofrimento.

O júri debateu durante quase duas horas e então voltou com o veredito esperado: pena de morte. O juiz Cowart, que já sentenciara três assassinos à cadeira elétrica, tinha o poder de desconsiderar a decisão, se assim quisesse.

O júri viria a dizer mais tarde que houve impasse em determinado momento, de seis a seis, desfeito após dez minutos de "oração e meditação".

A conduta fria e impassível de Ted no tribunal lhe custara a vida. Quando se levantou para interrogar o policial Ray Crew, sua atitude deixou muitos dos jurados indignados. Um deles comentou que a decisão parecia "afronta ao nosso sistema".

Em 31 de julho, Ted teve seu dia no tribunal — irrestrito — para conversar com o juiz Cowart, e fez não um apelo por sua vida, mas, em vez disso, fez o que havia declarado que amava fazer... "foi advogado".

"Não estou pedindo misericórdia, pois acredito ser um tanto absurdo pedir misericórdia por algo que não fiz. De certo modo, esta é a *minha* declaração de abertura. O que vimos aqui é apenas o primeiro round, o segundo round — o round inicial — de longa batalha, e não desisti, de forma alguma. Creio que se fosse capaz de desenvolver completamente as evidências que sustentam minha inocência — as quais acredito que criariam dúvida razoável —, se tivesse sido capaz de ter representação de qualidade, tenho certeza de que teria sido absolvido e, na eventualidade de conseguir novo julgamento, *serei* absolvido.

"Não foi fácil permanecer sentado ao longo deste julgamento por uma série de motivos. Mas o motivo principal se deu na parte inicial do caso — a apresentação do que aconteceu na casa Chi Omega, o sangue, as fotografias, os lençóis manchados de sangue. E perceber que o estado tentava me declarar responsável não foi fácil. Tampouco ignorei as famílias dessas jovens, não as conheço. E não creio que seja hipocrisia de minha parte, Deus sabe, dizer que simpatizo com elas, o mais que consigo. Nada assim jamais aconteceu com alguém próximo de mim.

"Mas digo ao tribunal, e digo às pessoas próximas das vítimas neste caso: não sou o responsável pelos atos na casa Chi Omega ou na Dunwoody Street. Direi ao tribunal que não estou preparado para aceitar o veredito porque, embora ele tenha anunciado que esses crimes foram cometidos, erraram em anunciar quem os cometeu.

"E, por consequência, não posso aceitar a sentença mesmo que venha a ser imposta, e mesmo que conheça o modo lícito com que o tribunal vai impô-la — porque não é sentença para *mim*. É sentença para outra pessoa que não está aqui hoje. Portanto, *eu* serei torturado e receberei a dor por aqueles atos... mas não vou partilhar do fardo nem da culpa."

Ted prosseguiu e atacou a imprensa: "É triste, mas verdadeiro, que a imprensa prospera com o sensacionalismo, prospera com a maldade e prospera com coisas retiradas do contexto".

E Ted, como sempre, pôde ver o drama das batalhas judiciais: "E agora o fardo está neste tribunal. E não os invejo. O tribunal é como a hidra neste momento. Foi-lhe pedido que não concedesse misericórdia visto que o maníaco da casa Chi Omega não concedeu nenhuma misericórdia, foi-lhe pedido que considerasse este caso como um homem e um juiz e foi-lhe pedido também que apresentasse a sabedoria de um deus. Parece um pouco com uma incrível tragédia grega. Deve ter sido escrita em algum momento, uma daquelas antigas peças gregas que retratam as faces do homem."

E, por fim, não restou ninguém a não ser Ted Bundy e o juiz Edward Cowart. Antagonistas, sim, mas os dois homens tinham um tipo de relutante admiração. Em outra época e em outro lugar, tudo poderia ter sido bastante diferente.

Nunca antes Cowart tivera réu tão letrado, culto e ironicamente humorado diante de si. Ele, também, podia ver o desperdício do caminho não percorrido, e ainda assim tinha de fazer o seu trabalho. "O tribunal considera as duas mortes hediondas, abomináveis e cruéis. E extremamente perversas, surpreendentemente malignas, vis e o produto do desejo de infligir alto nível de dor e enorme indiferença à vida humana. Este tribunal, independentemente da, mas de acordo com, pena decidida pelo júri, impõe então a pena de morte ao réu, Theodore Robert Bundy."

Naquele momento, ficou claro que Cowart desejou que as coisas pudessem ser diferentes. Olhou para Ted e disse em voz baixa: "Cuide-se, jovem".

"Obrigado."

"E sou sincero. Cuide-se. É uma tragédia este tribunal ver tamanho desperdício, acho, da humanidade que já presenciei neste tribunal. Você é brilhante, seria um bom advogado. Adoraria vê-lo atuar diante de mim, mas você seguiu outro caminho, meu caro. Cuide-se. Não tenho nada contra você, quero que saiba disso."

"Obrigado."

Assisti à cena — não do meu assento na área da imprensa, mas diante da televisão em casa, em Seattle —, e senti a incongruência assustadora daquilo como se estivesse lá. O juiz Cowart tinha acabado de condenar Ted à morte na cadeira elétrica. Não havia como Ted "se cuidar".

Assim a consciência__
nos faz___ covardes

Margaret Good tinha pleiteado em vão pela vida de Ted Bundy conforme o julgamento de Miami se aproximava do fim: "A questão, e a escolha, é como punir neste caso. É necessário que considerem a proteção da sociedade, e há maneiras menos drásticas de proteger a sociedade do que tirar outra vida. Recomendar a morte seria admitir termos fracassado com um ser humano, recomendar a morte é confessar a incapacidade de curar, ou considerar que não poderia haver cura".

Perguntaram-me centenas — *milhares* — de vezes no que acreditava de verdade da culpa ou inocência de Ted Bundy, e até então sempre desconversei. Agora, gostaria de tentar expressar meus pensamentos sobre o que fez Ted fugir.

Pode ser presunçoso da minha parte, não sou psiquiatra treinada, nem uma criminologista. Ainda assim, depois de quase dez anos de contato com Ted, durante épocas boas e ruins, e depois de pesquisar os crimes de que foi suspeito e aqueles pelos quais foi condenado, e após reflexão angustiante, me dei conta de que conheço Ted melhor do que qualquer outra pessoa que o conheceu. E concluo apenas, com a mais profunda sensação de arrependimento, que nunca poderá ser curado.

Duvido que Ted compreenda a intensidade de meus sentimentos por ele. A compreensão de que, sem sombra de dúvida, é culpado dos crimes grotescos atribuídos a ele é tão dolorosa para mim como se Ted fosse meu filho, irmão perdido, homem de muitas maneiras mais próximo a mim do qualquer outra pessoa que já conheci. Jamais haverá um instante em minha vida em que deixarei de pensar nele.

Senti amizade, amor, respeito, ansiedade, tristeza, horror, raiva intensa, desespero e, no final, resignação pelo que tinha de ser. Como John Henry Browne e Margaret Good, como a mãe e as mulheres que o amaram romanticamente, tentei salvar a vida de Ted... duas vezes. Em uma ocasião, ele soube; em outra, não. Ele recebeu a carta que enviei em 1976, quando implorei para que não se matasse, mas nunca veio a saber que tentei acordo judicial, em 1979, que poderia ter resultado no confinamento em hospital psiquiátrico em vez dos julgamentos que de maneira inexorável o levaram para a cadeira elétrica.

E, como todos os outros, fui manipulada para atender às necessidades de Ted. Não me sinto particularmente envergonhada ou ressentida. Fui uma de muitos, todos pessoas inteligentes, solidárias, que não compreendiam de verdade o que o possuía, o que o impulsionava de maneira obsessiva.

Ted entrou em minha vida, por mais periférico que tenha sido, na época em que todas as crenças que mantive de maneira presunçosa durante anos tinham sido despedaçadas. Amor verdadeiro, casamento, fidelidade, maternidade altruísta, confiança cega — todas essas verdades maravilhosas se transformaram de repente em tênues vestígios de fumaça soprados para longe por lufada de vento completamente imprevista.

Mas Ted talvez personificasse tudo o que era jovem, idealista, puro, certo e empático. Não parecia pedir nada, a não ser amizade. Foi, em 1971, fator decisivo na confirmação de que eu era pessoa de valor, mulher que ainda tinha muito para dar e receber. Com toda certeza não era o predador masculino ansioso para "dar em cima" de mulher recém-divorciada. Simplesmente estava *ali*, ouvia, consolava, acreditava no que tentava ser. Não é fácil dar as costas a um amigo assim.

Não faço ideia do que era para ele, o que parecia representar para ele. Talvez tenha devolvido apenas o que ele me deu. Eu o via então como quase perfeito, e ele deve ter precisado disso. Talvez pudesse sentir a força emocional em mim, embora com certeza não a sentisse na época.

Deve ter percebido que poderia contar comigo quando as coisas ficassem perigosas. Em momentos de mais intenso estresse, me procurou, repetidas vezes. E, de fato, tentei ajudá-lo, embora nunca tenha conseguido aliviar realmente a sua dor, porque Ted nunca pôde expor o lado mais suave da angústia. Era uma pessoa das sombras, lutava para sobreviver no mundo que não fora feito para ele. Deve ter sido necessário um tremendo esforço.

Os parâmetros daquele ser das sombras foram construídos com bastante cuidado. Um passo em falso e poderiam desmoronar.

O Ted Bundy que o mundo teve permissão de ver era bonito, corpo aprimorado e cultivado de maneira meticulosa, um campo de força contra aqueles que poderiam ter o vislumbre do horror interior. Era brilhante, estudante distinto, espirituoso, desinibido e persuasivo. Adorava esquiar, velejar e fazer trilha. Preferia culinária francesa, bom vinho branco e comida gourmet. Adorava Mozart e filmes estrangeiros desconhecidos. Sabia exatamente quando enviar flores e cartões sentimentais. Seus poemas de amor eram doces e românticos.

Ainda assim, na realidade, Ted adorava *coisas* mais do que adorava pessoas. Conseguia encontrar vida na bicicleta abandonada ou no carro velho, e sentia um tipo de compaixão por esses objetos inanimados, mais compaixão do que jamais poderia sentir por outro ser humano.

Ted podia trabalhar com o governador, socializar em círculos em que a maioria dos jovens não poderia sequer sonhar em entrar, mas nunca conseguiu se sentir bem consigo mesmo. Na superfície, Ted Bundy era a personificação perfeita do homem bem-sucedido e por dentro, apenas cinzas.

Avançou pela vida terrivelmente aleijado, surdo, ou cego, ou paralítico. Ted não tinha consciência.

"Assim a consciência nos faz covardes", como é citado em Hamlet, mas a consciência é o que nos proporciona a humanidade, o fator que nos separa dos animais. Ela nos permite amar, sentir a dor dos outros e crescer. Quaisquer que sejam as desvantagens de ser abençoado com a consciência, as recompensas são essenciais para viver no mundo com outros seres humanos.

O indivíduo sem consciência, sem superego em absoluto, há muito é o ponto focal para estudos de psiquiatras e psicólogos. Os termos usados para descrever tal indivíduo mudaram ao longo dos anos, mas o conceito não. Outrora chamado de "personalidade psicopática" se tornou "sociopata". Hoje, o termo em voga é "personalidade antissocial".

Viver em nosso mundo, com pensamentos e ações sempre contrárias ao fluxo dos semelhantes, deve ser desvantagem tremenda. Não há diretriz inata para seguir: o psicopata pode muito bem ser visitante de outro planeta, se esforçando para imitar os sentimentos daqueles que encontra. É quase impossível precisar o exato momento em que os sentimentos antissociais começam, embora muitos especialistas concordem que o desenvolvimento emocional é determinado no começo da infância, talvez até antes dos três anos de idade. Geralmente, o direcionamento das emoções para o interior resulta da necessidade de amor ou aceitação não correspondida, da privação e humilhação. Uma vez que o processo começa, aquela criancinha cresce, mas nunca alcança a maturidade emocional.

Ela pode experimentar prazer apenas em nível físico, um "barato" excitável e a sensação de euforia com os jogos pelos quais substitui os sentimentos verdadeiros.

Sabe o que quer, e, por não ser impedida pela culpa, ou a necessidade de terceiros, geralmente pode alcançar a gratificação instantânea. Mas nunca consegue preencher o vazio solitário em seu interior. É insaciável, sempre faminto.

A pessoa com personalidade antissocial *é* mentalmente doente, mas não no sentido clássico ou dentro do nosso sistema judiciário. Invariavelmente é muito inteligente, e há muito tempo aprendeu as respostas apropriadas, os truques e técnicas que agradam as pessoas de quem quer algo. É sutil, calculista, esperta e perigosa. E está perdida.

O dr. Benjamin Spock, que trabalhou no hospital para veteranos e lidou com doenças emocionais na Segunda Guerra Mundial, comentou na época que havia pronunciado problema entre pessoas do sexo oposto em relação a personalidades psicopáticas. Os psicopatas não tinham dificuldade em seduzir as funcionárias, enquanto os funcionários os detectavam rapidamente. E as psicopatas podiam enganar os funcionários, mas não as mulheres.

O séquito de amigos e companheiros de Ted sempre esteve bastante carregado de mulheres, algumas o amavam como homem.

Algumas mulheres, eu mesma, eram atraídas pela cortesia, as características de garotinho, a preocupação e consideração aparentemente genuínas. As mulheres sempre foram o conforto de Ted e a sua ruína.

Visto que era capaz de controlar as mulheres, de nos equilibrar com cuidado no mundo muito bem-estruturado que construía, éramos importantes para ele. Parecíamos ter a solução para aquele lugar morto e vazio dentro de Ted e ele nos manipulava como marionetes, e, quando uma de nós não reagia da forma esperada, ficava, ao mesmo tempo, indignado e confuso.

Acredito que os homens, por outro lado, eram a ameaça. O único homem que acreditava que podia emular, o homem cujos genes e cromossomos ditavam quem era, fora deixado para trás. Quando Ted me contou de seu nascimento ilegítimo, percebi que parecia considerar a si mesmo uma criança trocada, a progênie de nobreza abandonada por engano na soleira da porta da família operária. Ele adorava dinheiro e status, e se sentia inadequado com mulheres de famílias ricas.

Ted nunca soube realmente *quem* deveria ser. Fora afastado do verdadeiro pai, e então afastado do avô Cowell, a quem amava e respeitava. Ted não podia, não iria, usar Johnnie Culpepper Bundy como exemplo.

Penso que seus sentimentos em relação à mãe eram marcados por ambivalência devastadora. Louise mentira para ele, o privara do pai verdadeiro, ainda que a consideração racional mostre que não teve escolha. Mas metade de Ted estava ausente, e viria a passar o resto da vida tentando compensar essa perda.

Mesmo assim, se agarrou à mãe, tentou viver à altura dos sonhos dela, de que deveria se distinguir, de que era especial, e podia qualquer coisa. De todas as mulheres com quem Ted se envolveu em um relacionamento romântico, foi Meg Anders que durou mais tempo, e Meg foi a mais parecida com Louise Bundy. Ambas são pequenas, quase frágeis. E cada uma foi deixada sozinha com um filho para cuidar. Cada uma viajou para longe do lar de suas famílias para começar uma nova vida com esse filho. Meg Anders e Louise Bundy são as duas mulheres que, creio, sofreram a angústia maior quando a fachada de Ted se despedaçou.

Os homens para os quais Ted era atraído eram todos de poder, fosse pelas conquistas, intelecto ou confortável manto de masculinidade: o advogado e amigo de Seattle; Ross Davis, líder do Partido Republicano de Washington; John Henry Browne, o dinâmico defensor público; John O'Connell, o advogado de Salt Lake City; Buzzy Ware, o brilhante advogado do Colorado que ele perdeu; Millard Farmer, negado a ele pelos tribunais da Flórida. Os policiais tinham esse mesmo tipo de poder — em especial Norm Chapman, Pensacola, que exultava força, masculinidade e, sim, a capacidade de amar.

Como o garotinho que anseia por ser importante, ser notado, Ted jogava de maneira perversa com os policiais. Em muitos dos crimes, viria a assumir seus mantos, seus distintivos, e viria, por um tempo, a ser um deles. Embora com frequência chamasse os policiais de burros, precisava saber que era importante para eles, mesmo que de maneira negativa. Se não podia agradá-los, então iria *desagradá-los* tanto que seria notado. Ted tinha que ser tão notório que todos os outros criminosos empalideceriam em comparação.

É interessante considerar que quando Ted confessou a fuga e os intrincados roubos de cartões de crédito, quando discutiu as terríveis fantasias, ele o fizera para policiais. A voz nas fitas gravadas em Pensacola soa empolgada e cheia de orgulho. Parece triunfante ali, fazendo exatamente o que queria fazer, como se depositasse um presente e esperasse elogios pela astúcia. Aqueles detetives eram homens que podiam *compreender* sua esperteza. Como dissera antes: "Eu sou responsável pelo entretenimento".

Não tenho dúvida alguma de que Ted teria dado qualquer coisa para trocar de lugar com o grande e despreocupado Norm Chapman. Porque aquele homem — quaisquer que fossem as limitações — sabia quem era... e Ted nunca soube.

Era mais fácil lidar com mulheres, mas elas podiam magoar e humilhar.

Stephanie Brooks foi a primeira a magoá-lo de verdade. Embora Ted tivesse namorado apenas esporadicamente no ensino médio, ansiara por um relacionamento com mulher bonita e abastada. Stephanie não transformou Ted em personalidade antissocial, ela exacerbou o que já ardia ali dentro. Quando Stephanie lhe deu as costas após o primeiro ano juntos, Ted ficou envergonhado e humilhado, e a raiva que sentiu foi desproporcional. Era um garotinho de novo, o menino que tivera um brinquedo arrancado das mãos, e ele o queria de volta. De fato, Ted o destruiu, e também o relacionamento após recuperá-lo, mas foi preciso ter a chance de fazer isso.

Demorou anos, mas ele realizou a aparentemente impossível tarefa de reformular o Ted exterior, até ser capaz de se enquadrar nos padrões de Stephanie para o marido em potencial. Então... então poderia humilhá-la, assim como fora humilhado. E assim o fez: tão logo ela prometeu se casar com Ted, ele mudou de repente, e a dispensou. Colocou-a no avião para a Califórnia sem ao menos um beijo, viu sua expressão atordoada e lhe deu as costas.

Mas não pareceu o suficiente. A vingança não diminuiu o vazio na alma, e isso deve ter sido uma percepção terrível para ele. Ele trabalhou, planejou e maquinou tanto para poder rejeitar Stephanie, certo de que se sentiria inteiro e sereno outra vez, e ainda assim se sentia vazio.

Ele tinha Meg, e Meg, que o amava com devoção, teria se casado com Ted num piscar de olhos. Meg, contudo, era muito parecida com Louise. Qualquer amor que pudesse sentir pelas duas era temperado com desprezo por suas fraquezas. De algum modo, teria de punir Stephanie ainda mais.

Foi, é claro, apenas três dias depois da partida de Stephanie, em janeiro de 1974, que Joni Lenz foi espancada e estuprada simbolicamente com a haste de metal de sua cama enquanto jazia em seu quarto no porão.

E, portanto, a resposta para a pergunta que me foi feita tantas vezes é 'sim'. Sim, acredito que Ted atacou Joni Lenz, assim como agora sou forçada a acreditar que é responsável por todos os crimes atribuídos a ele. Nunca disse isso em voz alta, ou por escrito, mas acredito nisso, da mesma maneira sincera que gostaria de não acreditar.

Todas as vítimas são protótipos de Stephanie. Os mesmos cabelos longos, repartidos ao meio, as mesmas feições perfeitamente simétricas. Nenhuma delas foi escolha aleatória. Acho que algumas foram escolhidas, observadas durante longos períodos antes de os ataques acontecerem, enquanto outras foram escolhidas depressa porque eram alvos convenientes naqueles períodos em que Ted estava nas garras de sua compulsão maníaca.

Porém, todas se pareciam com Stephanie, aquela primeira mulher que penetrara a fachada construída por Ted com tanto cuidado, e revelara a vulnerabilidade escancarada por baixo. O dano ao ego de Ted nunca poderia ser esquecido, nenhum dos crimes preencheu o vazio. Ele tinha de continuar matando Stephanie de novo e de novo, torcendo para que cada vez fosse o encerramento. Ainda assim, quanto mais matava, pior ficava.

Ted certa vez dissera que as fantasias "estavam tomando conta da minha vida", e não acredito que tivesse algum controle sobre elas. A compulsão que mencionou na primeira carta para mim após a prisão em Pensacola dominava Ted. Ele não dominava a compulsão, era capaz de manipular outras pessoas, mas, que Deus o ajude, não era capaz de impedir a si mesmo.

Ele também disse que colocar as fantasias em prática "foi uma decepção", e as profundezas dessas decepções podem ser apenas imaginadas pela mente racional. Visto que a pessoa com personalidade antissocial não sente empatia alguma pelos outros, não era a dor das vítimas que o atormentava. Era não haver alívio algum para ele.

Todas as vítimas eram tão adoráveis, escolhidas com tanto cuidado, que no período em que eram atrizes vivas em seus rituais obsessivos, ele pensava gostar delas. Os rituais em si deixavam as escolhidas mancas, sangrando e feias. Por que tinha de ser assim? Ele as detestava porque morriam, porque ficavam feias, porque o deixavam — novamente — sozinho. E, em meio às terríveis consequências das fantasias, não conseguia compreender que *ele* é quem tinha causado a destruição.

Loucura, sim, mas loucura é o que tento entender. Segurar as rédeas do poder não era divertido quando não resta ninguém para aterrorizar com esse poder.

Acredito que o resto dos jogos cuidadosamente arregimentados aconteceram por acidente, uma extensão dos jogos de assassinato. Impulsionado pela raiva, vingança e frustração, Ted matava. O aspecto sexual dos homicídios não era para saciar seus impulsos, mas sim a necessidade de humilhar e rebaixar as vítimas. Ele não sentia nenhum alívio sexual verdadeiro, apenas a mais sombria das depressões.

Foi após os assassinatos que Ted se deu conta de como era importante para os noticiários. Exultou com a empolgação da caçada, e isso se tornou parte do ritual, parte ainda mais satisfatória do que os homicídios propriamente ditos. Seu poder sobre as garotas mortas durava tão pouco tempo, mas seu poder sobre os investigadores da polícia não tinha fim. Ser capaz de mudar as coisas, de se arriscar cada vez mais, de refinar os disfarces para sair durante o dia — e ainda assim continuar despercebido — eram motivo de euforia extrema. Fazia o que nenhum outro homem podia, e fazia impunemente.

Com frequência, viria a conversar comigo sobre estar sob os holofotes, de ser o Garoto de Ouro. Isso se transformou no ar que respirava.

E os jogos ficaram mais complexos. Quando Ted afinal foi preso em Utah, em 1975, pelo sargento Bob Hayward, ficou revoltado. Precisamos entender que ele de fato teve essa sensação de indignação. Por ter personalidade antissocial, não era capaz de sentir culpa. Apenas tinha pegado o que *ele* queria, o que *ele* precisava para se sentir completo. Ted era incapaz de entender que uma pessoa não pode satisfazer os próprios desejos ao custo de outras. Ainda não havia concluído seus jogos, e a polícia estúpida colocara um fim neles antes de estar pronto.

Quando Ted reclamou ao longo dos anos de cadeias, prisões, tribunais, juízes, promotores, polícia e imprensa, não estava ciente de que havia outro lado para tudo isso. Seu raciocínio era simplista, mas para ele fazia sentido. O que Ted queria, Ted tinha que ter. E havia o ponto cego em sua inteligência superior. Quando chorou, foi apenas por si mesmo, mas eram lágrimas verdadeiras. Estava desesperado, e com medo, e com raiva, e se acreditava completamente dentro de seus direitos.

Convencê-lo do contrário seria como explicar a teoria da relatividade para crianças do jardim da infância. Os mecanismos necessários para compreender as necessidades e os direitos de terceiros não estão integrados em seu processo de pensamento.

Mesmo hoje, não consigo odiá-lo por isso. Sinto apenas profunda pena.

Ted com frequência se gabou comigo que psiquiatras e psicólogos não conseguiram encontrar nada de anormal nele. Ele havia mascarado as respostas, outra bandeira vermelha indicativa da personalidade antissocial.

O dr. Hervey Cleckley, o psiquiatra de Augusta, Geórgia, que entrevistara Ted antes do julgamento em Miami (a avaliação que Ted acreditava ter sido armada para ele), é especialista em personalidade antissocial, e reconhece que testes padronizados raramente revelam essa aberração.

"O observador é confrontado com máscara de sanidade convincente. Estamos lidando não com um homem completo em absoluto, mas com algo que sugere uma máquina de reflexos construída com sutileza, capaz de imitar perfeitamente a personalidade humana."

A pessoa com personalidade antissocial não demonstra os padrões de distúrbios de pensamento discernidos com mais facilidade. Há poucos sinais de ansiedade, fobias ou alucinações. Tal sujeito é, em essência, um robô emocional, programado por si mesmo para refletir as respostas que, assim acredita, a sociedade exige. E, porque a programação costuma ser tão astuta, essa personalidade é extremamente difícil de diagnosticar. Tampouco poder ser curada.

Minha primeira implicância com a personalidade de Ted aconteceu quando rapidamente perdoou Meg por tê-lo traído e o denunciado à polícia. Verdade, ele a tinha amado até o ponto em que era capaz de amar, e Meg nunca o humilhara. *Ele* era o parceiro dominante no relacionamento, e a tinha humilhado repetidas vezes. Mas Ted nunca enxergou a traição dela como vingança. Acredito que ela possa ter sido a única pessoa em sua vida que o ajudou a preencher um canto, por menor que fosse, de sua alma estéril. Embora não conseguisse ser fiel a ela, tampouco conseguia existir sem Meg.

E, portanto, porque precisava tanto dela, pareceu capaz de obliterar quaisquer vestígios de ressentimento. Visto que era essencial ter o seu apoio emocional, foi capaz de perdoá-la pela fraqueza. Mas foi reação tão insípida, tão estranhamente inumana ser capaz de simplesmente esquecer que Meg o fizera ser capturado. Estou bastante convencida de que, sem a interferência de Meg, a identidade de "Ted" ainda seria um mistério até hoje.

A psique de Ted dominava tanto a de Meg que fico surpresa que ela tenha sido capaz de se libertar, e não sei o quão livre ela está, embora esteja casada com outro homem.

Sharon Auer foi mero expediente. Ela estava lá em Utah quando Ted precisou de alguém para enviar mensagens e levar suprimentos para a prisão, mas a deixou para trás quando foi para Point of the Mountain. Carole Ann Boone logo preencheu o espaço. Ted nunca esteve sem uma mulher à disposição desde que seus problemas judiciais começaram. Carole Ann Boone durou e se refere a ele como "Bunnie",[1] e claramente o adora. Não posso me atrever a avaliar quais sentimentos Ted nutre por ela. Conversei longamente com as outras mulheres, mas Carole disse apenas seis palavras para mim. Como me contou, ele "passou por muita coisa comigo", mas com certeza esse é um romance arruinado.

Existe, dentro de todos os mecanismos imperfeitos, a tendência para a autodestruição, como se a própria máquina percebesse

---

[1] Apelido carinhoso para Bundy que também pode ser interpretado como *bunny*, coelhinho em português. [NT]

que não funciona bem. Quando o mecanismo é um ser humano, essas forças destrutivas de tempos em tempos abrem caminho se contorcendo até a superfície. Em algum lugar, escondida nos cantos mais profundos do cérebro de Ted, existe a sinapse de células que tenta destruí-lo.

Talvez aquele primeiro Ted, o Ted criancinha que poderia ter se transformado em tudo que lhe tinha sido prometido, saiba que o Ted que assumiu o controle deve ser eliminado. Ou será que isso é muito exagerado? O fato que permanece é: Ted constantemente atacou as pessoas que tentaram defendê-lo. Em inúmeras ocasiões, despediu os advogados, às vezes com a vitória na palma da mão. Escolheu fugir para o estado mais perigoso da união, sabendo que a pena de morte era ameaça real lá. Ao receber a chance do acordo judicial a fim de preservar a própria vida, rasgou a moção que o teria salvado e praticamente desafiou os promotores do estado a condená-lo, desafio que estavam bastante dispostos a aceitar. Acho que ele quer morrer. Não sei se se dá conta disso.

Em minha opinião, Ted não é Jekyll e Hyde, como outrora especularam. Não tenho nenhuma dúvida de que se lembra dos homicídios. Pode haver sobreposições, um pouco de confusão, do mesmo modo que um homem pode não se lembrar com clareza de todas as mulheres com quem já dormiu. Quantas vezes me contou que é capaz de tirar da mente as coisas ruins que lhe aconteceram? As lembranças podem estar escondidas, mas com certeza se lembra. As lembranças não podem mais ser deixadas para trás, porque Ted não tem mais nenhum lugar para onde fugir, e elas devem assombrá-lo na cela da Penitenciária Raiford.

Minhas próprias lembranças me assombram. A precognição do sonho — do pesadelo — que tive em abril de 1976 me assusta. Por que sonhei que o bebê que tentava salvar me mordeu? Aquele sonho, em que vi a marca de mordida na minha mão, aconteceu *dois anos* antes de a marca de mordida em uma das vítimas de Ted na Chi Omega se tornasse a principal evidência física no julgamento de Miami.

Se Ted tivesse ao menos conversado comigo durante nosso último encontro em Seattle, em janeiro de 1976, tudo poderia ter sido diferente. Quando disse "Existem coisas que gostaria de contar a você, mas não posso", será que havia alguma coisa que poderia ter dito que permitiria a ele então conversar comigo? Será que eu poderia ter mudado alguns dos eventos por vir? Embora Ted insista que não carrega nenhuma culpa pelos assassinatos, tenho certeza de que existem muitos outros que, como eu, carregam sentimentos de culpa porque deveríamos ter sabido mais, *feito* mais, antes que fosse tarde demais.

Ted teria vivido se tivesse confessado para mim em Washington. Não tínhamos pena de morte lá em 1974. Ele teria vivido no estado do Colorado. O estado da Flórida nunca vai deixá-lo partir, nem mesmo para ser julgado pelo assassinato de Caryn Campbell, no Colorado. O Colorado o deixou fugir duas vezes, e as autoridades da Flórida desdenham da segurança de lá. Ted Bundy pertence à Flórida.

Matar Ted não vai conquistar nada em absoluto. Tudo o que assegura é que nunca volte a matar. Porém, ao olhar para o homem alquebrado e confuso no tribunal, percebi que Ted é louco. Não consigo justificar a execução de um louco. Colocá-lo em um hospital psiquiátrico — de segurança máxima — poderia talvez fazer mais pela pesquisa psiquiátrica das causas e, com sorte, as curas para a personalidade antissocial do que a avaliação de qualquer outro indivíduo na história. Isso poderia salvar as vítimas em potencial de pessoas com personalidade antissocial ainda em formação. Ted jamais poderá ser posto em liberdade. É perigoso, e sempre será perigoso, mas há respostas para perguntas vitais trancafiadas em sua mente.

Não quero que ele morra. Se o dia em que for levado para a câmara de execução da Penitenciária Raiford chegar, sei que vou chorar. E vou chorar por aquele Ted Bundy perdido há tanto tempo, pelo jovem brilhante e caloroso que pensei ter conhecido tantos anos atrás. Ainda é difícil acreditar que a fachada de bondade e carinho que vi foi apenas isso, a camada fina. Ele era um estranho ao meu lado. Poderia ter havido — deveria ter havido — muito mais.

Mas, se Ted tem que morrer, acredito que reunirá coragem para fazer isso com estilo, deleitando-se pela última vez sob o brilho das luzes estroboscópicas e das câmeras de televisão. Se for relegado às fileiras de detentos — a População Geral —, isso será a pior punição de todas. Se não for morto pelos colegas detentos, que expressaram que "Bundy deve fritar", o vazio dentro dele irá destruí-lo.

Quando sofro por Ted, e sofro, sofro também por todas as outras que não carregam nenhuma culpa.

> Katherine Merry Devine está morta...
> Brenda Baker está morta...
> Joni Lenz está viva...
> Lynda Ann Healy está morta...

Donna Manson está desaparecida...
Susan Rancourt está morta...
Roberta Kathleen Parks está morta...
Brenda Ball está morta...
Georgann Hawkins está desaparecida...
Janice Ott está morta...
Denise Naslund está morta...
Melissa Smith está morta...
Laura Aime está morta...
Carol DaRonch Swenson está viva...
Debby Kent está desaparecida...
Caryn Campbell está morta...
Julie Cunningham está desaparecida...
Denise Oliverson está desaparecida...
Shelley Robertson está morta...
Melanie Cooley está morta...
Lisa Levy está morta...
Margaret Bowman está morta...
Karen Chandler está viva...
Kathy Kleiner DeShields está viva...
Cheryl Thomas está viva...
Kimberly Leach está morta...

Um dia, a terra e os rios podem entregar mais restos mortais, tudo o que sobrou das jovens cujos nomes ainda permanecem desconhecidos, as mulheres a quem Ted se referiu quando disse: "Acrescente um dígito e você terá o número certo".

Nenhuma delas conseguiu preencher o vazio na alma de Ted Bundy.

UP FRONT

THE ENIGMA OF TED BUNDY:
DID HE KILL 18 WOMEN?
OR HAS HE BEEN FRAMED?

Margaret Bowman, like most of the victims linked to Bundy, had long dark hair. She was beaten and strangled in her Florida sorority house.

Toothmarks on Lisa Levy's body provided disputed evidence in Bundy's conviction.

Nurse Caryn Campbell was murdered while on a ski vacation in Aspen, Colo.

Carol DaRonch fought off her kidnapper and later identified him as Bundy in court.

Bundy goes on trial this week for the slaying of 12-year-old Kimberly Leach in Florida.

He was a son any mother would be proud to call her own, a handsome six-footer who became the first in his family to graduate from college, then began studying for a career in the law. Women found him charming, his nieces and nephews adored him. At a Seattle crisis clinic, he was a sympathetic counselor; as an assistant director of the Seattle Crime Prevention Advisory Commission, he wrote a rape-prevention pamphlet for

letter of gratitude. "Everything I saw about him would recommend him," says his ex-boss Ross Davis, former state Republican chairman. "If you can't trust someone like Ted Bundy, you can't trust anyone —your parents, your wife, anyone."

Beyond the serenity of Bundy's early years, however, lurked a grisly turn of events. Today, at 33, Ted Bundy has been convicted of two brutal murders in Florida and is scheduled to go on trial

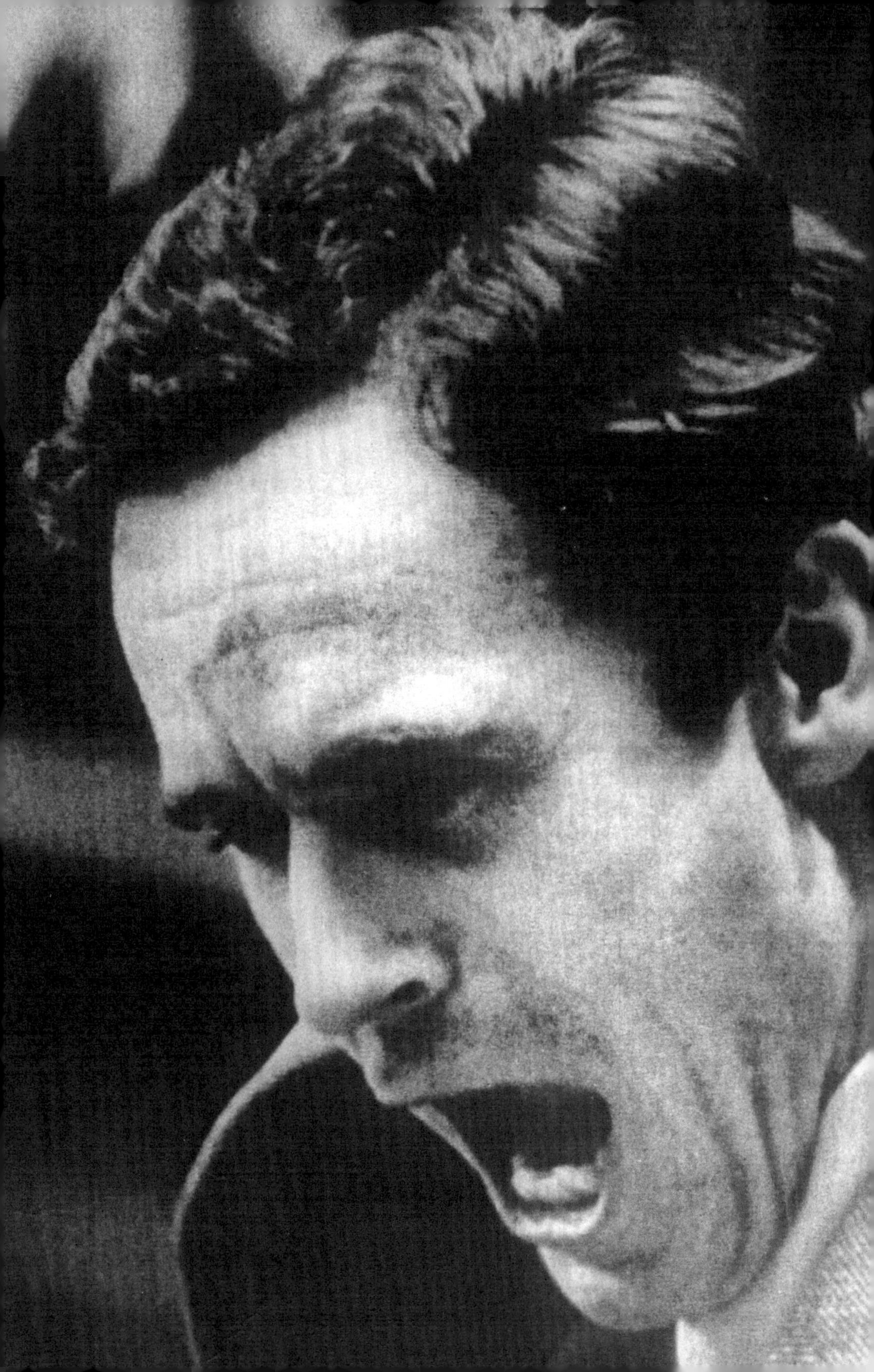

EPÍLOGO
A TERCEIRA PENA DE MORTE

-
-

1980

Os julgamentos e audiências de Ted Bundy tinham se tornado parecidos com uma peça da Broadway: a longa temporada encerrou e foi substituída pela companhia teatral itinerária. Apenas a estrela continuou no papel principal, cercada por novo elenco. E a estrela estava cansada, havia perdido grande parte do entusiasmo.

O julgamento de Ted no caso Kimberly Leach intrigou os leigos. "Quantas vezes você pode matar alguém?", perguntavam incrédulos. Visto que Ted Bundy já tinha sido condenado à morte — duas vezes —, não conseguiam ver a necessidade de outro julgamento. O estado, é claro, cobria as apostas. Se houvesse apelação no caso da Chi Omega, queriam o reforço da terceira pena de morte. Legalmente, fazia sentido.

O julgamento do caso Leach foi adiado repetidas vezes, e agendado, afinal, para Orlando, Flórida, em 7 de janeiro de 1980. O condado de Orange foi anfitrião relutante. Não queriam Ted ou a comoção que parecia acompanhá-lo, mas o juiz Wallace Jopling, jurista de 62 anos que presidiria o julgamento do caso Leach, dissera que não conseguiria encontrar júri imparcial na área de Lake City.

A escalação de advogados mudou. Sobrou apenas Lynn Thompson da equipe de defesa original e Julius Victor Africano Jr. se juntou a ela. Milo Thomas, defensor público do Terceiro Circuito Judicial, era quem poderia ter defendido Ted, mas pediu dispensa, pois era amigo íntimo da família Leach.

Jerry Blair, da promotoria (que tinha jurado a si mesmo em junho de 1979 que, se Ted queria julgamento, ele teria um), e o promotor especial Bob Dekle (advogado bonzinho e caipira com fumo de mascar enfiado na boca) falariam pelo estado.

Houve mal-estar pronunciado entre os repórteres da cobertura do julgamento em Miami, porque ninguém queria passar por um segundo julgamento. Tony Polk, do *Rocky Mountain News*, não estaria presente. Um repórter de Seattle teve de ir para a reportagem especial, mas estava receoso. Outro repórter, de Miami, me telefonou: "É... eu vou, mas não até que seja necessário. Só vou para o abate". Arquejou e acrescentou: "Meu Deus, isso soa terrível, não? Mas é a única maneira de descrever".

Eu não fui. Sabia quais eram as evidências, sabia o que as testemunhas diriam, e não suportaria ver Ted de novo no estado em que estava. Em vez disso, assisti ao julgamento de Orlando na televisão, e vi o homem que poderia muito bem ser um completo estranho para mim.

Ted já não era tão bonito como no julgamento de Miami. Tinha cerca de 85 quilos, a papada se pronunciava e os olhos estavam fundos. A boa aparência, esguia e bem-definida, se foi, junto a sua tênue compreensão da realidade. Explodia de raiva com facilidade e parecia prestes a se estilhaçar. Ofendeu-se quando interpretou a calma da estenógrafa do tribunal, mulher que sorria naturalmente, como desdém.

"Por favor, poderia levar isso a sério?", gritou.

Ninguém parecia levar aquilo a sério, todo mundo estava lá apenas para ver o show. Um DJ local determinara o tom do julgamento ao iniciar a transmissão matinal com: "Cuidado, garotas! Ted Bundy está na cidade".

Uma imitadora da Pensilvânia fez entrada dramática, girou a jaqueta de pele de leopardo sintética e sacudiu a peruca platinada enquanto desfilava até a cadeira. Ted não chegou a olhar para cima. Um jovem tirou a jaqueta para revelar a camiseta que dizia: "Mandem Bundy para o Irã". E na primeira fileira estavam as tietes, ansiosas pelo sorriso da estrela evanescente.

A câmera de televisão poderia muito bem mostrar os pacientes de um hospício.

Nem Louise nem Johnnie Bundy fizeram a viagem de volta à Flórida. Lá estavam apenas Carole Ann Boone, sentada ao lado da esposa de um detento de Raiford. Carole Ann ainda lançava olhares de amor e encorajamento para Ted.

Os jurados em potencial, cujos nomes estavam em lista aparentemente interminável, pareciam dispostos a dizer quase qualquer coisa para serem escolhidos. O juiz Jopling decretara que até mesmo jurados em potencial que acreditavam na culpa de Ted poderiam ser escolhidos se pudessem colocar as opiniões de lado e permanecer objetivos. Vários destes foram escolhidos para o júri. Não havia mais nenhum lugar na Flórida onde o julgamento pudesse acontecer. O promotor Blair disse que mudar de local seria exercício de futilidade. "Esse homem é causa célebre aqui, e seria causa célebre em Two Egg, Pahokee, ou em Sopchoppy também."

Em duas ocasiões, Ted saiu do tribunal pisando duro, protesto contra o júri selecionado. "Estou indo embora, isto é um jogo e eu não vou fazer parte! Não vou ficar neste Waterloo, está entendendo?"

Levado de volta e acalmado até recuperar minimamente o controle, explodiu de novo, e espalmou a mão na mesa do juiz Jopling. "Você quer um circo?", gritou para Blair. "Eu vou te dar um circo. Vou jogar *baldes* de água fria no circo! Vai ser uma enchente."

Ted se dirigiu para a porta, e o meirinho bloqueou a passagem. Depositou no corrimão a caixa de cerveja que usava para carregar os arquivos e despiu o paletó. A câmera da televisão capturou, pela primeira vez, Ted Bundy fora de controle. Estava encurralado, a raposa que rosna cercada por caçadores. Pode ter sido o rosto boquiaberto contorcido de raiva que as vítimas viram, e isso me chocou. Ele parecia prestes a sair no braço com os cinco oficiais do tribunal que o cercavam. Estacou ofegante, encurralado. Um momento se passou... e mais outro... Ted e seus algozes estavam congelados.

"Sente-se, sr. Bundy!", ordenou Jopling.

"Você sabe qual é o meu limite!"

"*Sente-se*, sr. Bundy!"

Lentamente, recuperou o autocontrole, ombros caídos, toda a vontade de lutar drenada. Andou de volta até a mesa da defesa e deslizou na cadeira, olhos focados no chão.

"Não adianta", fingiu sussurrar para Africano. "Nós perdemos o júri, não adianta nada jogar o jogo."

Ele poderia muito bem estar certo.

Dia após dia, Ted permaneceu sentado, confuso e zangado, enquanto 65 testemunhas da promotoria subiam ao banco. Africano e Thompson lutaram contra tudo, tentando encontrar algum ponto de apoio enquanto eram forçados a recuar cada vez mais. Dessa vez, não permitiriam que Ted falasse, embora tivesse permissão para participar de discussões judiciais longe dos ouvidos dos jurados.

Após três semanas do início do julgamento, no gabinete de Jopling, Ted apresentou apelo por absolvição que durou vinte minutos. Com voz trêmula, parecia à beira das lágrimas conforme seu monólogo prosseguia à deriva, bastante diferente dos argumentos ordenados e precisos de anos antes, em Utah. Insistiu que não havia evidências do homicídio.

A defesa apresentou duas testemunhas que supostamente viram Kimberly Leach pegar carona "perto do restaurante Jimmy's Buttermilk Chicken" na manhã em que desapareceu. Porém, vacilaram quando lhes foi pedido que identificassem com certeza absoluta, em fotografia, a garota que tinham visto dois anos antes.

Até mesmo o testemunho do médico-legista de Atlanta, o dr. Joseph Burton, saiu pela culatra. Ele, ao que parecia, fora chamado para sustentar a alegação da defesa de que Kimberly Leach poderia ter morrido de outras causas, e Burton claramente não pôde fazer isso. "Ainda que minha análise das descobertas não possa eliminar causas acidentais, suicidas ou naturais, todas as três estão lá no fim da lista."

Em 6 de fevereiro, os boatos mais espantosos que circulavam pelo tribunal diziam respeito a Carole Ann Boone. A srta. Boone dera entrada no pedido de licença matrimonial! Se havia ou não alguma maneira de se casar com o homem que ela chamava de Bunnie, era a questão. O major Jim Shoulz, diretor dos programas correcionais do condado, foi inflexível em dizer que não haveria casamento algum em *sua* prisão. Contudo, o juiz Jopling autorizou a realização do exame de sangue para Ted cumprir a exigência inicial para obter a licença.

Carole Ann admitiu não ter dúvidas de que Ted seria condenado, mas estava determinada a se casar com ele mesmo assim. As apostas não eram sobre as probabilidades de absolvição, e sim do casamento. O próprio Ted apostou com Africano que o júri o declararia culpado em três horas. Ele perdeu, demoraram sete horas e meia, meia hora a mais do que o júri em Miami.

Dessa vez não houve mãe chorosa implorando pela vida do filho perfeito. Houve apenas Carole Ann Boone. Havia dois anos que a garota de doze anos, Kimberly Leach, desaparecera: 9 de fevereiro de 1980. Carole Ann subiu ao banco para pleitear a vida de Ted.

Primeiro, no entanto, tinha uma missão. Pretendia se tornar a sra. Ted Bundy. Pesquisara meticulosamente como alguém poderia se casar na Flórida, dadas as circunstâncias especiais e sabia que uma declaração pública, expressa de maneira apropriada, em tribunal aberto na presença de oficiais da corte faria com que a "cerimônia" fosse legal. O tabelião, de posse da licença matrimonial com os nomes de Carole Ann Boone e Theodore Robert Bundy, observava do assento enquanto Ted se levantava para fazer a pergunta à noiva.

A noiva não vestia branco, mas preto — saia e suéter por cima da blusa de gola aberta. O noivo, que sempre tinha preferido gravatas-borboletas, usava uma com bolinhas azuis e blazer azul. Entre os membros do júri, expressões de pura descrença.

Ted e Carol Ann sorriram um para o outro, como se fossem as únicas duas pessoas no tribunal, enquanto ele lhe fazia as perguntas formais.

"Onde você reside?"

"Sou residente permanente de Seattle, Washington."

"Você poderia explicar quando me conheceu... há quanto tempo me conhece, nosso relacionamento...", disse, conduzindo-a.

Carole continuou a sorrir, toda feliz, enquanto se lembrava de quando se conheceram no escritório do Departamento de Serviços Emergenciais de Olympia, da intimidade que desenvolvera conforme os problemas judiciais de Ted aumentavam. "Muitos anos atrás, nosso relacionamento evoluiu para algo mais sério e romântico."

"É um relacionamento sério?", perguntou Ted.

"Sério o bastante para que queira me casar com ele", respondeu ao júri.

"Você pode dizer ao júri se você alguma vez observou quaisquer tendências violentas ou destrutivas em meu caráter ou personalidade?"

"Nunca vi nada em Ted que indicasse qualquer força nociva dirigida a qualquer outra pessoa, e estive ligada a Ted em praticamente todas as circunstâncias, se envolveu com a minha família. Nunca vi nada em Ted que indicasse qualquer tipo de nocividade... nenhum tipo de hostilidade. Ele é caloroso, gentil e paciente."

Passando por cima das objeções da promotoria, Carole Ann declarou que não acreditava ser correto que indivíduo ou representante do estado tirasse a vida de outro ser humano.

Ela se virou para o júri e falou com intensidade: "Ted é parte muito positiva da minha vida. Ele é vital para mim".

"Carole, quer se casar comigo?", perguntou Ted.

"Sim."

"E quero me casar com você", disse Ted, enquanto os advogados do estado e o juiz Jopling congelavam por conta da surpresa. Dekle e Blair demoraram alguns segundos até conseguir se levantar e objetar.

Ted se virou para conferir com os advogados, quase estragara tudo. Usara a terminologia errada. Disseram-lhe que o casamento era contrato, não promessa. Ele teria mais uma chance no segundo interrogatório para fazer o contrato verbal.

O promotor Blair questionou Carole Ann, e sugeriu que poderia haver motivo menos romântico do que amor verdadeiro por trás do desejo de se casar com Ted. Insinuou motivos financeiros, mas ela permaneceu impassível. Questionou o momento do pedido, feito no instante em que o júri estava prestes a deliberar sobre a pena de morte. Carole Ann não se abalou, enquanto Blair a interrogava, Ted conferia tudo com os advogados.

Se levantou para questioná-la no segundo interrogatório. Dessa vez sabia o que precisava dizer para garantir que o casamento fosse válido.

"Você quer se casar comigo?", perguntou Ted para Carole Ann.

"Sim!", respondeu ela com risadinha e sorriso largo.

"Então, pela presente declaração, *eu me caso com você*." Ted sorriu largamente. Isso aconteceu antes que os promotores percebessem. Carole Ann e o seu Bunnie eram agora marido e mulher.

Quase todos os olhos no tribunal estavam decididamente secos, e não haveria lua de mel. O segundo aniversário da morte de Kimberly Leach era agora o dia do casamento de Ted Bundy. Carole Ann prevalecera, continuara leal e onipresente. Stephanie, Meg e Sharon foram agora relegadas ao turvo passado de Ted. As pessoas tiveram a impressão de que a tenacidade de Carole Ann era tamanha que poderia ela mesma arrancar Ted da cadeira elétrica se chegasse a esse ponto.

E tudo parecia caminhar para isso. Depois de ouvir a caracterização de Jerry Blair do casamento como "pequena farsa do Dia dos Namorados", e do pleito divagante de Ted pela própria vida que durou 45 minutos, o júri se retirou durante 45 minutos para deliberar a questão da pena de morte.

Era 15h20 do dia 9 de fevereiro quando anunciaram a decisão de que Ted deveria morrer. "Este tribunal considera que, quanto à primeira acusação, você, Theodore Robert Bundy, é culpado por homicídio qualificado e deve ser condenado à morte pelo assassinato de Kimberly Diane Leach", pronunciou o juiz.

Ted sentou de costas para o juiz durante a leitura da recomendação, e teve outro surto enquanto o júri saía da sala. "Diga ao júri que erraram".

Em 12 de fevereiro, o juiz Jopling condenou Ted à morte — pela terceira vez — na cadeira elétrica da Penitenciária Raiford. Quando Ted se ergueu para receber a sentença, segurava um envelope vermelho na mão: um cartão de Dia dos Namorados para a esposa.

Em uma hora, Ted estava no helicóptero e levantava voo do telhado do fórum, de volta à Penitenciária Raiford. No idioma legal do estado da Flórida, fora condenado mais uma vez por crime de atitudes "extremamente perversas, surpreendentemente malignas e vis".

Haveria apelações pela frente, previstas para anos, mas, para todos os efeitos, a história de Ted Bundy chegara ao fim. Encarcerado longe do brilho dos holofotes, que pareciam ser vitais para Ted, continuaria a se afundar cada vez mais na sua loucura compulsiva. Nunca voltaria a ser o Garoto de Ouro amado pela imprensa.

Ted Bundy é um assassino. Assassino condenado três vezes, um homem agora descartável.

Não consigo me esquecer da ligação dele em outubro de 1975, o telefonema em que me disse com calma: "Vai ficar tudo bem. Caso contrário, vai ler sobre mim nos jornais".

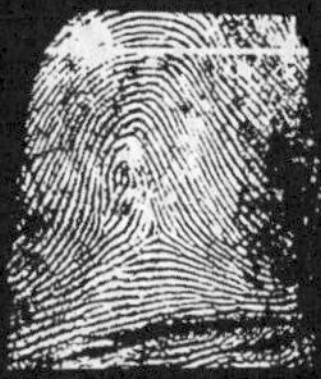

POSFÁCIO
SEIS ANOS DEPOIS

-
-

1986.

Enquanto escrevo isto, faz seis anos desde que Ted Bundy foi condenado, pela terceira vez, a morrer na cadeira elétrica na Flórida. Em minha ingenuidade, em 1980, concluí *Ted Bundy: Um Estranho ao Meu Lado* com a sugestão que a história de Ted Bundy tinha afinal chegado ao desfecho. Não tinha. Subestimei demais a habilidade de Ted de se regenerar tanto em corpo quanto em alma, de colocar a força de vontade e mente continuamente contra o Poder Judiciário. Tampouco fui capaz de desenredar Ted de minha mente ao colocá-lo no papel, junto aos meus sentimentos sobre ele. O alívio que senti ao escrever a última linha foi imenso. Este livro foi uma catarse curativa depois de anos de horror.

Mas nos anos seguintes fui forçada a aceitar que parte significativa da minha consciência será habitada por Ted Bundy e seus crimes enquanto viver. Escrevi cinco livros desde *Ted Bundy: Um Estranho ao Meu Lado*, e, ainda assim, quando o telefone toca ou carta chega de algum lugar distante — isso ainda acontece diversas vezes por semana —, as perguntas são invariavelmente a respeito "do livro sobre Ted".

Minhas correspondências costumam se encaixar em quatro categorias. Leigos entram em contato comigo de lugares tão distantes quanto Grécia, África do Sul e Ilhas Virgens, consumidos pela curiosidade do eventual destino de Ted Bundy. A maioria pergunta: "Quando foi executado?", sem se dar conta de que ainda não o fora.

Investigadores da polícia me telefonam para perguntar onde Ted Bundy poderia ter estado em uma data em particular. (Os comentários que Ted fez em Pensacola naquela noite que foi capturado, em fevereiro de 1978, são sempre lembrados por detetives de unidades de homicídios de todos os lugares dos Estados Unidos. Embora oficialmente fosse suspeito de homicídio em apenas cinco estados, Ted contou aos detetives Norm Chapman e Don Patchen que matou "em seis estados", e que deveriam acrescentar um dígito à estimativa de 36 vítimas feita pelo FBI.)

Os telefonemas que mais me surpreendem são do florescente "fã-clube" de Ted, não oficial, mas ferrenho nas opiniões. Tantas moças jovens tinham "se apaixonado" por Ted Bundy e queriam saber como entrar em contato com ele para lhe dizer o quanto o amavam. Quando explicava que se casara com Carole Ann Boone, as palavras entravam por um ouvido e saíam pelo outro. Por fim, pedia que lessem meu livro mais uma vez: "Você tem certeza de que consegue ver a diferença entre o ursinho de pelúcia e a raposa?".

Quase igualmente fervorosos, havia os leitores religiosos, que queriam mandar mensagens para Ted para fazer ele se arrepender antes que fosse tarde demais.

Por último, havia aqueles que os policiais de Seattle chamam de "220", pessoas dementes em grau maior ou menor, que imaginam terem algum tipo de conexão bizarra com Ted e esses foram os mais difíceis de lidar. Uma idosa foi até a minha casa por volta da meia-noite, majestosa e impecavelmente vestida, e ainda assim transtornada porque "Ted Bundy roubou minhas meias de náilon e meias-calças. Ele invade minha casa desde 1948 e rouba meus arquivos pessoais. É muito inteligente, coloca tudo de volta no lugar para que quase nem perceba o que foi mexido...".

Não adiantava de nada destacar que esses "roubos" começaram quando Ted ainda era bebê e mal falava.

A visita, no entanto, me fez perceber que não poderia mais ter o meu endereço residencial impresso na lista telefônica.

De maneiras que nunca pude imaginar, Ted Bundy mudou a minha vida. Voei 322 km, palestrei milhares de vezes para grupos que iam de clubes do livro de senhores a organizações de advogados de defesa a seminários de treinamento policial à academia do FBI — e tudo sempre sobre Ted. Algumas perguntas são bastante fáceis de responder, outras jamais teriam respostas. E algumas provocavam mais e mais perguntas em fluxo interminável.

Se, de fato, Ted afirmou ter matado em seis estados, então *qual* estado era o sexto? Será que realmente houve o sexto estado — e 136 vítimas ou, que Deus nos ajude, 360? Ou será que aquilo tudo não passava de joguinho de Ted com os interrogadores em Pensacola? As justas contendas com a polícia sempre foram parecidas com jogos de RPG, e se deleitava em passar a perna neles, observando-os correr para lá e para cá, fazer o que ele mandava em cada jogada.

Pode ter havido uma miríade de outras vítimas, e ainda assim é tarefa quase impossível deduzir precisamente onde Ted Bundy esteve em uma data em particular no fim dos anos 1960 e início dos 1970. Tentei isolar períodos dessa época de vinte anos atrás, assim como Bob Keppel, o outrora detetive do condado de King que sabe mais de Ted do que qualquer outro policial nos Estados Unidos. Mas Ted sempre foi um viajante, andarilho impulsivo. Dizia ir a um lugar e se dirigia para outro. Odiava ser forçado a dar satisfação de seu paradeiro — para qualquer pessoa — e se regozijava em aparecer para surpreender aqueles que o conheciam.

Em 1969, Ted visitou parentes no Arkansas e frequentou aulas na Universidade Temple, na Filadélfia, seu lar durante a infância. Naquele ano, uma jovem linda de cabelos escuros foi esfaqueada até a morte atrás das estantes no fundo da biblioteca da Temple. Esse caso, há mais de uma década sem solução, veio à mente de um detetive da Homicídios da Pensilvânia ao rastrear as viagens de Ted em meu livro. No fim das contas, pôde apenas conjecturar. Ninguém pôde colocar Ted naquela biblioteca naquela noite.

Ainda mais perturbador é o homicídio sem solução de Rita Curran em Burlington, Vermont, em 19 de julho de 1971. Ambos nascidos em Burlington, Rita Curran e Ted Bundy estavam com 24 anos naquele verão. Ted tinha sido, é claro, criado na costa oposta enquanto Rita, filha de administrador de zoneamento da cidade, cresceu na minúscula comunidade de Milton, Vermont.

Era moça muito adorável, mas tímida. Seus cabelos escuros desciam até o meio das costas; às vezes, os penteava para a esquerda, às vezes os repartia ao meio. Formada pela Faculdade Trinity de Burlington, lecionava para a segunda série na Escola Primária Milton durante o ano letivo. Como Lynda Ann Healy, Rita gastava grande parte do tempo e energia com crianças com deficiência e desfavorecidas. Embora estivesse na metade da casa dos vinte anos, só deixou de morar com os pais no verão de 1971. Trabalhara de camareira no Colonial Motor Inn, Burlington, durante os três verões anteriores, mas aquele foi o primeiro ano que arrumara um apartamento por lá em vez de fazer o trajeto desde a casa dos pais, em Milton, dezesseis quilômetros ao norte.

Frequentava aulas de como lecionar leitura corretiva e linguagem no curso de pós-graduação da Universidade de Vermont, e dividia o apartamento na Brookes Avenue com a amiga, Rita Curran. Rita não tinha um namorado fixo — e esse provavelmente foi um dos motivos para passar o verão em Burlington. Torcia para encontrar o homem certo. Rita queria se casar e ter filhos, e brincou com os amigos: "Fui a três casamentos este ano — todos os solteiros de Milton estão comprometidos!".

•••

Na segunda-feira, 19 de julho de 1971, Rita trocou as roupas de cama e passou aspirador nos quartos do Colonial Motor Inn das 8h15 às 14h40. Naquela noite, ensaiou com o quarteto à capela até as 22h. A colega de quarto de Rita Curran e uma amiga a deixaram no apartamento na Brookes às 23h20 para ir ao restaurante. Tanto a porta da frente como a dos fundos estavam destrancadas quando saíram. Burlington não era exatamente uma região de crimes.

As pessoas não trancavam as portas.

Quando as mulheres voltaram, o apartamento estava silencioso e presumiram que Rita estivesse dormindo. Conversaram durante uma hora e então a colega de Rita entrou no quarto. Rita Curran jazia nua, *assassinada*. O agressor a estrangulara com as próprias mãos, a espancara com selvageria no lado esquerdo da cabeça e a estuprara. As roupas íntimas rasgadas estavam embaixo do corpo, a bolsa, com conteúdo intacto, estava ali perto.

Os detetives de Burlington rastrearam a rota do assassino e encontraram pequeno trecho com sangue perto da porta dos fundos que saía da cozinha. O agressor provavelmente correra pela cozinha e saíra pelo galpão enquanto a colega de quarto de Rita entrava pela porta da frente. A averiguação com os vizinhos se mostrou infrutífera. Ninguém ouviu qualquer grito ou briga.

Em 1971, houve por volta de 10 mil homicídios nos Estados Unidos. O que intrigou o ex-agente especial do FBI John Bassett, natural de Burlington, quando leu a respeito de Ted Bundy, foi a semelhança extraordinária entre Rita Curran e Stephanie Brooks, o fato de que Rita tinha morrido por estrangulamento e golpes na cabeça, *e* a proximidade do Colonial Motor Inn, onde Rita trabalhava, com a instituição que causara trauma emocional tão grande na vida de Ted Bundy: o Lar para Mães Solteiras Elizabeth Lund.

O Lar Lund ficava logo ao lado do hotel.

Até então sempre presumia que a viagem de Ted a Burlington acontecera no verão de 1969, quando foi para o leste, mas o contato de John Bassett me fez pensar. Foi no outono de 1971 que Ted conversou comigo de "descobrir quem era de verdade".

Se Ted esteve em Burlington em julho de 1971, se passou diante do prédio onde nasceu, se se hospedou no Colonial Motor Inn, não existe um único registro sequer para confirmar ou rejeitar.

Existe apenas anotação vaga nos registros da "carrocinha" de Burlington, que diz que alguém chamado "Bundy" fora mordido por cachorro naquela semana.

Ao conversar com Bassett, com os pais de Rita Curran e com um detetive do Departamento de Polícia de Burlington, também fiquei fascinada por tantas semelhanças, mas havia pouco que pudesse fazer para confirmar as suspeitas sobre Ted Bundy. Meg Anders escreveu em seu livro, *The Phantom Prince*, que viu Ted algumas vezes naquele verão, e que às vezes não aparecia nos encontros marcados. Ela começara a notar mau humor nele.

Mas será que Ted esteve ausente por tempo suficiente para viajar a Vermont? E será que não é simplesmente fácil demais imaginar a sombra de Ted Bundy onde quer que uma mulher bonita de cabelos escuros tenha morrido estrangulada e com golpes no lado esquerdo da cabeça?

Há muitas semelhanças entre o assassinato de Rita Curran e os que ocorreram posteriormente e *foram* atribuídos a Ted.

Quantas vítimas existiram para Ted Bundy? Será que algum dia saberemos?

Uma dúzia ou mais de moças me telefonaram desde 1980, absolutamente convencidas de que tinham escapado de Ted Bundy. Em San Francisco, na Geórgia, em Idaho, em Aspen, em Ann Arbor, em Utah...

Ele não pode ter estado em todos os lugares, mas, para essas mulheres, há lembranças aterrorizantes do homem bonito no Fusca marrom, que lhes deu carona e que queria mais. Elas têm certeza de que foi Ted quem as abordou, e declaram que nunca mais voltaram a pegar carona depois disso. Para outras mulheres, existe um homem com sorriso brilhante que foi até sua porta, de atitude agradável, e que ficou zangado quando não o deixaram entrar. "Era ele. Vi as fotos e o reconheci."

Histeria em massa? Acredito que sim, para a maioria.

Para algumas, ainda me questiono.

Houve outros telefonemas que não deixaram nenhuma dúvida para mim. Lisa Wick, próxima dos quarenta anos agora, me telefonou. É a comissária de bordo que sobreviveu aos golpes de sarrafo enquanto dormia no apartamento no porão na Queen Anne Hill, Seattle, em junho de 1966. A colega de quarto, Lonnie Trumbull, morreu. Como tantas outras vítimas posteriores atingidas repetidas vezes na cabeça enquanto dormiam, Lisa Wick perdeu semanas de lembranças para sempre.

Lisa não me telefonou para contar que lera meu livro; ligou para dizer que *não* conseguiu ler meu livro. "Tentei pegá-lo para ler, mas é impossível. Quando minha mão encosta na capa, com aqueles olhos, fico enjoada."

Em algum lugar, enterrado nas lembranças mais profundas, Lisa Wick sabe que viu aqueles olhos antes. Mas muito tempo depois dos ferimentos físicos cicatrizarem, sua mente continua machucada, e se protege. "Sei que foi Ted Bundy que fez aquilo com a gente, mas não posso explicar como sei disso."

Não houve nenhum telefonema de Ann Marie Burr, que estaria com 31 anos se estivesse viva. Desde a noite em que desapareceu da própria casa, em Tacoma, em agosto de 1962, não houve nenhum sinal dela. E, ainda assim, recebi mais telefonemas com informações e perguntas sobre Ann Marie do que de qualquer outra vítima.

Uma moça, cujo irmão foi o melhor amigo de Ted Bundy na infância, disse: "Morávamos bem em frente à casa dos Bundy, e, quando aquela menininha desapareceu, a polícia esteve na nossa rua. Fizeram buscas pelo bosque no fim da rua diversas vezes. Interrogaram todo mundo porque morávamos muito perto da casa dos Burr".

Uma mulher mais velha, agora no asilo, que morava perto dos Burr em 1962, relembrou: "Ele era o entregador de jornais, Ted era o entregador das manhãs. Aquela garotinha, Ann Marie, costumava segui-lo por toda parte como um cachorrinho. Ela realmente achava ele demais. Se conheciam, sim. Ela rastejaria janela afora se Ted pedisse."

Isso foi há tanto tempo. Vinte e quatro anos, para ser precisa.

Uma moça telefonou da Flórida certo dia, assistente da promotoria. "Fui uma irmã da Chi Omega", começou, "e li o seu livro."

Disse: "Eu também fui da Chi Omega..."

"Não", interrompeu. "Eu quero dizer que fui da Chi O na Universidade da Flórida. Estava lá em Tallahassee naquela noite, quando ele entrou na casa."

Conversamos como aquilo pôde ter acontecido, com todas aquelas garotas, 39 delas e a supervisora. Como alguém pôde causar tanto estrago, tão silenciosamente e em tão pouco tempo?

"Ele já tinha feito reconhecimento naquela tarde, acho", refletiu. "Por alguma razão, todas nós estávamos fora na tarde daquele sábado, até mesmo a supervisora. A casa ficou vazia por umas duas horas. Quando voltamos, o gato da supervisora estava assustado, os pelos eriçados. Correu por entre as pernas e saiu pela porta, e só voltou duas semanas depois."

Ela disse que algumas das garotas sentiram a presença de algo maligno naquela noite. As irmãs da Chi O pensaram no comportamento do gato por apenas curto período de tempo, mas, naquela noite, pelo menos duas das garotas na área dos dormitórios no andar superior sentiram pavor extremo, pavor sem explicação ou motivo aparente.

"Kim estava com dor de garganta e foi cedo para a cama. Se levantou em algum momento à noite para ir ao banheiro e beber água, porque estava tossindo. Ela viu que as luzes do corredor estavam apagadas. Quase sempre ficavam acesas, e estava escuro feito breu; bastava andar só um pouco para chegar ao interruptor. Contudo, contou que de repente sentiu um temor irracional, como se alguma coisa terrível estivesse à espera. Tossia horrivelmente e precisava mesmo de um gole d'água, mas recuou e voltou para o quarto, trancando-se lá dentro. Só saiu quando a polícia bateu à porta, mais tarde.

"Deve ter sido um pouco depois disso que Tina desceu a escada até a cozinha para fazer um lanchinho. Foi a mesma coisa, não conseguia fazer os pés descerem a escada. Ela tremia e também correu de volta para o quarto. Sentira alguma coisa — ou alguém — esperando lá embaixo..."

Sempre acreditei que Margaret Bowman tinha sido a vítima escolhida por Ted naquela noite, em janeiro de 1978. Margaret se parecia bastante com Stephanie Brooks: bonita, os mesmos cabelos longos, escuros e sedosos. Era bastante fácil para Ted vê-la no campus da Universidade da Flórida ou caminhando perto do The Oak ou da casa Chi O, ou até mesmo na Sherrod's. Mas como Ted saberia o quarto de Margaret?

Perguntei isso à irmã da Chi Omega no outro lado da linha.

"Nós tínhamos um diagrama dos quartos pendurado..."

"Diagrama?"

"Tipo a planta da casa. Cada quarto tinha um número, e os nomes das garotas de cada quarto estavam escritos."

"Onde ficava isso?"

"No vestíbulo. Perto da porta da frente, na parede. Nós o tiramos depois."

Pendurado na parede do vestíbulo, bem ali, na única área da casa da república onde namorados, entregadores e desconhecidos podiam ler e localizar com exatidão qual quarto de cada garota. Propício para alguém atrás de uma garota em particular.

As garotas da Chi Omega, sitiadas pela imprensa, expulsas dos quartos por investigadores que espalhavam pó à procura de impressões digitais, reuniam evidências e faziam testes à procura de sangue, foram evacuadas da enorme casa da West Jefferson e deixadas com ex-alunas espalhadas por Tallahassee. Voltaram duas semanas depois, mais ou menos na mesma época em que o gato da supervisora considerou que a casa era segura outra vez.

Não retornei à casa Chi O em Tallahassee, mas voltei muitas vezes à casa Theta no campus da Universidade de Washington, em Seattle, com roteiristas e fotógrafos de revistas que querem *ver* onde Georgann Hawkins desapareceu.

O beco atrás das casas das repúblicas se parece com o mesmo de antes, com alunos de um lado para o outro a toda hora. Dia ou noite, rapazes de fraternidades ainda arremessam bolas de basquete nas cestas pregadas a postes telefônicos. Os carros estacionados ao longo do lugar são modelos mais novos do que nas fotos da polícia, mas, tirando uma coisa ou outra, nada mudou, nem mesmo a república que era o destino de Georgann.

Porém, quando levamos em consideração a percepção extrassensorial de perigo ou mal, sei que a senti no espaço estreito entre a casa Theta e a fraternidade logo ao sul. Nos dias mais quentes e ensolarados, o ar é gelado, os pinheiros ali são retorcidos e desfolhados, e quero muito ficar longe dali, dos degraus de cimento onde Georgann deve ter subido enquanto jogava pedrinhas na janela da colega de quarto.

O medo fez com que as irmãs da república de Georgann largassem a faculdade por um tempo. Uma dezena de anos depois, Georgann Hawkins ainda está desaparecida. As garotas da república da casa Theta parecem alheias ao que aconteceu com ela. Tinham apenas cinco ou seis anos em 1974. Para elas, Georgann Hawkins pode muito bem ter desaparecido na década de 1950.

A pensão de Ted Bundy na 12th N.E. está com a mesmíssima aparência que tinha no dia em que se mudou dali e foi para Salt Lake City. A velha pensão no quarteirão seguinte, onde a mulher foi estuprada por homem com gorro escuro, foi demolida para abrir espaço para os novos prédios da Faculdade de Direito da Universidade de Washington.

Mais ao norte, na 12th N.E., a casa verde onde Lynda Ann Healy desapareceu em 1974 foi pintada de marrom insosso. O andar principal é uma pré-escola agora e, na janela da frente, alguém colocou o adesivo sinistro de enorme e sorridente ursinho de pelúcia.[1]

Donna Manson nunca foi encontrada. O campus da Faculdade Estadual Evergreen é ainda mais arborizado com abetos hoje em dia. Em Utah e Colorado, as moças desaparecidas ainda não foram encontradas: Debby Kent, Julie Cunningham e Denise Oliverson.

---

[1] Em inglês, ursinho de pelúcia é chamado de *teddy bear* e "Teddy" pode ser apelido para Theodore. [NT]

Nenhuma outra evidência foi encontrada, nenhum brinco, nenhuma bicicleta, nem mesmo um pedaço desbotado de roupa. Todas as coisas que eram segredo há mais de dez anos permanecem escondidas.

Quando Ted foi devolvido de helicóptero aos muros sombrios da Penitenciária Estadual da Flórida, a noroeste de Starke, se juntou a mais de duzentos detentos no Corredor da Morte, o edifício que abriga mais homens condenados do que qualquer outra prisão estadual. Comparada a Point of the Mountain, Utah, e as cadeias onde estivera encarcerado no Colorado, Raiford foi um grande retrocesso no que dizia respeito a comodidades da vida na prisão.

Starke, Flórida, tem a população de aproximadamente mil pessoas. Chegando do leste, se parece com uma favela, economicamente deprimente. As habitações passam de barracos a casas de classe média conforme nos aproximamos do centro de Starke, onde o cruzamento principal é marcado por concessionária Western Auto.

Aproximadamente cinco quilômetros a oeste da cidade, a prisão assoma à esquerda e existe a placa bem-cuidada que diz "Penitenciária Estadual da Flórida". Pouco depois da placa, visitantes viram na principal entrada para carros e seguem por noventa metros até o estacionamento e o prédio administrativo de tijolos.

A prisão fica 45 metros depois. Não é uma fortaleza moderna de concreto. A prisão é antiga, de estuque, e com tinta branca desbotada, esverdeada, não muito diferente da palidez dos seus detentos.

Os terrenos são cuidados com perfeição, com canteiros de flores radiantes. A entrada para carros e o estacionamento são pavimentados com cimento cuidadosamente aplainado.

Richard Dugger é o superintendente da Penitenciária Estadual da Flórida. Ele é, de certo modo, "carreirista". Dugger nasceu nos terrenos da prisão quando o pai era o diretor e foi criado naquele lugar. É contemporâneo de Ted Bundy, e atleta tremendamente em forma, com músculos retesados — a antítese da representação cinematográfica mais comum, do diretor penitenciário sulista barrigudo e semicômico. Dugger já foi descrito como homem rígido seguidor das regras. Com certeza é um superintendente penitenciário pragmático.

Dugger administra a prisão com meticulosidade. Os curadores mantêm os terrenos planos da Penitenciária Estadual da Flórida como um oásis tentador no centro do inóspito solo arenoso. Existe fazenda, como em muitas prisões, com vacas, porcos e o que quer que seja possível cultivar para acrescentar ao cardápio da prisão.

Para Ted, nascido no lago Champlain, nutrido pelo rio Delaware e criado em Puget Sound (Ted, que ansiava por água e árvores e o aroma do ar salgado de *alguma* enseada, baía ou oceano), aquela última parada em sua espiral descendente devia se parecer com o inferno.

Raiford se encontra bem no centro do triângulo de estradas que cercam o nada. Não existe curso d'água, o ar no exterior seca as membranas do nariz e da garganta, ou sufoca com o mormaço. Além dos terrenos, a vista é infinita e estéril. Há uma fábrica no fim da estrada, a vegetação é de palmeiras esparsas e o que quer que cresça sem água e com muito sol.

O pântano Okefenokee fica aproximadamente oitenta quilômetros ao norte de Raiford. Gainesville (a cidade que Ted outrora descartou quando seu alfinete caiu nela no mapa porque não tinha nenhum grande curso d'água) fica 56 quilômetros ao sul. O golfo do México e o oceano Atlântico ficam a leste e a oeste, fácil viagem de carro de uma hora e meia para um homem livre.

É provável que não importasse nem um pouco como eram os arredores de Raiford. Ted Bundy não iria passar tempo *do lado de fora* dos muros. Com seu histórico e perícia em fugas, toda precaução seria tomada para que não pusesse à prova a fama de Houdini em Raiford. Isso deixou alguns guardas robustos algo desapontados, murmuravam que gostariam de ver, com toda certeza, o desgraçado tentar dar no pé — adorariam "espalhar os miolos de Bundy na parede".

Ted não estava destinado a ser um presidiário popular. Não tanto por causa dos crimes pelos quais fora condenado, mas por conta da atitude. Ted Bundy era uma *estrela*, e isso incomodava tanto os guardas quanto seus colegas detentos.

Quando escreveu para mim da Penitenciária Estadual de Utah, Ted tinha me segregado que era bem-vindo na "população geral" — "advogado de prisão" bastante procurado. Não se saíra muito bem quando bancou o advogado em Miami, os conselhos estavam maculados agora. Além do mais, naquela prisão sulista, estava isolado dentre todos aqueles homens que lutavam para não morrer. Ficava sozinho na cela quase o tempo todo, cela outrora ocupada por John Spenkelink, executado seis dias antes de Ted optar por rasgar a "confissão de culpa", em 31 de maio de 1979, jogando fora o que se mostrou ser a última boa chance de se esquivar da pena de morte. Permaneceria trancafiado para sempre, mas teria vivido.

Foi uma aposta e Ted perdeu.

Menos de um ano depois, Ted estava sentado na cela do falecido Spenkelink, a curta caminhada até a Old Sparky, a cadeira elétrica que em breve seria detentora do recorde de eletrocutar mais assassinos condenados do que qualquer outra desde que a Suprema Corte suspendera a proibição da pena de morte, em 1976.

Mas Ted não estava sozinho naquela vida horrível. Quando Carole Ann Boone pronunciou os furtivos votos matrimoniais no julgamento pelo homicídio de Kimberly Leach, em 9 de fevereiro de 1980, falava sério. Ficaria ao lado de seu estimado.

Contudo, Carole Ann não assumiu o sobrenome de Ted. Manteve o seu próprio. Após os dois amplamente divulgados julgamentos na Flórida, o sobrenome Boone era notório o suficiente. Ela e o filho adolescente — Jamie, rapaz moreno e bonito que impressionou os jornalistas no julgamento de Miami por ser excepcionalmente simpático —, escolheu morar não em Starke, mas em Gainesville.

Carole Boone é inteligente, com certificados avançados e impressionante currículo. Gastara as reservas financeiras assim como as emocionais, contudo, na luta para salvar o marido. Ted pelo menos estava abrigado, alimentado e vestido. Carole Ann e Jamie estavam por conta própria.

Ninguém jamais duvidou de que Carole Ann acreditasse na inocência de Ted. Eu com frequência me perguntei se ela realmente esperava a absolvição de Ted, que um dia poderiam se estabelecer como família. A obsessão por ele a tinha arrastado para Gainesville, Flórida, dependente da assistência pública, ao menos temporariamente. Se transformou em apenas mais uma dentre centenas de esposas de detentos entupindo o mercado de trabalho.

Mas isso não parecia ter importância. Nada importava, a não ser que ainda estava perto de Ted. Ela era a sra. Theodore Robert Bundy, e a cada semana podia atravessar a Starke, virar na Western Auto e seguir cinco quilômetros pela estrada de duas faixas para ver o marido. De tempos em tempos, escrevia a Louise Bundy para lhe contar como o seu Ted estava. Porém, no geral, Carole Ann tinha se tornado tudo para Ted, assim como ele se tornou tudo para ela durante tantos anos.

O que quer que ele pedisse, ela tentava lhe dar.

• • •

Ted Bundy: Um Estranho ao Meu Lado foi publicado em agosto de 1980. Eu não tinha escrito para Ted e ele não tinha entrado em contato comigo desde o telefonema entusiasmado pouco antes do julgamento em Miami. Enquanto escrevia este livro, fiquei perplexa ao encontrar uma raiva enorme emergindo de algum lugar dentro de mim, onde eu, sem me dar conta, a tinha reprimido durante anos.

Acreditava ter equilibrado muito bem minha ambivalência a respeito de Ted. Mas listar os homicídios, detalhar os crimes e ficar presa durante meses no escritório com as paredes cobertas de fotografias de moças mortas de maneira grotesca me transformou. Pensei que em algum momento escreveria para Ted, mas não estava pronta quando terminei o livro. E não estava pronta quando viajei para promover *Ted Bundy: Um Estranho ao Meu Lado* em agosto de 1980.

Em sete semanas, voei para 35 cidades e, em cada uma, conversei com entrevistadores de rádio, televisão e jornais sobre Ted Bundy. Alguns deles nunca tinham ouvido falar de Ted. Outros, em cidades surpreendentemente distantes, tinham assistido o julgamento na TV.

Os programas noturnos eram diferentes. Muitas pessoas ouviam o rádio em algum lugar na escuridão e eram incapazes de dormir, por um motivo ou outro. As vozes daqueles que telefonavam soavam mais emocionais do que as dos ouvintes diurnos, e as opiniões eram expressas com mais liberdade. Muitos estavam zangados, mas a raiva era polarizada.

Em Denver, no programa de entrevistas da meia-noite às 3h, o apresentador me deixou no telefone, e no ar, durante quinze minutos com alguém que se gabava de assassinar nove mulheres "porque mereciam" — e tiraram do ar só quando ele ameaçou "acabar comigo" com sua .45 porque fui "injusta" com Bundy.

O apresentador me acompanhou até o andar inferior, chamou minha atenção para o vidro à prova de balas no saguão, e me ajudou a entrar no táxi com um completo desconhecido que, felizmente, mostrou-se mais protetor enquanto se apressava para me levar ao hotel. (Quatro anos depois, o apresentador desse programa de entrevistas noturno foi baleado e assassinado diante da própria casa.)

Em Los Angeles, recebi ameaça parecida por ser "gentil demais" com Ted Bundy.

No entanto, em grande parte, os leitores compreenderam o que tentava expressar, e fiquei grata por isso.

Meu itinerário me levou à Flórida em setembro. O mais perto que cheguei da Penitenciária Estadual da Flórida foi no dia em que estive na região de Tampa — St. Petersburg. No instante em que saí do ar na estação de rádio em Tampa, chegou a ligação urgente de um homem. O apresentador disse que eu não podia falar, mas lhe passou o número da estação onde seria entrevistada a seguir.

Quando cheguei a St. Petersburg, havia apenas a mensagem: um homem, que não quis dar o nome, tinha dito que precisava falar comigo urgentemente, que eu saberia por que, mas que não podia aguardar na linha.

No dia seguinte, estava em Dallas. Nunca descobri quem foi a pessoa que telefonou. Ted? Ou apenas um sujeito perturbado — o famoso "220"?

O entrevistador do *St. Petersburg Times* tinha pensado em uma nova abordagem para resenhar o meu livro. Ele o enviara para Raiford e pedira a Ted que o analisasse, os méritos literários apenas, lhe prometendo o costumeiro pagamento de 35 dólares que críticos literários recebem.

Ted teria adorado isso, pensei, *se* Vic Africano tivesse permitido. Ted não respondeu, mas o livro não foi devolvido.

No final de setembro, após semanas na estrada, voltei para casa em Seattle para descansar por uns dias antes da segunda metade da turnê. Havia uma carta para mim, carta com o carimbo postal de "Starke, Flórida", com data do dia seguinte a minha estadia em Tampa. A caligrafia me era tão familiar quanto a minha própria.

Era, claro, de Ted.

Cara Ann,

Já que você considerou apropriado tirar vantagem de nosso
relacionamento, acho bastante justo que compartilhe sua sorte grande
com minha esposa, Carole Ann Boone. Por favor, lhe envie 2.500 dólares
— ou mais — para: [ele me deu o endereço dela] assim que possível.

Atenciosamente,
ted

De maneira curiosa, a reação imediata foi de culpa. Emoção sem raciocínio: *O que fiz com esse pobre homem?* E então me lembrei que nem uma vez sequer havia mentido para Ted. Tinha contrato para um livro meses *antes* de ele ser suspeito, e lhe disse isso quando se tornou suspeito de fato, e ainda reiterei os detalhes do contrato para Ted muitas vezes em cartas. Sabia que eu escrevia um livro sobre o esquivo

"Ted", e ainda assim *ele* tinha escolhido manter contato comigo, me escrever longas cartas e me telefonar com frequência.

Acredito que Ted teve a impressão de que eu poderia ser manipulada para escrever o livro "Ted Bundy é inocente" definitivo. E faria isso, se fosse possível. Mas o julgamento em Miami tinha exposto sua culpa com clareza impiedosa. Escrevi o que tinha de escrever. Agora, estava furioso comigo e exigia dinheiro para Carole Ann.

O fato de que havia mentido para mim — provavelmente desde o primeiro momento em que nos conhecemos — nunca lhe ocorreu.

Quando reconsiderei, sorri. Se Ted achava que eu estava nadando em dinheiro, se enganou tremendamente. Meu adiantamento para o livro que se tornou este que você tem em mãos tinha sido de 10 mil dólares, divididos ao longo de cinco anos, com um terço disso usado para pagar minhas despesas em Miami.

Dei uma olhada no talão de cheques: tinha vinte dólares no banco. Chegaria mais, é claro. Meu livro vendia muito bem, mas aprendi, como todos os escritores, que os pagamentos de royalties acontecem apenas duas vezes por ano. Em 1975, ofereci a Ted parte dos royalties do livro, caso aceitasse escrever um capítulo ou dois a partir de seu ponto de vista, e ele havia recusado.

Reduzi o pedido a uma simples equação: tinha quatro filhos para criar, Carole Ann Boone apenas um. Mesmo que tivesse o dinheiro que Ted solicitou, não parecia justo, de alguma maneira, que fosse obrigada a ajudar a sustentar Carole Ann.

Comecei a carta para Ted a fim de explicar meus sentimentos, e então, pela primeira vez, realmente me dei conta de que ele não podia, não compreenderia ou teria empatia, ou mesmo se importaria com qualquer que fosse a minha situação. Ele me enxergava com um único propósito: a profissional de relações públicas. Eu fracassara em cumprir o meu dever.

Durante seis anos, não voltei a escrever para Ted. Nem ele para mim.

Ted Bundy, que estivera em todos os noticiários durante cinco anos, virtualmente desapareceu por meses. Os boatos diziam que estava na cela, debruçado nos livros de direito, onde preparava apelações. Houve três livros sobre Ted publicados em 1980, incluindo o meu, e o homem que outrora almejara ser o governador de Washington se tornou, em vez disso, criminoso conhecido em nível nacional, seus olhos arrepiantes encaravam as pessoas em bancas de jornais e prateleiras de livrarias em todo os Estados Unidos.

Houve ainda outro livro em 1981. A mulher que chamei de "Meg Anders" durante todo o meu livro, a mulher que ficara com Ted por mais tempo do que qualquer outra, publicou sua história: *The Phantom Prince: My Life with Ted Bundy*.

O primeiro nome verdadeiro de Meg é Elizabeth. Ela usou o sobrenome fictício "Kendall" como pseudônimo no livro, apesar de o verdadeiro ser Kopfler. Talvez não tenha se dado conta de que se tornar escritora a transformaria em figura pública. Os jornais de Seattle de imediato publicaram seu nome verdadeiro, e a esperança de anonimato para si mesma e a filha, com quinze anos em 1981, foi destruída.

Elizabeth/Meg recebeu um telefonema de Ted, da sede da polícia de Pensacola, na mesma noite que eu, quinta-feira, em fevereiro de 1978. Em seu livro, deu a entender que Ted lhe confessara os sequestros de Carol DaRonch e Debby Kent, e os assassinatos de Brenda Ball, Janice Ott e Denise Naslund. Citou Ted como se tivesse dito que a polícia estava "errada em anos" ao especular quando ele começara a matar.

Elizabeth escreveu que perguntou a Ted se alguma vez quis matá-la, e contou que ele admitiu ter tentado matá-la uma vez. Supostamente a deixara adormecida no sofá-cama depois de fechar o abafador da lareira e colocar toalhas na fresta da porta. Acordou, ela escreveu, olhos lacrimejantes, sufocada no quarto cheio de fumaça.

O livro de Elizabeth, publicado por editora de Seattle, pode muito bem ter lhe causado mais pesar do que consolo. As famílias das vítimas bombardearam as estações de rádio onde era entrevistada e exigiam a resposta — se Elizabeth ouvira confissões de Ted, por que não contara à polícia? Muitas pessoas telefonaram e a levaram às lágrimas enquanto tentava explicar que tudo fora tirado do contexto. Não, Ted nunca tinha confessado os crimes para ela.

No final de junho de 1980, Elizabeth recebeu a última carta de Ted, enviada, não da Penitenciária Estadual da Flórida, mas encaminhada por Carole Ann Boone. Estranhamente, Ted repreendeu Elizabeth por procurar a polícia e lhes contar coisas "pouco lisonjeiras" a seu respeito. Por que teria ficado com tanta raiva em data tão posterior? Eu me lembro muito bem do almoço que tive com Ted, em janeiro de 1976, em que me contou que sabia ser Elizabeth quem o entregara ao delegado do condado de Salt Lake, e acrescentou que a amava mais do que nunca.

Qualquer que tenha sido o motivo para Ted repreendê-la, telefonou para Elizabeth algumas semanas depois e se desculpou. Essa, escreveu ela no fim de seu livro, foi a última vez em que teve notícias dele.

De todas as vidas que Ted Bundy prejudicou de maneira irrevogável, além das mulheres que assassinou, a de Elizabeth Kopfler pode estar no topo da lista. Ela foi — *é* — uma mulher muito gentil, e luta contra um mundo hostil. Liz amou Ted por muito tempo, pode ser que ainda ame.

...

Não há visitas conjugais autorizadas na Penitenciária Estadual da Flórida, nenhum trailer ou quarto aconchegantes onde os detentos possam compartilhar intimidade com as esposas. A sala de visitas no Corredor da Morte é bem-iluminada, utilitária, com mesas e bancos parafusados ao piso, cheirando a cera, cigarros, desinfetante e suor.

Mas há maneiras de burlar as regras. Uma das pessoas que me telefonam periodicamente é a mulher que visita um parente no Corredor da Morte na Penitenciária Estadual da Flórida. Como a maioria dos visitantes, ficou fascinada ao ter o vislumbre do notório Ted Bundy. E aprendeu bastante a respeito de como certas atividades são realizadas na área de visitas do Corredor da Morte.

"Eles subornam os guardas", explicou. "Cada detento que quer fazer sexo com a esposa ou namorada contribui com cinco dólares. Depois que conseguem a vaquinha de uns cinquenta ou sessenta dólares, eles sorteiam. O vencedor leva a dama para o banheiro ou para trás do bebedouro, e os guardas olham para o outro lado."

"Você viu Ted?", perguntei. "Qual é a aparência dele agora?"

"Pode apostar que vi. Está bastante magro. Alguns dizem que simplesmente enlouqueceu lá dentro... enlouqueceu completamente... que têm de mantê-lo dopado com clorpromazina o tempo todo..." Essa mulher tinha medo de Ted Bundy. "Os olhos dele. Ele só me encara e me encara, e nunca pisca."

Mas Ted não tinha enlouquecido. Planejava, estudava e calculava na própria cabeça, como sempre fizera. Havia o mítico "Ted" que aterrorizava as visitantes e havia o verdadeiro Ted, que, se tivesse blusa branca, gravata e terno, ainda poderia ter se sentado com desenvoltura ao lado direito do governador.

Durante o verão de 1982, Carole Ann Boone usava jaqueta quando ia à prisão para visitar o marido, apesar do calor causticante dos meses de julho e agosto no norte da Flórida. Alta e de ossatura grande, era mais fácil para ela esconder a secreta saliência na barriga do que uma mulher menor, e também ganhava peso. Isso por si só não era incomum, mas o peso de Carole Ann estava todo concentrado na cintura, e, para o seu desgosto, as autoridades da penitenciária viram que aquela silhueta era inconfundível.

Carole Ann Boone estava grávida de um filho de Ted Bundy.

Aqueles dois, juntos contra o mundo, conseguiram se casar com subterfúgios. Agora, tinham conseguido conceber uma criança da mesma maneira.

O mês de outubro de 1982 foi histórico para Ted Bundy. Primeiro, seu novo advogado, Robert Augustus Harper Jr., de Tallahassee, pediu que a Suprema Corte da Flórida anulasse a condenação pelos assassinatos de Lisa Levy e Margaret Bowman: Caso da Suprema Corte nº 57.772 (Tribunal de Circuito nº 78-670).

Harper citou a polêmica prova da marca de mordida e considerou a hipnose da testemunha da promotoria bastante suspeita. Além disso, o advogado de Ted alegou que seu cliente tivera ajuda judicial inadequada no julgamento em Miami. (Essa, quando Ted me contou cheio de satisfação, pouco antes do julgamento, seria a questão pela qual nunca apelaria. Estava encantado com seus advogados na época.)

"A prova da marca de mordida está aqui para ficar... mas, ao mesmo tempo, há determinados padrões que devem ser estabelecidos", argumentou Harper. "Richard Souviron estava atrás de fama neste caso."

Harper também atacou o testemunho de Nita Neary porque foi feito após a hipnose. "É possível ver que ocorreu a criação da lembrança. Aquele ponto onde a lembrança dela foi criada por processo pseudocientífico é impróprio."

O promotor-assistente David Gauldin argumentou pelo estado que a justiça do julgamento é o ponto principal. "Acredito que teve julgamento justo, e acredito que o júri não foi corrompido... contratou e despediu seus advogados à vontade, todos eles providenciados pelo estado."

Os seis magistrados da Suprema Corte da Flórida não disseram quando poderiam julgar se Ted teria nova audiência pelos assassinatos na Chi Omega.

O novo ciclo tinha começado. Ted atacava outra vez, buscava novo julgamento e estava de volta ao jogo. Carole Ann, poderosa e orgulhosamente grávida, o visitou com regularidade naquele mês de outubro. Conforme o mês se aproximava do fim, foi internada na maternidade particular onde deu à luz a uma menina. Isso foi tudo que até mesmo o repórter mais insistente descobriu. Nada de peso, com certeza nada de nome. Apenas "Bebê Boone".

Carole levava o bebê quando ia visitar Ted e ele estava muito orgulhoso de sua progênie. Os genes de Ted tinham predominado. O bebê tinha a sua cara.

Em 11 de maio de 1984, James Adams, filho de meeiro negro, morreu na cadeira elétrica da Penitenciária Raiford. Foi o quarto homem a morrer desde John Spenkelink.

Um mês depois, a Suprema Corte da Flórida anunciou o veredito do apelo de Ted Bundy em documento de 35 páginas — Ted tinha perdido.

Os magistrados Alderman, Adkins, Overton, McDonald e Ehrlich acabaram com os argumentos de Robert Harper. O fato de o público e a imprensa frequentarem as audiências preliminares *não* tinha, na opinião deles, negado a Ted o direito ao julgamento justo.

Conseguira a mudança do condado de Leon para outro local, e o júri já fora selecionado e isolado quando as audiências preliminares cruciais foram realizadas. Contudo, Ted alegou ser privado de julgamento justo porque precisou solicitar a mudança de local (culpa da imprensa), e assim perdera o direito de ser julgado no local onde os crimes pelos quais era acusado teriam sido cometidos. As duas reclamações eram conflitantes. Mas ambas foram negadas, criando impasse.

Em questão mais proeminente, a corte declarou que a descrição de Nita Neary do homem que vira na casa Chi Omega não mudara de forma significativa depois de ser hipnotizada. O hipnotizador não poderia ter sugerido que descrevesse Ted Bundy — sequer era suspeito quando Nita Neary foi hipnotizada. Tampouco a corte acreditava que as fotografias de Ted Bundy que ela viu depois nos jornais a tenham influenciado. O homem que viu abrir a porta da frente, com porrete de carvalho na mão, estava de perfil. As fotografias nos jornais eram todas de frente.

Ted também argumentara, por meio de Harper, que fora julgado injustamente quando o ataque contra Cheryl Thomas na Dunwoody Street foi ligado aos crimes na Chi Omega. A corte, porém, declarou que os crimes estavam "ligados pela proximidade do local e hora, por sua natureza e pelo modo que foram perpetrados".

Ponto a ponto, Ted Bundy perdeu a apelação. Não, o grande júri não tinha sido influenciado contra ele quando entregaram o indiciamento original. Ele teve a oportunidade adequada para apresentar as objeções em momentos apropriados. Ele sempre, sempre tivera aconselhamento judicial. Não, não poderia ter novo julgamento porque Millard Farmer lhe tinha sido negado. Tampouco poderia ter novo julgamento porque o júri soube que era fugitivo quando chegou na Flórida.

Os magistrados da Flórida discordaram da alegação de Ted contra o odontologista forense, Richard Souviron — de que Souviron errara ao dizer que foram os dentes de Ted Bundy que deixaram marcas nas nádegas de Lisa Levy. "[...] Decidimos apropriado que o especialista oferecesse sua opinião da questão da compatibilidade da marca de mordida. Essa não foi a conclusão judicial imprópria. Todas as facetas do argumento do apelante sobre a prova da marca de mordida não têm mérito..."

Na fase da leitura da sentença, a terminologia legal direta não consegue esconder o horror: "Em seguida, Bundy alega que o tribunal errou em considerar que os crimes capitais foram especialmente hediondos, atrozes e cruéis. Não existe mérito nesse argumento. As vítimas foram assassinadas enquanto dormiam na própria cama [...] O julgamento também recontou o modo terrível com que as vítimas foram espancadas, abusadas sexualmente e estranguladas. Essas circunstâncias são mais do que suficientes para sustentar a consideração do tribunal de que os crimes capitais foram especialmente hediondos, atrozes e cruéis [...]"

Ainda que parecesse questão inútil — agora que Ted sabia que não haveria julgamento novo para os casos da Chi Omega e de Cheryl Thomas —, prosseguiu com a alegação para o caso Kimberly Leach: caso nº 59.128.

Porém, era óbvio que sua mente trabalhava em outros níveis, e em outras possibilidades também.

Ted estava magro, mas era provável que estivesse na melhor forma em anos. Fazia corrida de velocidade — arrancadas de cem metros — sempre que tinha permissão para ir ao pátio de exercícios, ou em longos corredores.

Cultivou relacionamentos com os vizinhos, entrou em sintonia com a rádio corredor que circulava com tanta rapidez, levava e trazia informações pelos blocos de celas.

Gerald Eugene Stano residia na cela ao lado da de Ted, Ottis Elwood Toole ficava no outro lado. Stano, 32 anos, confessara ter matado 39 moças, a maioria caronistas e prostitutas, entre 1969 e 1980. Os boatos que circulavam diziam que muitas das vítimas vestiam azul — cor preferida do irmão de Stano, que ele odiava. Condenado por dez homicídios, assim como Ted, fora sentenciado à morte em três penas consecutivas. Toole, 36 anos, mais hediondo por ser às vezes amante/às vezes parceiro de assassinato de Henry Lee Lucas, confessara ao detetive Buddy Terry, de Jacksonville, que fora o sequestrador e assassino de Adam Walsh.

Adam tinha seis anos quando Toole o viu perto da Sears, em Hollywood, Flórida. Toole decidira, por alguma razão conhecida apenas por ele, "adotar" um bebê. Procurou o dia inteiro e não encontrou nenhum bebezinho, e por isso pegou Adam. O garotinho resistiu, e Toole contou a Terry que o matou e jogou o corpo no canal cheio de jacarés. O pai de Adam, John Walsh, procurou de maneira incansável o filho, e então sem trégua fez lobby diante do Congresso até aprovarem a lei para alocação de fundos para investigações de crianças desaparecidas, o *Missing Children's Act*, como é chamado nos Estados Unidos.

O filme *Adam*, feito em 1983 para a televisão, passou inúmeras vezes.

O Q.I. de Ted quase se igualava aos de Stano e Toole juntos.

No verão de 1984, após as grandes derrotas de Ted para a Suprema Corte da Flórida, chegou perigosamente perto de repetir as fugas no estilo Houdini do Colorado. Oficiais da penitenciária chegaram de surpresa para revistar a cela, bem a tempo: encontraram serras de mão escondidas. Alguém do exterior deve tê-las levado para Ted. Essa pessoa nunca foi descoberta.

Ainda assim, de alguma maneira, alguém passou por todas as verificações de segurança com lâminas de metal. As grades na cela de Ted pareciam seguras, mas análise cuidadosa mostrou que uma das barras fora serrada por completo tanto em cima quanto embaixo, e então "grudadas" de volta com adesivo cujo componente principal era sabonete. Será que Ted poderia ter conseguido chegar ao exterior? Mesmo se conseguisse serrar mais uma barra ou duas, e se contorcesse para fora da cela, havia muitos obstáculos. A prisão inteira é rodeada por duas cercas de três metros de altura, com portões elétricos que nunca são abertos ao mesmo tempo. Rolos afiados de arame farpado cobrem o topo dos muros e ocupam grande parte do "curral" ao redor do bloco de celas do Corredor da Morte. Os guardas ficam na torre... a postos.

E isso é o que Ted teria enfrentado *depois*, se conseguisse passar por todos os guardas dentro do Corredor da Morte propriamente dito: um edifício separado do resto da Penitenciária Raiford.

Se tivesse de algum modo conseguido se livrar da roupa laranja que o marcava como interno do Corredor da Morte e obtido roupas civis, como passaria pelos portões elétricos? Quando um portão é aberto, o outro já foi fechado. Como conseguiria o carimbo na mão? Todo visitante das perigosas entranhas da Penitenciária Estadual da Flórida precisa ter a mão carimbada, como adolescentes no baile. As cores mudam a cada dia, sem padrão discernível.

Quando o visitante vai embora, deve colocar a mão embaixo da máquina que revela "a cor do dia". Sem carimbo — ou com a cor errada — o alarme dispara...

As lâminas da serra de mão foram confiscadas, Ted foi transferido para outra cela, revistada com mais frequência do que antes.

Estivera "lá dentro" por mais de quatro anos. Sua filha já tinha quase dois anos. Sem data de execução à vista, ele esperou, e estudou, e jogou os jogos que todos os detentos jogam — que Ted Bundy, em especial, jogava. Faria qualquer coisa para enganar os que estavam na posição de poder.

...

Em 9 de maio de 1985, a Suprema Corte da Flórida anunciou mais uma vez a decisão do pedido de Ted para novo julgamento, dessa vez no caso de Kimberly Leach.

As questões judiciais de Ted foram, em essência, as mesmas do caso da Chi Omega. Apenas os personagens eram diferentes. Uma testemunha ocular fora hipnotizada, e jurados em potencial foram excluídos por serem contra a pena de morte. Ted alegou que o juiz não pôde determinar se o assassinato da criança foi "hediondo e atroz" porque o corpo de Kimberly havia se decomposto demais para saber, após jazer tanto tempo no chiqueiro abandonado.

O juiz da Suprema Corte, James Alderman, redigiu a decisão unânime. "Após ponderarmos as evidências neste caso, concluímos que a sentença de morte imposta foi justificada e apropriada, de acordo com a nossa lei."

Naquele mês de maio de 1985, estava em Hilton Head Island, Carolina do Sul, a pouco menos de 160 quilômetros de Raiford, conversando, *ainda* conversando, de Ted Bundy, apresentando os mesmos 150 slides que apresentei tantas vezes antes. Eu palestrava para policiais no seminário de dois dias patrocinado pela Faculdade de Administração da Justiça da Universidade de Louisville. O termo "assassinato em série"[2] era relativamente novo e parece cunhado para Ted Bundy, embora algumas dezenas de homens tenham contabilizado números terríveis desde o encarceramento dele. Ted Bundy continuava *o célebre* assassino em série.

Enquanto me apresentava para três dúzias de detetives naquela ilha da Carolina do Sul que se encontra no oceano Atlântico, cheguei à conclusão de que Ted se tornara um anti-herói de costa a costa. Menos de um mês antes, tinha feito a mesma apresentação, no oceano Pacífico, para a Faculdade de Psiquiatria Forense dos Estados Unidos.

Hilton Head marcou uma espécie de reunião. A Universidade de Louisville reunira muitos dos principais envolvidos na longa busca por Bundy. Jerry Thompson e o dr. Al Carlisle de Utah, Mike Fisher do Colorado, Don Patchen de Tallahassee, eu, Bob Keppel também teria estado lá, se não estivesse sobrecarregado pelas obrigações de conselheiro da força-tarefa mobilizada para encontrar outro assassino em série no estado de Washington: o Assassino de Green River[3].

Foi irônico, Keppel saíra da Unidade de Homicídios da Polícia do Condado de King para se tornar investigador-chefe de criminalística para a promotoria do estado de Washington e gostava do novo emprego. Em longo voo para o Texas, alguns anos atrás — quando íamos para a conferência VI-CAP (*Violent Criminal Apprehension Program* — Programa de Apreensão de Crimes Violentos) —, Keppel segredou: "Uma coisa que nunca mais quero fazer é trabalhar naquela panela de pressão que é a força-tarefa em busca de assassino em série."

Desde janeiro de 1984, fazia exatamente isso, procurava o assassino não de oito, mas de 48 moças. Ao rastrear Ted Bundy, Keppel passara por maus bocados, e o conhecimento que tinha adquirido

---

2   Esta é a primeira menção de Ann Rule ao termo que viria a se consolidar na criminologia. Ao longo do livro, escrito durante os anos 1970, há apenas a menção à categoria de "assassino em massa", conforme nota na página 140. [NE]

3   O Assassino de Green River matou várias mulheres entre 1980 e 1990 e recebeu este nome depois que os corpos das primeiras cinco vítimas foram encontrados nos arredores de Green River College, no estado de Washington. Mais tarde, seria identificado como Gary Leon Ridgway e condenado à prisão perpétua por 48 assassinatos confessos, mas estima-se que tenha matado muito mais. Ver mais na página 526. [NE]

fez com que fosse inestimável para a força-tarefa de Green River. Não podia recusar — e não recusou.

E voltou para a "panela de pressão".

Ted Bundy estava vivo, com a mesma idade que eu tinha quando o conheci, mas, apesar de tudo o que aconteceu, parecia muito mais jovem do que sua idade real. Se estivesse em liberdade, ainda poderia caminhar pelo campus universitário sem parecer deslocado. Quaisquer que fossem os pecados que talvez escoriassem sua alma, não marcavam o rosto bonito. Apenas os fios grisalhos que riscavam os cabelos ondulados ainda volumosos traíam que em breve faria quarenta anos.

Após sete anos sem data marcada para a execução, parecia que Ted não iria morrer. Pelo menos, não na cadeira elétrica da Penitenciária Raiford. A ameaça da Velha Faísca tinha sido, de algum modo, muito mais palpável no tribunal do juiz Cowart no longo verão de 1979.

Ted deu entrevistas para escritores e conversou algumas vezes com criminologistas selecionados judiciosamente. Guiado por intermináveis corredores, através da miríade de portas e aparelhos eletrônicos até a salinha de porta e janela com vista para o escritório do capitão, Ted expôs durante horas opiniões, teorias e sentimentos. Se considerava especialista na mente dos assassinos em série, e se ofereceu para compartilhar seu conhecimento com detetives em investigações atuais. Se o diretor Dugger permitisse, Ted ficaria feliz em aparecer no vídeo para conferências e seminários.

Ele era considerado um risco constante de fuga. Sempre. Ao longo do ano seguinte, Ted foi transferido de cela mais uma vez porque foi encontrado com contrabando, dessa vez um espelho, que podem ser usados para diversas atividades na prisão.

Quando o visitei na Penitenciária Estadual de Utah, em 1976, não tinha sido nem algemado nem acorrentado. Na Penitenciária Estadual da Flórida, Ted sai da cela no Corredor da Morte apenas depois das mãos serem algemadas às costas e os tornozelos acorrentados. Assim que está em segurança na salinha onde dá entrevistas, as mãos são algemadas à frente. Ele usa jeans, tênis de marca e a onipresente camiseta laranja da ala da morte.

Parece franco e cooperativo, mas se recusa a falar de certas coisas, e abaixa a cabeça e ri nervosamente enquanto declina: "Não posso falar disso". Não quer falar de Carole Ann, e protege muito a filha, que está com quase quatro anos agora.

Ted me "perdoou", pois me descreve para os entrevistadores como "uma pessoa bastante decente — que só estava fazendo o seu trabalho".

• • •

De repente, em 5 de fevereiro de 1986, depois de parecer que Ted ficaria preso no labirinto de procedimentos judiciais para sempre, o governador da Flórida, Bob Graham, assinou a sentença de morte de Ted Bundy. A data para a execução foi anunciada: 4 de março.

Um mês de vida.

A imprensa, que praticamente se esquecera de Ted Bundy, foi atrás dele com a mesma avidez de antes. Eu tinha palestra na noite em que a notícia foi anunciada. Meu tópico era, de novo, Ted Bundy.

Mas antes e depois — porque não podiam conversar com Ted e porque algum comentário parecia ser necessário — fui entrevistada pelas afiliadas da ABC de Seattle, a NBC e a CBS. O que achava? Como me sentia?

Eu não tinha certeza. Em grande parte, fiquei chocada. E me senti distante de Ted, quase como se nunca o tivesse conhecido — como se ele fosse alguma invenção, algum personagem fictício de que escrevi. E sabia, de maneira apática, que tinha de ser assim. Se Ted não fosse executado, iria, de alguma maneira, encontrar um jeito de fugir.

Ted demitiu seu último advogado, Robert Harper, assim como no passado dispensara todos os outros. Representou a si mesmo e apelou outra vez por novos julgamentos à Suprema Corte dos Estados Unidos, que seria ouvida em 7 de março, três dias *depois* da data marcada para sua morte. No dia 18 de fevereiro, voltou a representar a si mesmo diante da Suprema Corte ao entregar a apelação por adiamento da execução. O juiz Lewis R. Powell se recusou a impedir a execução, mas deu a Ted uma segunda chance. Recusou "sem preconceito" o pedido um tanto amador de Ted, e o instruiu a obter advogado apropriado "para entrar com pedido de acordo com as regras deste tribunal".

Ninguém nunca se sentou na cadeira elétrica da Flórida após a primeira sentença de morte ser assinada, mas não havia garantia de que Ted Bundy não fosse estabelecer novo recorde.

Em Lake City, onde Kimberly Leach fora sequestrada, milhares de habitantes assinaram petição de apoio à execução de Ted. Uma enfermeira cuja filha frequentou a Escola Primária Lake City com Kimberly disse: "Muitos dos que assinaram disseram que gostariam de assinar duas vezes e puxar a alavanca se pudessem".

Richard Larsen, repórter do *Seattle Times* (atualmente, editor-assistente) que escreveu um dos livros sobre Bundy em 1980, recebeu uma das muitas cartas enviadas para os jornais por todo Estados Unidos. Parecia ser um comunicado oficial do "Gabinete do Governador, Capital do Estado da Flórida, Tallahassee, Flórida, 32304".

A carta tinha duas páginas. "O governador da Flórida Bob Graham assinou hoje acordo cooperativo com a distribuidora de energia elétrica Tennessee Valley Authority para que mais eletricidade seja usada na vindoura execução do assassino condenado Theodore Bundy [...] O contrato de venda de energia com a TVA fornecerá dez megawatts adicionais de energia para a distribuidora de energia elétrica Florida Power & Light a fim de assegurar que Bundy seja executado com o máximo de tensão e corrente elétricas permitidas [...]

"Além do contrato temporário por eletricidade, Graham incitou os residentes da Flórida a reduzir seu consumo de energia durante um período de cinco minutos, a começar às 6h57 no horário da Costa Leste do dia 4 de março de 1986. Bundy está agendado para ser executado às 7h dessa data.

"Se os cidadãos do estado puderem desligar todos os aparelhos de ar-condicionado, televisores, secadoras e máquinas de lavar roupa que não sejam vitais durante esse breve período, poderemos ter até cinco megawatts adicionais para direcionar para a cadeira [...]

"A Reddy Communications de Akron, Ohio — donos do popular logo Reddy Kilowatt —, vai preparar medalhão de ouro especial para o evento, com a inscrição: 'Morra Mais Depressa Eletricamente'. O medalhão será posto à venda [...] Os lucros ajudarão a financiar os altos custos associados à acusação, encarceramento e derradeira execução..."

Isso, é claro, foi uma brincadeira macabra, e não tinha vindo do gabinete de Graham. Ainda assim, refletia o sentimento dos moradores da Flórida a respeito de Ted. Seus sentimentos não tinham mudado muito desde o julgamento em Miami.

Conforme o dia 4 de março se aproximava, parecia que Ted *iria* morrer em uma semana.

E então, em 25 de fevereiro, o escritório de advocacia de Washington, D.C., anunciou que representaria Ted sem exigir pagamento. Polly J. Nelson, advogada dessa firma, contudo, disse que não tinham decidido se solicitariam adiamento da execução.

"[...] Estamos analisando se isso é aconselhável..."

No dia 27 de fevereiro, a Suprema Corte dos Estados Unidos outorgou o adiamento da execução — até 11 de abril de 1986.

O promotor-assistente Jack Poitinger, chefe dos detetives do condado de Leon quando o ataque à casa Chi Omega aconteceu, em janeiro de 1978, previu que levaria muito tempo até que Ted fosse eletrocutado. "Ted está acostumado a manipular o sistema o tempo todo. Não fará nada até o último momento, e então se apresentará com uma enxurrada de coisas."

Dentro da Penitenciária Raiford, havia boatos de que Ted Bundy provavelmente seria executado em algum dia no outono de 1986. Uma semana antes da data marcada na última sentença de morte, as luzes vão diminuir em Raiford enquanto a cadeira é testada. Isso não é boato macabro, isso acontece mesmo.

Bem cedo, na manhã da data marcada, quando quer que seja, Ted será conduzido pelo longo, longo corredor até a Old Sparky, e máscara preta de borracha será puxada no rosto. Para que não veja a morte chegando? Ou, mais provavelmente, para que as testemunhas não vejam o rosto enquanto a eletricidade percorre seu corpo.

Parece irônico que Ted Bundy esteja em condição física tão soberba. Ele agora é vegetariano, visto que os nutricionistas da Penitenciária Estadual da Flórida não atendem pedidos individuais, foi necessário que mudasse outra vez as afiliações religiosas. Nascido e criado como metodista, convertido ao mormonismo pouco antes da primeira prisão, agora é hindu confesso. Admite que essa conversão é pragmática. Como hindu, ele tem o direito legal de receber dieta vegetariana e de peixe.

Seus músculos estão definidos, a capacidade pulmonar excelente e a dieta vegetariana ajuda a desentupir as artérias. Quando morrer, Ted Bundy estará com saúde perfeita.

Ted tocou muitas vidas, de uma maneira ou de outra. Desde que este livro foi publicado, conheci uma centena de pessoas que também o conheceram — em segmentos separados de seu mundo compartimentalizado. Todas ainda parecem estar um pouco aturdidas, e nenhuma me falou que parecia destinado a um desfecho ruim. Tive contato com mais de uma centena de pessoas que conheceram as vítimas. Quando abaixava a cabeça para autografar o livro, alguém murmurava: "Eu a conhecia — Georgann... ou Lynda... ou Denise". Certa vez alguém disse "Era minha irmã", e em duas ocasiões, "Era minha filha".

Eu não soube o que lhes dizer.

Tampouco soube o que dizer para Ted quando escrevi para ele pela primeira vez em seis anos. Nem ao menos sei ao certo *por que* escrevi, a não ser que me pareceu que tínhamos negócios inacabados. Postei a carta no dia seguinte ao anúncio da sentença de morte e não recebi resposta. Ele pode ter rasgado a carta.

As pessoas seguem com suas vidas da melhor maneira possível. Muitos dos pais das vítimas de Ted morreram cedo, sucumbiram a ataques cardíacos. Os restos mortais de Denise Naslund e Janice Ott foram perdidos quando o Instituto Médico-Legal do Condado de King se mudou. Os ossos foram cremados por acidente com os de indigentes. Para Eleanore Rose, mãe de Denise, esse foi apenas o último de uma série de golpes. Ela havia esperado anos e anos para que pudesse dar à filha o enterro apropriado. O quarto de Denise e seu carro permanecem como estavam em 14 de julho de 1974. Tornaram-se santuários.

Uma das pessoas que me telefonara para falar de Ted foi o amigo mórmon que o convenceu a se juntar à igreja em Utah, em 1975. Muito embora Ted não obedecesse à doutrina dos mórmons de não fumar/não beber/não usar drogas, parecia zeloso, sincero e bondoso. O missionário mórmon se lembra de como os dois tinham ficado enfurecidos com os assassinatos de Melissa Smith e Laura Aime.

"Ficamos sentados à mesa da cozinha, e os jornais espalhados entre nós, com todas as manchetes das garotas mortas. E me lembro de como Ted ficou zangado. Ele me disse que gostaria de pôr as mãos no homem que era capaz de fazer aquilo — e garantiria que esse homem não tivesse outra chance de repetir aqueles atos..."

Ann Rule
2 de março de 1986

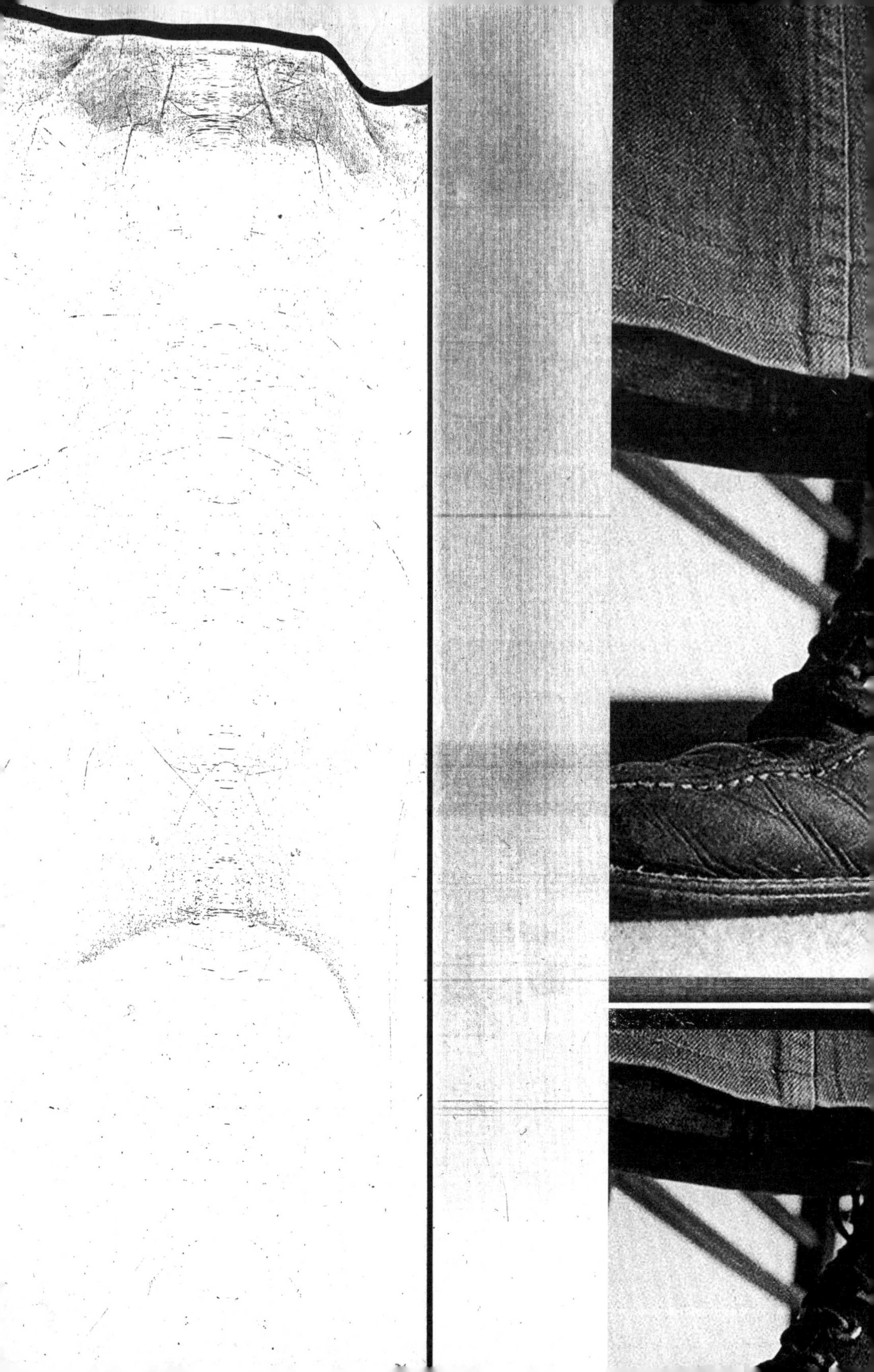

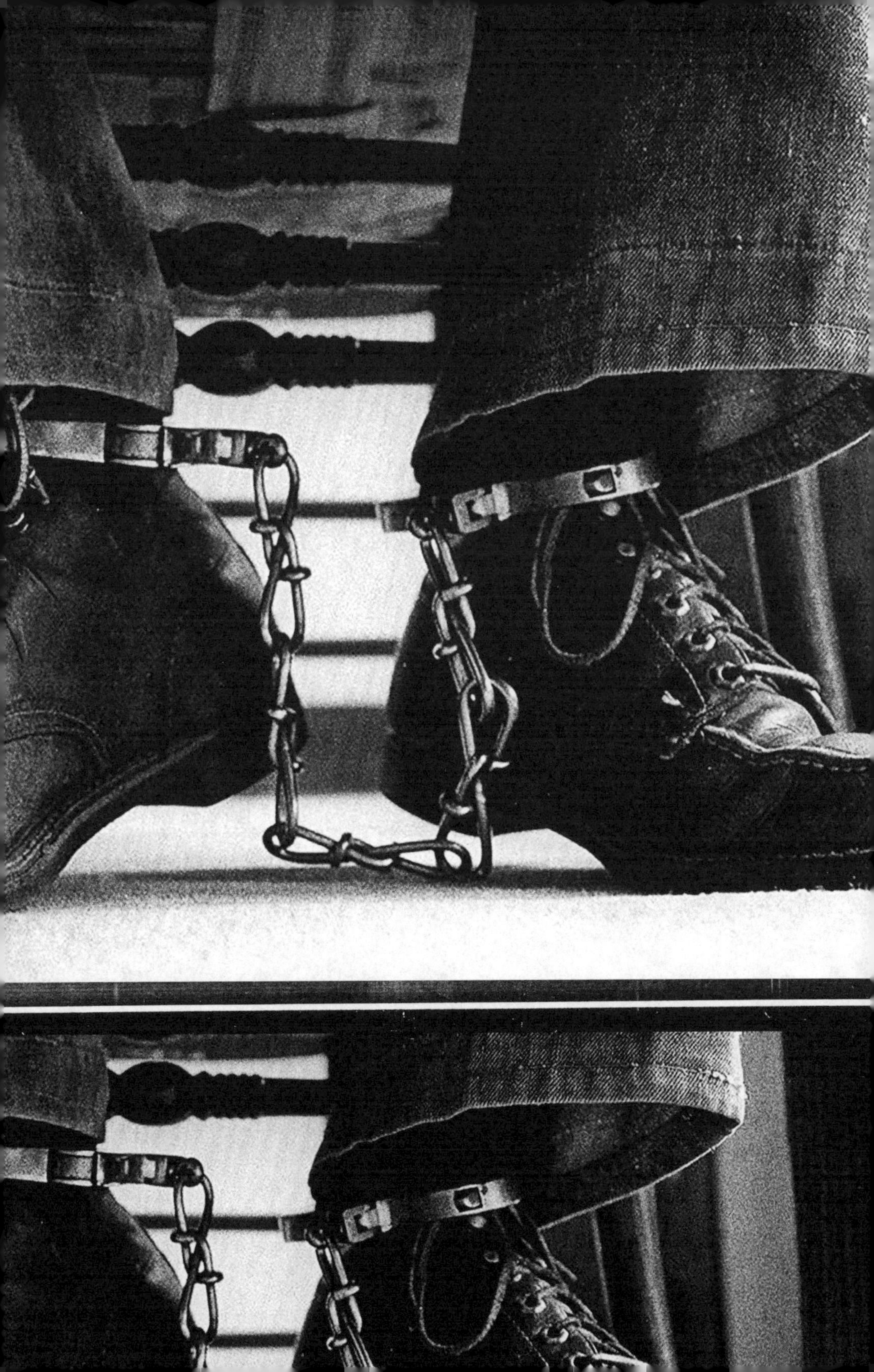

APÊNDICE
O ÚLTIMO CAPÍTULO

-
-

1989

Três anos atrás, quando escrevi a atualização anterior, achei que não teria mais notícias de Theodore Robert Bundy. Pouco depois de postar o manuscrito atualizado, a carta que enviei para Ted na prisão foi devolvida com o carimbo de "Recusada". Não fiquei surpresa, presumi que Ted ainda estivesse muito bravo comigo. Ao se recusar a até mesmo abrir a carta, ele me informava já não ter mais nenhum interesse nas minhas opiniões. Que seja.

Joguei a carta ainda fechada na gaveta. Ted com certeza estava em seu direito de permanecer irritado comigo.

Não sei o que me fez pegar aquela carta, semanas depois, e olhar para ela. Reparei na faixa quase invisível de fita adesiva ao longo da parte de cima do envelope. Olhei mais de perto. A carta *fora* aberta, mas alguém a fechou novamente! Será que Ted ficara curioso para ver o que tinha a dizer, apenas para voltar a selar a carta e marcá-la como "Recusada"?

Retirei a fita adesiva e olhei dentro. Havia o formulário institucional dobrado com o papel de carta que dizia: "Motivo para recusa: Contrabando. Ver item marcado abaixo".

Que possível contrabando *eu* poderia ter enviado para Ted? Vi que "Dinheiro e/ou Cheque Pessoal" fora marcado. A anotação estipulava que apenas ordens de pagamentos podiam ser enviados aos detentos e enviara um cheque de baixo valor para Ted comprar cigarros, além de alguns selos. Estava prestes a encarar a cadeira elétrica no futuro imediato, ou era isso que parecia — dinheiro para cigarros era pequeno gesto de compaixão. Mas a presença do cheque tinha feito com que minha carta fosse inaceitável para a Penitenciária Raiford. Talvez na Penitenciária Estadual da Flórida tivessem muitos cheques sem fundo na sala de correspondências, e o intendente da prisão tenha ficado atolado neles.

Ainda não sabia se Ted leria a carta, e só havia uma forma de saber. Sem nada a perder, mais uma vez tentei entrar em contato com ele. O tempo estava curto. Substituí o cheque por ordem de pagamento e reenviei a carta.

Ele respondeu.

Na verdade, Ted respondeu a carta em 5 de março de 1986. Ele deveria ter morrido no dia anterior. Sua vida agora era medida em períodos bem curtos de tempo.

Embora seja cética quanto ao que pode ser interpretado a partir da caligrafia (e, por causa da grande quantidade de pedidos, ter sido forçada a parar de enviar amostras da caligrafia dos indivíduos de quem escrevo para grafotécnicos), tenho que admitir que pude ver mudança bastante pronunciada na caligrafia de Ted. Não recebia carta dele desde 1980. Em seis anos, durante os quais esteve trancafiado sozinho na cela no Corredor da Morte, a caligrafia de Ted tinha se tornado mais ininteligível do que antes, com letras apertadas umas contra as outras, como os ombros de muitos homens amontoados em espaço pequeno.

A primeira carta foi o clássico exemplo de comportamento passivo-agressivo. Havia escrito para tentar explicar a Ted o que *sabia* ser inexplicável. Queria que soubesse que sua morte não passaria despercebida, ou que não seria completamente lamentada, por mim. Tentara dizer tudo isso, sem realmente dizer, sem escrever as palavras que pareciam óbvias: "Agora que está prestes a morrer..."

Na resposta de Ted, me agradeceu com educação pelos selos que enviara, e depois me colocou em meu lugar, me esbofeteando verbalmente enquanto ainda parecia estar acima de tudo.

> Até onde saiba, não temos nada a ganhar ao tentar examinar um monte de lembranças esmaecidas do que aconteceu ou não aconteceu entre nós, de seu livro, das inúmeras declarações públicas sobre assassinato em série. São águas passadas. Tenho outros assuntos a tratar.
>
> Com toda sinceridade, devo dizer o seguinte a você, Ann. Com base nas declarações que fez de assassinato em série que ouvi e li, sugiro que reavalie seriamente suas opiniões e conclusões. Seja lá por qual razão, você parece ter adotado uma quantidade de pontos de vistas simplistas demais, generalizantes demais e não confirmados cientificamente do assunto. O resultado disso é que ao disseminar tais pontos de vista, não importa o quão bem-intencionada esteja, você apenas conseguirá desorientar as pessoas da verdadeira natureza do problema e, desse modo, fazer com que sejam menos capazes de lidar com isso de maneira eficaz.

Ted disse então que "não se importaria" em conversar comigo de novo, "apenas para conversar", mas que não contribuiria para "mais nenhum livro sobre Ted Bundy". Concluiu essa breve primeira carta assim:

> Não tenho nenhuma inimizade com você. Sei que é alguém essencialmente bom. Eu te desejo o melhor.
> Cuide-se.
>
> Paz,
> *ted*

Seu estilo tinha se tornado tedioso e inibido. Encarcerado, praticamente impotente, afinal, era desesperadamente importante para a autoestima de Ted que fosse o *melhor* em algo. Ele só entendia de assassinato em série, e eu invadi seu território.

Qualquer pessoa interessada em assassinatos em série sem dúvidas *tinha ouvido* meus pontos de vista do assunto. A convite de Pierce R. Brooks, antigo capitão da Unidade de Homicídios do Departamento de Polícia de Los Angeles, e a mente criativa por trás da força-tarefa do Programa de Apreensão de Crimes Violentos (VI-CAP), eu me juntara ao grupo em 1982 como um dos cinco consultores civis. Ted era apenas um dos assassinos em série sobre os quais escrevi — mas o caso de Ted Bundy fora planejado para ser o protótipo do programa VI-CAP: o assassino esperto, carismático e errante. Apresentei seminário de quatro horas, cheio de slides, sobre Bundy para a força-tarefa na Universidade Estadual Sam Houston em Huntsville, Texas.

Brooks acreditava que um sistema central de rastreamento computadorizado poderia encurtar as carreiras homicidas de assassinos em série que assombravam os Estados Unidos — assim como os representantes do Departamento de Justiça dos Estados Unidos, o FBI e as agências policiais locais, estaduais e dos condados. Após anos de trabalho e insistência, o VI-CAP virou realidade em junho de 1985 em Quantico, Virgínia, onde foi conectado aos computadores do Centro Nacional de Informações Criminais do FBI. Assassinos tais como Ted Bundy nunca mais poderiam viajar e matar impunemente. O VI-CAP os acompanhava à medida que deixavam um rastro de sangue pelos Estados Unidos. E o VI-CAP viria a ser importante para impedi-los antes que esse rastro se tornasse tragicamente longo e confuso.

Com frequência, defendi a necessidade do sistema VI-CAP, testemunhei sobre assassinato em série diante do subcomitê judiciário do Senado dos Estados Unidos, e tinha me transformado em instrutora certificada de aplicação da lei, liberdade condicional, indultos e agentes penitenciários, tanto no Oregon quanto na Califórnia. Palestrei não apenas sobre assassinato em série, mas também vitimologia e mulheres que matam.

• • •

Ted e eu estávamos tão distantes de nossas noites na Clínica de Prevenção de Suicídio, quinze anos atrás. Ele se considerava o especialista definitivo em assassinato em série, e disse que era simplista e desinformada. Ouvi o som do tapa com luva de pelica daqui.

Estava bastante disposta a permitir que Ted Bundy me considerasse tola, se isso significasse que poderia se abrir comigo. Ele poderia *muito bem* ser o maior especialista de todos os tempos em assassinato em série. Eu lhe escrevi no dia 13 de março de 1986. Listei a minha avaliação das características que assassinos em série pareciam ter em comum, e enfatizei ser impossível reuni-los em fileira como um bando de patos. Meu resumo trazia apenas diretrizes gerais, enfatizei, a partir de semelhanças que distingui em histórias de vida de grande número de assassinos que pareciam se encaixar. Eu lhe pedi para destacar as áreas onde considerava meu raciocínio e conclusão equivocados.

Para Ted, escrevi que acreditava que assassinos em série eram:

- Exclusivamente masculinos[1];
- É mais provável que sejam caucasianos do que negros, e muito raramente indígenas ou asiáticos;
- Brilhantes, charmosos e carismáticos;
- Fisicamente atraentes;
- Assassinos ativos que usam as mãos como arma: para espancar, sufocar, estrangular ou esfaquear as vítimas;
- Assassinos que raramente usaram arma de fogo (com a exceção de David Berkowitz e Randy Woodfield);
- Viajantes — pessoas em constante movimento ao redor da cidade onde viveram ou ao redor do país, à procura de vítimas, rodando mais quilômetros com seus veículos do que homens comuns;
- Homens dominados pela raiva, que mataram para diminuir a intensidade dessa raiva, que empregaram sexo nos cenários dos assassinatos especialmente para humilhar as vítimas;
- Homens *viciados* em matar — assim como uma pessoa é viciada em drogas ou álcool;

---

1 Apesar da classificação e a compreensão do termo quando escreveu para Ted Bundy, Ann Rule desconsiderou a existência de assassinas em série, mesmo com a ampla cobertura de casos relativamente recentes à época, como Nannie Doss (1905-1965), a norte-americana que envenenou quatro dos cinco maridos com arsênico e dominou as páginas dos jornais em meados da década de 1950. O caso dela — e de outras mulheres com impulsos homicidas entre os séculos XVIII e XIX — podem ser encontrados em detalhes no livro *Lady Killers: Assassinas em Série* (DarkSide® Books, 2019), de Tori Telfer. [NE]

- Homens fascinados pelo trabalho policial — que passaram tempo próximos a delegacias, ou que trabalharam como oficiais da reserva ou policiais comissionados;
- Homens que procuraram um tipo particular de vítima: mulheres, crianças, mendigos, idosos, homossexuais. Vítimas vulneráveis;
- Homens que empregaram artimanha para atrair vítimas para longe de socorro;
- Homens que sofreram algum tipo de abuso infantil *com menos de cinco anos.* (Acreditava que assassinos em série tinham sido crianças muito inteligentes e sensíveis abusadas, abandonadas, humilhadas, rejeitadas — durante o período em que suas consciências se desenvolvem.)

Foi estratagema arriscado, e sabia que estava bem no limite de ofender Ted, de enraivecê-lo a ponto de não querer responder. Expliquei que acreditava que assassinos em série não conseguiam *parar* de matar por vontade própria, e que paravam apenas quando não eram mais capazes de sobrepujar as vítimas ou quando estavam na prisão — ou mortos. Eu lhe falei exatamente o que costumava dizer para as turmas à quais me apresentava, e o que já tinha dito na televisão dezenas de vezes.

Eu (assim como outros especialistas) estava bastante curiosa para ouvir o que tinha a dizer do assunto. Ted Bundy era uma espécie de mina de ouro, sempre acreditei que ele tinha respostas convincentes para esse problema crescente trancado dentro de si. Ainda teria a oportunidade de proporcionar algo de bom para o mundo se decidisse admitir a maldade e ajudar criminalistas, psiquiatras e psicólogos que tentavam estancar o fluxo de mais "Teds".

Ele não estava preparado para fazer isso... ainda.

Mais uma vez, esperei por resposta a minha carta.

Mais uma vez, não houve nenhuma.

Ou eu por fim o tinha alienado, ou estava ocupado demais para responder.

Ele estava ocupado. E podia escolher a dedo quem poderia favorecer com seu conhecimento e filosofia. Todo mundo — Connie Chung, o programa *20/20,* a revista *People,* o programa *60 Minutes,* e assim por diante, em lista interminável — solicitara audiência com Ted. Da cela, anunciou que concederia entrevista ao veículo que considerava de maior prestígio: *The New York Times.* Enquanto um oficial da Flórida comentava que Ted estava jogando "apostando perigosamente para derrotar o processo [...] Nem mesmo as muitas pessoas que são contra a pena de morte chegam a perder o sono por conta do seu caso", Ted falou calmamente com o *Times*.

Estava, assim como em relação a mim, acima de tudo.

"Se alguém me considera um monstro, isso é algo que terão de confrontar dentro de si mesmos. Isso não tem nada a ver comigo porque não me conhecem. Se realmente me conhecessem, descobririam que não sou um monstro. Aliás, condenar alguém, desumanizar alguém como eu, é forma muito popular e eficaz de as pessoas lidarem com o medo e a ameaça que são simplesmente incompreensíveis.

"É meio que o velho clichê do avestruz com a cabeça enfiada na areia. Quando pessoas recorrem a esses clichês de que alguém é um monstro que passou do ponto de receber ajuda, que é demente, que tem algum defeito, então estão enfiando as cabeças no chão por pura ignorância..."

Como tantos outros iguais a ele, Ted precisava ser considerado pessoa normal. Não queria que pensassem que era *pervertido*. Tão cheio de defeitos que era de se perguntar como mantinha a mente até certo ponto intacta. Ele com certeza não queria ser visto como monstro. E assim como muitos outros sociopatas que ouvi, Ted usou clichês com bastante frequência, mesmo enquanto os ridicularizava. "Águas passadas... enfiar a cabeça na areia." O clichê parece dar ao sociopata algo para se segurar — âncora verbal que lhe permite se comunicar, falar o idioma das *pessoas normais*.

Ted não queria ser visto como monstro, e eu me esforçava, como sempre fizera, para vê-lo como algo além disso. Era a única maneira que tinha de conseguir escrever para ele. Meu intelecto se agarrava teimosamente ao "monstro", mas, com base na mais pura emoção, me perguntava se não podia haver alguma parte escondida dentro dele com consciência vestigial.

Por isso queria um diálogo com ele. Por mais que dissesse a mim mesma que Ted Bundy era um monstro, por mais que dissesse a outras pessoas a mesma coisa, *eu* ainda tinha dificuldade para acreditar. Não era apenas sobre Ted. Meu trabalho me colocava ao lado de muitos "monstros".

Depois de quase duas décadas escrevendo sobre sociopatas sádicos, ainda achava quase impossível compreender em nível *emocional* que havia gente da minha própria espécie que realmente não sentia um pingo de compaixão ou empatia pelo sofrimento de outras pessoas. Não consigo pisar em aranhas. Só fui capaz de fazer mal a uma mosca quando me tornei mãe e muitas delas aterrissavam no meu bebê. Como alguém poderia torturar e matar vítimas inocentes e não sentir remorso?

Era isso que queria que Ted Bundy me contasse? Será que queria que ele dissesse, depois de tantos anos, que sim, se sentia mal — passava muitas noites insones pensando nas vítimas? E se ele dissesse, ou escrevesse, essas palavras, será que eu acreditaria?

Era primavera de 1986. Em seis meses, Ted faria quarenta anos, *se* chegasse a viver tanto assim.

Parece que isso aconteceria. Polly Nelson levou a apelação até a Suprema Corte dos Estados Unidos. Ted solicitava novo julgamento pelos casos da Chi Omega, com base, de novo, no fato de que a testemunha ocular Nita Neary tinha sido hipnotizada para ajudá-la a lembrar.

Em 5 de maio de 1986, a Corte recusou a apelação. A corte suprema negou a apelação de Ted por 7 x 2 sem nenhum comentário. Os magistrados William Brennan e Thurgood Marshall discordaram, aderiram à longa oposição contra a pena de morte. O porta-voz de Bob Graham, governador da Flórida, disse que era provável que o governador fosse assinar imediatamente novo mandado para a execução de Ted.

O timing foi de perfeição digna do show business. A resposta do tribunal foi anunciada durante o intervalo da minissérie de dois episódios sobre Ted. Mark Harmon ("O Homem Mais Sexy" de acordo com a revista *People*) fez o papel de Ted Bundy conforme retratado no livro de Richard Larsen, *The Deliberate Stranger* [O Estranho Intencional, em tradução livre]. Fisicamente, Harmon foi boa escolha, mas interpretou Ted Bundy como alguém confiante desde o início, como um clone do jovem Kennedy.

Para crédito de Harmon, não tinha como saber que Ted Bundy entrara na casa dos vinte anos como o homem que conheci, o homem socialmente inapto, o homem que acreditava não se encaixar no mundo da riqueza e sucesso. O infame Ted Bundy de dias posteriores, esse sim, era lisonjeiro e carismático. A infâmia lhe caía bem. Foi apenas conforme seus crimes ganhavam as manchetes que se transformou no Ted Bundy retratado por Mark Harmon. Aquele homem unidimensional foi o "Ted da TV hollywoodiana". O Ted de Harmon era tão charmoso e sexy que às vezes parecia quase heroico.

E esse foi o Ted por quem toda a nova geração de garotas adolescentes se apaixonou. Fiquei horrorizada com as cartas e os telefonemas que recebi de moças que queriam correr para a Flórida para "salvar Ted Bundy".

Por fim, disse — ou escrevi — com firmeza para cada uma delas: "*Você não está apaixonada por Ted Bundy*. Você está apaixonada por Mark Harmon".

Fiquei satisfeita quando muitas garotas responderam: "Sabe, tem razão. Me deixei levar quando vi Mark Harmon".

O último adiamento da execução de Ted expirou no dia 6 de maio, mas Polly Nelson anunciou que continuaria a luta para salvar a vida dele em duas frentes — contestaria a decisão da Suprema Corte, argumentando que não tinham dispensado de maneira apropriada a apelação de acordo com seus méritos, *e* entraria com nova apelação na Suprema Corte no caso do homicídio de Kimberly Leach.

Enquanto Polly Nelson lutava por um ponto de apoio, o governador Graham marcou nova data para a execução: 2 de julho de 1986. Os boatos diziam que essa seria definitiva. Ted tinha se safado de sua primeira sentença, mas aquela era a segunda.

Estava agendado para morrer às 7h daquela primeira quarta-feira de julho, e todos os esforços perseverantes de Polly Nelson para salvá-lo poderiam não ser suficientes para impedir o seu inexorável avanço na direção da Old Sparky.

Embora a batalha de Nelson pendesse para outra apelação contra a condenação, admitiu que estava "disposta a experimentar qualquer coisa" para poupar Ted. Até mesmo alegação de insanidade. Será que Ted cooperaria em tal defesa? Sempre foi tão racional, tão determinado a ser racional. Sempre acreditei que preferiria morrer a admitir qualquer fraqueza da mente, qualquer anomalia. Ted era tão dedicado a ser são. Abrir mão da sanidade — mesmo que para viver — poderia não valer a pena.

Mas Polly Nelson e James E. Coleman, Jr., alardearam o assunto da sanidade. Coleman, um jovem advogado elegante e brilhante, sondou o terreno com certa hesitação. Sugeriu que a competência mental de Ted era área que nunca fora "explorada por completo".

Coleman disse que Mike Minerva, o único advogado que acreditou que Ted não tinha competência mental, fora impedido de participar da audiência de capacidade mental de Ted lá na primavera de 1979. Ted, é claro, rasgara o acordo judicial que lhe teria rendido três penas consecutivas de 25 anos. Para todos os efeitos, escolhera a ameaça bastante real da morte por execução em vez de admitir que era menos do que mentalmente capaz.

Coleman acreditava que Ted Bundy era seu pior inimigo. Ao insistir em comandar o espetáculo, havia se colocado naquela trilha mortal. Coleman argumentou que Ted, apenas um estudante no segundo ano de advocacia, tinha com frequência tentado coordenar a própria defesa, exigia que seus advogados fossem substituídos sem se dar conta de que solapava seu direito de ter representação eficaz. "O sr. Bundy foi representado pelo total de quatorze advogados", disse Coleman. "Também representou a si mesmo. Nós acreditamos [...] que lhe foram negados advogados eficazes."

Será que Coleman e Nelson agora conseguiriam convencer o tribunal de apelação de que Ted Bundy era louco? Não se pode executar um louco, mesmo se sua derrocada rumo à loucura tenha ocorrido enquanto aguardava no Corredor da Morte. Julius Victor Africano, o advogado de defesa de Ted no caso de Kimberly Leach, acreditava que Ted tinha "dupla personalidade".

"Durante todo o tempo em que estive com Ted Bundy, nunca vi nada que indicasse que seria capaz de cometer os crimes", refletiu Africano em junho de 1986.

Eu também não. Ted mantinha esse seu lado escondido.

Bob Dekle, o promotor no julgamento do caso Leach, tinha opinião mais franca e menos caridosa, e via Ted de maneira diferente. Conhecera inúmeros sociopatas na carreira para acreditar na máscara. "Um sociopata é alguém que você gostaria se tivesse a oportunidade de conversar com ele. E quanto mais o ouvir, e o sociopata lhe contar como a sociedade quer pegá-lo — como *todos* querem —, mais você acredita. Às vezes, Bundy me fez acreditar nele. Mas é só outro sociopata — a não ser pelo rosto bonito."

Parecia que dessa vez não haveria escapatória. A vigília de morte começou em Starke, Flórida. Nelson e Coleman entraram com apelações, pedidos de audiências de clemência e adiamento da execução. Tudo recusado. Ted e Gerald Stano — 34 anos, também ligado a dezenas de ataques sexuais e assassinatos de jovens mulheres —, estavam agendados para morrer na sequência, pode-se dizer, dois dias antes do Dia da Independência.

Acreditava que Ted morreria dessa vez. Tinha tanta certeza disso que de maneira um tanto ingênua tentei telefonar para ele. Telefonemas pessoais não são aceitos na Penitenciária Raiford. O escritório do superintendente Dugger me assegurou, contudo, que informariam Ted de que liguei.

Carole Ann Boone estava ao lado de Ted, tão leal e fiel como sempre. Ela e o filho mais velho, Jamie Boone, passaram as horas de espera com Ted sempre que tinham permissão. Carole Ann, participante relutante capturada pelas câmeras, estava bem mais magra do que no julgamento de Ted, em 1979, e agora loira, em vez de morena. Estava tão diferente que quase parecia ter assumido a característica de camaleão do marido.

No início da terça-feira, dia 1º de julho, Carole Ann, Jamie e Rose (a filha de quatro anos e meio de Ted e Carole) se encontraram na sala de visitas fechada. Carole Ann deixou a Penitenciária Raiford pouco depois do meio-dia, com um saco de lixo verde na cabeça. Jamie a encobria em gesto protetor e gritou "Calem a boca... calem a boca!" para os repórteres que berravam perguntas.

Ted, transferido para a cela de espera — o último passo antes de andar até a câmara de execução —, não demonstrava medo. "A não ser seus olhos. Havia algo nos olhos", contou um guarda, "que fazia você se perguntar se ele estava assustado." Ted comeu seu café da manhã de mingau de aveia e panquecas. Os guardas o vigiavam com muita atenção para se certificar de que não cometeria suicídio e passasse a perna na cadeira elétrica.

Não tinha motivo para fazer isso. Talvez Ted sentisse que aquela não era a sua hora. Tanto ele quanto Gerald Stano receberam o indulto de 24 horas, e em seguida o adiamento indefinido da execução. Ted chegara a um intervalo de quinze horas da morte e não falou nada a respeito de medo. Ele nunca deixou que vissem sequer um tremor do músculo da mandíbula.

Com a dignidade intacta, Ted foi transferido da cela de espera para a cela comum no Corredor da Morte. Todas as maquinações dos advogados e das cortes tinham, mais uma vez, conseguido um atraso. Enquanto o juiz federal William Zloch, de Fort Lauderdale, rejeitava a petição dos advogados de Ted que contestava a condenação por homicídio nos casos da Chi Omega, Nelson e Coleman apelaram ao Undécimo Tribunal de Apelação no Circuito de Atlanta. Um painel de três juízes avaliaria a decisão de Zloch e a apelação. Isso poderia demorar meses e, alguns diziam, mesmo anos.

Começava a parecer que seria impossível executar Ted Bundy. Ele derrotava o sistema, e os contribuintes da Flórida bancavam isso.

Em 4 de agosto, Ted me mandou a resposta da carta que lhe enviara em março. Sua caligrafia parecia mais fora de controle do que jamais vi, titubeava para cima e para baixo ao longo das páginas, palavras riscadas com correções por cima. Estava em segurança por enquanto, mas a caligrafia não transparecia esse sentimento.

> Recebi a mensagem que enviou pelo superintendente Dugger. Muito obrigado. E obrigado pelo dinheiro e selos que mandou em abril. Agora que as coisas se acalmaram um pouco, posso me concentrar em escrever algumas cartas.

Com as cortesias dispensadas, Ted mais uma vez passou a destacar minha inépcia geral em compreender o assassinato em série: me considerava "sincera", mas "presa e limitada".

> Você simplesmente não tem banco de dados amplo e completo o suficiente para fazer tais julgamentos. O melhor que posso fazer por você é indicar a síntese das descobertas do estudo da Unidade de Ciências [sic] Comportamental e publicada na edição de agosto de 1985 do Boletim do FBI. Muito embora o relatório seja bastante generalizado, é de longe o melhor e mais preciso estudo da área que vi, e eu já vi muitos. É apenas o começo, mas um começo sólido.

O FBI, outrora "uns desgraçados superestimados", de acordo com Ted, agora *quase* ganharam seu selo de aprovação. Eu tinha o boletim do FBI ao qual Ted se referiu, e conhecia bem dois dos colaboradores dos meus dias no VI-CAP. Era um estudo excelente, agora um livro: *Sexual Homicide: Patterns and Motives* [Homicídio Sexual: Padrões e Motivos], de Robert K. Ressler, Ann W. Burgess e John E. Douglas[2].

Nessa carta, Ted me pediu para não publicar nada que havia escrito, e decidi que não o faria, ao menos enquanto estivesse vivo e enfrentando as batalhas judiciais. Era óbvio que não confiava em mim, e mencionou diversas vezes que raramente confiava em alguém.

Ted vociferou ao longo de diversas páginas contra um homem que fez declarações públicas de coisas que ele supostamente lhe confes-

---

[2] Robert K. Ressler (1937-2013) e John E. Douglas (1945-) foram agentes do FBI que desempenharam papel significativo na definição do perfil psicológico de assassinos em série na década de 1970. Ao lado de Ann W. Burgess (1936-), doutora em psiquiatria, entrevistaram e estudaram dezenas de assassinos em série para aprimorar a identificação de criminosos violentos. A história dos três serviu de inspiração para *Mindhunter* (2017-), série audiovisual produzida pela Netflix. [NE]

sara. Ted foi enfático ao negar. Pego de surpresa pela desonestidade de outra pessoa, ficou mais ultrajado do que já o tinha visto ficar.

> Ele se apresentou como um tipo acadêmico tão decente, sincero e qualificado. E acabou sendo não apenas uma fraude superficial, mas também mentiroso. Não uso essa palavra em vão. Isso me chocou. De verdade. Conheci todos os tipos de pessoas ao longo dos anos. ▆▆▆▆▆ não era o tipo que esperava mentir do jeito que mentiu, e ainda por cima inventou coisas como ninguém antes chegou a fazer [...] É tão triste, Ann. Nunca conversei com esse homem de nenhum caso no qual sou suspeito. Nunca. Não sou idiota. Não especulei nem fiz nada do tipo [...] Conversamos apenas em termos bastante gerais. Nada foi gravado em fita [...] Ninguém nunca mentiu para mim desse jeito antes. Nem mesmo um tira. É como se fosse temporada de caça ao Ted Bundy. Qualquer um pode dizer o que quiser sobre Ted Bundy e as pessoas vão acreditar, contanto que se encaixe no mito popular...

Ted provou do próprio veneno. Mas estava certo na avaliação.
Ele ainda me pediu para escrever, e para enviar dinheiro e selos.

> Minha família não tem como me ajudar agora
>   Seja boa,
>
> Paz,
> *ted*

Respondi essa carta e me retornou um mês depois. Viria a ser sua última carta para mim. Foi mais amigável do que as duas primeiras desse trio de cartas enviadas, escritas após intervalo de sete anos. Ted falou sobre eu ter um processador de texto para escrever, e contou que não se importaria de ter um, mesmo que soasse tão "primariamente mecânico".

A parte central da carta — talvez o motivo para a carta em si — girou em torno dos casos não solucionados do Assassino de Green River na área de Seattle. Sete anos após Ted ser preso em Salt Lake City, os assassinos em série mais prolíficos nos Estados Unidos começaram a agir em padrão terrível. Pelo menos quatro dúzias (e provavelmente o dobro disso) de "Strawberries" — "Moranguinhos", gíria das ruas para jovens prostitutas — foram assassinadas, e os corpos largados em amontoados em áreas florestais perto tanto de Seattle como de Portland.

A 1.610 quilômetros de distância, Ted tinha suas teorias.

> Ao que parece, o caso não consegue caminhar por falta de pistas. O pessoal da força-tarefa deve estar andando em círculos. A maneira como o responsável pelos crimes sumiu de vista é realmente fascinante. E, claro, ele pode estar morto. Não tem como saber.
> Juntei bastante material sobre o caso, e desenvolvi minhas observações. Em algumas ocasiões, fiquei tentado a expressar meus pontos de vista. O público foi enganado em relação ao caso. A postura dos oficiais de polícia diante do público é compreensível, mas manter o povo na ignorância sobre a natureza essencial de crimes assim fará com que uma solução seja ainda mais difícil. E, apesar dos melhores esforços, consigo ver que os investigadores foram limitados por conceitos convencionais em um caso não convencional.
> Enfim, pensei em compartilhar minhas observações e ideias específicas, mas decidi que as pessoas não estavam prontas para levar minhas afirmações a sério. Eu não precisava da publicidade mesmo...

Contei ao Ted das dezenas de mulheres que entraram em contato comigo para falar de seus "encontros" com ele, embora não tivesse lhe passado nem horas, nem nomes, nem lugares específicos. Comentei que precisaria ser sobre-humano para ter estado em todos os lugares onde as pessoas se "lembram" de tê-lo visto. Houve comoção na imprensa quando campistas encontraram uma árvore no condado de Sanpete, Utah, com o nome de Ted Bundy entalhado nela, e a data: "78".

> Também estou familiarizado com o fenômeno dos "avistamentos de Ted Bundy". Isso diz muita coisa a respeito do grau de confiança na identificação de testemunhas oculares, não é? Id [sic] de testemunhas oculares é a evidência inerentemente mais duvidosa usada no tribunal.
> Isso também diz muita coisa do medo.
> O negócio da árvore em Utah com o nome Ted Bundy entalhado é bizaro [sic]. As autoridades de Utah sabem muito bem que não estive lá em 1978. Provavelmente não existe nada mais certo do que meu paradeiro em 1978, e ainda assim a polícia de Utah desempenhou a pequena farsa. Creio que isso foi feito para assegurar às pessoas que a polícia ainda estava ativa na investigação do caso. Não sei dizer o motivo, exatamente. Estamos em ano de eleição?

Seu humor continuava cáustico. Eu perguntara a Ted se queria alguma coisa para ler, e me explicou que não podia receber livros, mesmo enviados diretamente da editora. As exceções eram livros religiosos ou que chegam em um dos quatro pacotes permitidos por ano. Cada pacote podia conter quatro livros, mas Ted já tinha usado todas as permissões de 1986.

Também lhe perguntara se estava ocupado com seu caso, e respondeu que não se preocupava mais com batalhas judiciais.

> Deixo isso tudo para meus advogados agora. Não considero o trabalho jurídico experiência positiva e edificante, para dizer o mínimo. Agora que tenho advogados com habilidades e recursos para lidar com os casos, me envolvo o mínimo. Tenho outras coisas para fazer.
> Escreva em breve
> Seja boa.
>
> Paz,
> *ted*

Ele não disse quais eram essas coisas.

E nunca mais voltei a ter notícias dele. Tenho certeza de que lhe respondi. Contudo, o outono de 1986 foi o início de dois anos bastante frenéticos para mim. Estava terminando *Small Sacrifices* [Pequenos Sacrifícios] — livro sobre Diane Downs, que fora condenada pelo assassinato da filha em maio de 1983 —, palestrava na Califórnia e preparava a turnê de lançamento de um mês. (Essa turnê de algum modo não diminuiria o ritmo entre as edições em capa dura e brochura de *Small Sacrifices*, e eu parecia correr cada vez mais rápido.)

Com Ted, parecia sempre haver tempo. Sua vida era como *Os Perigos de Paulina* — alguma coisa sempre o salvava no último momento. Pensava em lhe escrever novamente e ver se responderia. Sempre me perguntei se talvez um dia me contaria a verdade, ou verdades, que mantinha escondida tão bem.

Ted escrevera que não se deixava mais levar pelo semiexercício do direito penal, que tinha outras coisas para fazer. Suspeito que um sistema volumoso de correspondências tomava muito tempo dos dias de Ted. Viria a descobrir que ele escrevia para muitas pessoas, inclusive mulheres de todas as partes dos Estados Unidos. Para aquelas com quem conversei, Ted escreveu de sua necessidade de selos, ordens de pagamento, pesquisas. Respondeu uma carta eloquente e poética de alguém que crescera em Tacoma na mesma época que Ted. O homem era uma alma gentil, que adorava animais, e morava em ilha em Puget Sound. Também escrevia da nostalgia com bastante talento, e não consigo imaginar que Ted tenha conseguido resistir a cartas que evocaram lembranças agridoces da própria juventude. Escreveu a resposta, e de maneira gradual construiu sua pequena rede — ou assim achava.

O correspondente da ilha contou a Ted de si mesmo e seu trabalho. E a luzinha se acendeu em sua mente. Esse homem estava em condições de providenciar a Ted a informação que procurava havia anos: o endereço de Meg (ou, enfim, Elizabeth). A mulher com quem Ted tivera relacionamento tão duradouro se mudara com bastante frequência até finalmente conseguir se livrar dele e das cartas. Ele não sabia onde ela morava e queria descobrir.

O correspondente de Ted trabalhava no departamento de recursos humanos. Embora as cartas parecessem inocentes, era sujeito bastante astuto e podia ver a mente de Ted trabalhar. Sabia que seu valor para Ted residia no fato de poder digitar um código no computador e encontrar informações de Elizabeth. Deduziu que Ted adoraria enviar uma carta para o endereço secreto da ex-namorada para, em essência, lhe dizer: "Viu? Você nunca será capaz de se esconder de mim. Ainda que esteja no Corredor da Morte, a 1.610 quilômetros de distância, tenho o poder de te encontrar".

O homem recusou informações do paradeiro de Meg, mesmo sabendo que isso provavelmente seria o fim de sua correspondência com Ted Bundy.

Ele, de fato, não voltou a lhe escrever.

Para uma enfermeira do sul, mulher que sentia um pouco de pena de Ted porque tinha um amigo na prisão, explicou que a esposa estava muito ocupada para trabalhar de mensageira. Precisava de informações de assassinos em série, além de selos e um pouco de dinheiro. Em 1984, sem que eu soubesse, Ted também pediu à enfermeira que encontrasse meu endereço. Explicou que mal me conhecia, que o tinha explorado — mas, por alguma razão, queria me encontrar. Eu não tinha mudado o endereço postal. Ainda não mudei. Poderia ter me escrito com facilidade, mas talvez tivesse perdido o número da caixa postal. Ou, o mais assustador, talvez quisesse provar que também poderia *me* encontrar. Jamais revelei meu endereço residencial a Ted. Teria sido uma sutil tática psicológica se conseguisse enviar uma carta diretamente para a minha casa.

Quando descobri que Ted tentava contato comigo, já tinha escrito para ele. Não faço ideia do que tinha em mente em 1984. Ele nunca mencionou sua busca pelo meu endereço. Imaginei todo tipo de coisa. Na verdade, suspeito que pesquisava datas e horários de outros assassinatos no noroeste dos quais eu havia escrito. Tentava culpar outros homens por seus crimes, e eu tinha todas as informações específicas em meus arquivos de pesquisa.

Como Ted explicou a pelo menos uma dúzia de mulheres com quem se correspondeu e que entraram em contato comigo mais tarde, precisava de ajuda com suas tarefas. Carole Ann Boone cuidara delas durante anos sem reclamar. Ela era, claro, presença bastante constante enquanto aguardava a execução, em julho de 1986.

Contudo, de maneira tão gradual que ninguém da imprensa realmente percebeu, Carole Ann se afastava de Ted. A não ser que algum dia escolha escrever sobre a vida com ele ou dar entrevistas, o que ela não faz *há anos*, ninguém pode fazer nada a não ser especular por que Carole Ann raramente estava lá ao lado do seu "Bunnie".

Talvez a agonia emocional pela qual passou em julho de 1986, contando as horas até o marido morrer, fosse muita coisa para suportar de novo. Talvez o glamour de ser a famigerada queridinha do réu tivesse se transformado em cinzas à medida que Carole Ann se dava conta de que Ted jamais seria posto em liberdade. Possivelmente, a vida em Gainesville, Flórida, com pouco dinheiro, um bebê e um adolescente para sustentar, cercada por ódio palpável contra seu marido, fosse dura e real demais.

Para quantas pessoas Ted tinha escrito? Chutaria milhares. Cem ou mais pessoas escreveram ou telefonaram para mim pedindo o endereço dele. Com certeza muitos mais devem ter simplesmente escrito para a Penitenciária Raiford aos cuidados de Ted Bundy.

Um correspondente muito, muito importante era um homem que outrora foi o anátema de Ted Bundy. E ainda assim foi inevitável que se reunissem em determinado momento. Bob Keppel publicara o livro definitivo de uma área que interessava muito a Ted: *Serial Murder: Future Implications for Police Investigations* [Assassinato em Série: Futuras Implicações para Investigações Policiais]. Ted escrevera para Keppel em 1984, para se oferecer como consultor no caso dos homicídios de Green River. Era típico da manipulação de Ted dizer que *poderia* oferecer ajuda para a força-tarefa. Permaneceu em contato com Keppel por dois anos. Mais tarde, Bob Keppel me contou que aceitara o conselho de Ted sobre Green River. Isso proporcionou ao detetive de Washington abertura para conversar com ele. Se começassem a conversar de Green River, também poderiam conversar dos casos não solucionados atribuídos a Ted Bundy.

Embora suspeitasse que Ted e Bob Keppel estivessem em contato em 1986, eu não tinha certeza. Os dois nunca se encontraram durante a dedicada investigação de Keppel dos homicídios de "Ted". Só se viram em novembro de 1984, na Penitenciária Raiford, mas voltariam a se encontrar. Keppel e Bundy, detetive e assassino, conversaram. Keppel fora considerado digno, e Ted apresentava suas teorias a ele. Eu tinha ouvido boatos, mas nunca questionei Bob diretamente. Se fosse tentar conseguir uma confissão, ou várias, de Ted Bundy, precisaria de tempo e discrição para colocar o delicado jogo em prática.

Bob e eu almoçamos juntos em algumas ocasiões, e por vezes o entrevistava para alguns artigos. Fizemos referências sutis e hesitantes a Ted, mas não insisti no assunto porque sabia que poderia se fechar. Após duas décadas de escritora de crimes, aprendi a esperar até que os detetives estivessem preparados para falar.

E Keppel ainda não estava.

Enquanto cautelosamente estabelecia tênue conexão com Ted Bundy, os mecanismos judiciais seguiam girando. Era bastante possível que Keppel pudesse chegar ao ponto em que Ted conversasse com franqueza com ele dos homicídios no noroeste e, ainda mais importante, dos *desaparecimentos* no noroeste — e tudo isso apenas para matar tempo. Ainda assim, Keppel sabia que Bundy não podia ser apressado. Qualquer um que quisesse conversar com ele não podia parecer ansioso demais por informações. Ted tinha que dar as cartas, por mais irritante que isso pudesse ser para aqueles que esperavam.

Em 21 de outubro de 1986, o governador Graham assinou a terceira sentença de morte de Ted, e marcou a próxima execução pelo assassinato de Kimberly Leach para 18 de novembro. Mas três juízes federais do tribunal de apelação deixaram claro no dia 23 de outubro que Ted conseguiria outra audiência do caso da Chi Omega no tribunal federal. O painel de três juízes disse que o juiz William Zloch tinha errado em não revisar os registros do julgamento de Bundy antes de tomar a decisão, no mês de julho anterior, de negar a petição dos advogados de Ted. Também disseram ao promotor-assistente da Flórida, Gregory Costas, que *ele* deveria ter pedido a Zloch que aceitasse os registros do julgamento antes de emitir opinião.

"Não consigo entender o seu comportamento", ralhou o juiz Robert Vance. "Este caso será revertido e enviado lá para baixo por causa de erro bobo. Se você chamasse a atenção do juiz para isso na época, esse erro poderia ser corrigido em quatro dias. Está errado, é claramente erro jurídico. Não é sustentável para um advogado de integridade."

Aquele período em julho tinha sido uma loucura. Polly Nelson e Jim Coleman passaram muitas noites consecutivas em claro, correndo contra o relógio da pendente sentença de morte de Ted. Zloch, considerando sua primeira apelação em caso de pena capital desde que se tornara juiz federal em janeiro, tinha rejeitado o adiamento de seis meses, e então também descartara as petições de Ted sem ouvir os argumentos dos advogados dos assuntos envolvidos. Os registros do julgamento permaneciam no porta-malas do carro de Greg Costas.

Costas ficou abalado pela veemência da admoestação verbal que recebera dos três juízes do painel, e mais tarde os magistrados suavizaram um pouco a questão. Vance explicou que estava apenas frustrado pela confusão e erros. "Talvez a Corte tenha sido um pouco áspera com você pessoalmente, advogado."

Aquilo se transformava em dança. Quando Ted conseguia obter adiamentos pelos homicídios na Chi Omega, alguns especialistas jurídicos diziam que então não poderia ser executado pelo homicídio de Kimberly Leach. Do outro lado, conseguia o adiamento para a sentença de morte pelo caso Leach, e havia a questão de eletrocutá-lo pelos assassinatos na república.

Ted talvez conseguisse manter o jogo de gangorra judiciária até a velhice.

Também não morreu em novembro de 1986. Menos de sete horas antes do horário marcado para a execução, o Undécimo Circuito Judiciário ordenou o adiamento. A promotoria da Flórida pediu que a Suprema Corte dos Estados Unidos indeferisse a decisão, mas tudo que o jargão judicial significava de verdade era que haveria outro adiamento de muitos meses. Os advogados de Ted tinham agora entrado com dezoito apelações diferentes sobre as duas condenações por homicídio na Flórida. As apelações supostamente eram pagas por um escritório de advocacia de Washington, D.C. O estado da Flórida, contudo, tinha que pagar para argumentar contra todos esses adiamentos e apelações, e a conta estava entrando na casa dos milhões.

Os moradores da Flórida estavam ficando inquietos. Letreiros diziam: "Fritem Ted Bundy", e "Vou apertar o cinto quando Bundy apertar o dele". Apresentadores de rádios tocavam paródias sobre Ted: "Bye, Bye, *Bundy*, Bye, Bye", "I Left My Life in *Raiford Prison*".

Carole Ann Boone abandonara o marido na Penitenciário Raiford. Com bastante discrição, foi embora da cidade. Não estava ao lado de Ted enquanto ele esperava a morte em 18 de novembro. O motivo oficial passado para a imprensa foi que Carole Ann fora para Everett, Washington, seis semanas antes, para visitar um parente doente. Ao que parecia, o parente devia estar em estado terminal para que Carole Ann optasse fazer aquela visita em vez de ficar ao lado do marido enquanto ele esperava a morte pela terceira vez.

Talvez o motivo para ir embora da Flórida *tenha* sido doença na família. Mas ela nunca mais voltou.

Inicialmente, o dia 18 de novembro não pareceu tão ameaçador quanto a data em julho, muito embora Ted, de forma desconfortável, fizesse a lenta caminhada até a cadeira elétrica. O público estava se acostumando aos adiamentos da execução de Ted Bundy. Talvez Ted também estivesse.

Vernon Bradford, porta-voz do Departamento Penitenciário do Estado da Flórida, disse que Ted "começou o dia com humor muito bom". Ele assistiu à televisão e ouviu o rádio colocado à porta da cela — a cela de espera a apenas trinta passos da câmara de execução. "Estava confiante."

Ted não demonstrou medo algum. Em vez disso, contaram as testemunhas, "estava zangado e exasperado, mas não assustado. Era como se estivesse indignado que alguém pudesse fazer isso com Ted Bundy".

Talvez todos os envolvidos, incluindo Ted, soubessem que aquilo estava longe de terminar. Ele parecia considerar os preparativos para as execuções uma farsa, uma inconveniência e uma humilhação proposital.

À medida que a longa terça-feira se arrastava, a confiança de Ted vacilava, e foi ficando mais bravo e agitado. Porém, quando John Tanner, advogado de defesa criminal da Flórida e conselheiro espiritual de Ted, o visitou naquela noite, encontrou Ted calmo. "Havia aura de paz em volta dele..."

Ted sabia que não iria morrer.

Em Seattle, não estava tão confortável em relação à saída de emergência de Ted quanto ele. O CBS *Morning News* telefonou para dizer que havia uma limusine esperando para me levar à sua afiliada em Seattle, a KIRO. Queriam me entrevistar às 7h, caso Ted fosse executado. À 1h me ligaram para contar que a execução fora cancelada.

Fiquei bastante aliviada. Não teria impedido a execução, mesmo que pudesse, mas preferia vê-la adiada, aceitando apenas de maneira vaga que, quando a hora chegasse (se é que algum dia chegaria), ainda teria emoções incomensuráveis com as quais lidar.

Em novembro de 1986, a pressão voltou a ser afastada.

A primavera de 1987 trouxe pequena onda de reportagens sobre Ted. Millard Farmer, da equipe de defesa de Atlanta, discutiu o caso Bundy com um repórter do *Oregonian*, em Portland, Oregon. "Ou Bundy não cometeu os crimes, ou sofre de uma das mais graves doenças mentais que já vi", disse Farmer.

Contou ainda que era relativamente comum para alguém com doença mental receber sentenças de morte no "Velho Sul". Farmer também detonou a imprensa dentro do tribunal. "[A televisão] transforma os advogados em palhaços, os juízes em bobos da corte e os procedimentos em injustiça."

Farmer disse também que juízes e testemunhas no julgamento do caso Chi Omega se embonecavam antes de entrar no tribunal, e corriam para a sala da imprensa no nono andar do prédio da Secretaria de Justiça para ver como ficavam na televisão.

Isso não era verdade. Eu estava lá no nono andar no verão de 1979, e Millard Farmer não estava — pelo menos nunca o vi. Tampouco cheguei a ver juízes ou advogados lá conosco no andar da imprensa olhando do para a TV. Certa vez, vi Larry Simpson, pelo estado, pentear o cabelo antes da declaração de abertura. Mas não estava "se embonecando".

Os correspondentes de Ted continuaram inundando a Penitenciária Raiford com cartas. Em abril de 1987, a agência de notícias Associated Press relatou que Ted e John Hinckley — o aspirante a assassino do presidente Ronald Reagan e do porta-voz da Casa Branca, James Brady — trocaram inúmeras cartas. Hinckley escrevera a Ted para "expressar seu pesar" da "a posição incômoda que você deve se encontrar".

Esse acordo de amizade por correspondência foi o suficiente para cancelar a licença sugerida para Hinckley, que também havia escrito para o integrante da Família Manson, Lynette "Squeaky" Fromme. Supostamente lhe pedira para escrever a Charles Manson, mas diz-se que Hinckley se recusou, embora tenha obtido o endereço dele.

Sempre acreditei que John Hinckley é judicial e medicamente louco. Nos anos que se transcorreram desde que escrevi o primeiro rascunho para este livro, em que afirmei que achava Ted Bundy louco, minha pesquisa e entendimento subsequentes me convenceram de que ele nunca foi psicótico.

Ted deve ter apreciado a troca de correspondências com John Hinckley. Isso lhe teria dado a chance de explorar os próprios estudos da mente criminosa, e tenho certeza de que acreditar que haveria aprimoramento no currículo como especialista em assassinatos múltiplos e seriais ao receber qualquer informação privilegiada vinda de Hinckley.

E havia mais. A pesquisa de Ted dos motivos por trás de assassinatos em série era alimentada, acredito, pela própria necessidade desesperada de entender o que havia de errado com *ele mesmo*. Ted sabia muito bem que não era louco, mas também sentia algo profundamente anormal nas ações, embora não soubesse o quê — ou por quê.

Uma coisa fica clara. Ted nunca escreveu nem concedeu entrevistas a ninguém sem motivo, recompensa ou intenção secreta.

No verão de 1987, não aparecia mais nas primeiras páginas dos jornais, exceto na semana anterior de cada nova data para a execução. O Assassino de Green River havia suplantado Ted.

Em 7 de julho de 1987, uma foto antiga de Ted apareceu na coluna local do *Seattle Post-Intelligencer*. A reportagem sugeria que Ted permaneceria vivo durante anos, possivelmente décadas.

"Ele está na *infância* de seu litígio", explicou Carolyn Snurkowski, chefe da promotoria de apelação criminal da Flórida. Em sua estimativa, era provável que Ted tivesse percorrido apenas um terço do trajeto até a conclusão. Se isso fosse traduzido em tempo em proporção direta, Ted, que já sobrevivera oito anos além das primeiras sentenças de morte, viveria mais dezesseis, até estar com 57 anos.

Essa fórmula era provavelmente simplista. Mas...

O governador Bob Graham fora derrotado na tentativa de reeleição, e o nome de Ted Bundy — *e* sua sobrevivência contínua — foi assunto frequente tanto na corrida governamental quanto na pela procuradoria. Se Graham não parecia capaz de assinar sentença de morte que prevalecesse, talvez seu sucessor, Bob Martinez, fosse.

Apenas quatro das centenas de detentos no Corredor da Morte da Flórida sobreviveram a três sentenças de morte. Dezesseis homens foram executados desde 1979. Nenhum outro presidiário evocava mais raiva e frustração nos cidadãos da Flórida do que Bundy. Para muitos, nem era mais um ser humano, era uma causa.

O 3 de agosto de 1987 trouxe notícias tristes para todos que cobriram o julgamento de Ted em Miami. Em acontecimento soturnamente irônico, o juiz Edward Douglas Cowart, 62 anos, sofreu infarto e foi internado às pressas oito anos e um dia depois de sentenciar Ted Bundy à morte pelos homicídios na Chi Omega.

No dia 31 de julho de 1979 o juiz Cowart dissera a Ted: "Cuide-se".

No sábado, 1º de agosto de 1987, o juiz Gerald Wetherington, que sucedeu Cowart como juiz-chefe do Undécimo Circuito Judiciário em 1981, telefonou para Cowart para discutir alguns negócios rotineiros do tribunal e o encontrou com boa saúde e bem-humorado.

Cowart então saiu para trabalhar no quintal. Com muito calor, entrou em casa para beber água gelada e sentiu dores no peito. A família o levou para o Hospital Coral Reef, mais como precaução do que qualquer outra coisa. O robusto Cowart foi primeiro internado na unidade de tratamento intensivo, mas então o transferiram para um quarto particular. Aparentemente, não fora algo grave. Alguns testes foram agendados para a manhã de segunda-feira.

Mas Ed Cowart morreu de repente, de infarto fulminante, na madrugada do dia 3 de agosto de 1987.

Sua morte foi tremenda perda profissional — e pessoal — para o sistema judiciário do sul da Flórida. Bandeiras foram hasteadas a meio mastro no lado de fora da Secretaria da Justiça na manhã de segunda-feira enquanto colegas de trabalho sussurravam a triste novidade que se espalhava como fogo no mato seco.

Juízes choraram junto de secretárias e meirinhos. Edward Cowart era o tipo de juiz que sempre temperava justiça severa com compaixão pessoal. Quando teve de mandar um policial para a cadeia por condenações de perjúrio, suborno e porte ilegal de arma, concedeu ao policial corrupto adiamento de duas semanas antes de começar a cumprir a pena porque ele prometera à filhinha a levar à Disneylândia.

Os frequentes "Que Deus tenha misericórdia de sua alma" que Cowart dizia para assassinos condenados sempre soavam tão sinceras quanto o sermão do pastor na manhã de domingo. Ainda consigo ouvi-lo dizer "Deus o abençoe" para Ted e os advogados de ambos os lados daquele julgamento dez anos atrás.

Era um bom homem.

Cowart deixou a esposa Elizabeth, com que foi casado durante 41 anos, e duas filhas, Susan e Patricia.

O juiz Cowart, que não tinha histórico de doenças, estava morto. Ted Bundy, que tivera a vida ameaçada durante oito anos, estava vivo e saudável.

E propenso a continuar assim.

Nova batalha judicial estava prestes a começar. James Coleman e Polly Nelson insinuaram durante algum tempo que talvez atacassem os vereditos pelo ângulo da competência mental de Ted. Agora parecia mesmo que essa seria a nova investida naquele longo processo.

Isso meio que fez sentido quando disseram em voz alta. Ted Bundy não poderia ter julgamentos justos porque não batia bem da cabeça quando eles aconteceram.

Essa era a campanha seguinte para manter Ted Bundy longe da cadeira elétrica. Enquanto Polly Nelson e Jim Coleman apresentavam as teorias de que Ted estivera incompetente no âmbito mental durante o julgamento pelo homicídio de Kimberly Leach, a promotoria da Flórida se preparava para argumentar pelo outro lado. Acreditavam que Ted estivera são, competente e capaz ao longo de todos os seus julgamentos. De fato, atuara como o próprio advogado, se defendendo no julgamento em Miami. Conseguira se casar legalmente com Carole Ann Boone no julgamento em Orlando. Sempre parecera são.

No início de outubro de 1987, recebi ligação da promotoria da Flórida. Os promotores-assistentes Kurt Barch e Mark Minser me perguntaram se consentiria em ser testemunha especializada para o estado da Flórida na questão da competência mental de Ted Bundy na época dos julgamentos em 1979 e 1980.

Eu me lembrei da época, em 1976, quando Ted considerou a possibilidade de me ter como testemunha de caráter. Não poderia ter feito isso, e, para minha sorte, ele pediu a outro. Agora, fui procurada pelo outro lado. Competência mental sempre é decisão arriscada. Mesmo um psiquiatra não pode dizer o que se passa na mente do assassino no momento do crime, ou durante um julgamento. Era verdade que estivera em contato contínuo com Ted desde setembro de 1975 até o julgamento em Miami — período vital de quatro anos — e o conhecia de longa data antes disso. A última vez em que tivera conversa significativa com Ted foi, é claro, seu telefonema a cobrar no fim de junho/começo de julho de 1979. Sua mente funcionava de forma tão suave quanto engrenagem polida. E, observando-o no tribunal, vira um homem cujo controle era impecável.

Poderia testemunhar em relação as minhas percepções. Apenas isso.

Precisava aceitar. Se Ted fosse considerado "retroativamente" incompetente, o veredito do caso Kimberly Leach e talvez os vereditos dos casos da Chi Omega provavelmente seriam anulados, e novos julgamentos seriam exigidos. Haveria ameaça muito verdadeira de que Ted Bundy pudesse recuar por todo o seu matagal jurídico, de volta ao Colorado onde o estado tinha evidências físicas um tanto "duvidosas" no caso do homicídio de Caryn Campbell, e possivelmente até mesmo de volta a Utah. Se os advogados dele fossem habilidosos o bastante, e se a sorte estivesse com Ted, poderia se ver de volta a Point of the Mountain, com apenas a sentença de tentativa de sequestro de Carol DaRonch para cumprir. Por incrível que isso pudesse parecer, as aventuras de Ted no sistema judiciário dos Estados Unidos tinham se mostrado quase míticas. Ainda estava *vivo*, e isso por si só sugeria que Ted podia ser sinistramente indestrutível.

Concordei em testemunhar na audiência de competência mental de Ted, na Flórida. Àquela altura, me dei conta de que Ted estaria na mesma sala quando fosse dizer a um juiz que ele era competente, e que não deveria evitar as penalidades pelos crimes. Que pensamento inquietante. Ted ficaria furioso, mas, por outro lado, ficara com raiva de mim antes. Meu valor para a equipe era, em essência, que eu o conhecera *na época*. Não tinha escolha alguma.

Recebi o contrato da Secretaria de Assuntos Jurídicos da Flórida. O documento me pedia para estar presente no meu aniversário: 22 de outubro de 1987.

CONSIDERANDO QUE

A Secretaria representa o Departamento Correcional (Richard L. Dugger) no caso de Bundy vs. Dugger e exige serviços especializados para avaliar a competência mental de Theodore Robert Bundy na época de seu julgamento e propiciar testemunho especializado em julgamento, e a sra. Ann Rule está disposta e capaz de propiciar o testemunho necessário a esse respeito, agora, portanto, as partes concordam com o seguinte...

O contrato tinha dez páginas e era irrelevante. Nunca tive de assiná-lo. Em última análise, não precisaram de *mim* para provar que Ted Bundy esteve são e competente.

A audiência de competência mental aconteceu em Orlando na terceira semana de outubro diante do juiz federal G. Kendall Sharp, mas sem testemunho de Ted. Polly Nelson disse que seu estado atual de competência seria relevante apenas se novo julgamento fosse requerido.

Mike Minerva, um dos primeiros advogados de Bundy, testemunhou que Ted insistiu em conduzir a própria defesa. Minerva ficou ao seu lado para ajudá-lo, tentou ajuda psiquiátrica para o cliente e foi rejeitado.

"Disse que falar com a maioria dos psiquiatras não é melhor do que falar com caminhoneiros."

"Você diria que o sr. Bundy era qualificado para representar a si mesmo?", perguntou Jim Coleman.

"Não, senhor", respondeu Minerva, por fim. "Diria que não estava qualificado para representar a si mesmo... Não era capaz de fazer isso. A quantidade de evidências era surpreendente. Tentar conduzir a defesa naqueles dois casos ao mesmo tempo, tendo em vista a complexidade e os detalhes, exigia uma equipe de advogados com acesso total a investigadores e livros de direito. Fazer as duas coisas da cela de cadeia sem investigador e livro de direito era impossível. Ninguém poderia ter feito isso."

Um paradoxo. Minerva testemunhando a favor de Bundy, que deve ter sido um cliente extremamente frustrante. Ted chamara Minerva de incompetente porque não queria permitir que ele desse as cartas. Agora Minerva tentava salvá-lo. Ted esteve no tribunal em Orlando, e ouviu tudo com atenção. Vestia camisa polo azul com listras brancas e calças brancas, cabelos ondulados curtos, mas o corte curto não escondia os fios grisalhos que não estavam ali sete anos antes.

A questão da competência mental de Ted se arrastaria por meses. Os testemunhos em dezembro foram mais interessantes. Donald R. Kennedy, investigador da promotoria, e o ex-defensor público Michael Coran testemunharam que Ted estivera *bêbado* e comprometido de outras maneiras no julgamento pelo homicídio de Kimberly Leach. Ted com frequência usara pílulas e álcool durante o julgamento, de acordo com as testemunhas. Kennedy disse que o álcool fora encontrado em lata de suco que fora "batizada" e fornecida pela noiva de Ted na época, Carole Ann Boone.

Coran contou que as latas de suco com tampas de rolha estiveram no escritório da defesa. Kennedy testemunhou ter encontrado "uma ou duas pílulas no saco de guloseimas" entregue a Ted durante o julgamento.

Se Ted preferiu anuviar a mente com drogas e álcool enquanto era julgado sob acusação que punha em risco a própria vida, demonstrou, no mínimo, falta de bom senso. É de se perguntar por que Carole Ann o ajudaria a fazer isso.

O promotor-assistente Bob Dekle, que processou Ted em 1980, discordou das recordações da equipe de defesa. "Se tivesse havido alguma dúvida de que o sr. Bundy estivera incapaz de ser julgado, *eu* teria feito uma moção nesse caso."

Dekle contou ao juiz Sharp que considerou Ted alguém razoável, articulado e persuasivo ao apresentar argumentos legais, e que orquestrara com cuidado os esforços da defesa para convencer o júri no caso Leach.

Seu casamento com Carole Ann no tribunal não foi uma "loucura" em absoluto. Dekle achava que isso fora uma tentativa fracassada de ganhar a simpatia do júri.

• • •

Ted Bundy tinha a habilidade de atrair novos apoiadores de maneira contínua, como se fossem coelhos que não parassem de sair da cartola do mágico. Art Norman, o psiquiatra forense que passou incontáveis horas com Ted na Flórida, e que agora exerce a profissão no Oregon, comentou comigo em janeiro de 1989: "Nunca encontrei indivíduo capaz de passar de um relacionamento para o seguinte com tanta facilidade, de aparentar profundo envolvimento com alguém e então largá-lo completamente e seguir em frente".

A princípio, Norman não quis conversar com Bundy. Na primeira vez em que o encontrou, a experiência foi tão chocante que foi para casa e chorou. A esposa e a família não queriam seu envolvimento, mas, por fim, concordou em trabalhar com Ted.

Bundy costumava contar a Norman detalhes que com certeza eram de seus crimes, mas não mencionava o nome de nenhuma vítima, apenas dizia: "Adivinhe".

Norman não queria brincar com aquele prisioneiro, obcecado por nazistas e tortura. "Ficou alucinado uma semana inteira depois de assistir *Sexta-Feira 13*", relembrou Norman. O filme sanguinolento estimulou Ted a ponto de ficar quase fora de controle.

Eventualmente, como todos aqueles próximos a Ted, Art Norman se afastou.

E então, em dezembro de 1987, nova voz foi ouvida. Dorothy Otnow Lewis, 51 anos, professora do Centro Médico da Universidade de Nova York, formada pela Radcliffe e Yale, estudava menores infratores no Corredor da Morte da Flórida, por isso, foi requisitada pela equipe de defesa de Bundy para avaliá-lo.

Lewis testemunhou passar sete horas conversando com Ted, ler "caixas" de documentos jurídicos e médicos de seu passado e entrevistar a maioria dos parentes. E agora tinha o diagnóstico.

Para ela, Ted era maníaco-depressivo, propenso a oscilações drásticas de humor. Outro termo para esse transtorno usado no *Manual de Diagnóstico e Estatístico de Transtornos Mentais* (DSM — III, a "bíblia" dos psiquiatras) é "transtorno bipolar". Indivíduos podem sofrer de "transtorno bipolar misto" (com períodos tanto de júbilo como de depressão), "transtorno bipolar maníaco" (com apenas os períodos de euforia), ou "transtorno bipolar depressivo" (com apenas os períodos de depressão). Outrora considerado transtorno raro, a psicose maníaco-depressiva é agora bastante difundida e ocorre com níveis variantes de gravidade. O lítio é a droga escolhida para tratar o transtorno maníaco-depressivo.

Ted Bundy, até onde eu saiba, nunca fora diagnosticado maníaco-depressivo antes. *Será* que era? Eu não sei, mas duvido.

O psiquiatra forense, dr. Charles Mutter, discordou da dra. Lewis. "As argumentações dele foram brilhantes. Ted *é* brilhante. Ele desafiou e derrotou três sentenças de morte. Isso é insanidade?"

Quer a dra. Lewis tenha diagnosticado o transtorno mental de Ted corretamente ou não, apresentou, contudo, testemunho que considerei fascinante. Ted me contara a respeito do avô, Sam Cowell da Filadélfia, Pensilvânia. Foi esse o avô que Ted pensou ser seu *pai* durante grande parte da infância. Ted e Louise moraram com Sam e Eleanor Cowell durante os primeiros quatro anos e meio de vida dele.

O avô-pai que Ted descreveu para mim na Clínica de Prevenção de Suicídio tanto tempo atrás era o avô do tipo Papai Noel. Ted claramente o adorava, ou pelo menos era o que parecia enquanto recontava as histórias. Quando Louise levou Ted para Tacoma, em 1951, ele disse ter sido arrancado de seu avô Sam, de quem sentia tremenda saudade. Também contou para a dra. Lewis que o avô era "maravilhoso, carinhoso e generoso", e que todas as lembranças dele eram positivas.

O avô Sam que a dra. Lewis descreveu depois das entrevistas com membros da família (sem incluir Louise Bundy) era homem volátil e maníaco. Sam Cowell, paisagista talentoso e trabalhador, supostamente aterrorizava a família com surtos de raiva.

Era o tipo de provedor cujo retorno ao lar sempre fazia a família buscar abrigo. Gritava, vociferava e esbravejava e os próprios irmãos o temiam, e supostamente murmuravam que alguém devia matá-lo. A irmã, Virginia, o considerava "louco". Sam Cowell foi descrito como intolerante, que faria Archie Bunker[3] parecer liberal. Odiava negros, italianos, católicos e judeus. E Cowell ainda era sádico com animais:

---

3   Personagem fictício do seriado *Tudo em Família* que era grosso, intolerante e preconceituoso. [NT]

catava qualquer gato que chegava perto e o girava pelo rabo, chutava os cachorros da família até ganirem de dor.

Diácono da igreja local, Sam Cowell, dizia-se, guardava enorme coleção de pornografia na estufa. Alguns parentes contaram que Ted e um primo entravam escondidos lá para se debruçar nas revistas baratas. Visto que Ted tinha apenas três ou quatro anos, isso pode ser a memória criativa falando. Ou pode ser verdade.

A imagem que emergia do testemunho de Lewis da avó de Ted, Eleanor, foi da esposa tímida e submissa. De tempos em tempos, era levada a hospitais para passar por tratamentos de choque para depressão. No fim, vovó Eleanor ficava em casa, consumida pela agorafobia (medo de lugares abertos), com receio de deixar as quatro paredes e ser acometida por algum transtorno desconhecido.

Houve três filhas nascidas daquele casal que não tinha nada em comum. Louise era a mais velha, Audrey a do meio e, dez anos mais tarde, Julia nasceu.

Esse foi o ambiente doméstico em que Ted Bundy passou os primeiros e vitais anos formativos — anos em que a criança desenvolve consciência. Durante quatorze anos, me perguntei se não havia mais alguma coisa a descobrir da infância de Ted, alguma coisa além do nascimento ilegítimo, além da mentira da mãe (se é que Ted me contou a verdade), alguma coisa traumática na Filadélfia.

A resposta finalmente viera à tona no testemunho da dra. Lewis em Orlando.

Quando Louise Bundy descobriu que estava grávida, seduzida por aquele homem misterioso cuja verdadeira identidade se torna mais indistinta a cada ano que passa, ficou aterrorizada. De maneira não muito diferente da maioria das famílias em 1946, a dela não receberia o neto bastardo de braços abertos.

A igreja falhou com ela. Louise foi condenada ao ostracismo pelo grupo da escola dominical. Podemos apenas imaginar a reação do pai, que a mãe chorou e se encolheu ainda mais para dentro de si mesma.

Louise partiu para Burlington, sem a família, e deu à luz um bebê saudável.

E então voltou para casa e deixou Ted para trás. Ele esperou no Lar para Mães Solteiras Elizabeth Lund por três meses enquanto a mãe se afligia sobre o que faria. Colocá-lo para adoção? A criação, o carinho e o vínculo, tão necessários para o bem-estar do bebê, foram colocados em espera.

Era apenas um bebezinho, mas acho que ele sabia.

Não foi culpa de Louise Cowell Bundy. Defendo que ela fez o melhor que pôde. Com as novas informações no testemunho da dra. Lewis, fica óbvio que ela fez o melhor que pôde sob circunstâncias horrendas. Mas Louise levou o pequeno Ted, um menininho sensível e brilhante, para o lar que dependia dos caprichos de uma figura tirânica. O fato de Ted Bundy nunca se lembrar do avô como nada menos do que gentil e maravilhoso indica, creio, o quanto Ted estava assustado. Deve ter reprimido todas aquelas emoções, praticamente apagou suas reações normais.

Ted sobreviveu, mas acredito que sua consciência morreu naquela época, vítima da fuga do terror. Parte dele foi bloqueada antes de ter cinco anos.

Alguns parentes lembram que Sam e Eleanor Cowell contaram da adoção do bebê em 1946, mas os adultos da família não acreditaram. Eleanor estava doente demais para ser aprovada como mãe adotiva. Todos sabiam que o filho era de Louise, mas ninguém falava disso em voz alta. Isso sustenta muito bem a história que Ted me contou: *Ele* acreditou, pelo menos durante algum tempo, que Sam e Eleanor eram seus pais. Sei que acreditou, ele ficava muito intenso e perturbado quando dizia que nunca soube quem era, ou a quem pertencia.

O fato de Ted ficar traumatizado desde bem cedo é exemplar no incidente bastante revelador que a dra. Lewis relatou na audiência de competência mental, em dezembro de 1987. Aconteceu quando ele tinha três anos: tia Julia, na época com quinze anos, acordou do cochilo e se viu cercada por facas. Alguém as colocara ali enquanto dormia. Não fora ferida, mas o reluzir das lâminas fez seu coração acelerar.

Julia viu que as facas saíram da gaveta de talheres na cozinha. Então, olhou para cima e deu de cara com o sobrinho de três anos. O adorável e delicado Ted Bundy estava parado ao lado da cama e sorria para ela.

Três anos de idade.

Trinta e oito anos mais tarde, Ted se encontrava sentado no tribunal do juiz Sharp e ouvia com equanimidade enquanto a dra. Lewis descrevia sua infância medonha. Estava tranquilo, até mesmo agradável, enquanto conversava com os advogados. Em seguida, os promotores passaram a fita de vídeo da retórica que Ted empregou no tribunal em fevereiro de 1980 — depois que o júri o declarou culpado de sequestrar e assassinar Kimberly Diane Leach, a menina de doze anos. O Ted mais jovem na tela tremeluzente parecia qualquer coisa menos louco enquanto se pavoneava diante do juiz Wallace Jopling, em Orlando.

"Não fui condenado pelo júri", argumentou o Ted do vídeo. "Um símbolo criado pela publicidade é que foi. Não carrego nenhum ônus, não carrego nenhuma responsabilidade: não matei Kimberly Diane Leach."

Ted sorriu um pouco diante de sua imagem. Apesar da maneira como culpou a imprensa por metamorfoseá-lo em "símbolo", já demonstrara mais cedo, naquele dia, que ainda adorava as câmeras. Enquanto era conduzido da prisão para a van de segurança que o levaria para o fórum de Orlando, Ted avistara as câmeras. Sorriu, se virou e, com grande agilidade, deu uma cambalhota para trás, para dentro da van que o aguardava.

O juiz Kendall Sharp, cabelos brancos, mandíbula projetada, reserva da Marinha e bastante pragmático, anunciou a decisão da competência mental de Ted no dia 17 de dezembro de 1987. Sharp foi rápido, impaciente e firme, estava convencido de que Ted estivera "completamente competente" durante o julgamento do caso Leach.

"Considero o sr. Bundy um dos réus mais inteligentes, articulados e coerentes que já vi."

Acrescentou que Bundy era "indivíduo bastante seguro de si, e muito familiarizado com os procedimentos jurídicos [...] Sempre que Bundy apresentava argumentos legais, o fazia de maneira convincente, lógica e coerente."

Sharp disse que isso nunca ficou tão aparente quanto na fala de Ted contra a imposição da pena de morte no último dia do julgamento, 12 de fevereiro de 1980.

• • •

A conta aumentava. O escritório do procurador-geral da Flórida, Bob Butterworth, calculou que o valor total das batalhas judiciais do estado contra Ted Bundy chegou a 6 milhões de dólares.

Não havia fim à vista. O juiz Sharp podia ver apelações continuarem por tempo indeterminado. "Posso continuar a vê-lo pelo resto da minha vida — ou da dele."

Seria muito mais econômico manter Ted na prisão do que o estado da Flórida avançar pelos campos minados das batalhas judiciais. Custava 33,70 dólares por dia manter um detento atrás das grades — incluindo refeições, lavagem de roupas, manutenção da prisão, salários dos guardas e outras despesas. Se Ted, com 41 anos, vivesse até os oitenta, custaria aproximadamente 492 mil dólares mantê-lo vivo até lá.

A maioria das pessoas da Flórida parecia não se importar. Queriam que o estado impusesse a pena de morte de qualquer forma.

Trinta dias depois do decreto do juiz Sharp, a Suprema Corte dos Estados Unidos defendeu a decisão de que Ted esteve competente durante o julgamento do caso de Kimberly Leach.

E então começou um ano estranhamente calmo. As manobras legais com certeza eram feitas, mas não nas manchetes. Foi fácil não pensar em Ted Bundy.

Bob Keppel pensava. Voou para a Flórida e se encontrou com Ted pela segunda vez em fevereiro de 1988, mas os repórteres não chegaram a descobrir isso. As conversas e as correspondências entre eles continuaram.

Uma pessoa que não parava de pensar em Ted, de maneira obsessiva talvez, era Eleanore Rose, a mãe de Denise Naslund. Eleanore não podia enterrar a filha no caixão rosa que comprara em 1974. Os restos mortais de Denise ainda estavam perdidos. Teve permissão de "emprestar" os ossos de Denise em 1974 para colocá-los no caixão como memorial religioso, mas os devolveu ao setor de provas da polícia, e então foram perdidos.

Em dezembro de 1987, a sra. Rose e outros membros da família receberam do condado indenização de valor não especificado em acordo fora dos tribunais pela perda dos restos mortais de Denise. Pouco depois disso, representantes da Funerária Yarrington, West Seattle, sugeriram que Eleanore considerasse enterrar o caixão. Guardavam o esquife por treze anos.

Rose, com cinquenta anos, aparentava duas décadas mais velha. Parecia sobreviver da necessidade de vingar a morte de Denise. Nada mais.

No dia 30 de março de 1988, Eleanore depositou a coleção de recordações no caixão rosa: o vestido florido favorito de Denise, um poema, rosa de seda cor-de-rosa, fotografias de Eleanore e Denise, rosário, crucifixo e o bilhete:

Querida Denise,

Que Deus os perdoe pelo que fizeram. Eu te amo.

Ela não disse *ele*, disse *eles*. Eleanore não explicou aos repórteres o que quis dizer. Um breve anúncio apareceu na seção de avisos pagos do *Seattle Times* e no *Post-Intellingencer*.

DENISE MARIE NASLUND:

Último serviço memorial será realizado na quarta-feira, 30 de março, às 14h, ao lado do túmulo no cemitério Forest Lawn, West Seattle. Denise morreu no dia 14 de julho de 1974. Seus restos mortais foram recuperados no mês de setembro seguinte. Rosário e Missa de Enterro Cristão foram celebrados no dia 10 de outubro de 1974 na Igreja da Sagrada Família. Ela é filha de Eleanore e Robert Naslund; irmã de Brock Naslund; neta de Olga Hansen, todos de Seattle. Organização: FUNERÁRIA YARRINGTON.

Voltei à Flórida pela primeira vez após tantos anos em julho de 1988. Estava em turnê promocional do meu livro *Small Sacrifices*. Oito anos se passaram desde que estive em Miami e na região de Tampa — St. Petersburg. Embora os entrevistadores quisessem conversar de Diane Downs, a assassina em *Small Sacrifices*, nunca esqueciam as perguntas sobre Ted Bundy. Estranho, de alguma maneira, que seu impacto tivesse desvanecido no noroeste enquanto era realidade viva e presente na Flórida.

Em Orlando, local do julgamento do caso Leach em 1980, participei de um programa matinal bizarro: o *Q-Zoo*. O programa da estação de rádio consistia no apresentador tocar discos e receber convidados. Era o programa de rádio "selvagem e maluco" definitivo. Bastante convencional, exceto pelo fato de o programa ser televisionado ao mesmo tempo em que era transmitido pelo rádio.

Essa foi a estação que popularizou o som do crepitar de bacon frito para lembrar os ouvintes de que Bundy devia "fritar". Um porta-fitas inteiro continha paródias de Bundy. Era a convidada do período da manhã e o apresentador dedicou músicas a Ted, e me perguntei se ele estava ouvindo. Poderia estar, não estávamos tão longe da Penitenciária Raiford.

Mais uma vez, assim como no Colorado, Ted Bundy era um tipo macabro de herói popular — ou anti-herói. Pode ser porque seus crimes foram tão hediondos que ninguém era capaz de parar e refletir sobre sua realidade.

E por isso riam.

Eu nunca consegui ver nada engraçado no que Ted fez. No máximo, era capaz de observar, de tempos em tempos, a ironia sombria de sua saga. Mas ali, em Orlando, em 19 de julho de 1988, com o sol já castigando a calçada às 8h, o rádio cantava *Hang down your head*,

Ted Bundy/ Hang down your head and cry/ Hang down your head, Ted Bundy/ Poor boy, you're bound to die...[4]

Parte de mim queria se inclinar para o microfone e dizer: "Ted, não sou *eu* tocando essa música. Só calhou de estar aqui para promover meu livro".

Não disse nada. Ser biógrafa de Bundy significa ter de ouvir piadas doentias sobre Bundy.

Ao longo do verão e do outono de 1988, houve pequenas colunas com informações de Ted. A maioria das manchetes era assim: "Bundy entra com apelação".

Acredito que aqueles de nós que acompanhavam o caso estavam quase enjoados desse tipo de notícia. Era difícil de acompanhar — de tribunais de circuito a tribunais federais de apelação, e à Suprema Corte dos Estados Unidos. Eu me lembro de dizer a um jovem promotor-assistente da Flórida: "Quase chega a parecer que Ted consegue levar a questão até a Suprema Corte, e ela é recusada, e então consegue encontrar outra questão e começar tudo de novo".

"Na mosca", disse o promotor de maneira sucinta.

Gene Miller, *Miami Herald*, me telefonou durante a primeira semana de dezembro de 1988. Nós conversávamos de tempos em tempos ao longo da década desde que nos conhecemos na Flórida no primeiro julgamento em Miami.

"Ted vai partir", disse.

"... quê?"

"Os boatos dizem que será executado no começo da primavera de 1989."

"Já ouvi esses boatos antes", disse eu.

"Dessa vez, eles parecem ter certeza."

Eu lhe agradeci. Também me falou do jovem repórter Dave Von Drehle, de apenas 27 anos, mas talento nato. "Dave está escrevendo longa reportagem sobre Bundy. Você pode ligar para ele?"

"Claro."

Sem acreditar que isso realmente aconteceria no futuro próximo, conversei com Von Drehle. Ele também parecia achar que a hora estava chegando, e sua excelente reportagem foi publicada na edição de domingo do *Herald* em 11 de dezembro.

"Esta é a última resistência de Bundy", começou.

---

4 Em tradução livre: Abaixe a cabeça, Ted Bundy/ Abaixe a cabeça e chore/ Abaixe a cabeça, Ted Bundy/ Pobrezinho, você está fadado a morrer. [NT]

Percebi que o repórter que agora conhecia todas as facetas da história de Ted Bundy tinha apenas doze anos quando Lynda Ann Healy morreu. Nem sequer havia nascido quando Ann Marie Burr desapareceu de casa em Tacoma, em 1961.

Os advogados de Ted levaram o que poderia muito bem ser a apelação final à Suprema Corte dos Estados Unidos. Caso a corte negasse essa apelação — já negada pelos juízes em Orlando, Tallahassee e Atlanta —, o governador Bob Martinez ficaria livre para assinar outra sentença de morte. Seria a quarta sentença de Ted Bundy.

Em 17 de janeiro de 1989, a Suprema Corte negou a apelação e Martinez de imediato assinou aquela sentença de morte.

A sentença tinha validade de sete dias, começando às 7h do horário da Costa Leste na segunda-feira, 23 de janeiro. O plano era realizar a execução na terça-feira, 24 de janeiro.

Havia um tremor no ar. Programas de televisão e de rádio não paravam de me ligar. Fort Lauderdale, Albany, Calgary, Denver. Como todo mundo poderia *saber* que a hora tinha chegado?

Aquela era a quarta sentença de morte, talvez fosse isso.

As engrenagens da Justiça tinham recebido esguicho de óleo lubrificante e giravam cada vez mais depressa.

Bob Keppel, que viajara duas vezes para ver Ted Bundy na Penitenciária Estadual da Flórida, aguardava o telefonema da Flórida. Assim como os detetives do condado de Salt Lake e do condado de Pitkin, no Colorado. E assim como os pais que nunca receberam respostas honestas para perguntas perturbadoras, aqueles cujas filhas ainda estavam desaparecidas vacilavam entre querer logo o fim daquilo e saber que, com Ted morto, provavelmente nunca encontrariam os restos mortais das filhas.

Ted abusara da sorte, exaurindo-a perigosamente até o fim da linha. Eu me lembrei de como desdenhara de Gary Gilmore, mas também como quase sentira inveja da cobertura dos noticiários no final quando Gilmore encarou o pelotão de fuzilamento em Utah. Ted não poderia — não iria — partir em silêncio, não conseguiria dar as costas à fanfarra.

Eu sabia disso. Haveria fogos de artifício e revelações.

Um dia depois que a quarta sentença de morte foi assinada, surgiram boatos na Flórida que diziam que Ted Bundy *poderia* estar disposto a contar o que sabia dos homicídios não solucionados. Começava a parecer que tinha pouco, se é que tinha algo, a perder e muito a ganhar ao confessar. Podia torcer, possivelmente, por um adiamento. Enquanto confessasse, parecia improvável ser executado. Muitas pessoas esperaram longo tempo para ouvir os segredos que apenas ele conhecia.

Além disso, Ted podia voltar ao calor das luzes estroboscópicas mais uma vez — *caso* falasse. Sempre me dizia (e tenho certeza de que fazia o mesmo com outras pessoas), como sabia muito mais a respeito de assassinatos em série do que qualquer um. Essa poderia ser a última chance de provar que era o maior especialista de todos os tempos.

O governador Martinez não ficou impressionado. Seu gabinete disse que Ted poderia confessar se quisesse, mas isso não lhe compraria mais tempo do que já teve. "Tem seis dias para fazer isso", disse John Peck, porta-voz de Martinez.

Polly Nelson contou que planejava entrar com outra apelação no tribunal do estado em Lake City. Jim Coleman disse estar ciente de que havia a possibilidade de acordo de adiamento — confissões em troca de tempo —, mas que não estava envolvido nisso e não comentaria.

Ted Bundy de repente voltou a ganhar as manchetes, mas corria o risco de ser empurrado para longe das primeiras páginas dos jornais dos Estados Unidos. Levantes em Miami causaram incêndios que crepitavam durante as noites em Overtown e Liberty City, e ameaçavam o Super Bowl, que aconteceria em 22; um andarilho abriu fogo no pátio da escola de ensino fundamental em Stockton, Califórnia, e matou cinco crianças; o prefeito de Seattle, Charles Royer, anunciou que não se candidataria à reeleição; e os republicanos, partido de Ted, estavam prestes a organizar a posse presidencial.

Mas os *boatos* estavam certos. Ted Bundy *seguia* para a cadeira elétrica, e agora, após quatorze anos de recusas, parecia pronto para conversar com os detetives.

Talvez de modo tão surpreendente quanto a súbita abertura aos homens que o perseguiram por tanto tempo foi o anúncio de que Ted concordara em se encontrar com o dr. James Dobson, de Pomona, Califórnia, presidente da organização Focus on the Family, pastor e membro da comissão sobre pornografia do presidente Reagan. Além da coletiva de imprensa geral, Ted tinha o direito de escolher um único entrevistador, e escolhera Dobson. Supostamente, se correspondera com o pregador conservador havia anos. Seu encontro seria filmado e gravado, mas a fita só seria liberada depois da morte de Ted e não haveria nenhuma coletiva de imprensa.

Em 18 de janeiro, Ted mudou de ideia e realizaria a coletiva de imprensa na segunda-feira, véspera da data marcada para a execução, para grupo seleto de repórteres sorteados para ter uma das muito desejadas vagas. Jim Coleman e Polly Nelson, advogados criminais de Ted, continuaram — pelo menos na superfície — otimistas enquanto entravam com petições. Ted também era aconselhado por Diana Weiner, sua "advogada civil". Weiner era alguns anos mais nova do que Ted, de longos cabelos quase negros. A advogada de Sarasota, Flórida, e John Tanner, o "conselheiro espiritual", advogado e pastor penitenciário cristão, eram a equipe que abordara o governador Martinez para pleitear mais algum tempo para Ted em troca de confissões.

Diana Weiner, obviamente muito comprometida em nível emocional com Ted, telefonou para Bob Keppel às três da manhã da quinta-feira, 19 de janeiro. "Por que você está me ligando *agora*?", perguntou.

Weiner estava em pânico, desesperada para atrasar de algum modo a execução de Ted. Queria que Keppel telefonasse para o governador e implorasse por Ted, para pedir adiamento. Para Keppel, novamente investigador-chefe da divisão criminal da promotoria do estado de Washington, a súplica de Weiner pareceu ao mesmo tempo prematura e atrasada demais. Em luta para afastar o sono, Keppel disse a Diana Weiner que viajaria em algumas horas para a Flórida. Não estava em posição de apelar ao governador, caso se sentisse inclinado a isso, antes de ouvir de Ted Bundy.

Uma entrevista com Bob Keppel estava no topo da lista dos repórteres. Fora soterrado por telefonemas, e estava ansioso por algum tempo no ar em paz e silêncio. Repórteres de Seattle, alojados em hotéis ao redor da prisão em Starke, tentavam adivinhar onde Keppel se hospedaria na Flórida. Eles me perguntaram quais hotéis achava mais prováveis.

Eu não fazia a mínima ideia.

Ninguém sabia onde Bob Keppel ficaria na Flórida, nem mesmo a esposa. Se não soubesse, os repórteres não poderiam pegá-la desprevenida. Na verdade, Keppel voou para Jacksonville e passou a primeira noite no Motel 6, o primeiro lugar que conseguiu encontrar perto do aeroporto. Mais tarde, se encontrou com Bill Hagmaier da Unidade de Ciência Comportamental do FBI, e ficaram no Sea Turtle, em Jacksonville Beach. "Não tive chance de ver a praia", relembrou Keppel. "Partimos cedo na escuridão da manhã e voltamos depois de anoitecer."

Bill Hagmaier também viajara para conhecer Ted Bundy, que como me contou, ele aprovava — pelo menos em parte — a abordagem da Unidade de Ciência Comportamental do FBI em relação ao assassinato em série. Aqueles agentes especiais seriam os homens que procuraria. Hagmaier coordenava as confissões de última hora. Tinha influência apaziguadora sobre Ted e atuaria bem como conselheiro para os detetives que chegavam, muito ansiosos por respostas antes de o tempo se esgotar.

Keppel estava agendado para conversar com Ted na sexta-feira, das 11h às 14h30. Perdera, contudo, meia hora antes de entrar. Diana Weiner e John Tanner queriam fazer a pauta antes da conversa. Isso avançou até as 11h30. Então houve outro visitante, e Keppel teve de esperar outros dez longos minutos. Era quase meio-dia quando afinal se viu diante de Ted.

Diane Weiner estava com Keppel na entrevista de Ted, e isso o impediu da visita com "contato". A visita "sem contato" significava haver o painel de vidro entre Bundy e Keppel. O gravador estava no lado de Ted da divisória. Weiner ouvia com atenção o que era dito, e andava nervosa pelo cubículo. As salas de interrogatório na prisão eram verde-limão ou mostarda, o que não melhorava a palidez facial de Ted. Não pegava sol havia anos, mas sorriu para Keppel, cumprimentando-o com confiança. Punha fé em Keppel mais do que em qualquer outra pessoa, porque Keppel nunca mentira para ele.

"No primeiro dia em que conversei com Ted, parecia bem preparado para falar", relembra Keppel. "Não tinha me ocorrido naquele primeiro dia, sexta-feira, que não confessaria de cara. Ted queria preparar o terreno para os próximos três dias. Tinha notas que cobririam aqueles dias. Começou a falar comigo, e quando chegou mais ou menos na metade do tempo, saiu dos trilhos. Percebeu que era melhor confessar, caso contrário eu ficaria desgostoso, pois não tinha outra hora com ele depois daquele dia."

Keppel achou que as visitas anteriores a Ted permitiriam que "pulassem todo o papo-furado e fossem direto ao ponto", mas o detetive de Washington viu que ele brincava perigosamente. "Foi tudo orquestrado. Fariam algumas coisas, mas não tudo."

Percebeu que teria de encontrar maneira "bem rápida de fazer Ted falar de um homicídio, mas confessar todos os outros ao mesmo tempo". Não era a situação ideal para o interrogatório, longe disso. Para conseguir declaração boa e sólida de um homicídio, qualquer detetive gostaria de ter pelo menos quatro horas. Keppel precisava de informações sobre oito assassinatos ou mais em noventa minutos. O relógio corria enquanto Ted continuava tentando manipular o teor do encontro. Não havia mais tempo para apelar para o ego de Ted...

"A maneira mais fácil de fazer aquilo", relembrou Keppel, "foi perguntar a ele dos locais. E aconteceu de serem *cinco* corpos deixados na montanha Taylor, e não quatro, como pensávamos."

Ted contou a Keppel que o quinto cadáver era Donna Manson, desaparecida da Faculdade Estadual Evergreen em Olympia desde 12 de março de 1974.

"E disse que havia *três* — não dois — no local de Ott e Naslund."

Os detetives encontraram um fêmur e uma vértebra extras ao lado daquela estrada sulcada a três quilômetros do Parque Estadual do Lago Sammamish. Mas não sabiam a quem pertenciam. Ted afinal admitiu que tinham encontrado tudo o que sobrara: Georgann Hawkins.

A "técnica" de última hora de Keppel funcionou bem: mencionou o local dos cadáveres e, quando Ted não se recusava a falar algo, a entrevista avançava sem percalços. Ted passou informações *verdadeiras* e verificáveis. O investigador observava a fita rodar e girar, e a via chegar ao fim. Estavam no meio de confissão vital, mas Keppel teve de pedir para diminuir o compasso e solicitar *ao próprio Ted* que virasse a fita. Ouro puro era coletado conforme a fita rodava, gravando o que procurara havia tantos anos. O dito era desagradável, e Ted engasgava, hesitava, engolia em seco e soltava pesados suspiros. Contudo, a verdade estava saindo.

Finalmente.

O interrogatório tomou rumo fortuito quando a questão dos números foi abordada. Os números não batiam. "Quem são essas outras? Há alguém por aí que eu não saiba?", perguntou Keppel.

Ted respondeu depressa — "Ah, sim. Mais três." —, mas o tempo chegara ao fim. O investigador não sabia se voltaria a ter chance de conversar com Ted. Sabia que os detetives de Utah e do Colorado tinham perguntas, mas o tempo que lhe fora reservado terminara.

Para sua surpresa, teve outra chance. Keppel recebeu oferta de horário na noite de domingo, depois da entrevista com Dobson, que aconteceu entre 17h30 e 19h30, depois do detetive Dennis Couch e antes de Mike Fisher, do Colorado.

Ted estava exausto. Passara muitas noites em claro. O rosto desprovido de cor e manchado de lágrimas, magro, com aparência até mesmo frágil, e usava duas camisas, como se tentasse afastar o frio da morte. Não se parecia em nada com o jovem político carismático. Ted parecia velho e esgotado.

Passara horas com Bill Hagmaier na primeira noite da maratona de interrogatórios. Hagmaier ajudou Ted a isolar as informações que os detetives precisariam. Ele conversara com Dobson e os advogados, e recomeçava com os detetives.

Keppel não achava, conforme dissera posteriormente, que Ted estava sem dormir para saborear os últimos dias de vida. "Acho que realmente acreditava que tinha alguma chance de viver mais tempo se usasse bem aquele cenário. Queria salvar a própria vida, não queria morrer. Esperava que seus esforços rendessem alguma coisa."

Isso era verdade, sem sombra de dúvida. A equipe de Ted pediu mais três anos. Se Martinez desse a Ted apenas mais três anos de vida, então Ted contaria tudo.

Ao longo dos encontros com Ted, Keppel pôde ver que o prisioneiro tinha o ouvido atento ao telefone. Mensagens de Polly Nelson e Jim Coleman não pararam de chegar ao longo de toda sexta-feira, sábado, domingo e segunda-feira. Ainda havia uma chance enquanto a Suprema Corte dos Estados Unidos considerasse um pedido de emergência para manter Ted vivo até outra apelação formal poder ser emitida. Nelson e Coleman agora estavam preparados para argumentar que os jurados no caso Leach foram enganados a respeito da importância de seu papel em determinar se Ted receberia a pena de morte ou a prisão perpétua pelo crime.

"Os telefones tocavam", relembra Keppel. "E o deixavam atento. O que quer que fizesse, ouvia o telefone tocar. Era nisso que se concentrava."

Ele sabia que não houvera nenhuma reação positiva de Martinez. Não importava o que Ted, Tanner e Weiner ofereciam, o governador respondia não.

Diana Weiner pedira a Bob Keppel que intercedesse com Martinez, mas Keppel não faria isso. O passo seguinte para a intervenção era pedir às famílias das vítimas que enviassem cartas por fax ao governador da Flórida *pedindo misericórdia para Ted*.

Keppel providenciara para que a advogada Linda Barker telefonasse aos parentes das vítimas para perguntar como se sentiam de adiar a execução de Ted para descobrirem a verdade sobre os últimos momentos de vida das filhas e, em alguns casos, onde jaziam os restos mortais.

Sem exceção, as famílias se recusaram a interceder por Ted Bundy.

"A sequência estava toda errada", disse Keppel. "Ted nos dava os locais onde as vítimas estavam enterradas, mas não podíamos verificá-los, não naquele instante. Havia dois metros de neve nas áreas em Utah e Colorado. Mesmo em Washington tínhamos trinta centímetros de neve."

Bob Keppel teve 45 minutos com Ted Bundy na noite de domingo, 22 de janeiro de 1989. Conseguiu mais alguns detalhes, mas quando tentou provocá-lo um pouco, percebeu que o homem diante dele não tinha mais energia para lutar. As pálpebras caíam com o esforço, estava caindo de sono. Ted se forçou a ficar acordado, o encarou e disse: "Sei o que está tentando fazer, mas não vai funcionar. Estou cansado demais".

O telefone tocou e Ted recobrou a atenção. As notícias eram ruins: a Suprema Corte recusara o pedido.

"Ele não tinha mais nenhuma energia sobrando", recorda-se Keppel.

Não houve mais respostas às perguntas do investigador.

Bob Keppel falou com os repórteres, e a tensão dos últimos dias estava evidente em seu rosto. Keppel não era homem de se chocar com facilidade, mas estava chocado. Ficou perplexo ao olhar, afinal, dentro da mente sombria de alguém "nascido para matar".

"Descreveu a cena do crime em Issaquah [onde Janice Ott, Denise Naslund e Georgann Hawkins foram deixadas] e foi quase como se ele estivesse lá, como se visse tudo. Estava orgulhoso com a ideia porque passara muito tempo no local. Ele é consumido pela energia do assassinato o tempo todo..."

Bob Keppel também ficou chocado ao ver Ted Bundy implorar pela vida, ao notar por si mesmo as lágrimas escorrerem enquanto rastejava e lutava para viver. Ted mantivera controle impecável por muito tempo. Respondeu algumas perguntas dos repórteres e prometeu que responderia mais depois. E que algumas coisas descobertas ele jamais falaria.

As agências de notícias publicaram a história nas edições seguintes. Bundy tinha confessado. Bundy, muito provavelmente, confessaria mais. As manchetes reluziam em todos os idiomas.

Bundy confessa assassinatos de 'Ted'!
Bundy concede entrevistas para confessar assassinatos!

Bob Keppel dirigiu os 96 km até Jacksonville e embarcou no avião para Seattle com escala em Atlanta. Sabia que fizera o possível, e era provável que estivesse satisfeito com os resultados obtidos. Quando a noite de segunda-feira chegasse, dormiria na própria cama.

Keppel não tinha nenhum plano de ser acordado às 4h do horário da Costa Oeste, a hora que Ted Bundy estava agendado para morrer.

A dra. Dorothy Lewis chegou de Connecticut para conversar outra vez com Ted. Se o considerasse incompetente, o governador teria que designar três psiquiatras para examiná-lo. Deveriam estar na mesma sala, ao mesmo tempo — exame psiquiátrico em massa. Se dois dos três concordassem que era incompetente, haveria adiamento.

Não houve nenhum.

Aos 45 minutos do segundo tempo, houve a compreensão de que Ted *sabia* que provavelmente não conseguiria novo adiamento, e que sentira isso ao longo dos últimos dias. Ainda assim, confessara, confessara e confessara. Enfim fornecera detalhes que o ligariam irrevogavelmente a inúmeros assassinatos.

Ted contou a Bob Keppel que deixara a bicicleta Tiger amarela de dez marchas de Janice Ott no Arboreto de Seattle pouco depois de matá-la, em julho de 1974. Ninguém chegou a ir à polícia para declarar que encontrara a bicicleta. Keppel supôs que "algum adolescente a pegou e saiu com ela".

Se alguém ainda estiver com essa bicicleta, o número de série é PT290.

Embora Ted sempre fosse ligado a Donna Manson, que desapareceu de Olympia, apenas agora os detetives puderam ter certeza. Ted contou que o corpo de Donna foi o quinto a ser deixado na montanha Taylor. Quando a neve derreter, é provável que os rastreadores revistem aquela área.

Quem eram as três vítimas que Ted se recusou resolutamente a nomear?

Ted negou ter matado Ann Marie Burr, a menininha de Tacoma, mas a desculpa foi bem fraca. Disse que não poderia ter matado Ann Marie porque "era jovem demais na época" e "morava longe demais da casa dela". Ele tinha quinze anos quando Ann Marie desapareceu. Velho o bastante e morava a apenas um quarteirão de distância. Ann Marie fazia aulas de piano na casa ao lado de onde John, o tio de Ted, morava. Ted poderia muito bem tê-la visto lá.

As primeiras horas da manhã em que Ann Marie desapareceu estão marcadas na memória da família: dia 31 de agosto de 1961, houve tremenda tempestade à noite e tiveram de levantar duas vezes para cuidar da irmãzinha de Ann, Julie, que havia quebrado o braço e o gesso a despertava com coceira que não conseguia coçar.

Ann Marie estava lá na primeira vez. Na segunda vez, a cama do outro lado do corredor estava vazia.

A tia de Ann Marie se lembra de que a garotinha gostava de levantar cedo e descer para o andar de baixo, ainda de camisola, para praticar piano na sala de estar. "A janela ali não fechava muito bem. Havia o cabo de antena da TV que entrava por aquela janela, e o trinco não encaixava direito."

Quando Beverly e Donald Burr desceram naquela manhã, a janela estava aberta, assim como a porta da frente e Ann Marie nunca mais voltou para casa.

Durante as horas tardias de confissões, Ted evitava falar de vítimas infantis ou dava desculpas vagas.

Acredito que tenha matado Ann Marie. E acredito que, muito provavelmente, foi sua primeira vítima.

Também acredito que matou Katherine Merry Devine, ainda que não tenha confessado. Ted chegou a contar a Bob Keppel que tinha pegado uma caronista perto de Olympia, em 1973. Disse que a matou e deixou o corpo entre as árvores, em algum lugar entre Olympia e Aberdeen, litoral de Washington. Mas não conseguiu apontar com precisão o local no mapa que Keppel lhe mostrou. Kathy Devine foi *encontrada* perto de Olympia. É possível que a carona que pegou no Distrito Universitário a tenha deixado 96 quilômetros ao sul da rodovia. Será que Ted foi a pessoa que a pegou perto de Tumwater?

E será que Ted foi o homem que a matou em dezembro de 1973?

Acredito que a terceira vítima foi Lonnie Trumbull, a comissária de bordo atacada na cama, em 1966.

Ted não quis dizer.

A lista de vítimas que Ted Bundy chegou a confessar é longa e trágica. Confirmou para Bob Keppel que assassinara Lynda Ann Healy, Donna Gail Manson, Susan Elaine Rancourt, Brenda Carol Ball, Roberta Kathleen Paris, Janice Anne Ott e Denise Marie Naslund.

E, por fim, conforme o décimo quinto aniversário do desaparecimento de Georgann Hawkins se aproximava, Ted preencheu a cena que faltava no drama sombrio que se desenrolou no beco atrás das casas das repúblicas na Universidade de Washington, em junho de 1974. O desaparecimento de Georgann sem grito, no espaço de um minuto ou dois, frustrava os detetives — e a mim.

Na minha cabeça, enquanto palestrava e mostrava slides daquele beco, conjecturara uma centena de vezes o que poderia ter acontecido. Ao que parece, tudo aconteceu de maneira bem parecida com o que imaginei.

Georgann, toda risonha, gritou "Adiós" para o amigo na janela da casa Beta, na ponta norte do beco. Então caminhou na direção do brilhante Buick amarelo conversível estacionado no lado oeste do beco.

E encontrou Ted Bundy.

A fita da confissão foi difícil de ouvir. Havia o contínuo tum-tum-tum, onde o gravador apresentava pequena falha de funcionamento. E a voz do próprio Ted estava bastante cansada, rouca pelo estresse. Conhecia a voz, mas nunca a tinha ouvido dizer coisas tão desagradáveis antes.

"[...] Estava por volta da meia-noite daquele dia [10 de junho de 1974] no beco atrás das... posso estar confundindo as ruas... das casas das repúblicas e das fraternidades, teria sido a 45th... 46th... 47th...? Nos fundos das casas, do outro lado do beco e do outro lado do quarteirão, tinha a igreja congregacional ali, creio... Eu estava no beco com a maleta e muletas. Essa jovem apareceu caminhando ao longo da ponta norte do quarteirão para dentro do beco. Parou um instante e continuou descendo na minha direção. Mais ou menos na metade do beco, cheguei perto dela e pedi que me ajudasse a carregar a maleta, e ela aceitou. Voltamos a subir o beco, atravessamos a rua e viramos à direita, na calçada, em frente ao que acho que era uma fraternidade na esquina ali. [Essa era a casa Beta onde o namorado de Georgann morava.]

"Dobramos à esquerda na esquina, avançamos para o norte pela 47th, na metade do quarteirão. Tinha ali um daqueles estacionamentos que construíam em locais de casas incendiadas naquela área e a universidade os transformava em estacionamentos instantâneos. Havia um estacionamento ali na... Não havia luzes, e meu carro estava estacionado ali."

"Sobre aquele dia...", instigou Keppel.

Ted soltou suspiro profundo. "Bem... Basicamente, quando chegamos no carro, o que aconteceu foi que a nocauteei com o pé de cabra..."

"Onde você tinha deixado a ferramenta?"

"Ao lado do carro."

"Bem do lado de fora?"

"Do lado de fora, na parte de trás do carro."

"Ela conseguia vê-la?"

"Não. E também tinha umas algemas lá, com o pé de cabra. Eu a algemei e a coloquei no banco do motorista, digo, no banco do carona, e dirigi para longe."

"Ela estava viva ou morta nesse momento?"

"Não. Ela estava bastante... estava inconsciente, mas estava bem viva."

Os suspiros de Ted na fita eram aqueles de alguém nas garras de emoção dolorosamente profunda. Gemia, ofegava e respirava fundo. E a falha na fita seguia tão estável quanto o tique-taque de relógio: *Tum. Tum. Tum.*

Ted contou que dirigiu pelo beco até a 50th N.E. "A rua que ia de leste a oeste. Dobrei à esquerda, fui até a... rodovia. Segui para o sul, peguei a saída da velha ponte flutuante [a Rodovia I-90]. Ela recobrou a consciência nesse instante, basicamente... Bom, tem um monte de coisas incidentais que não vou entrar em detalhes. Não vou contar a você delas porque são só... Enfim, eu atravessei a ponte até Mercer Island, passando por Issaquah, subi uma colina, desci a estrada até uma área gramada..."

Nesse ponto, Keppel testou Ted, e mencionou a barricada na estrada que o teria impedido de cruzar ambas as faixas. Ted insistiu que não havia nenhuma barricada em 1974 e estava certo.

"Naquela época, era possível fazer a curva à esquerda. Por mais ilegal que pudesse ser por causa da sinalização do tracejado duplo amarelo na pista. E isso foi loucura da minha parte — falando de loucura... Se tivesse um patrulheiro estadual ali, provavelmente teria me prendido. [Ted ri.] Mas, sabe, na época não havia nenhum canteiro central dividindo o centro da estrada naquele ponto... Tudo o que você tinha que fazer era uma bandalha à esquerda, até atravessar tudo. Bom, as duas faixas que seguiam a oeste da 90 e até aquela estrada secundária que corria paralela à 90. [...] Tirei as algemas dela, e... A tirei da van, e tirei as algemas dela. Tirei ela do carro."

Keppel o interrompeu. *"Van?"*

"Não, era o Fusca."

"Você disse van."

"Bom, me desculpe se eu... Era o Fusca. Enfim, essa provavelmente é a parte mais difícil, não sei... Estávamos conversando abstratamente antes, mas estamos chegando... estamos chegando ao âmago da coisa. Vou falar disso, mas, é só que... Espero que você entenda, não é algo que ache fácil falar e, depois de todo esse tempo... Bem..."

Ted suspirou tão profundo que a respiração chiou no gravador. Ele pareceu tentar se afastar de si mesmo, e gemeu enquanto o fazia.

"Uma das coisas que faz com que isso seja difícil é que, àquela altura, estava bastante lúcida, falando coisas... Engraçado... Não, não é engraçado, mas é esquisito... as coisas que as pessoas dizem nessas circunstâncias. E ela achava... ela disse que achava que tinha prova de espanhol no dia seguinte e que eu a tinha pegado para ajudá-la a se preparar para a prova de espanhol, esquisito. Coisas que elas dizem. Enfim... em suma, eu a deixei inconsciente de novo. E a estrangulei, e a arrastei por uns dez metros até o pequeno arvoredo ali perto."

"O que você usou para estrangulá-la?" A voz de Bob Keppel soava baixa, desprovida de emoção. Fazia as perguntas, suspendendo os próprios sentimentos. Pelo menos cinco horas permaneciam sem explicação.

"Um cordão. Um velho pedaço de corda que estava lá."

"O que aconteceu depois?"

Houve outra torrente de suspiros e gemidos.

"[...] Dei partida no carro. A essa altura, estava quase amanhecendo, o sol nascendo. Eu dei início a minha rotina de sempre. Eu tinha essa rotina, eu fazia isso onde estava todos os... Bom, nessa manhã em especial, estava absolutamente, de novo, simplesmente chocado... Morrendo de medo, horrorizado. Eu desci a estrada, jogando tudo o que eu tinha, a maleta, as muletas, a corda, as roupas. Só jogando tudo pela janela. Estava... em um estado de puro pânico, horror simplesmente absoluto. Àquela altura, eu... a consciência do que tinha acontecido de verdade. É como quando você sai da febre ou algo do tipo... Eu ia... Eu dirigi pela 90 para o nordeste jogando itens de roupas e sapatos pela janela, enquanto eu ia..."

Keppel interrompeu, perguntando a Ted se Georgann tinha sido despida.

"O quê?" A voz de Ted soou seca e irritada.

Keppel repetiu a pergunta.

Ted a desconsiderou. "Depois que saímos do carro — bem, eu pulei algumas partes aí, e teremos que voltar a isso em algum momento, mas não me sinto... É difícil demais falar disso agora."

E Ted voltou a falar de algumas dessas coisas que tinha "pulado", mas essas coisas permanecerão com Bob Keppel. Ele se perguntou por que ninguém tinha encontrado as coisas que Ted jogara fora em seu suposto frenesi de pânico. A resposta veio: Ted voltara e recolhera tudo assim que conseguiu se acalmar.

As confissões eram feitas em rompantes, espaçadas por longos momentos de silêncio. E eram assustadoras. Ted Bundy se revelou, como dissera anos antes em Pensacola e em Tallahassee, um "voyeur, vampiro", homem cujas fantasias tomaram conta de sua vida. As anomalias e perversões eram tão desagradáveis e doentias, e tão profundamente arraigadas quanto as de qualquer assassino sobre o qual já escrevi.

Elas deviam ter estado ali o tempo todo enquanto eu passava as noites de domingo e terça-feira sozinha com o rapaz de 24 anos e olhos claros chamado Ted. Esse pensamento me faz estremecer, como se um espírito tivesse passado por mim.

Além dos crimes de Washington, Ted confessou mais e mais assassinatos.

Confessou ter matado Julie Cunningham em Vail, Colorado, em março de 1975. Ela chorava, caminhando sozinha em direção ao conforto da amiga. Ted encontrou Julie naquela rua coberta de neve e perguntou se poderia ajudá-lo a carregar as botas de esqui. No carro, a golpeou com o pé de cabra e levou a mulher inconsciente para dentro. Assim como tinha acontecido com Georgann, Julie recobrou a consciência e ele a golpeou de novo. Ted deixou o corpo dela para trás, mas voltou mais tarde para enterrá-lo.

Sim, ele tinha variado seu padrão. Enterrara algumas, deixara algumas em florestas, jogara os corpos de outras vítimas em rios.

Havia tantas. É provável que tenha havido mais vítimas do que jamais saberemos. Bob Keppel acredita que Ted matou pelo menos cem mulheres, e concordo com ele.

Ted Bundy, eleito o garoto "mais tímido" da sala na Escola Secundária Hunt em Tacoma, começou a matar, creio, em 1961, com o desaparecimento da pequena Ann Marie Burr. Esteve livre, avançou por sua vida intrinsecamente compartimentalizada, até outubro de 1975. Após a fuga em dezembro de 1977, esteve livre mais uma vez durante fatais seis semanas e meia. Sabemos que atacou sete mulheres durante esse período, e matou três delas. Quantas mais existem que não sabemos?

Quando as confissões chegaram ao fim, a terrível contagem de garotas mortas preenchia a página de um jornal, de cima a baixo.

Ted Bundy confessou ter assassinado:

| NO COLORADO
- *Caryn Campbell, 24*
- *Julie Cunningham, 26*
- *Denise Oliverson, 24*
- *Melanie Cooley, 18*
- *Shelly K. Robertson, 24*

| EM UTAH
- *Melissa Smith, 17*
- *Laura Aime, 17*
- *Nancy Baird, 23 (Jovem mãe desaparecida em 4 de julho de 1975 do*

> *posto de combustível Layton, onde trabalhava.)*
> - *Nancy Wilcox, 16 (Líder de torcida vista pela última vez em 3 de outubro de 1974 no Fusca de cor clara.)*
> - *Debby Kent, 17.*

| OUTRAS POSSÍVEIS VÍTIMAS EM UTAH
> - *Sue Curtis, 15. (Desapareceu em 28 de junho de 1975 enquanto frequentava conferência de grupo de jovens.)*
> - *Debbie Smith, 17. (Desapareceu em fevereiro de 1976. O corpo foi encontrado no Aeroporto Internacional de Salt Lake em 1º de abril de 1976.)*

| NO OREGON
> - *Roberta Kathleen Parks, 20.*

Embora não tenha havido tempo para os detetives do Oregon interrogarem Ted na Flórida, os policiais acreditam que é responsável pelo desaparecimento de pelo menos mais duas mulheres:

> - *Rita Lorraine Jolly, 17 (Desapareceu em West Linn em junho de 1973.)*
> - *Vicki Lynn Hollar, 24 (Desapareceu em Eugene em agosto de 1973.)*

| NA FLÓRIDA
> - *Margaret Bowman, 21*
> - *Lisa Levy, 20*
> - *Kimberly Leach, 12*

O estado de Idaho não teve motivo algum para enviar detetives à Penitenciária Raiford. Bob Keppel, contudo, telefonou para Russ Reneau, investigador-chefe da promotoria de Idaho, e sugeriu que poderia ser boa ideia para o estado enviar investigadores para a Flórida.

O promotor Jim Jones despachou três detetives para Starke. Russ Reneau não tinha a menor noção do que encontraria, mas, depois de falar com Ted, descobriu a conexão com Idaho.

De acordo com relatórios, Ted confessou ter feito uma parada perto de Boise durante a mudança para Salt Lake City, no fim de semana do Dia do Trabalho. Ele vira uma garota pedir carona perto de Boise, em 2 de setembro de 1974, e a pegou. Ted a espancou e jogou o corpo no rio — rio Snake, achava ele. As autoridades de Idaho foram incapazes de encontrar o boletim de pessoa desaparecida para comparar a descrição que Ted forneceu.

A confissão seguinte, contudo, era parecida demais com um conhecido desaparecimento sem solução para ser coincidência. E a história que emergiu foi um estudo sobre a crueldade calculada. Ted supostamente contou a Reneau que fez a viagem para Idaho com o único propósito de encontrar alguém para matar.

Ele se certificou de que não precisaria abastecer o carro, algo que poderia marcar a trilha. Escolheu Pocatello como ponto de retorno. A viagem a Pocatello e de volta a Salt Lake City foi de 373 quilômetros e o Fusca poderia dar conta disso com facilidade sem reabastecer.

A área tinha tráfego intenso, local para onde as pessoas iam para atividades de recreação ao ar livre. Estranhos passavam por ali o tempo todo.

Ted dirigiu o Fusca pela Rodovia 15, procurando sua presa, alguma mulher desconhecida para matar.

Era 6 de maio de 1975.

Avistou uma garota no campo de esportes de uma escola de ensino médio na hora do almoço. Ted a pegou, a assassinou e descartou o corpo no rio. Novamente, achou que, provavelmente, foi o rio Snake.

Lynette Culver, de 13 anos, de Pocatello, *estivera* desaparecida desde o dia 6 de maio de 1975. Desaparecida havia treze anos e meio, mais tempo do que estivera viva. O corpo de Lynette nunca foi encontrado.

Com a missão cumprida, Ted voltou a dirigir para Salt Lake City. A viagem toda levou apenas quatro horas de carro.

Sem os corpos das garotas desaparecidas, Idaho nunca poderia provar a realidade dos fatos que Ted Bundy descrevera. Porém, no caso de Lynette, as perguntas pareciam respondidas. A outra garota, que com certeza deve ter existido, nunca foi reportada como desaparecida. Em algum lugar, alguém pode se lembrar da jovem que desapareceu no Dia do Trabalho de 1974, em Idaho.

Quantas mais? Visto que Ted assassinou tantas mulheres, fez mais do que privá-las da vida, também as privou do que as tornava especiais. É fácil demais, e conveniente, apresentar seus nomes em lista. É impossível contar a história de cada vítima dentro dos limites do livro. Todas aquelas jovens mulheres inteligentes, bonitas, queridas, se tornaram, por necessidade, "vítimas de Bundy".

E apenas Ted permaneceu sob os holofotes.

O tempo entre o primeiro telefonema de Gene Miller, em dezembro de 1988, e a véspera da eletrocussão de Ted passou muito depressa. Durante a segunda-feira, 23 de janeiro, corri de um programa de entrevistas para o outro. Cada novo entrevistador parecia bastante convencido de que a execução ocorreria. Houve a sensação sobrenatural naquele período da minha vida. Tínhamos novo presidente na Casa Branca, o clima por fim começara a esquentar em Seattle depois de inverno de frio intenso fora de época — e Ted morreria.

E, dessa vez, morreria mesmo.

Se pudesse escolher, ficaria em casa, onde as coisas eram conhecidas, com família e amigos. Eu precisava da zona de conforto.

Para o bem ou para o mal, Ted Bundy tinha feito parte da minha vida durante dezoito anos. De fato, tinha *mudado* minha vida de maneira radical. Agora, escrevia livros em vez de reportagens para revistas. Este livro aqui — que acabou sendo sobre ele — foi o início de tudo. Agora, eu tinha renda suficiente para viver com conforto, sem me preocupar com as contas.

Eu havia trabalhado para impedir pessoas como Ted Bundy, e trabalhado com as vítimas e os sobreviventes de pessoas como Ted Bundy. Seguramente, 95% da minha capacidade intelectual odiava Ted e o que representava. Mas parte de mim ainda pensava: "Ah, meu Deus, ele vai andar um corredor e se sentar na cadeira elétrica, e vai ter eletricidade pelo seu corpo, deixar marcas de queimadura nas têmporas, braços e pernas". Era pensamento que se agitava em minha mente sem parar enquanto permanecia sentada, imóvel, em avião que me levava para San Francisco. Fitei as nuvens, e logo abaixo a ponte Golden Gate. Desde o primeiro voo para Miami, para cobrir o julgamento de Ted — voo no qual estive tão abismada diante da ideia de realmente voar a noite toda —, viajei de avião mil vezes ou mais. Estive em San Francisco oito ou nove vezes a cada ano. Agora, viajo de avião para Nova York, Los Angeles ou Chicago da maneira como costumava dirigir para Portland, Oregon.

Mas, naquela noite, desejei poder estar em casa.

Primeiro, participaria do *Larry King Live*, e San Francisco era a afiliada da CNN mais próxima onde poderiam se conectar ao satélite. A limusine me pegou no aeroporto e me levou ao arranha-céu.

Eu me sentei sob as luzes quentes da emissora de TV e tentei conversar com a lente da câmera como se estivesse com Larry King ali de verdade. Qualquer um que tivesse conhecido ou encontrado Ted Bundy era entrevistado em algum lugar dos Estados Unidos naquela noite. Éramos notícia, ainda que não voltassem mais a nos procurar após um ou dois dias.

Em algum lugar no sudeste, Karen Chandler, agora esposa e

mãe, contava a King daquela noite em janeiro de 1978. Ela parecia notavelmente normal, e achei que isso era bom. Saber que mesmo as poucas garotas que sobreviveram a Ted podiam ter vidas felizes, cotidianas e *normais* era um consolo. Karen não mencionou que ainda gastava trezentos dólares por mês para custear o tratamento odontológico para consertar o que Ted tinha feito com ela com o porrete de carvalho.

A mandíbula de Kathy Kleiner, a colega de quarto de Karen na república, também a machucava, mas parece não haver solução cirúrgica que possa ajudá-la.

Conversei com outra irmã da Chi Omega da Universidade da Flórida, Susan Denton, antes naquela semana. Ela havia me ligado, assim como eu telefonei ou recebi telefonemas da maioria das pessoas cujas vidas tinham tocado a minha por causa de Ted Bundy. Ela contou que a repórter Amy Wilson tinha escrito um artigo sobre as garotas da Chi Omega em *Sunshine: The Magazine of Southern Florida*. A reportagem resumira tudo, falava de seus pesadelos e como tentavam esquecer. Mas nenhuma de nós tinha esquecido, e todas sabíamos que nunca esqueceríamos.

Naquele estúdio pequeno e quente em San Francisco, fiquei atenta às deixas do cinegrafista, ouvi a voz doce de Karen Chandler, e observei Jack Levin, professor de Boston, falar de assassinato em série.

Eu me senti um pouco tonta.

Minha mente voltava e voltava à execução e à ideia de como a eletricidade deve queimar. E, mesmo assim, também pensava: Ted já não tinha mais nada em absoluto para dar a este mundo, e o mundo com certeza não tinha mais nada para dar a ele. Estava na hora.

Fazia frio no centro de San Francisco, e estava fresco. O motorista da limusine me levou ao melhor hotel da cidade, onde a equipe do programa *20/20* me aguardava. Também havia 34 mensagens telefônicas me esperando, todas marcadas como "Urgente". Eu me perguntei como poderia responder a todas, e isso me deixou louca até entender de que era impossível.

Durante as quarenta horas seguintes, moraria no programa *20/20*, com Tom Jarriel, Bernie Cohen, o produtor, e Bob Read, que fez tudo correr sem percalços. Nós conversaríamos sobre Ted.

A sensação sobrenatural voltou mais forte do que nunca, e senti a atenção dividida. Estava ciente do relógio tiquetaqueando dentro de mim, da inexorável marcha contínua na direção da salinha na Penitenciária Estadual da Flórida — a sala da cadeira grosseira de carvalho com correias de couro e eletrodos, a sala onde as cadeiras das testemunhas eram de preto e branco brilhantes, com encostos no formato de tulipas — cadeiras que pareciam frívolas, dado o local. O programa 20/20 me levou ao andar inferior para o jantar gourmet que custou mais do que qualquer refeição que já tinha comido, mas minha boca estava seca demais para desfrutá-lo. Tom, Bernie e Bob foram muito gentis e engraçados, e trabalhavam em uma história interessante, pois não havia envolvimento pessoal para eles. Eu tinha feito a mesma coisa milhares de vezes.

No dia seguinte, Ted morreria. Dia 24 de janeiro de 1989.

Eu, afinal, chegara ao ponto em que *tinha* de reconhecer minhas reações. Não podia encarar as 24 horas seguintes numa boa. Tive sensação muito parecida com a da última vez em que vi meu irmão, Don. Meu novo marido e eu o levamos para o aeroporto de Seattle, terrivelmente preocupados por estar tão deprimido. Por ironia, ele e meu pai iam para San Francisco, onde estava no momento, para que Don pudesse voltar a Stanford. Assim que saíram de vista do portão, eu chorei.

Sabia que nunca mais voltaria a ver meu irmão Don. Não havia nada que pudesse fazer, não havia como impedir Don de morrer. Era apenas uma daquelas coisas que aconteceriam, e não havia nada que se pudesse fazer para mudar isso. Aos vinte anos, senti esse fatalismo pela primeira vez.

Don tinha 21 anos quando cometeu suicídio no dia seguinte. E Ted era um ano mais velho quando o conheci. Meu irmão era a personificação da bondade e da gentileza, e Ted Bundy o oposto. Ainda assim, provavelmente me identificara com Ted porque perdera Don.

E agora, trinta anos depois, Ted morreria, e ninguém podia fazer nada para impedir. E nada deveria impedir.

Eu me esforcei bastante para me concentrar na conversa durante o jantar. Não devia nada a Ted, o monstro. O monstro-estuprador--assassino, que mentira para mim e destruíra mais vidas, de maneira terrível, do que qualquer outra pessoa da qual já escrevi. Estava me lembrando de um mito.

Na distante Flórida, a vida de Ted se aproximava do fim sem estardalhaço. Ele cancelou sua coletiva de imprensa, recebeu a visita de Jamie Boone, seu enteado, agora adulto e pastor metodista. Jamie sempre acreditara nele, Ted suspostamente sentia um pouco de remorso por ter enganado Jamie.

Carole Ann Boone não o visitou.

Louise Bundy sempre havia idolatrado e confiado em seu precioso garoto também. A angústia diante das revelações de Ted para os detetives era difícil de imaginar. A imprensa a encontrou e acossou até ela fechar a porta na cara deles.

Louise conversara com o *Tacoma News Tribune*, o jornal de sua cidade natal. "Essa é a notícia mais arrasadora de nossas vidas", disse sobre descobrir que Ted tinha confessado oito — possivelmente onze — homicídios para Bob Keppel. "Se de fato foi confissão, [é] totalmente inesperada porque nós acreditávamos incondicionalmente que não era culpado de nenhum dos crimes, e acho que ainda vamos acreditar até ouvirmos o que ele disse de verdade... Eu sofro pelos pais daquelas garotas. Temos nossas próprias filhas, que nos são muito queridas. Ah, isso é tão terrível. Simplesmente não consigo entender..."

Ted telefonou para a mãe na noite de 23 de janeiro. Disse-lhe repetidas vezes que não fizera nada errado. "Ele disse o quanto sentia muito, que havia 'outra parte de mim que as pessoas não conheciam'." Mas Ted se apressou para assegurar à mãe que "o Ted Bundy que você conheceu também existiu".

Na casa cheia de amigos, Louise apertou o fone contra o ouvido para abafar o barulho externo e ouvir a voz do filho pela última vez.

"Você sempre será meu filho precioso", disse baixinho. "Só queremos que saiba que o amamos muito, e sempre amaremos."

Na Penitenciária Raiford, a longa noite passou rápido demais. Ted empenhou quatro de suas últimas horas em oração com Fred Lawrence, clérigo de Gainesville, e com Tanner. Supostamente acalmado por enorme quantidade de tranquilizantes, Ted passou pelos derradeiros preparativos. Não houve última refeição, pois estava sem apetite. Seus pulsos, a perna direita e a cabeça foram raspados para ajudar os eletrodos a conduzirem a carga máxima de 2 mil volts em três ondas, até estar morto. Ele recebeu calça e camisa azul limpa para vestir.

Em San Francisco, ficamos sentados a noite toda. Enquanto os cinegrafistas ajustavam as luzes e os ângulos das câmeras, falei durante horas de Ted e como era, ou como parecia ser e que, na verdade, não era.

O telefone tocou 75 vezes. Até mesmo a telefonista do hotel, casada com agente de condicional da área da baía, perguntou sobre Ted.

Quando fossem 7h em Starke, Flórida, seriam apenas 4h em

San Francisco.

O sol nem teria nascido ainda.

Por volta das 2h30, me estiquei por cima da colcha e dormi meia hora. Às 3h, a equipe de cinegrafistas me acordou: estavam prontos para filmar.

Tom Jarriel e eu nos sentamos em cadeiras cobertas de seda diante do aparelho de televisão. A tela mostrou a Penitenciária Estadual da Flórida e em seguida focou nas multidões que cantavam, bebiam cerveja e comemoravam a execução vindoura. Trezentas pessoas de fantasias e máscaras, seguravam cartazes: "Queime, Bundy, queime!" e "É dia de fritar!"[5]. Um homem com máscara de Ronald Reagan ficava aparecendo na frente das câmeras, ele segurava a efígie de um coelho na mão, seu "Bundy Bunny", o "Coelhinho Bundy", explicou.

Todos pareciam um tanto insandecidos. Pais levaram o filhos para o evento "feliz". Havia atmosfera de feriado que me deixou horrorizada.

Não tinham mais humanidade do que Ted.

As câmeras do *20/20* apontaram para nós: Tom Jarriel me perguntou e eu observava a tela. Outra vez desejei estar em casa. O prédio verde que abrigava a câmara de execução era visível apenas indistintamente contra os primeiros raios do sol na Flórida.

Às 7h, todos fitamos a tela: não poderia haver nenhum indulto agora, aquilo aconteceria de verdade. Achei que fosse vomitar. Não sentia agitação visceral como aquela havia uma década, e me senti exatamente como tinha me sentido em Miami quando me dei conta de que Ted era culpado.

As câmeras pareciam apontar para dentro do meu nariz, e podia ouvir a voz sulista suave de Tom me perguntar algo; balancei a cabeça. Não conseguia falar.

Vimos as luzes do lado de fora da prisão enfraquecerem pelo que pareceu longo tempo, e então retornaram, brilhantes. A multidão expectante murmurou e se agitou.

Exatamente às 7h, a porta se abriu na câmara de execução. O superintendente penitenciário Tom Barton entrou. Escoltado por dois guardas, Ted entrou em seguida, os pulsos estavam algemados. Ele foi preso à cadeira elétrica sem demora.

Os olhos de Ted foram descritos como vazios, talvez o resul-

---

5 Trocadilho com *friday*, sexta-feira em inglês, e *fry*, de fritar. [NT]

tado da falta de sono ou das altas doses de sedativos. Ou talvez porque já não tivesse mais nenhuma esperança ou expectativa. Olhou pela divisória de acrílico para as doze testemunhas sentadas nas reluzentes cadeiras de cor preta e branca. Será que reconheceu todas aquelas pessoas? É provável que não. Algumas nunca tinha conhecido, outras não via há anos. O detetive Don Patchen de Tallahassee estava lá, e Bob Dekle e Jerry Blair. O patrulheiro estadual Ken Robinson, que encontrou o que restou de Kimberly Leach, também estava lá.

Os olhos turvos de Ted focaram em Jim Coleman e no reverendo Lawrence, e assentiu.

"Jim... Fred", disse. "Gostaria que transmitissem meu amor a minha família e a meus amigos."

Barton tinha mais um telefonema a fazer. Ligou para o governador Martinez do telefone no interior da câmara de execução. Com a expressão indecifrável, Barton assentiu para o carrasco de capuz preto.

Ninguém sabia quem era o carrasco, mas uma testemunha viu cílios espessos e curvados margearem os olhos da pessoa. "Acho que era mulher."

Observava a tela da TV em San Francisco. As luzes enfraqueceram no lado de fora da prisão novamente. Mais uma vez.

E então uma figura indistinta saiu de algum lugar do edifício verde e agitou o lenço branco, em movimento amplo e abrangente.

Era o sinal: Ted estava morto.

Eram 7h16.

O rabecão branco avançou lentamente de algum lugar atrás da prisão. As multidões comemoraram e clamaram com alegria, conforme o veículo ganhava velocidade. Os oficiais estavam preocupados que a multidão pudesse pará-lo e tombá-lo. Bill Frakes, *Miami Herald*, fotografou a cena, o mesmo Bill Frakes que havia capturado a única imagem de Ted Bundy descontrolado. Essa fotografia foi tirada no julgamento do caso Leach, nove anos antes. Quando Ted decidiu deixar o tribunal e os policiais bloquearam o seu caminho, de repente foi acometido por um ataque de fúria. *Aquele* Ted estava descontrolado, o Ted que as vítimas viram. Uso esse slide para encerrar meu seminário sobre Bundy, e a audiência nunca deixa de arquejar.

Mas o Ted Bundy que andou com as próprias pernas até a cadeira elétrica estava controlado. Morreu do modo como sempre achei que morreria: sem deixar as testemunhas verem seu medo.

Voei de volta para Seattle com o grupo do *20/20* e, sem dormir, passei as doze horas seguintes em entrevistas no rádio e na televisão. Para todos os lugares onde ia, via o vídeo que fora liberado de imediato de Ted e do dr. James Dobson. Na gravação, Ted, parecia amarelo de tão pálido, o rosto marcado e exausto, segredava com sinceridade a Dobson que seus crimes podiam ser atribuídos à pornografia e ao álcool.

Dois objetivos foram conquistados nessa entrevista. O dr. Dobson acreditava que obscenidades e bebidas desencadeavam assassinatos em série, e teve o depoimento de um assassino para validar a teoria. Ted queria deixar para trás um legado de sabedoria e culpa da humanidade. Era culpado, sim, mas *nós* éramos mais culpados porque permitimos que a pornografia fosse vendida. *Nós* passávamos diante de bancas de jornal e não exigíamos que aquela literatura imunda fosse confiscada e banida. Cansado como estava, Ted foi brilhante, persuasivo e autodepreciativo. Abaixava a cabeça e lançava olhares aguçados para as câmeras enquanto respondia às perguntas de Dobson de o que tinha acontecido com ele. "Essa é a pergunta da vez e uma da qual... pessoas muito mais inteligentes do que eu vão ponderar por anos..."

Ted foi charmosamente humilde quando disse que não era especialista — aquele homem que tinha dito para mim, Keppel, Art Norman, Bill Hagmaier e qualquer um que quisesse ouvir que ele era o especialista definitivo sobre assassinato em série e psicopatologia. Estava apenas oferecendo sua opinião, de maneira hesitante e modesta, na gravação de Dobson[6].

"Essa é a mensagem que quero propagar. Quando era garoto, e quero dizer um garoto de doze ou treze anos, encontrei — novamente, *fora* de casa, no mercadinho local, na farmácia local — pornografia leve... ou o que as pessoas chamam de pornografia leve. Como acredito ter explicado a você na noite passada em uma anedota, dr. Dobson, assim como todos os garotos fazem, nós explorávamos as estradas e as vias secundárias e os atalhos ruins de nossa vizinhança, e muitas vezes as pessoas jogavam o lixo fora... E de tempos em tempos encontrávamos livros pornográficos de natureza mais intensa... de natureza mais explícita do que as que encontrávamos nos mercadinhos. Isso também incluía coisas como revistas policiais [...] e o que quero enfatizar é que esse é o tipo mais prejudicial de pornografia."

Com Dobson aparentemente o conduzindo na entrevista, Ted fa-

---

6   A entrevista completa e legendada em português pode ser visualizada no canal do Aprendiz Verde no YouTube. Disponível em: <https://www.youtube.com/watch?v=nVain2j_uKo>. Acesso em: 19 fev. 2019

lou do suposto vício em pornografia, da perversão por materiais impressos que envolvessem violência e violência sexual.

Ted foi muito convincente, o homem desgastado e arrependido prestes a morrer, mas que ainda assim alertava o mundo. Gostaria de poder acreditar que seus motivos foram altruístas, mas tudo o que consigo ver naquela gravação com Dobson é outra manipulação de nossas mentes por Ted Bundy. A intenção da gravação é depositar, outra vez, o ônus de seus crimes, não em *si mesmo*, mas sobre nós.

Não acredito que a pornografia fez com que Ted Bundy matasse 36 ou cem ou trezentas mulheres. Acredito que se tornou viciado no poder que seus crimes lhe proporcionavam e que queria nos deixar falando sobre ele, debatendo a sabedoria de suas palavras. Ted foi bem-sucedido nisso, de maneira magnífica.

A verdade nua e crua é que Ted Bundy era mentiroso. Mentiu durante grande parte de sua vida, e acho que mentiu no fim. Conversou com Dobson sobre encontrar revistas policiais por acaso, de as ler com avidez e "alimentar suas fantasias". Ontem, encontrei a carta que Ted me enviou quase exatamente doze anos antes de morrer, datada de 25 de janeiro de 1977.

Eu tinha escrito para lhe contar que redigira uma reportagem sobre "Ted" para a revista *True Detective*. "Não fiquei surpreso ou desapontado ao descobrir a reportagem na revista policial", escreveu na época. "Eu com certeza tinha antecipado que tais reportagens emergiriam ou, no caso do público que lê revistas policiais, submergiriam. Espero não ofender você, e não tenho a intenção de difamar a imprensa de revistas policiais, mas quem neste mundo lê essas publicações? Posso ter tido vida superprotegida, mas nunca comprei uma revista assim. E das duas ou três ocasiões que cheguei a pegar uma, foi na Clínica de Prevenção de Suicídio, naquela noite em que levou algumas para nos mostrar alguns de seus artigos. Pensando bem, nunca conheci alguém que assinasse ou lesse com regularidade tais revistas. É claro, também não me enquadro no estereótipo de seu típico norte-americano. [...] Se o artigo fosse publicado na *Time, Newsweek, Denver Post, Seattle Times* ou mesmo na *National Inquirer* [sic], ficaria preocupado..."

Qual *era* a verdade? Ou Ted nunca, jamais, leu revistas policiais fatuais e estremecia só de pensar nelas, como escreveu para mim, ou, como contou ao dr. Dobson, fora corrompido por elas e outros materiais de leitura a ponto de se tornar um assassino em série.

A entrevista de Ted Bundy com James Dobson conseguiu algo que me preocupou. Durante as semanas após a execução de Ted, recebi notícias de muitas mulheres — sensíveis, inteligentes e gentis — que me escreveram ou me telefonaram para dizer que estavam profundamente deprimidas porque Ted morrera. Uma universitária assistira à gravação de Dobson na TV e se sentiu impelida a enviar flores à funerária para onde o corpo de Ted fora levado. "Ele não teria me machucado", disse. "Tudo de que precisava era de um pouco de bondade. Sei que não me machucaria…"

Uma aluna do ensino médio disse que chorava o tempo todo, e que não conseguia dormir porque um homem bom como Ted Bundy tinha sido morto.

Houve tantos telefonemas, tantas mulheres em prantos. Muitas delas tinham se correspondido com Ted e se apaixonado por ele, cada uma acreditando piamente ser a única mulher da sua vida. Diversas delas me contaram sofrerem colapsos nervosos quando ele morreu. Mesmo na morte, Ted fez mal às mulheres. Elas haviam encomendado a gravação de Dobson, pagaram taxa de 29,95 dólares, e a assistiram repetidas vezes. Veem compaixão e tristeza em seus olhos e se sentem culpadas e carentes. Para que saiam desse transe, devem perceber que foram enganadas pelo mestre da enganação. Sofrem pela sombra do homem que nunca existiu.

Houve outros telefonemas — mulheres que tinham tanto medo de Ted Bundy que foram incapazes de me ligar enquanto ainda estava vivo. Todas acreditavam que tinham escapado dele por um fio na época dos assassinatos, na década de 1970. Algumas estavam claramente equivocadas, outras foram impossíveis de descartar. Há tão poucas sobreviventes verdadeiras de Bundy que é esclarecedor ouvir as histórias.

Brenda Ball desapareceu do Flame Tavern no fim de semana do Memorial Day de 1974. Mais ou menos uma semana depois que Brenda desapareceu, a jovem mãe chamada Vikky passou a noite no bar naquela mesma rua, o Brubeck's Topless Bar. Com 25 anos, miúda, longos cabelos castanhos repartidos ao meio, Vikky dirigiu até lá no conversível e foi embora antes da meia-noite.

Seu carro não pegou, então aceitou carona para casa com amigos. Às 4h, quando o sol clareava o horizonte do oeste, Vikky voltou para tentar dar partida no carro, não queria deixá-lo aberto e à mercê de algum ladrão no estacionamento.

"Estava mexendo no carro, para fazer que ele pegasse — e não dava certo —, quando um homem atraente saiu de trás do bar. Não sei o que fazia ali a uma hora daquelas, e no momento não me ocorreu que poderia ter sabotado meu carro.

"Tentou dar a partida e então me disse que precisava de cabos para fazer uma chupeta. Ele não tinha nenhum, mas me disse que alguns amigos em Federal Way tinham. Fomos até a loja e me mandou comprar os cabos. O cara lá dentro achou que era louca e falou que não tinha nenhum cabo para isso. Bom, o homem que estava me 'ajudando' disse: 'Conheço uma pessoa que tem cabos'.

"Antes que pudesse recusar, entramos na rodovia, no carro dele, avançamos para algum lugar ao norte — na direção de Issaquah. Avançávamos ao longo da estrada, e achei que sabia aonde ia, mas estava preocupada porque minha filha de cinco anos tinha ficado sozinha em casa. De repente, o cara disse 'Me faz um favor', e quando olhei pegou um canivete do meio das pernas e o encostou com força no meu pescoço.

"Comecei a orar e ele disse: 'Tira a blusa'. Respondi: 'Estou tirando'. Ele continuou: 'Agora as calças', e depois me fez tirar as roupas íntimas.

"Fiquei ali sentada, nua em pelo, e tentei conversar com o sujeito — usar psicologia. Disse que era um cara bonito, e que não precisava uma coisa daquelas para ficar com uma mulher. Ele respondeu: 'Não quero assim — quero variar um pouco'.

"Tentei agarrar a faca e ficou furioso, gritou: 'Não faça isso!'.

"Por fim, disse: 'Minha filha de cinco anos não está com mais ninguém em casa. Ela vai acordar e ficar sozinha'.

"O cara mudou de repente. Do nada. Dirigiu até uma rua com árvores altas. Disse: 'Chegamos — é aqui que você desce'. Fechei os olhos, achando que ia me esfaquear, e falei: 'Não sem minhas roupas' e ele jogou minhas roupas para fora do carro, mas ficou com a bolsa e os sapatos.

"Encontrei uma casa no caminho e lá me deixaram entrar para chamar a polícia. Descobriram que alguém tinha arrancado o cabo do distribuidor do meu carro. Nunca encontraram o sujeito que me atacou aquela noite.

"Mais ou menos um ano depois eu assistia ao telejornal e vi o homem na TV. Gritei para minha amiga: 'Olha! É ele! Esse é o cara que quase me matou!'. Quando disseram o nome dele, era Ted Bundy."

Ted Bundy tinha começado a fazer parte do folclore criminal dos Estados Unidos. Haverá histórias, recordações, relatos e anedotas sobre ele nos muitos anos vindouros. Há verdades que podem ser retiradas de sua vida e crimes, e, com sorte, criminologistas e psiquiatras encontrarão algum conhecimento em tanto horror, algumas informações que nos ajudarão a evitar que aberrações criminosas como a dele se desenvolvam.

Ted queria ser notado, ser reconhecido e conseguiu isso. Deixou este mundo como um homem odiado quase tanto como os nazistas que o intrigavam. Quando os representantes de Ted anunciaram que planejavam espalhar suas cinzas acima das montanhas Cascade, no estado de Washington, os protestos explodiram. O assunto foi abandonado e ninguém sabe o que aconteceu com seus restos mortais.

Não importa mais, está acabado.

O Ted que poderia ter sido e o Ted que foi, ambos morreram em 24 de janeiro de 1989.

Eu me lembro de 1975, quando Ted foi preso pela primeira vez, em Utah. Meu editor de Nova York na época não percebeu que algum dia poderia haver livro sobre Ted Bundy. "Ninguém ouviu falar de Ted Bundy", disse. "Acho que é apenas história local, não é um nome conhecido."

Tragicamente, agora é.

Finalmente, *paz, ted.*

E paz e amor para todos os inocentes que você destruiu.

Ann Rule
27 de abril de 1989

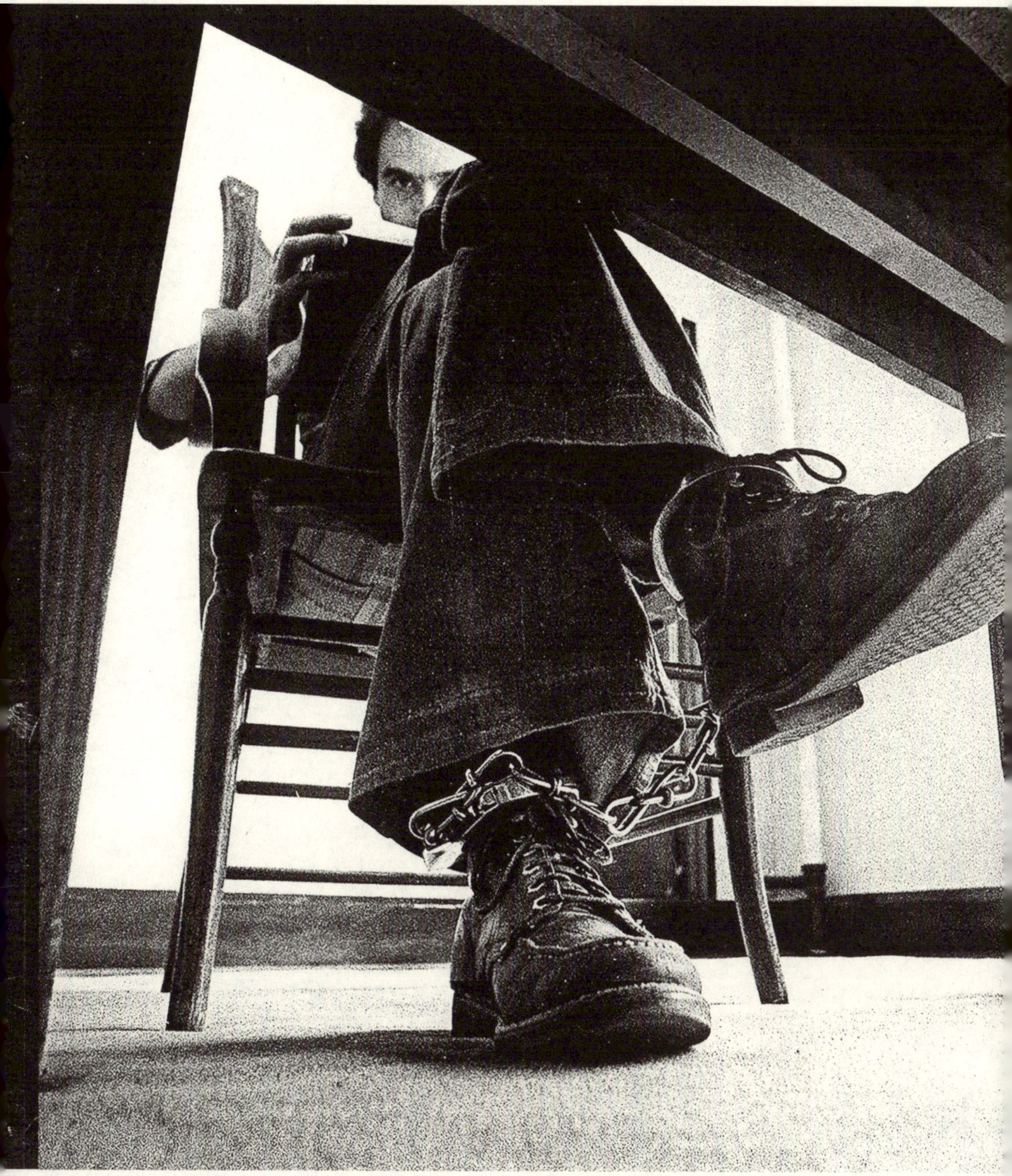

ATUALIZAÇÃO
VINTE ANOS DEPOIS

-
-

2000

Já se vão vinte e cinco anos desde o dia em que Ted Bundy me telefonou para pedir ajuda e me contar que era suspeito do desaparecimento de algumas mulheres. E as recordações desse telefonema ainda me chocam. Ainda que eu costume imaginar Ted como um homem no começo da casa dos vinte anos, ele teria completado 54 anos em 2000. Em vez disso, ele morreu na cadeira elétrica da Penitenciária Raiford em Starke, Flórida, mais de dez anos atrás. Em minha mente, e na lembrança do público, ele continua um homem bonito e jovem. Sua boa aparência física ajudou a transformá-lo em um personagem mítico, um anti-herói que continua a intrigar leitores, muitos dos quais sequer eram nascidos quando ele cometeu seus crimes hediondos. Ted Bundy há muito tempo se transformou no garoto propaganda do assassinato em série. John Hinckley, que atirou no presidente Ronald Reagan, ficou empolgado quando Ted respondeu suas cartas. O assassino David Berkowitz, o "Filho de Sam", também se correspondeu com ele.

Como os atos sombrios de outros assassinos acolhidos pela cultura popular, os detalhes horríveis de sua perseguição obsessiva foram ficando indistintos com o tempo, e o sagaz "Ted vigarista" é tudo o que as pessoas registram. Isso é lamentável, porque jovens mulheres precisam estar cientes de que Ted Bundy não era um homem singular. Seus equivalentes existem e são perigosos.

Em diversas ocasiões, acreditei de maneira ingênua que o fascínio por Ted iria diminuir e que eu nunca teria de pensar nele de novo. Mas agora já aceitei que terei de responder perguntas sobre ele até o fim dos meus dias. Há pouco tempo, eu estava numa sala de operação pronta para uma cirurgia enquanto um anestesista se preparava para me colocar para dormir. Uma das enfermeiras da sala de operação se inclinou na minha direção e falou comigo em um tom de voz baixo e preocupado. "Ann", começou ela.

"Sim?" Pensei que ela me perguntaria se eu estava confortável.

"Me conta", continuou. "Como era o Ted Bundy *de verdade*?"

Fiquei inconsciente antes que pudesse formular uma resposta, e foi melhor assim. Não sei se eu, ou qualquer outra pessoa que conheceu Ted ou o estudou, tem a chave para quem ele era de verdade. Duvido que até mesmo *ele* soubesse. Tudo que sei é que a minha própria opinião sobre ele evoluiu de uma maneira exatamente contrária à aceitação do público de um Ted como personagem folclórico. Quando leio minha avaliação a seu respeito na década de 1970, me dou conta de que tive um longo caminho a percorrer para alcançar uma exatidão verdadeira. Nas quase três décadas desde que o vi pela primeira vez, fui forçada a aceitar verdades cada vez mais pavorosas. A mente humana, incluindo a minha própria, cria trilhas inconscientes elaboradas para poder lidar com o horror.

Minha recordação de Ted Bundy é clara, mas bifurcada. Eu me lembro de *dois* Teds. Um é um jovem que se sentava ao meu lado duas noites por semana na Clínica de Prevenção de Suicídio de Seattle. O outro é o voyeur, o estuprador, o assassino e o necrófilo. Por mais que tente, ainda não consigo juntar as duas imagens. Examinando-as em um microscópio imaginário, não sou capaz de sobrepor o assassino ao estudante promissor. E não estou sozinha. A maioria das pessoas que o conheceram enfrenta a mesma dicotomia.

Portanto, como sempre, lido com Teds separados. Quando estou em seminários policiais e observo slides das vítimas mortas por Ted — aquelas que foram encontradas antes de se transformar em esqueletos — vejo evidências de que ele voltou às cenas de seus crimes para delinear lábios e olhos mortos com maquiagem espalhafatosa e para passar blush em bochechas pálidas. Aceito que isso foi feito pelo segundo Ted. Aceito que ele se envolveu não apenas com assassinato cruel, mas também com necrofilia. Consigo lidar com isso em um nível intelectual, mas tento não deixar que isso deslize para o lado emocional da minha mente. Mesmo escrever sobre isso faz minha garganta se fechar e a pele da minha nuca se arrepiar.

Ted Bundy é o único indivíduo com o qual nunca fui capaz de lidar de uma maneira imparcial. Ele é o *único* indivíduo que conheci antes, durante e depois de seus crimes anunciados — e espero que nunca exista outro. Apesar de não desejar ter impedido sua execução caso tivesse o poder para tal, tento nunca ver as fotografias de seu cadáver. A primeira vez que vi uma foto assim foi na primeira página de um tabloide exposto em uma loja na Colúmbia Britânica. Hoje, sua imagem morta está onipresente na internet. Quando cruzo com ela de maneira inesperada, eu logo clico com meu mouse para passar a página.

Com o advento da internet, eu tive notícias de mais mulheres que encontraram Ted Bundy — e sobreviveram para contar suas histórias — do que nunca antes. Quando dou palestras, reconheço o olhar assustado das mulheres que me abordam para me contar sobre horrores guardados em suas mentes. Assim como no passado, percebo que nem *todas* podem ter encontrado Ted Bundy. Mas algumas encontraram. As mulheres estão na casa dos cinquenta anos agora, sua aparência física tão diferente das garotas que aderiram à atmosfera emocional dos anos 1960 e 1970, quando era aceitável confiar em estranhos e pegar carona.

Uma delas me contou sobre um homem atraente em um Fusca que lhe deu uma carona a oeste de Spokane, Washington, apenas para pegar uma saída da I-90 e entrar em uma estrada deserta, onde ele sacou um par de algemas. "Consegui tirá-lo de cima de mim e correr para dentro da vegetação rasteira", relembrou ela. "A princípio, ele se afastou, mas ouvi o carro dele parar fora da minha linha de visão e percebi que ele estava esperando que eu saísse. Fiquei agachada atrás de alguns arbustos de sálvia durante horas até ouvir ele dar a partida no carro. Não sabia ao certo se ele tinha mesmo ido embora, mas eu estava congelando e com câimbras nos braços e nas pernas por ficar na mesma posição por tanto tempo. Corri até uma casa de fazenda e eles me deixaram entrar."

Mais tarde, ao ver uma foto de Ted Bundy, ela o reconheceu. Um quarto de século depois desse encontro, ela estremeceu enquanto se lembrava da noite em que teve certeza de que iria morrer.

Outra mulher se recorda de uma noite chuvosa em que se perdeu enquanto dirigia perto da Universidade de Washington, em Seattle. Percebeu um Fusca de cor clara que estava seguindo o seu carro enquanto ela rodava por ruas estreitas. Ela foi forçada a parar em uma rua sem saída, e o motorista do outro carro estacionou logo atrás, perto o bastante para bloqueá-la. Um homem bonito de cabelos ondulados saiu do Fusca e caminhou em sua direção. "Foi quando alguns adolescentes passaram a pé por ali", contou-me. "O cara correu de volta para o carro e deu ré. Era Ted Bundy. Tenho certeza que era."

Há poucas dúvidas de que Ted caçava, vagava e espreitava o tempo todo. Ele tinha que fazer isso. Para cada moça desafortunada que ele conseguiu forçar ou seduzir para dentro de seu carro, Ted provavelmente abordou dez outras que escaparam. O aspecto que mais me impressiona em suas histórias é como essas que deram sorte ainda estão assustadas, mesmo após a execução de Ted. Elas se censuram pelo descuido de ter ido embora com um estranho e ao mesmo tempo revivem uma sensação de culpa por ter sobrevivido enquanto as outras garotas não tiveram a mesma sorte.

Sei que continuarei recebendo cartas assim. Enquanto escrevia esta página, mais duas chegaram pelo correio.

• • •

No outono de 1999, tive a oportunidade de visitar outra cidade por onde Ted passara. Embora tenha lido os relatórios policiais sobre a derradeira captura de Ted na Flórida nas primeiras horas do dia 15 de fevereiro de 1978, eu nunca estivera em Pensacola. No ano passado, fui convidada a ir até lá apresentar um seminário na Conferência Anual para Médicos-Legistas e Detetives do dr. Phil Levine.

Bem próxima da Costa do Golfo, geralmente no trajeto de furacões, Pensacola é uma cidade memorável tanto por suas tradições como por sua tecnologia. Suas velhas casas são interessantes, restauradas com carinho, e há elegantes lares com piscina onde vivem aposentados abastados. A antiga estação ferroviária de Pensacola agora faz parte de um hotel, e os suntuosos churrascos para os conferencistas visitantes são servidos em um salão que na verdade é um museu de lojas reconstruídas. Árvores e vegetação crescem densas e espessas no calor úmido. Acima, os Blue Angels disparam em sessões de treinamento depois de decolar de seu aeródromo na Base Aérea Naval de Pensacola.

Vinte e dois anos atrás, a atmosfera de Pensacola não foi de muito interesse para Ted Bundy. Ele estava apenas de passagem enquanto seguia para o oeste. Durante intervalos na conferência de Levine, diversos detetives de Pensacola me levaram em um passeio fascinante. Fui conduzida até onde Ted realizou sua última tentativa de fuga. Era uma área parcialmente residencial, a um quarteirão de distância da Interestadual 10, a principal rodovia que cruza de leste a oeste. Casas de madeira atarracadas com varandas cercadas por telas davam para os fundos de bares de música caipira e carcaças de carros abandonados. Havia quintais de terra com árvores retorcidas e gatos esqueléticos que passavam se esgueirando.

De todos os lugares aonde a obsessão de Ted o levara, aquela vizinhança provavelmente era a mais melancólica. Eu podia ver por que os moradores locais tinham censurado o policial David Lee quando o viram brigando com um homem no chão. A polícia não devia ser popular naquela vizinhança.

Fomos para a delegacia e meus guias apontaram para a entrada dos fundos, por onde o prisioneiro que disse ser "Kenneth Misner" havia entrado. Ted me telefonara daquele edifício muito tempo atrás. Foi estranho ver o lugar. Foi estranho estar em Pensacola, o último recanto em que ele esteve em liberdade. No centro de convenções, havia fotos do cadáver de Ted Bundy em um programa de computador desenvolvido para detetives. Ted alcançou o tipo de infâmia que faz dele um dos assuntos em quase qualquer conferência de investigação policial realizada, mas perdeu uma briga com um único policial, em uma antiquada cidade da Flórida que ele tinha a intenção de ver apenas no espelho retrovisor.

Muitas famílias das vítimas de Ted Bundy nunca chegaram a encontrar os restos mortais de suas filhas. De tempos em tempos, partes de esqueletos aparecem em áreas rurais, mas até hoje não houve nenhuma identificação positiva. Uma grande quantidade de esqueletos foi perdida por institutos médico-legais ao longo dos anos desde então, embora o valor de crânios e ossos como identificadores através de testes de DNA mitocondrial provavelmente garanta que isso não volte a acontecer. Os restos mortais de Janice Ott e Denise Naslund, as duas mulheres que desapareceram do Parque Estadual do Lago Sammamish no dia 14 de julho de 1974 foram perdidos para sempre quando o IML do condado de King foi realocado. Seus parentes entraram com processos, e o condado chegou a um acordo de mais ou menos 112 mil dólares por família.

A passagem dos anos vem desgastando os sobreviventes das vítimas de Ted. Muitos pais morreram, dentre eles Eleanore Rose, a mãe de Denise Naslund, que faleceu no início de 2000. Eleanore manteve o quarto de Denise exatamente como estava na manhã em que a filha saiu para um piquenique no lago Sammamish. Seus bichinhos de pelúcia ainda permaneciam sobre a cama e suas roupas estavam penduradas no armário. O carro de Denise continuou estacionado diante da casa de sua mãe.

Uma das maiores perguntas que permanece sem resposta é se Ted teve algum envolvimento no desaparecimento de Ann Marie Burr, que tinha oito anos no dia 31 de agosto de 1961. Ann Marie faria nove anos em dezembro e vivia em Tacoma, Washington, assim como Ted, que estava com quatorze anos na época e supostamente era o entregador de jornais dos Burr.

Os detetives que investigaram o desaparecimento de Ann Marie nunca concordaram se Bundy era um suspeito viável. Ele próprio negou qualquer culpabilidade e escreveu para os Burr em 1986. "Não sei o que aconteceu com a filha de vocês, Ann Marie. Não tive nada a ver com o seu desaparecimento. Vocês disseram que ela sumiu no dia 31 de agosto de 1961. Na época, eu era um garoto normal de quatorze anos. Não zanzava pelas ruas tarde da noite. Não roubava carros. Não tinha nenhum desejo, em absoluto, de machucar alguém. Eu era um garoto comum. Para o seu bem, vocês realmente precisam entender isso."

Existem, é claro, muitos indicadores de que Ted Bundy era qualquer coisa menos um garoto comum. Sua mãe, Louise, com 75 anos agora[1], insiste que não foi ele quem levou Ann Marie embora. "Nós éramos uma família tão unida", conta ela. "Ele estava morando em casa. Todas essas outras coisas aconteceram quando ele esteve longe." Louise Bundy acredita que Ted era baixo demais na época para ter conseguido forçar Ann Marie Burr para longe de sua família.

"Minha filha tinha uma personalidade forte", relembrou Donald Burr, pai de Ann Marie. "Você se sentia feliz só de estar perto dela. Ela era apenas uma garotinha comum."

No dia 30 de agosto, Ann Marie jantou com uma amiga que morava ali perto e foi convidada para dormir lá, mas sua mãe, Beverly, não lhe deu permissão. Naquela noite, os filhos dos Burr foram para a cama por volta das 20h30. Ann era a mais velha. Greg e Julie dormiam no porão com o cachorro, os pais no primeiro andar, e Ann e Mary no andar superior. Por volta das onze da noite, Ann levou Mary até os pais, no andar inferior, porque ela estava chorando e reclamando do gesso no braço, que a estava incomodando muito por conta da coceira.

As duas garotas voltaram para a cama. Às cinco da manhã, Beverly levantou e viu uma violenta tempestade de verão no lado de fora. Encontrou a janela da sala de estar aberta.

Ann havia desaparecido.

E continua desaparecida, apesar de buscas abrangentes, recompensas, apesar dos detetives escondidos no porão dos Burr durante mais de um mês, aguardando uma ligação pedindo resgate. Não saber o que tinha acontecido com sua filhinha de cabelo loiro-avermelhado foi uma tragédia cruel para os Burr. A própria casa onde moravam os lembrava que ela estava desaparecida. Após seis anos, eles se mudaram, mas sempre mantiveram o antigo número de telefone, no caso de ela ligar algum dia, ou de alguma outra pessoa ligar para falar sobre Ann Marie.

Certo dia, uma mulher chegou a telefonar, dizendo-lhes que era sua filha perdida. Ela se lembrava de certas coisas — um canário de estimação, lembranças vagas. Mas logo um teste de DNA eliminou quaisquer chances de ela ser Ann Marie.

Donald Burr tem certeza de que viu Ted Bundy na vala de um canteiro de obras no campus da Universidade de Puget Sound na manhã

---

[1] Louise Bundy faleceu aos 88 anos no dia 23 de dezembro de 2012 em Tacoma, Washington. [NE]

em que Ann Marie desapareceu. Ao longo dos anos, dezenas de pessoas me perguntaram sobre a conexão entre Ted e Ann Marie. A mais convincente talvez tenha sido a mulher que me mandou um e-mail insinuando que Ted, um aluno do nono ano, a levara para ver onde ele "tinha escondido um corpo" quando ela era uma criança curiosa. Ainda assim, a mulher se negou a ser mais específica.

Os Burr adotaram uma filha, Laura, e de algum modo seguiram com suas vidas sem Ann Marie — contudo, nunca tiveram um desfecho para sua busca. No dia 18 de setembro de 1999 eles realizaram uma missa na Igreja de St. Patrick, em Tacoma, um memorial para Ann Marie, que teria 47 anos caso estivesse viva. Centenas de pessoas apareceram para se lembrar da garotinha que parecia ter sido levada pelo vento. Os Burr usaram um tema para o memorial: borboletas. Borboletas significavam que Ann Marie estava em segurança e em liberdade, voando acima da terra, onde ninguém poderia pegá-la ou machucá-la.

Faz muito tempo. Bob Keppel e Roger Dunn, dois jovens detetives que investigaram os homicídios de Bundy em meados da década de 1970, estão aposentados agora. Dunn gerencia uma agência de investigação particular muito bem-sucedida. Bob Keppel é um renomado especialista em assassinato em série. Ele escreve livros, atua como testemunha especializada em casos similares e leciona uma disciplina de homicídios bastante popular na Universidade de Washington. Ele criou o Homicide Information Tracking Unit (HITS) [Unidade de Rastreamento de Informações de Homicídios, em tradução livre], um sistema de computador que conecta informações sobre homicídios, estupros, pessoas desaparecidas, predadores sexuais e outros crimes em Washington e no Oregon.

Os investigadores que perseguiram Ted Bundy aprenderam muitas coisas sobre o assassino sociopata sádico ao longo dos anos, e esse conhecimento pode muito bem salvar vítimas em potencial de assassinos em série que vieram depois de Bundy.

Se isso for verdade, essa pode ser a única coisa positiva que resultou de tantas tragédias e perdas.

Ann Rule
22 de abril de 2000

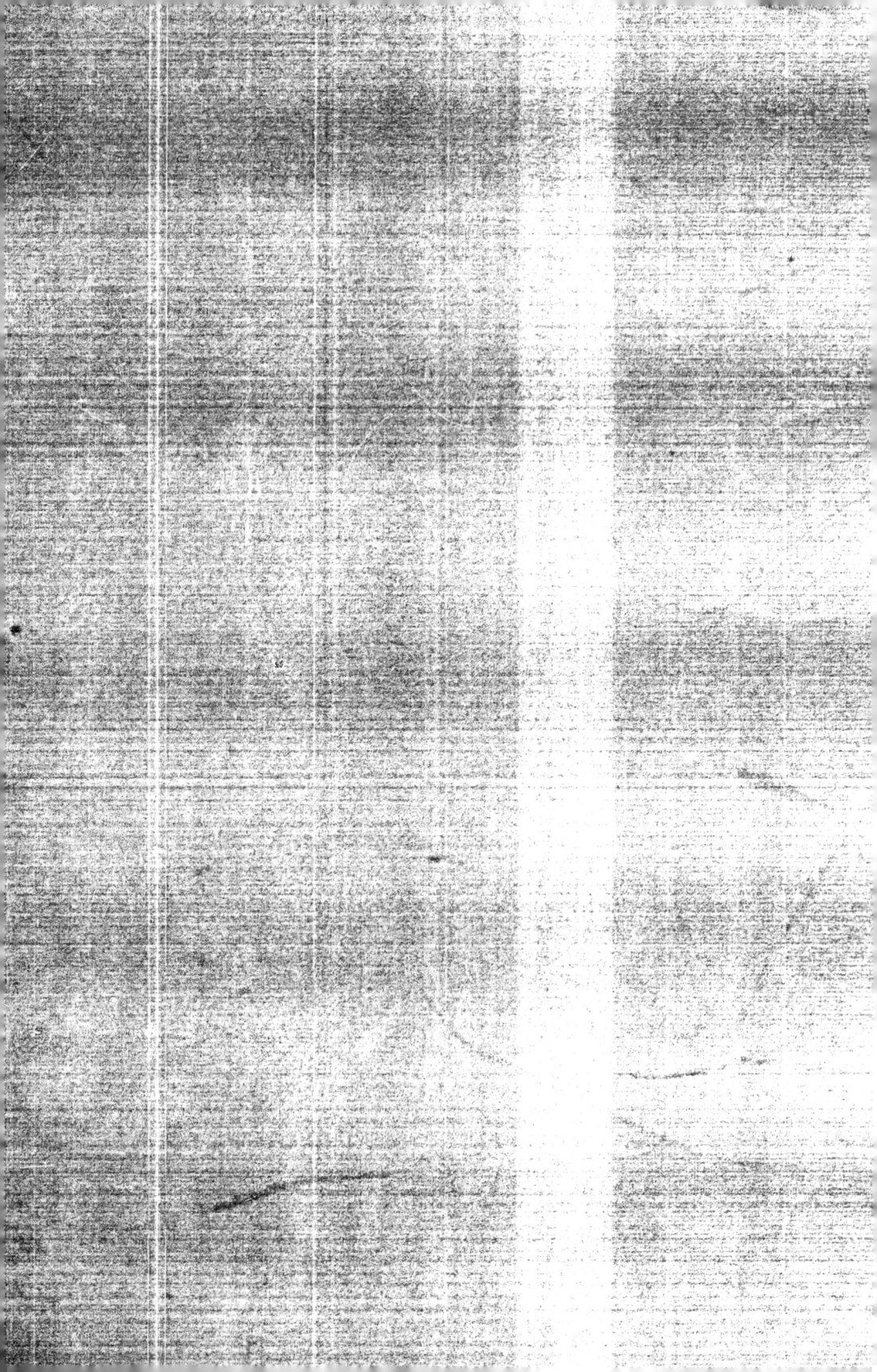

caso concluído

A RAINHA DO TRUE CRIME

ANN RULE (1931-2015) é considerada por muitos a principal escritora de *true crime* dos Estados Unidos, e a autora responsável pelo gênero como ele é hoje.

Quando passava as férias de verão com os avós, ela ajudava a preparar as refeições para os detentos da prisão, e costumava se perguntar por que pessoas que pareciam tão amigáveis estavam trancafiadas atrás das grades. Esse foi o começo da curiosidade que durou toda a sua vida sobre os "porquês" por trás do comportamento criminoso. Todos os seus 35 livros publicados exploram as várias facetas dos casos de primeira página que ela costumava cobrir.

Quando cresceu, Rule iniciou sua carreira com um sólido histórico na aplicação da lei e no sistema judiciário penal. Aos dezenove anos, foi estagiária na Escola de Treinamento para Garotas do Estado do Oregon, uma instituição correcional juvenil para jovens mulheres. Atuou como policial em Seattle e assistente social do Departamento de Serviço Social do estado de Washington.

Ann Rule frequentou todos os seminários que as agências policiais lhe convidaram, incluindo aqueles sobre crime organizado, incêndios criminosos, ameaças de bomba e DNA. Tinha trinta horas de crédito na Faculdade de Medicina da Universidade de Washington por sua presença na Conferência Nacional de Médicos-Legistas. Ela também frequentou a Escola Básica de Homicídios da Polícia do Condado de King e lecionou seminários para muitos grupos de agentes da lei. Era uma instrutora certificada, em muitos estados, de disciplinas como: assassinato em série, sociopatas sádicos, mulheres que matam e criminosos preeminentes. Ela esteve na força-tarefa do Departamento de Justiça dos Estados Unidos que estabeleceu o Programa de Apreensão de Crimes Violentos (VI-CAP), agora em prática na sede do FBI em Quantico, Virginia.

Era bacharel em Escrita Criativa pela Universidade de Washington, com cursos secundários em psicologia, criminologia e penologia. Completou cursos sobre investigação de cenas de crimes, administração policial, fotografia de cenas de crimes e prisão, busca e apreensão, e concluiu um mestrado em letras pela Universidade de Willamette.

De 1969 até o fim de sua vida se dedicou integralmente à carreira de escritora, publicando 35 livros e mais de mil reportagens. Os livros de Ann lidam com três áreas: as histórias das vítimas; os detetives e os promotores, e como eles solucionam os casos com trabalho policial das antigas e ciência forense moderna; e as vidas dos assassinos.

Oito de seus livros foram transformados em filmes para a TV. Ela ganhou o cobiçado Peabody Award em 1989 pela minissérie inspirada em *Small Sacrifices* e venceu dois Anthony Awards da Bouchercon, a organização de fãs de mistério. Foi indicada três vezes para o Edgar Awards da Associação de Escritores de Mistério dos Estados Unidos. Rule era ativa em grupos de apoio às vítimas de crimes violentos e suas famílias, em programas para ajudar mulheres espancadas e abusadas, e em grupos de apoio para crianças que se encontravam em situações traumáticas de vida.

Ann Rule faleceu de insuficiência cardíaca em 26 de julho de 2015, aos 83 anos. Saiba mais em authorannrule.com

CITAÇÃO P. 14.
PARAÍSO PERDIDO, DE JOHN MILTON
EDITORA 34, 2015. TRAD. DANIEL JONAS.

CRÉDITOS DE IMAGENS: © POLÍCIA DO CONDADO
DE SALT LAKE CITY [5]; ANN RULE [385];
BETTMANN/CORBIS [310, 402];
ASSOCIATED PRESS [342]; BILL FRAKES [475];
JERRY GAY [513, 574].

TED BUN

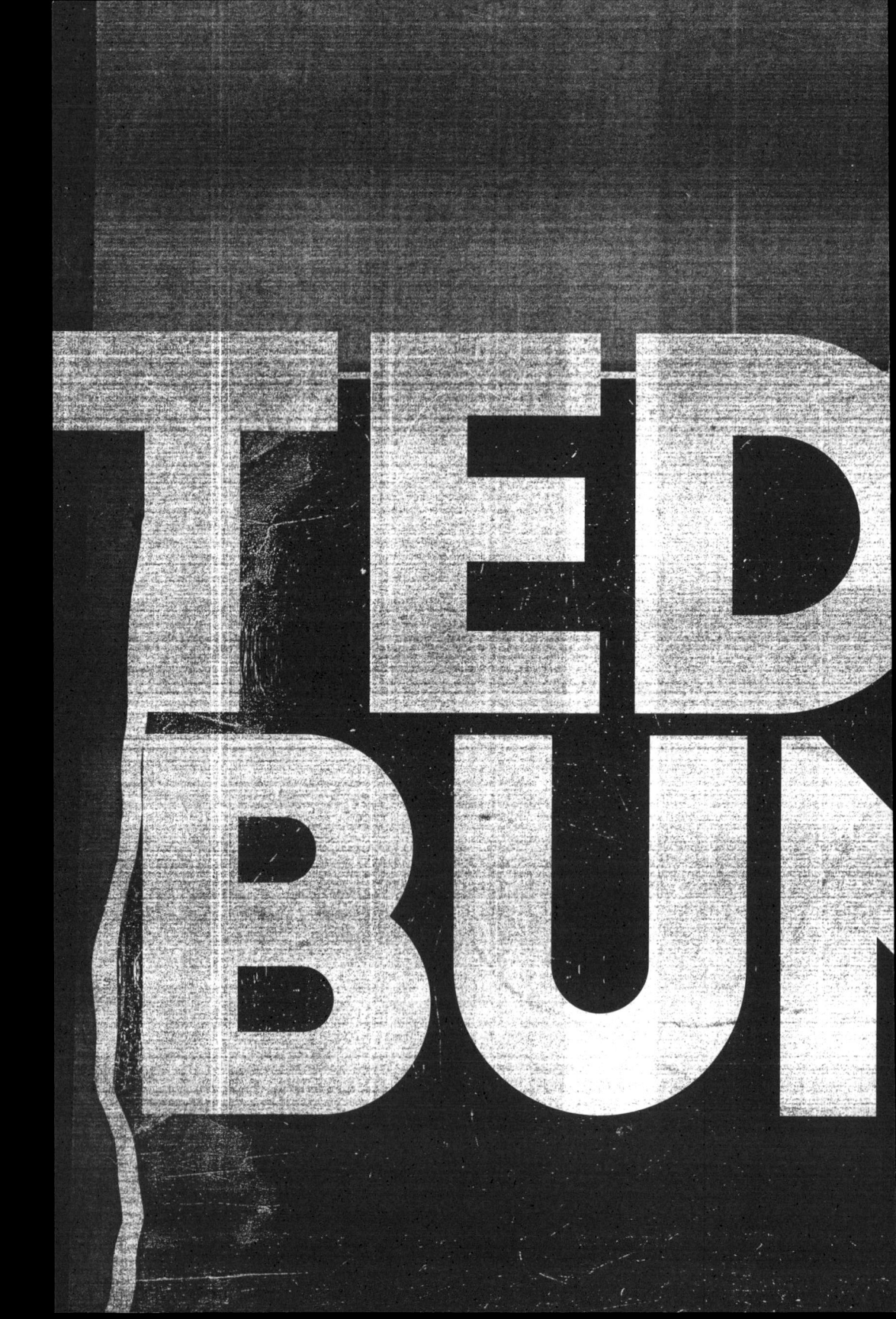

ANN RULE

PROFILE
profile

NDY

Theodore Bundy

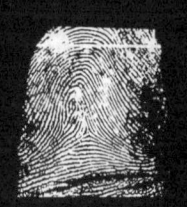

CRIME SCENE®
DARKSIDE

Me sinto letal, à beira da loucura.
Minha máscara de sanidade está prestes a cair.
— PSICOPATA AMERICANO —

DARKSIDEBOOKS.COM

MAR 2 1978

ANN RULE

DRK LOW NOISE LN **C60**

06.

A

SAKURA   F1

Theodore Bundy
02. **ARCHIVE FBI**

CM01363
CTEPEO
2

CRIME SCENE®
D A R K S I D E

Theodore
Theodore Bundy

Entered
NCIC
I. O. 4775
1-31-78

WAN
THEODO

January 31, 1978
MAR 2 1978   TOP TEN
ANTED BY FBI
THEODORE ROBERT BUNDY
FBI No. 251,163 P2

№ 137

K·60·6   **M3KI**   **Fe**

60
Identification Order 4775
January 31, 1978
TED
57 MAR 2 1978

ANN RULE

Aссофото
Ssofoto
КАССЕ